灌溉与水工建筑物

——理论、设计和实践

Iqbal Ali　著

张宝瑞　杨海燕　孙养俊　等译

黄河水利出版社

内容提要

本书是巴基斯坦水资源技术委员会委员，原拉合尔工程技术大学教授，现任卡拉奇工程技术大学教授的 Iqbal Ali 博士根据多年的科研及工程经验，为灌溉工程专业的学生、设计人员编写的一本内容全面的综合性参考书。全面介绍了巴基斯坦现代灌溉系统工程设计的经验，较完整地反映了其灌溉设计水平，论述的范围包括灌溉系统基本理论、设计原理和工程实践。从灌溉水源和基本水文原理开始，论述了灌溉系统中的水工建筑物以及灌溉系统与农田管理等内容。在书的最后一章，从环境影响角度讨论了水涝、盐碱化及其应对措施。

本书可供水利工作者特别是从事农田水利和节水灌溉的科研、规划设计、施工管理人员使用，也可供高等院校和中等专业学校农业和灌溉工程专业的学生使用。

图书在版编目(CIP)数据

灌溉与水工建筑物：理论、设计和实践/(巴基)阿里(Ali,I.)著；/张宝瑞等译.—郑州：黄河水利出版社，2006.2

书名原文：Irrigation and Hydraulic Structures：Theory，design and practice

ISBN 7-80734-023-1

Ⅰ.灌… Ⅱ.①阿… ②张… Ⅲ.灌溉系统-水工建筑物 Ⅳ.S274.2

中国版本图书馆 CIP 数据核字(2006)第 005852 号

出 版 社：黄河水利出版社

地址：河南省郑州市金水路 11 号　　邮政编码：450003

发行单位：黄河水利出版社

发行部电话：0371-66026940　　传真：0371-66022620

E-mail：yrcp@public.zz.ha.cn

承印单位：河南第二新华印刷厂

开本：787 mm×1 092 mm　1/16

印张：21

字数：485 千字　　印数：1—1 400

版次：2006 年 2 月第 1 版　　印次：2006 年 2 月第 1 次印刷

书号：ISBN 7-80734-023-1/S·76　　定价：49.00 元

著作权合同登记号：图字 16-2006-06

译　序

《灌溉与水工建筑物》是巴基斯坦水资源技术委员会委员，原拉合尔工程技术大学教授，现任卡拉奇工程技术大学教授，Iqbal Ali 博士根据多年的科研及工程经验，为灌溉工程专业的学生、设计人员编写的一本内容全面的综合性参考书。1993 年出版了第 1 版。2003 年对 1993 年版本重新进行修订，出版了第二版。本译本系根据新版本译出。

本书比较完整地反映了巴基斯坦现代灌溉系统工程设计的技术水平。论述的范围包括灌溉系统基本理论、设计原理和工程实践。从灌溉水源和基本水文原理开始，论述了灌溉系统中的水工建筑物以及灌溉系统与农田管理等内容。随着社会的进步、科学的发展，环境影响评价已引起人们一定的重视，所以在最后一章，从环境影响角度讨论了水涝、盐碱化及其应对措施。书中给出了大量专业术语的概念，提供了一系列设计数据、计算公式和图表，具有很强的实用性。本书可供水利工作者，特别是从事农田水利和节水灌溉的科研、规划设计、施工管理人员使用，也可供高等院校和中等专业学校农业和灌溉工程专业的学生使用。

本书由中水北方勘测设计研究有限责任公司组织翻译。各章译校者如下：第一、三、十一章由张宝瑞译；第二、四章由杨海燕译；第五、六章由马延臣译；第七、十二章由金宏安译；第八、十章由孙养俊译；第九章由林德金译。全书由尹子泽、杨科特、丁秀霞校译，由张宝瑞统稿，由杜雷功统一审定。本书在翻译过程中得到了各方面的大力支持和真诚帮助，在此一并表示最衷心的感谢。

由于水平有限，书中的缺点、疏漏和不妥之处在所难免，敬请读者批评指正。

译　者

2005 年 12 月 8 日

目　　录

1 绪 论

1.1 灌溉历史

利用水进行土地灌溉的历史可以追溯到人类文明开始的时候。目前,世界上仍然在使用的最古老的渠道在埃及。这条古老的渠道是于公元前 1900 年在先知约瑟夫主持下建成的,当时约瑟夫是法老中的一位大元老。这条渠道位于开罗以南 80mile 的一个叫 Medinet-el-Faiyum 的地方,至今还灌溉着这个地区葱郁的果林。该渠道开始于尼罗河,长约 200mile,Fellahin 人称之为约瑟夫(Joseph)渠。《可兰经》中有一些关于埃及国王拉姆西斯二世(Ramse Ⅱ)(公元前 1304-1237)继承渠道系统的描述。据说盛放幼年摩西的篮子就是经始于尼罗河的渠道漂到法老王宫皇家园林的。

埃及还号称拥有世界上最古老的水坝。这座古老的水坝长 355ft,高 40ft,大约建于5 000年以前,用于蓄水饮用和灌溉。这座由美尼斯(Menes)国王(公元前 3100)修建的水坝位于孟斐斯(Menphis)附近的尼罗河上。大约公元前 3300 年在尼罗河上引进使用的格田灌溉,在今天埃及的农业生产中仍然发挥着重要的作用。

伟大的穆斯林物理学家、数学家和天文学家 Alhazen(公元 965~1038)曾向埃及的哈里发哈吉姆(Caliph Hakim)提出在阿斯旺(Aswan)修建控制尼罗河的工程设计方案。然而由于缺乏专业技术知识,工程未能实施。据说最近建成的阿斯旺大坝就位于Alhazen首次建议的坝址附近。

大约公元前 1800 年,在美索不达米亚(Mesopotamia)国王汉穆拉比(Hammurabi)的一封信中包含有给当时负责 Lagesh 附近渠道工程的 Sid-Indiannam 人的命令:“召集沿 Damanum 渠道拥有土地的人,清理 Damanum 渠道,并在当月内完成 Damanum 渠道的开挖”。目前,这封信保存在大英博物馆中。

在《可兰经》中提到也门赛伯伊(Saba)王国繁华社区被摧毁的情况:“他们走开了,所以我们让大坝后的洪水降临在他们身上,并且将他们的果园换成长着苦果、柽柳和一些钝叶康达木的果园”。

上面提到的大坝为 Sadde Marib 坝(Marib 大坝)。该坝建于公元前 800 年,距 Marib 的首府城市 3mile,位于 Sana 以东 60mile 的地方。建这座大坝是为了拦截两山之间峡谷中的河水。据说这座大坝长 150ft,宽 50ft,设有 30 孔泄洪闸。水流首先汇集到下游的 1 个水池中,左、右岸渠道,该水池设有 2 个泄水闸门。灌区面积大约为 300mile^2。在原大坝上游 3mile 的地方修建了 1 座新 Marib 大坝,这座大坝已于 1986 年由也门政府投入运行。

暗渠为拦截地下水的地下隧洞。地下水向下流向隧洞,然后汇集起来,被输送到田间。现在还没有确定暗渠建筑的起源。第一个用于灌溉的暗渠系统是于公元前 500 年由埃及海军上将 Scylax 建造的。Scylax 上将建造了 1 个贯穿砂岩地层,可灌溉1 800mile^2

肥沃土地的范围广阔的暗渠系统。为了庆祝这个伟大工程的建成，埃及人在底比斯(Thebes)建了1座亚蒙神神庙，并且官方首次承认他们的征服者大流士一世(Darius I)为埃及法老。在过去这些世纪中，这些暗渠的出口都被堵塞了，而那些仍然流淌着的暗渠直到最近都被认为是泉水。然而，对古代铭文的翻译和探索已经揭开了暗渠的真正起源。据悉这些暗渠灌溉系统在连绵起伏的沙漠下向东延伸达100mile，以截取来自尼罗河的地下渗水。

德黑兰暗渠已有250多年的历史。在伊朗马赞达兰(Mazandran)省建有1条位于地表以下42ft的暗渠。暗渠长10 500ft，每英里大约设有60口竖井。伊朗具有很古老的暗渠建造技术，而那些建造暗渠的人被称为穆卡尼(Mukanni)。

在斯里兰卡也有很古老的灌溉系统。世界上最古老的土坝之一，斯里兰卡帕达维尔(Padavil)坝建于公元前505年，该坝为1个池塘灌溉系统的一部分。历史学家特内(Tennet)曾对帕达维尔(Padavil)土坝做过描述。该坝长11mile，底宽200ft，顶宽30ft，坝高70ft，上游坝面采用砌石防护。

中国的灌溉历史与其文化一样历史悠久。著名的都江堰由春秋战国时期李冰父子修建，至今仍然发挥着作用，滋润着近50万acre的水稻田。

印度恒河平原也有令其自豪的古代灌溉系统。在Harappa，Moenjodaro和Kot Dijji的考古发掘中发现了以某种灌溉系统为基础的先进文化。在南亚次大陆的有记载历史中，灌溉可以追溯到公元8世纪，当时穆斯林统治者在征收土地税时将土地分为灌溉土地和非灌溉土地。

现存的别具匠心的西Jamuna灌渠系统被认为是在Feroze Shah Tughlaq最初修建的灌溉系统基础上建成的。在Shah Jahan统治时期，工程师Alie Mardan Khan是旁遮普省的总督，他修建了Hasli渠。这条渠道起始于Ravi河，而Ravi河则成为现在的上巴利Doab灌渠的核心部分。

在被英国人控制的19世纪中叶，巴基斯坦境内只有很少的漫灌渠道，灌溉面积大约为20万acre。到了19世纪末，每条河流上都开发了很多独立的漫灌系统，总灌溉面积增加到360万acre，而漫灌渠道的总长度达到了4 340mile。在19世纪末，人们又试图修建堰坝控制的灌溉系统。当这些灌溉系统竣工时，漫灌系统就被融进了许多常年灌溉系统方案中。现在所有灌溉系统的补给水源都来自喀布尔河上的Warsak蓄水坝、吉拉姆河上的曼格拉蓄水坝、印度河上的塔贝拉蓄水坝以及17个分水闸和首部工程。巴基斯坦的常年灌溉系统居世界第三，灌溉面积约3 500万acre，灌渠总长度43 000mile，灌溉流量为230 000ft^3/s，见图1-1。除此之外，在20世纪60年代还修建了庞大的渠道连接系统，将印度河、吉拉姆河和Chenab等西部河流的河水调到以前由东部的Beas、Sutlej和Ravi河流供水的渠道中。一共有25座小坝灌溉0.05×10^6acre土地，另外还有26.4万口管井，向渠道中补水37×10^6acre·ft，以保证在旱季有充足的水源。

1.2 定　义

灌溉是一门在降雨不充沛的地区通过人工的方法将水输送到土地上，满足庄稼对水的需求的科学。除了为庄稼提供水分以有助于农作物的生长外，灌溉还具有如下作用：

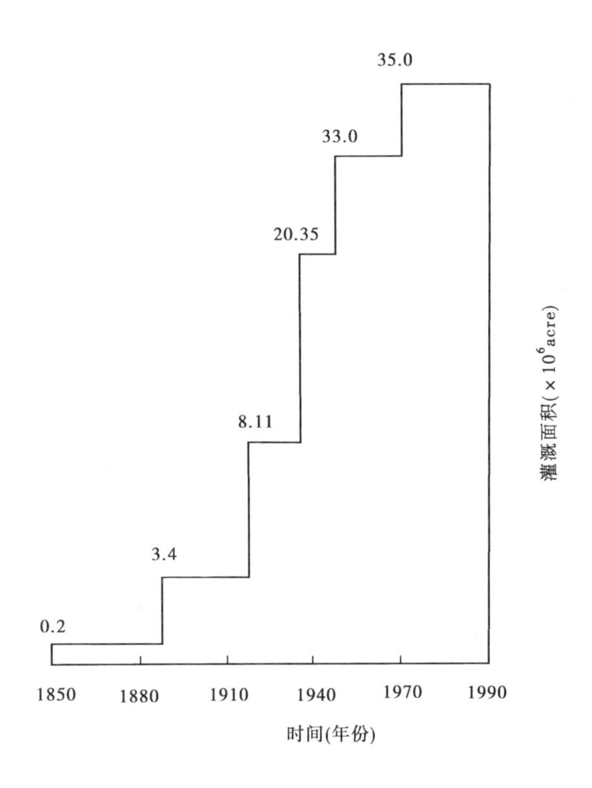

图 1-1　巴基斯坦灌区面积统计图

表 1-1 给出了 20 世纪世界范围内灌溉发展的历程。

表 1-1　各大洲灌溉面积　$\times 10^6$arce

洲名	1900 年	1940 年	1950 年	1960 年	1970 年	1985 年	2000 年
欧洲	8.60	19.80	24.70	37.10	51.87	74.10	111.20
亚洲	74.10	123.50	160.50	333.50	419.90	543.40	74.10
非洲	6.20	9.90	12.35	17.30	22.23	29.60	44.56
北美洲	9.90	22.20	32.10	42.00	61.75	79.00	86.50
南美洲	1.20	3.70	7.40	12.00	17.29	24.70	37.10
大洋洲	0	0.70	1.24	2.50	3.95	5.40	7.40

注:表中数字精确到小数点后第 2 位。

(1)冷却土壤和空气,为庄稼生长创造有利环境;

(2)稀释或冲走土壤中有害的盐分;

(3)减小土壤的管涌危害。

灌溉工程包括以下 4 个阶段:

(1)蓄水或分水;

(2)灌溉水输送;

(3)灌溉水的分配和使用;

(4)多余水的排出。

降雨量等气候条件是确定是否需要灌溉的基本因素。对年平均降雨量小于15in的干旱地区,灌溉系统是必需的,而对于年平均降雨量在15～30in之间的半干旱地区,修建灌溉系统是比较合适的,对年平均降雨大于30in的湿润地区,有灌溉系统则是有利的。我们要牢记在心的一点是,如果在农作物生长期发生短期的干旱,在挽救农作物时,灌溉系统可能会变得非常必要。这种情况存在于孟加拉国,那里年平均降雨量很高,但是在农作物的生长期内会发生干旱。

1.3 范 围

在这个"人口爆炸"、人类需要更多食物的世界,灌溉科学变成了一门生存科学。地球上的大部分地区都位于干旱地区,即使位于湿润地区,降雨量分布也可能不平衡。只有通过人工灌溉才能耕种大面积的可耕种土地。

由于几乎整个中东地区以及印－巴次大陆的大部分地区都位于缺乏降雨的干旱地区,因而科学灌溉和灌溉工程就成为这些地区人类生存的必须手段。在巴基斯坦印度河、印度恒河、伊拉克幼发拉底河、阿富汗和伊朗的Helmend河、埃及尼罗河和约旦的约旦河冲积平原,灌溉工程包括河道整治工程和建在透水基础上的称为分水闸的引水建筑物。这些建筑物的主要作用就是抬高水位,并常年保持这一水位,增加灌溉面积。在冲积平原上建蓄水坝是不可能的,但是在河流上游山区适合建坝的地方则可以建坝。通过在平原上修建分水闸,在河系上进行蓄水调节,可以保证干旱季节灌区的用水。

冲积平原上的灌溉系统为自流系统,水流通过灌溉渠道从引水坝流到灌区。在印度河平原已经建成了流量达15 000ft^3/s的大型灌溉渠道,其中大部分为无衬砌渠道。如此规模的无衬砌渠道,无论对设计者还是建造者都是一个挑战。即使是在第一条无衬砌渠道设计成功100多年后的今天,为找到稳定的无衬砌断面,还在继续进行相关的研究。

自流灌溉系统包括渠道跌水建筑物、渡槽、渠道、渠首工程、桥梁、量水槽、排沙设施和出水口等水工建筑物。

一旦灌溉水从出水口流向田间,则灌溉和农业工程师就必须掌握灌溉方法方面的知识。灌溉方法很多,主要包括洪水控制、畦灌、沟灌、格田灌溉,如果没有能源限制的话,还包括喷灌和滴灌系统。除了需要掌握上述灌溉方法方面的知识外,还需要掌握农作物、农作物生长季节、耗水量、土壤类型、化肥和天然肥料,以及废料、土壤和农作物之间相互作用方面的知识。排水是灌溉系统中的最后一环,目的是排出作物根区多余的水分。可以使用排水明渠、瓦管排水沟或者管井来排水。管井具有双重作用:一是能够降低地下水位,二是增加灌溉供水量。印度河平原上的庞大灌溉系统灌溉效率很低,这是对灌溉科学研究提出的巨大挑战,同时也提出了灌溉研究的范围。灌溉效率低的情况也存在于埃及、印度、伊拉克等其他国家的灌溉系统中。工程师们用了50年的时间才能成功地在透水土壤上设计和修建安全的分水闸。以前根据不正确的基础理论修建的大多数建筑物都被冲毁了。E.W Lane收集了大约200座引水坝和堰失事的案例,这些建筑物的失事原因是设计人员没有完全理解天然地基中的水流现象,并且根据错误的假设进行了设计。这仅仅是我们在灌溉工程中会遇到的许多问题的一个示例,所有这些问题只有通过合理的分析和人类的智慧才能解决。

习题

1. 解释名词“灌溉”,并写一篇关于灌溉对环境影响的短文。
2. 巴基斯坦独立后建有哪些主要的灌溉工程?
3. 写一篇关于巴基斯坦灌溉系统发展史的短文。
4. 世界上有哪些主要河流在很早就修建了灌溉系统?
5. 简要论述无衬砌灌溉系统的利弊。
6. 比较自流灌溉和喷灌或滴灌系统。
7. 评论“印度河平原的泛灌系统被融进了许多常年灌溉系统方案中”这句话。

参考文献

[1] Keller W. The Bible as History. Hodder and Stoughton, London, 1961.
[2] Houk I E. Irrigation Engineering. Vol. I, John Wiley and Sons, New York, 1951.
[3] Hansen V E, Israelsen O W, Stringham G E. Irrigation Principles and Practices, 4th edition. John Wiley and Sons, New York, 1979.
[4] West Pakistan Engineering Congress. A Hundred Years of P.W.D., Lahore, 1963.
[5] Duryabadi A M. Translation and Commentary of Holy Quran. Vol. II, Taj Company Ltd., Karachi, 1957.
[6] Rehman M H. Qasasul Quran. Nadwatul Mussanifeen Delhi, 1961.
[7] Encyclopedia Britannica. Vol. XIX, 1962.
[8] Planning Commission. The Sixth FiveYear Plan. 1983~1988. Government of Pakistan, Islamabad, 1983.
[9] Framji K K, Garg B C, Luthra S D L. Irrigation and Drainage in the World. International Commissionon Irrigation & Drainage New Delhi, 3rd Edition. 1982.
[10] Planning Commission. The Seventh Five Year Plan 1988 ~ 1993. Government of Pakistan Islamabad, 1988.

2 灌溉水资源

2.1 前　言

只有在了解了补给水源的情况下才能进行灌溉工程的建设。对有效灌溉水的正确评估是灌溉工程建设成功的前提条件。首先要评估水质和水量，然后再确定其用于灌溉的适宜性。除了农作物要求外，还要估算最大洪水流量，以保证水工设计的安全。本章对上述内容作了较为详细的介绍。虽然水文不在本书讨论范围之内，但是在本章末尾还是介绍了一些基本的水文概念和单位水文过程线法。

2.2 水资源

农业灌溉用水主要有3个来源，农作物区的降水、河流和蓄水池中的地表水、地下含水层中可利用的地下水。正常情况下自然降水只能维持很低水平的农业生产，在巴基斯坦半干旱的情况下更是如此。

在巴基斯坦乃至整个世界，灌溉水资源都在不断地减少。在下面的内容中将较详细地讨论巴基斯坦年水量平衡和从雨水、地表水及地下水中获取的可利用的灌溉水量，首先我们简要地看一下全球水资源情况。表2-1给出了全球淡水和咸水的分布情况。地球表面70%的面积被水覆盖，估计总水量为11.0×10^{13} acre·ft（1 360×10^{6} km^3），其中将近97.5%的水为咸水（97.2%为海洋水，0.3%为地下水），2.5%为淡水（0.31%为地下水）。

表2-1　　全球淡水和咸水情况统计表

<table>
<tr><th colspan="2">位置</th><th>水量（×10^6m^3）</th><th>水量（×10^6acre·ft）</th><th>占总水量的百分比（%）</th></tr>
<tr><td rowspan="7">淡水</td><td>冰川和冰盖</td><td>29.178 0</td><td>23.634×10^6</td><td>2.150 0</td></tr>
<tr><td>地下</td><td>4.168 0</td><td>33.761×10^5</td><td>0.310 0</td></tr>
<tr><td>土壤</td><td>0.667 0</td><td>54.027×10^4</td><td>0.005 0</td></tr>
<tr><td>大气水</td><td>0.013 0</td><td>10.530×10^3</td><td>0.001 0</td></tr>
<tr><td>淡水湖</td><td>0.125 0</td><td>10.125×10^4</td><td>0.009 0</td></tr>
<tr><td>河流（平均）</td><td>0.001 2</td><td>97.20×10^2</td><td>0.000 1</td></tr>
<tr><td>合计</td><td>34.152 2</td><td>27.671 87×10^6</td><td>2.475 1</td></tr>
<tr><td rowspan="2">咸水</td><td>合计咸水量（海洋水＋地下水＋湖泊水）</td><td>1 325.614 2</td><td>107.375×10^7</td><td>97.524 9</td></tr>
<tr><td>总计</td><td>1 359.766 2</td><td>110.131×10^7</td><td>100%</td></tr>
</table>

可利用淡水量的详细分解情况如图2-1所示。

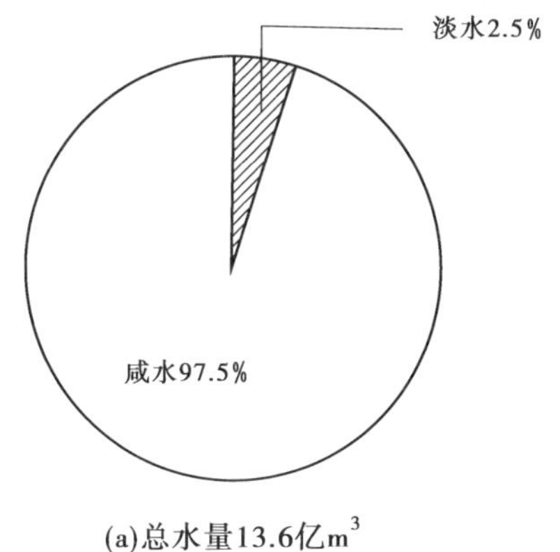

(a)总水量13.6亿m^3

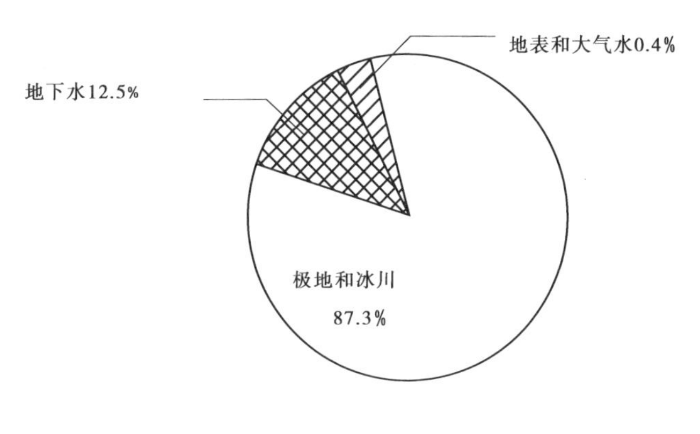

(b)淡水0.335亿m^3

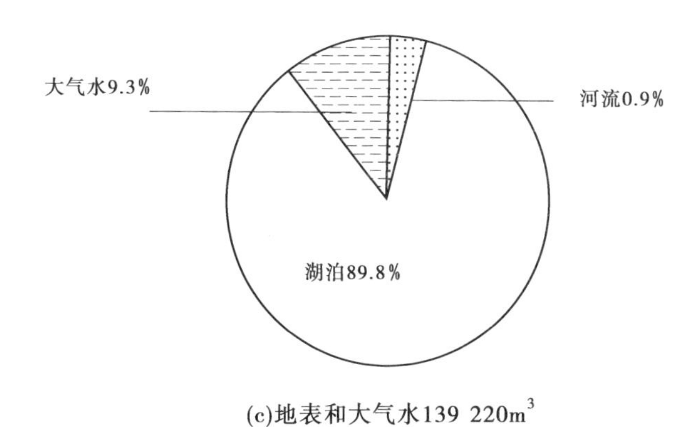

(c)地表和大气水139 220m^3

图 2-1　淡水量分解图

图 2-1 中的(c)所示为地表淡水的详细分解情况。地表水和浅层地下水都是未来人类生存的最重要的水资源,其中深层地下水是不可再生的,而地表水和浅层地下水是可再生的。

水资源的可再生部分大约为40 500×10^6acre·ft(50 000km^3),这一部分水常常从海洋

(86%)和陆地(14%)上蒸发,然后以降水(主要为降雨)的形式回到地球上。其中,大约有 31 590×10^6acre·ft(390 000km^3)落到了海洋中,而8 910×10^6acre·ft(110 000km^3)则落到了陆地上。每年陆地上来自海洋的雨水量为3 240×10^6acre·ft(40 000km^3)(1km^3=0.81×10^6acre·ft,1Mkm^3=810 000×10^6acre·ft)。

然而实际可使用的水量为1 148×10^6acre·ft/a(14 170km^3/a),到 1972 年时,人类实际能够控制的水量只有2 430×10^6acre·ft/a(30 000km^3/a),而其余部分要经过适当的处理,支出大量的费用使用一定的能源和先进技术才能开发使用。图 2-2 所示为目前巴基斯坦年水量平衡图。

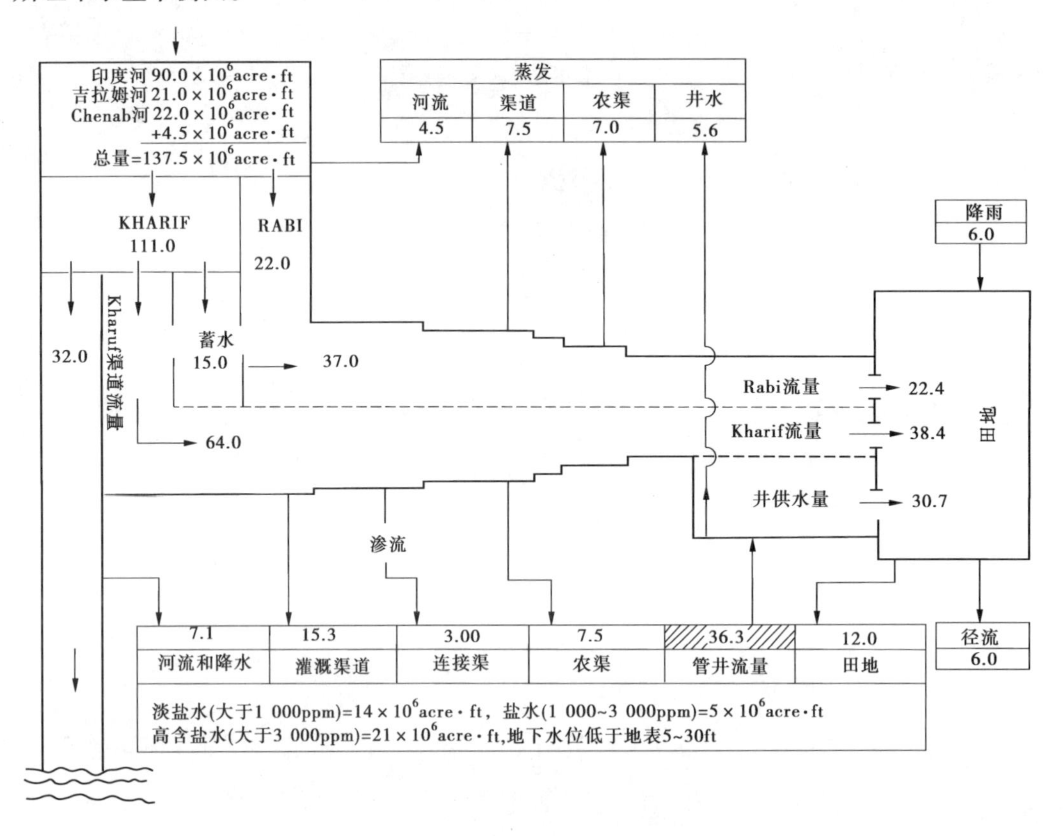

图 2-2 巴基斯坦水量平衡图

灌溉水主要有 3 个来源,即①直接降雨和融雪;②地表水(主要为河流);③地下水(淡水)。

2.3 降 雨

降雨发生在农作物区可以直接用于灌溉,或者通过增加河流的径流,间接地用于灌溉。可以通过在下游修建挡水堰、分水闸或挡水坝等建筑物拦蓄径流水,或者补充地下含水层。这里我们先将注意力集中在第一点,然后再考虑第二点。适时的直接降雨对作物的生长最为有利,但不幸的是作为灌溉水源的雨水是不可靠的。降雨有年际变化,而且可能会有不降雨的情况。每一年中,甚至是同一个季节中降雨分布都不规则。特别是在巴基斯坦，降雨常常发生在温度高、蒸发损失大的夏季，而且由于常常是暴雨，所以径流很大。虽然直接降雨有这些缺点，但它对农业发展仍然有很大的促进作用，因此无论降雨量多少，降雨都是必要的。进一步说，渠道中可利用水量最终要取决于所降雨雪量。在巴基斯坦，由于季风雨在秋季作物（4～9月）收割后并在春季作物（10月～次年3月）播种之前大约于10月/11月就结束了，所以对于那些没有渠道和完善灌溉系统的旱作物地区只能依赖降雨来促进春季作物的生长，而在渠道灌区，雨水则补充了灌溉水。

巴基斯坦年平均降雨量分布不均，在印度河下游部分地区，平均年降雨量小于4in，而在北部山麓平均年降雨量大于30in。在这些年降雨中，只有一小部分可用于灌溉或直接补给灌溉水。根据世界银行的咨询报告，这一数字在1～17in之间，其余的降雨则变成了地表径流或地下水，而还有一些则蒸发损失了。估计目前每年直接用于农作物灌溉的降雨量为6×10^6acre·ft。

2.4 地表水

在干燥的月份，融雪给河流增加了大量的水。地表积雪所提供的蓄水量比任何人工水库的蓄水量要大得多，因为1ft积雪含有1～4in的水。降雪通常在山区很大范围内发生，这样就形成了一个地表水库。在夏季，地表水库中的水被释放出来。对灌溉工程师来说，弄清楚这么大量的水在什么时候，以多快的速度释放出来是非常重要的。在巴基斯坦，河流将北部山区的融雪和雨水输送到下游平原，灌溉那里的土地。从3月中旬～7月中旬（这时季风雨间歇），河道水流主要来自融雪；从7月中旬～9月底，雨水补充到河道水流中。

如图2-3所示，不同的河流有其各自的特点，但是所有的河流在7月或8月都会涨水。从11月～次年2月河水流量很小，大约占夏季流量的10%。巴基斯坦总的年平均河水流量为133×10^6acre·ft（1962～1982年间的平均数）。其中，大约有32×10^6acre·ft流入大海，一些由于蒸发而损失，还有一些渗入到了地下含水层中。在巴基斯坦印度河平原上总的灌区（CCA）面积为39.60×10^6acre。如果要达到120%的灌溉强度就需要常年供水约202×10^6acre·ft。很明显，即使是使用了所有的地表径流水也不能满足灌区（CCA）的用水要求。事实上，在这39.6×10^6acre灌区中只有25×10^6acre用地表水灌溉。其余部分主要位于印度河下游平原，被作为可耕种荒地。

从这些实际情况可以很明显地看出，对地表水的任何进一步开发都必须通过蓄水系统将夏季大量的河水拦蓄起来以便冬季使用。虽然在巴基斯坦建水库坝址条件相对较差，但是大坝仍然很重要。例如在印度河上的塔贝拉（Tarbela）大坝，尽管坝址条件较差，并存在问题，但还是于1975年建成了。其水库在稳定灌溉供水方面起了重大的作用。在塔贝拉（Tarbela）大坝下游100mile处拟建的Kalabagh大坝将会进一步使灌溉供水更加稳定。

2.5 地下水

地下水是仅次于降雨和地表水的重要灌溉水源。在山区，以泉水、自流井等形式出现的水源可能是当地仅有的水源。在很干燥多沙的地区也是这样，那里没有地表水，而降雨又很突然和不合时机，惟一的水源就是地下水。这些地区使用渗水廊道和地下隧洞截取

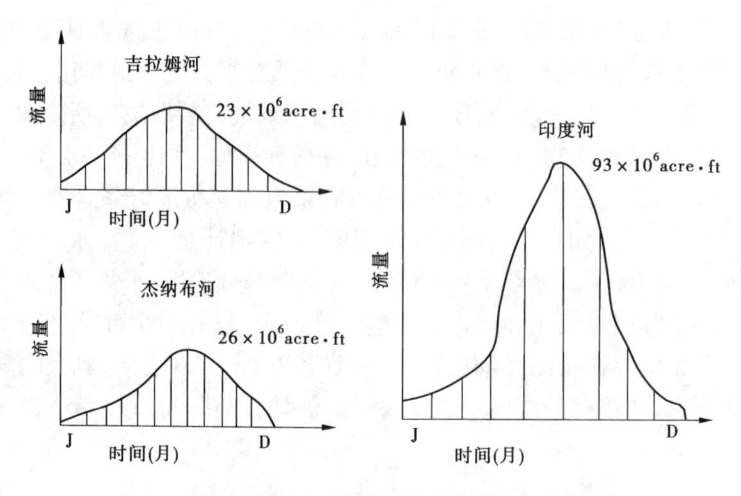

图 2-3　印度河、杰纳布河和吉拉姆河水位过程线

地下水。在常流河流经冲积层时,地下水可能会以明井或管井的形式出现。

开凿管井使用地下水看起来是一个直接而又迅速地满足灌溉用水的方法,但是,不是所有的地下水都适于灌溉。在一些地区水质可能有问题,需要在开发地下水之前对其进行详细的勘察。总体来说,由于地下水常常含有大量的不适于灌溉的盐分,所以地下水的利用不及地表水。

印度河平原由比较深的冲积层构成,这一冲积层又构成了一个 40×10^6acre 的广阔的地下含水层。在没有人工渠道系统时,估计地下水补给量为每年 10×10^6acre·ft,在北方地区主要通过各种形式的出流达到平衡。经过世纪之交大规模人工渠道系统的施工,目前地下水补给量估计为 41.9×10^6acre·ft。表 2-2 和表 2-3 中所示为其详细情况。

表 2-2　　**巴基斯坦地下水补给评估表**(Nazir Ahmed)　　$\times10^6$acre·ft

地下水		北方地区	南方地区	合计
可用地下水:	雨水补给	2.3	0.2	2.5
	河流补给	1.9	1.2	3.1
	渠道渗流	16.8	7.4	24.2
	农渠渗流	3.1	1.3	4.4
	田地入渗	8.5	3.5	12.0
小计		32.6	13.6	46.2
不可用地下水		3.5	14.3	17.8
总计		36.1	27.9	64.0

由于地下水的大量补给,渠道灌区有几乎一半的地方地下水位已经上升到离地表不足 10ft 的地方,而在 13%的渠道灌区,地下水位已经离地表不足 5ft。结果在季风雨前(6月)造成 5.2×10^6acre 水浸地,在季风雨后,即 10 月份,水浸地上升至 12.4×10^6acre。但是,这提供了大量的可开采用来灌溉的地下水。印度河平原形成了主要的地下水库,而其

他地方只有一些独立的零散的含水层,不适于管井开采。Bannu盆地、Warsak-白沙瓦地区和Potwar高原有一些地下水,正通过公共和私人管井开采。

表2-3　地下水抽取(规划委员会)　$\times10^{6}$acre·ft

管井类型	每年地下淡水抽取量
公共设施灌溉管井(1 569)	0.6
私人管井(181 200)	26.3
陡坡管井(12 608)	9.4
明井	1.0
总计	37.3

很明显,进一步开采地下水可解决巴基斯坦地表水不足的问题。个人可以单独开采地下水,产生效果快,无需太多的启动资金,而地表水源的开发则不但需要修建巨大的工程,还需要投入大量的资金。

2.6　水　质

由于有些水可能含有对农作物生长有害的盐分,而不适用于农作物灌溉。因此,在灌溉前需要确定水源是否适于灌溉。

直接发生在农作物区的降雨提供的水源最为纯净,其次是地表水。但是河水或水库中的地表水在流经一些含盐的地区时可能会吸收某些盐分。而对于地下水来说,水中含有盐分的问题则更加严重。地下含水层是由地表水或者降雨渗透作用而产生的,而渗透水在经过各种地层时可能会携带溶于水中的盐分。

2.7　水质表示法

2.7.1　电导率法(*EC*)

纯净无杂质的水是不导电的。纯净水电离时每升水中的离子可达10^{-14}g。水中溶解的盐分的电离使水成为较好的导体,所以随着水中溶解盐分的增加,水的导电性也随之增加。盐度与导电率之间的关系为线性关系(见图2-4)。盐度用单位体积水的电导率表示,即为*EC*,单位为Ω/cm(假设横断面面积为$1cm^2$)。由于水的导电率很小,正常使用的单位为mΩ/cm(1Ω/cm的1/1 000),或者μΩ/cm(1Ω/cm的1/1 000 000)。

2.7.2　离子浓度法

如果电流经过含盐的水,比如氯化钠溶液两边的正负电极时,钠离子(正离子)被吸引到负极(连接到电池的负极),氯离子则被吸引到正极。被吸附到负极上的为阳离子,即钠离子,而附着到正极上的离子为负离子,即氯离子。钙、钠、钾、镁和氢均为正离子。表2-4中给出了水中常见的正、负离子的当量。

溶液中盐分、正离子和负离子的浓度可以用1L溶液中当量的1/1 000,即,每升毫克当量(meq/L)表示。例如,如果说钙浓度为10meq/L,就是说在1L溶液中存在$10/1\,000\times20.04=0.200\,4g=200.4$mg的钙。

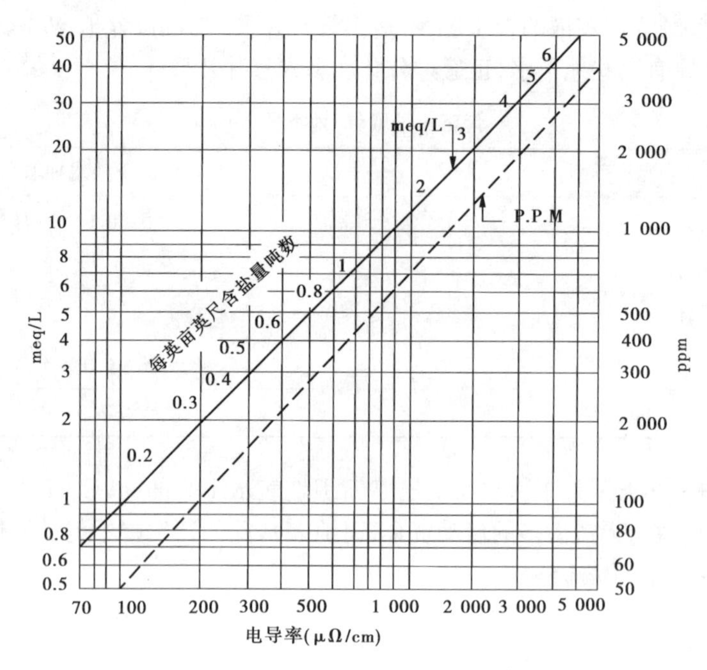

图 2-4　盐度和电导率之间关系

表 2-4　　水中常见的正、负离子

离子		分子克当量
正离子	钙(Ca^{2+})	20.04
	镁(Mg^{2+})	12.16
	钠(Na^{2+})	23.00
	钾(K^{+})	39.10
负离子	碳酸盐(CO_3^{2-})	30.00
	碳酸氢盐(HCO_3^{-})	61.01
	硫酸盐(SO_4^{2-})	48.03
	氯(Cl^{-})	35.46

2.7.3　**ppm 法**

ppm(每一百万份溶液中盐分所占的份数)给出了一定重量溶液中盐分的含量。如果溶液的比重取为1,很明显 meq/L 等于百万分含量(1L 等于1 000g)。对于灌溉来说,水中盐的含量还表达为每英亩英尺水中含有多少吨盐分。图 2-5 给出了电导率(EC)、毫克当量/升(meq/L)和百万分含量(ppm)之间的内在关系(600ppm = 1 000μΩ/cm,5meq/L = 500μΩ/cm)。

2.8　盐度及其在灌溉水中的限度

表 2-4 中已经列出了影响灌溉水的主要盐分,水中可能存在的其他盐分有铝、硼、硅和硫化物。根据水中氢离子的含量的不同,水可能呈酸性或碱性。水也可能为软水或硬水,对灌溉来说虽然硬水比软水更有利,但是这一点与其在日用和工业方面的影响相比并

不是很重要。

在植物中已经发现大约有90种元素，但是只有20种元素对植物的生长有作用。

(1)常量营养元素：氮、磷、钾(主要的)和钙、镁、硫(次要的)由土壤和肥料提供。

(2)微量营养元素：碳、氢、氧(由水和空气提供)和铁、锌、锰、硼、铜、钼(由土壤提供)。

上述(2)中所列的微量元素如果超过一定的安全限度就会损害植物的生长，降低产量。例如过量的钠对植物生长有害，还会产生化学反应，降低土壤的透水性。过量的钾也会产生同过量钠一样的效果。另一方面，过量的钙和镁不会对植物产生损害，而是可改善土壤的透水性。过量的氮能使水果长得很大，但是却又使水果食而无味。

表2-4所列的4种负离子中，氯和硫酸盐对植物生长有害，且氯比硫酸盐危害更大。含有氮、碳酸氢钙和碳酸氢镁的水对灌溉有利，而含有氯化钠和硫酸钠的水则是不利的。关于总含盐量，表2-5给出了令人信服的正确观点。此表以Schofield命名，是在总含盐量、钠含量百分比，和氯与硫酸盐的meq/L的基础上建立的。

表2-5 **灌溉水质量**(Schofield)

水质分类	总溶解盐量			浓度(meq/L)	
	$EC\times10^{-5}$	ppm	钠%	氯	硫酸盐
优质水	25	175	20	4	4
好	25～75	175～525	20～40	4～7	4～7
可允许	75～200	525～1 400	40～60	7～12	7～12
可疑	200～300	100～2 100	60～80	12～20	12～20
不合适水	300	2 100	80	20	20

由于氯比硫酸盐更有害，因此一些作者对其提出了比硫酸盐稍微低一些的允许含量限度。Christiansen等人(见表2-6)为灌溉水制定了另一个准则，除了表2-5中的参数外还包括可交换钠离子、碳酸钠、SAR和硼。表2-6定为1类的水为优质水，而6类水为在任何处理和排水条件下都不可用于农业的水。灌溉水的使用在很大程度上还取决于农作物的类型。枣椰树(耐盐)所使用的水含盐量可高达3 000ppm，而对柠檬树或桔树则不能使用。椰树和双稃草则能够在和海水一样的水中生长(30 000～34 000ppm)。

表2-6 **灌溉水水质**(Christiansen)

等级	电导率 EC (μΩ/cm)	Na^+ (%)	SAR	Na_2CO_3 (meq/L)	Cl^- (meq/L)	ES	硼 (mg/L)	TDS (ppm)
1	500	40	3	0.5	3	4	0.5	275
2	4 000	60	6	1.0	6	8	1.0	600
3	2 000	70	9	2.0	10	16	2.0	1 200
4	3 000	80	12	3.0	15	24	3.0	1 950
5	4 000	90	15	4.0	20	32	4.0	2 700
6	>4 000	>90	>15	>4.0	>20	>32	>4	>2 700

2.9 印度河平原水质

2.9.1 地表水水质

前面已经讲到巴基斯坦的地表水在水质方面不存在任何问题。但是由于在一些地方会将含盐的地下水与地表淡水混合使用,所以了解地表水的水质变得很重要。

经过对河水进行研究和化学分析可以得到下列结论(见表 2-7):

(1)河水含有可溶性盐,每条河的含盐量随河流流域、补给水源和季节的不同而不同。

(2)冬季时河水流量最小,河水含盐量最高。

(3)夏季时由于季风雨作用,河水流量最大,河水含盐量最低。

(4)越向下游含盐量越大。

(5)不管任何时间和任何地点,在巴基斯坦河流含盐量都很低,都能够用于灌溉。

表 2-7　　1957 年和 1980 年(括号中)12 月份河水化学分析结果

河流和采样位置	meq/L						TDS (ppm)	电导率	碱性
	Ca^{2+}	Mg^{2+}	$Na^{+}+K^{+}$	HCO_3^{-}	Cl^{-}	SO_4^{2-}		$EC\times10^6$ (25℃)	pH 值
1. 喀布尔河,在 Jehangira 处	1.93 (2.08)	1.33 (1.92)	1.52 (1.50)	3.02 (3.00)	0.84 (0.65)	0.92 (1.30)	272 (284)	432 (480)	7.6 (7.9)
2. 印度河,在 Attock处	1.78 (2.08)	0.74 (0.82)	0.55 (0.70)	2.33 (2.10)	0.37 (0.30)	0.37 (1.10)	164 (188)	250 (33)	7.7 (7.9)
3. 吉拉姆河,在曼格拉处	1.88 (2.29)	0.54 (0.81)	0.38 (0.39)	2.35 (3.05)	0.15 (0.30)	0.32 (0.10)	170 (188)	269 (340)	7.4 (8.1)
4. Chenab 河,在 Marala 处	1.73	0.74	1.05	2.43	0.10	0.10	224	333	7.6
5. Ravi 河,在 Jassar 处	2.04	0.72	1.04	3.18	0.15	0.15	236	360	7.3
6. Sultej 河,在 Gandasinghwala 处(11 月)	1.84	0.41	1.15	2.18	0.40	0.40	228	340	7.6

2.9.2 地下水水质

巴基斯坦主要的地下含水层位于印度河平原下面。北方地区,在 Bannu 盆地、Warsak－白沙瓦地区和 Potwar 高原都有地下水,但是到目前还没有对其做定量评估,所以我们应该关注印度平原地下水的水质。灌溉和农业咨询协会(IACA)已经得出结论,所有溶解固体含量小于1 000ppm 的水都可以直接用于农作物灌溉。他们认为在大多数情况下,1 000ppm 的标准也是其他标准下可接受的水平,所以是安全的。在此标准基础上,世界银行咨询评估认为巴基斯坦 14.2×10^6acre 的人工渠道灌区位于水质良好的地下水之上，可直接用于灌溉；而其余 4.5×10^6acre 的灌区下面的地下水则需要用渠水对其进行稀释后才能用于灌溉。根据 300ft 深处的盐度大小，他们将印度河平原的灌区(CCA)分为以下 3 个区。

2.9.2.1　淡水区

地下水中溶解盐含量不大于1 000ppm 的灌区。

2.9.2.2　混合区

地下水含盐量在1 000～3 000ppm 之间的灌区。但是盐度较低的信德省例外，其上限为2 000ppm，因为随着深度的增加含盐量也会增加，而且当地的河水含盐量较高。在这些灌区采用地下水灌溉前，为了降低盐分含量需要将管井水与渠道中的水混合使用。

2.9.2.3　咸水区

总体来说，地下水含盐量大于3 000ppm 的区域，信德地区地下水含盐量大于2 000 ppm 的地区也在此范围内。这种地下水含盐量很高，不适合灌溉(见表 2-8)。

表 2-8　巴基斯坦淡水区混合区和咸水区列表　$\times10^6$arce

序号	地区	面积		
		淡水	混合	咸水
1	白沙瓦和丝瓦特流域	0.58	0.10	—
2	Thal Doab 和印度河右岸	2.03	0.99	0.6
3	Chaj Doab	1.19	0.36	0.49
4	Rachna Doab	3.37	8.84	0.49
5	Bari Doab	3.95	1.34	0.54
6	Bahawalpur	1.29	0.47	1.75
7	印度河下游	1.81	0.45	6.72
	总计	14.22	4.55	10.59

值得注意的是 Doabs 区域(两条河流的分水岭)有较大的淡水区，但是 Bahawalpur 和信德却有较大范围的咸水区，其原因如下：

(1)在人工渠道建成之前，Doabs 区域的水源主要来自河水渗流。Doabs 地区以两条河流为界，淡水从两侧冲走咸水，使咸水水位下沉。在一些地区，黏土透镜体可能会阻止水流下渗，这样就会发现一些咸水水团。

(2)人工渠道系统可能已经改变了模式，增加了淡水的流入量。

(3)该区域的土壤总体来说透水性较强，这样就有利于淡水的渗透，并使咸水下沉。

(4)在信德省、Bahawalpur 和印度河右岸区域，原来存在的咸水区域已经被推至远离河岸的地区，所以沿河流就产生了淡水区域。

(5)由于降雨量很少，蒸发量很大，所以被冲洗的盐分的变化几乎可以忽略不计。

(6)与北方相比,南方的土壤更黏重,阻止了土壤下的水流。所以在南方会存在较大范围的咸水区域。表2-9给出了Rachna doab(Ravi河与Chenab河之间的区域)地下水的化学分析结果。

表2-9　　Rachna Doab地下水采样化学分析结果

序号	溶解盐量(ppm)	电导率(mΩ/cm)	meq/L							碱性pH值
			Ca^{2+}	Mg^{2+}	$Na^{+}+K^{+}$	CO_3^{2-}	HCO_3^{-}	Cl^{-}	SO_4^{2-}	
1	14 000	22 400	25.45	36.06	133.06	0.60	2.50	140.8	50.56	8.30
2	7 200	10 600	2.46	5.31	103.46	0.20	5.40	50.60	55.00	8.20
3	3 400	5 000	1.50	6.90	42.40	0.40	0.40	32.00	12.40	7.90
4	2 020	3 100	0.80	3.88	27.79	0	10.00	11.40	10.25	7.80
5	620	1 050	1.25	2.23	8.69	0.90	8.82	0.85	1.60	8.40
6	340	580	1.60	2.91	1.99	0	5.00	0.20	0.70	7.80

2.10 水　文

对于一个关心灌溉系统规划、设计和水工建筑物施工的灌溉工程师来说,水文是不可缺少的工具。当他不得不依靠水文工作者提供的径流和洪水频率、强度、洪峰和历时等洪水详细资料时,就必须掌握一定的水文基本原理方面的知识。基于这一观点,我们拟论述下面的水文基本原理。水文过程包括:①降水;②蒸发和蒸腾作用;③渗流;④径流。

对于水工建筑物设计和运行来讲,流域内径流和最终流入河流的径流是最重要的。毫无疑问径流取决于降水、蒸发、渗流和蒸腾,但是我们将集中讨论径流量的评估,根据径流量可确定:①蓄水量和流量;②溢洪道和分水闸泄流能力。

径流是指所有从陆上或地下流入地表河流的水,所以径流是降水经过蒸发、蒸腾和渗流等损失后的剩余水。评估径流有两个目的:①评估可得到的蓄水量;②计算设计洪水。

2.10.1　经验公式

不同的作者给出了很多不同的公式,由于是经验公式,所以可能得不出精确结果。这里给出的公式可作为参考。

(1)$R=KP$

城市地区K值:

地区	K值
商业区	0.9
沥青混凝土	0.85
花园	0.5
单独房屋	0.30
绿荫	0.05~0.2

农场、草地　　　　0.05～0.3

(2)Khosla 公式

$$R = P - \frac{T}{2} + C$$

(3)Justin 公式

$$R = 0.934\,5S\,\frac{0.155P^2}{T}$$

式中　R——年平均径流,in;

S——流域坡度(最大高差除以流域面积的平方根);

T——年平均温度,℉;

C——常数;

P——年平均降雨量,in。

Khosla 公式适用于旁遮普省和印度巴基斯坦次大陆地区。

Khosla 公式是建立在只有蒸发和蒸腾才会给径流带来损失,渗流损失的水最终会回到河流的概念之上的。

因此,从降水中扣除蒸发和蒸腾量就可以得到第一径流。蒸发受温度、风速、相对湿度、日照时间等影响,而蒸腾则受区域内植被类型和密度的影响。由 Khosla 公式可知,在这些因素中最重要的是平均温度,所以公式中只考虑了温度因素。

$$R_m = P_m - L_m$$

式中　R_m——月径流,in;

P_m——月降水,in;

L_m——月损失,in;且 $L_m = \frac{T_m - 32}{9.5}$,其中 $T_m > 40$℉。

T_m 代表月平均温度(℉),当 $T_m < 40$℉时,假定水量损失如下:

T_m(℉)	40	30	20	10	0
L_m(in)	0.8	0.70	0.60	0.50	0.40

当年降雨量为 P_a,年径流量为 R_a,年平均温度为 T_a 时,年径流量可按如下公式计算:

$$R_a = P_a - XT_a$$

式中,X 为流域常数。在美国通过比较上述公式和观测的资料得出很多流域的 X 值近似为 0.50。X 值可以很容易地从观测记录,甚至一年的降水、径流和温度记录中获得。

2.10.2　通过入渗指数确定径流

如果流域的入渗率已知,就可以确定长期径流。因为降雨发生在地表,一部分渗入地下,其余部分则形成径流。初期入渗很大,但是会逐渐减小到一个最小常数值。

入渗情况取决于土壤湿度和土壤的物理条件,但是在实际运用中,为了计算降雨开始后到径流形成前一段时间内的径流,需要确定入渗指数平均常数值。这部分降雨不产生任何径流,称为初损。考虑了初损后,如果持续降雨,且降雨量大于入渗损失,就会产生地表径流。如图 2-5 中所示为入渗曲线，并且 Hoeton 给出了其计算公式。

$$f = f_c + (f_o - f_c)e^{-kt}$$

$$\therefore \quad F = \int_0^t f = \int_0^t f_{ct}(f_o - f_c)e^{-kt}dt$$

式中 f——在任何时间 t 的入渗率，in/h；

f_c——长时间后的入渗能力，in/h；

f_o——在 $t=0$ 时的入渗能力，in/h；

t——从降雨开始的时间，min；

k——特定土壤的地表常数，min^{-1}；

F——时间 t 以后的累积入渗量。

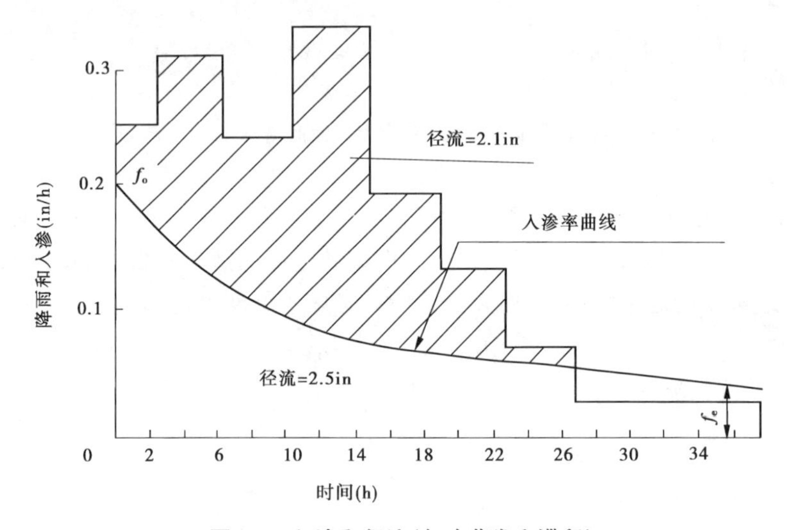

图 2-5　入渗和径流（忽略蒸发和滞留）

菲利普提出了下面的公式

$$f = \frac{bt^{-1/2}}{2} + a$$

不同类型土壤的 k、f_o 和 f_c 值见表 2-10。

表 2-10　　不同类型土壤的 k、f_o 和 f_c 值（威尔逊）

土壤类型	f_o(in/h　(mm/h))	f_c(in/h　(mm/h))	k(min^{-1})
标准农业(裸露)土壤	11.02　(280)	0.24～8.66　(6～220)	1.6
标准农业(有草皮)土壤	35.43　(900)	0.79～11.42　(20～290)	0.8
泥煤	12.79　(325)	0.08～0.98　(2～20)	1.8
细沙质黏土(裸露)	8.27　(210)	0.08～0.98　(2～25)	2.0
细沙质黏土(有草皮)	26.38　(670)	0.39～1.18　(10～30)	1.4

上述的公式对时间 t 积分，得出累积入渗量 $F = bt^{1/2} + at$，式中 a 和 b 的值将由入渗试验确定，见图 2-6。

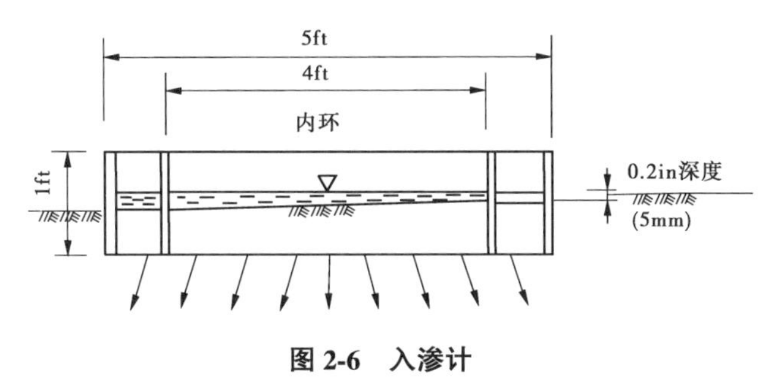

图 2-6　入渗计

2.10.3　Φ 指数

由于采用理论方法计算入渗量存在一定困难，就促使了入渗指数方法的采用，其中最简单的方法就是 Φ 指数法。这一指数定义为平均损失率，多于这一损失率的降雨量就等于地表径流量。如果可以测得流域内暴雨量和产生的径流量，就可以确定 Φ 指数。图 2-7 所示为以时间为横坐标的矩形统计图。阴影部分表示流域径流，以 in 或 mm 为单位。虚线下无阴影部分表示所有的损失，包括：①地表滞流；②蒸发；③入渗。

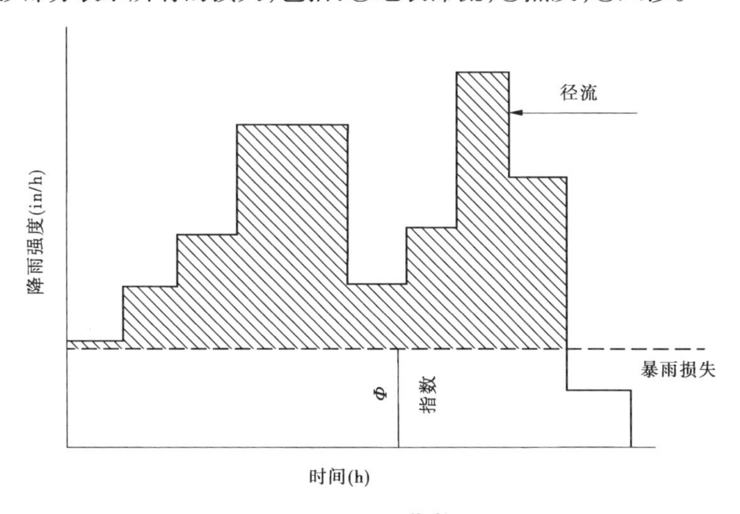

图 2-7　Φ 指数

入渗损失是这三者中最大的，可以忽略第一和第二个损失，因为这是一个近似方法(因为变量 f 也忽略了)，所以无阴影部分只表示入渗量。

【例题 2-1】

如图 2-8 所示，某流域降雨总量为 4.5in，测得地表径流为 2.0in。要求计算出该流域的 Φ 指数。

解：作 Φ 线，图中 Φ 线下的面积为入渗量，$4.5 - 2.0 = 2.5$in。或者设 Φ 指数为 ω。Φ 线下的区域就为 $\omega \times$时间，即：

$$5\omega = 2.5$$

$$\omega = 0.5\text{in/h}$$

由于 Φ 值大于第一个小时的降雨量，所以第一个小时的入渗量不能为 0.5in/h，因此，公式应改写为

$$0.25 \times 1 + \omega_1 \times 4 = 2.5$$

$$\omega_1 = 0.55\text{in/h}$$

由于 0.55 的 Φ 值大于最后 1h 的降雨量 0.54in，因此，需再一次试算

$$0.25 \times 1 + 0.5 \times 1 + \omega_2 \times 3 = 2.5$$

$$\omega_2 = 0.58\text{in/h}$$

如果知道 Φ 值，对于任何降雨均可求出径流量；或者采用类似流域的 Φ 值，评估径流量。

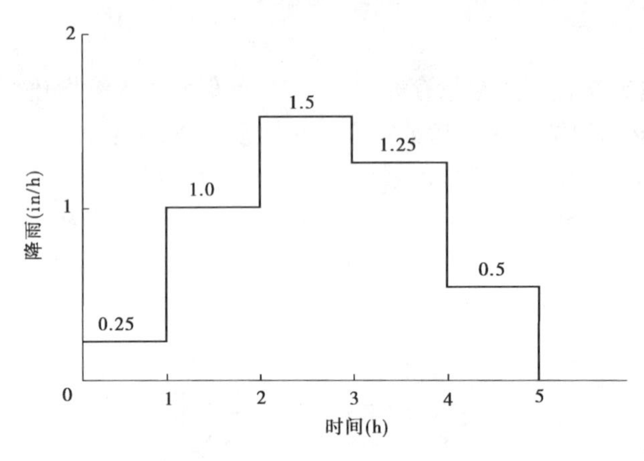

图 2-8　例题 2-1 的矩形统计图

2.10.4　单位过程线法

Sherman 将单位过程线定义为给定流域中单位时间内有效降雨产生的地面径流（不包括地下径流）过程线。

所采用的时间单位取决于流域盆地的面积，但是在任何情况下，单位时间应该小于从开始降雨到形成洪峰时经历的时间。对中等面积的区域来说，单位时间可能是一天或者更少。

当其他可得到的资料仅为降雨量和降雨分布时，单位过程线法是分析径流量、计算洪峰流量和洪水量非常有价值且有效的工具。

单位过程线的基本概念是，在给定的流域上，在选定的单位时间内一次暴雨产生的径流在等时间长度内的过程线，并且纵坐标与降雨量成正例。

如果降雨持续两个或两个以上单位时间，那么代表每个时段径流的过程线可以按照相应时段的次序简单叠加，以获得总径流的过程线。

如图 2-9 所示，径流雨量为流入河流的那部分降雨量，并在测点形成径流过程线。

取给定流域的单位过程线图，将总的暴雨径流绘图分析如下，如图所示，一次长达 4h 的暴雨，在每个小时中的降雨量分别为 0.4，0.7，1.6，0.3in，并采用下述单位过程线假定。

(1)在相同的单位时间内，不同单位过程线的流量纵坐标与其各自的降雨量相互成比例，见图 2-10。

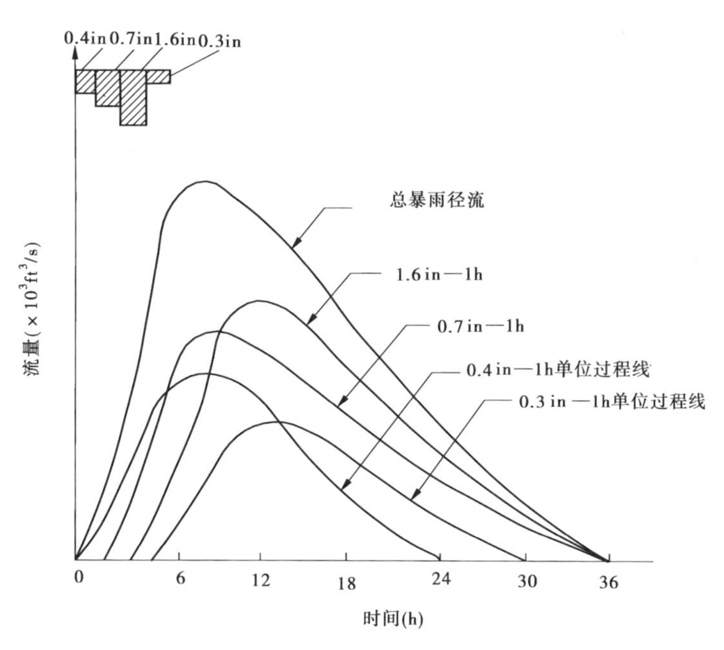

图 2-9　总暴雨径流过程线

(2)由一系列的径流雨突然爆发或连续的不同强度的径流雨产生的暴雨流量过程线，可以通过一系列由单位时间径流雨单一的增加产生的单位过程线叠加而成，据此可以画出全部暴雨的径流过程线。

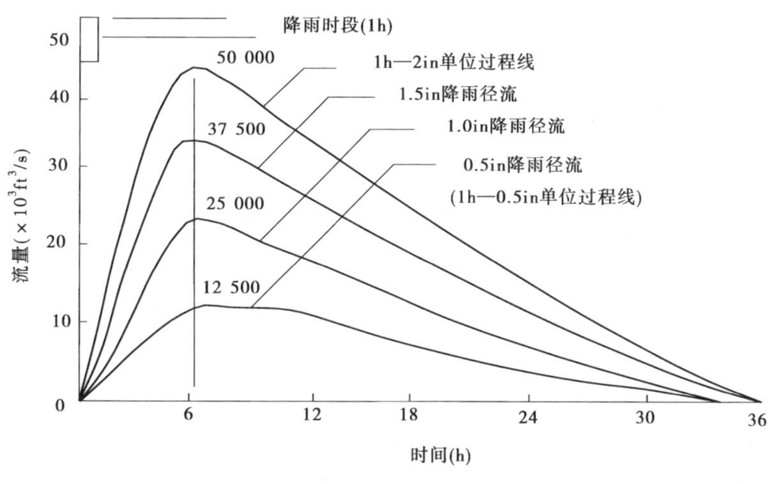

图 2-10　单位过程线

根据假定(1)，径流雨量分别为 0.4，0.7，1.6，0.3in 的的流量过程线可以利用 1h—1in 单位过程线绘制。如图 2-9 所示，一旦画出这些流量过程线，将其叠加即可得出总暴雨径流量。

2.10.5　单位过程线绘制方法

绘制单位过程线有以下 3 种方法：

(1)分析孤立的暴雨径流记录；

(2)分析主要暴雨径流记录；

(3)计算复合单位过程线。

在任何标准水文教科书中都可以看到上述方法的详细内容。但是为了便于参考，将第一种方法简要介绍如下。

这是一种最直接的方法，其绘图步骤如下：

(1)准备一张显示有流域和雨量站的地图。如图 2-11 所示，将流域划分为 Theissen 多边形。

(2)从记录中挑选出流域强降雨的单位时间。所选暴雨必须为一次独立的降雨，还要选取径流量大于 1in 的相关的河水流量记录。

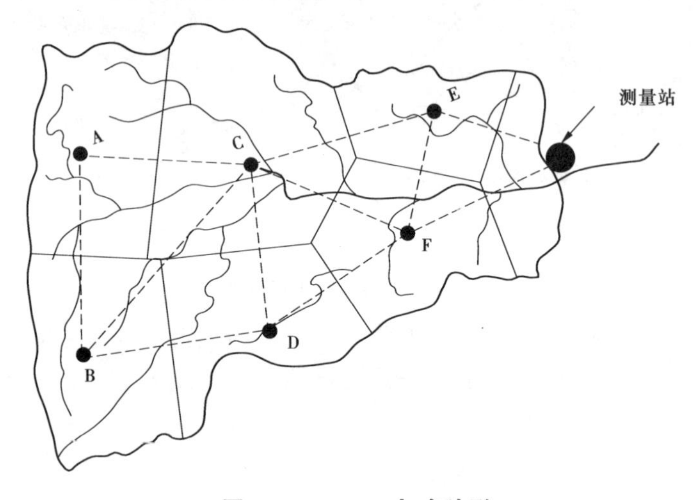

图 2-11 Theissen's 多边形

(3)为步骤(2)中选择的暴雨雨量站绘制大量的降雨曲线。

(4)为步骤(2)中选择的每次暴雨绘制流量过程线。从上述的过程线图中扣除由于所考虑的暴雨前后发生的所有暴雨导致的基流和径流，得出了地面径流的净过程线。

(5)根据步骤(4)中绘制的过程线确定径流量，并把单位换算英寸。

(6)用步骤(5)确定的以英寸为单位的径流量分别除以相应的过程线图的纵坐标，可得出 1in 单位的过程线。正常情况下，这些单位过程线会非常接近，并且可以得出一个平均值。

【例题 2-2】

图 2-12 所示为一个河谷中由一次孤立的 4h 暴雨产生的径流过程线图。降雨历时如图顶部左侧所示，汇水面积为 50mile^2，过程线列于表 2-11 中，求单位过程线。

解：第一步要分离基流，并采用直线法，得出其值为 400ft^3/s。

从第 4 列得出，总直接径流量为

$$总径流量=\frac{体积(ft^3)}{面积(ft^2)}\times 12$$

$$=\frac{5\ 630\times 4\times 60\times 60}{50\times 5\ 280\times 5\ 280}\times 12$$

$$=0.69in$$

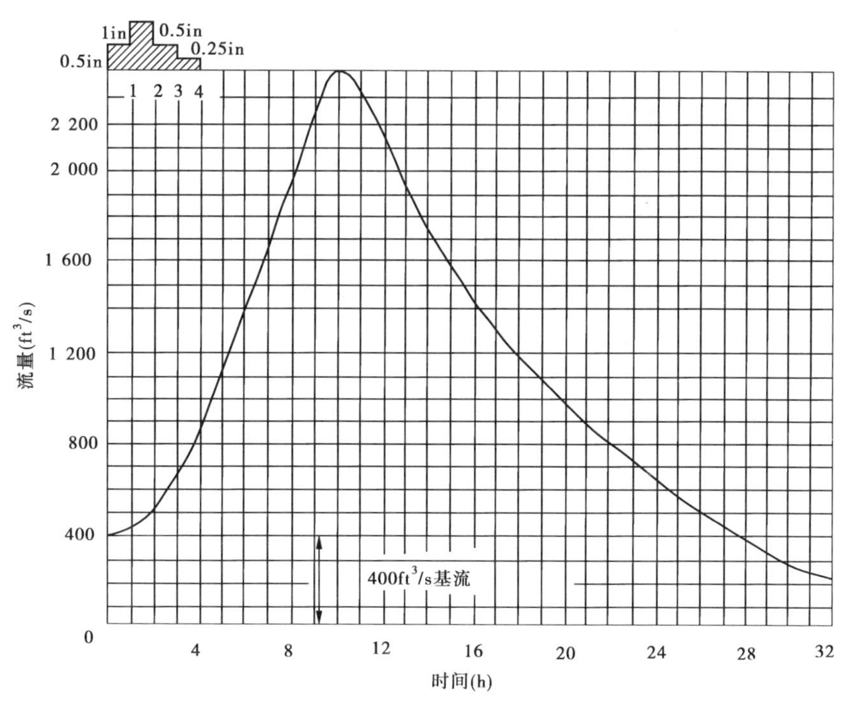

图 2-12 总径流量单位过程线

表 2-11 **4h 暴雨产生的过程线** ft^3/s

日期		计算结果		
时间(h)	Q	基流	直接径量	单位过程线纵坐标
0	400	400	0	0
4	860	400	460	667
8	1 940	400	1 540	2 232
12	2 150	400	1 750	2 536
16	1 450	400	1 050	1 522
20	980	400	580	841
24	650	400	250	362
28	400	400	0	0
			总计 5 630	

直接径流是由 0.69in 的净降雨产生的，然而根据定义单位过程线为 1in(单位)的净降雨产生的。因此，为了得出单位过程线图的纵坐标，要将第 4 列乘以(1/0.69)，结果得出第 5 列。第 5 列为流域单位过程线图的纵坐标，如图 2-13 中所示。

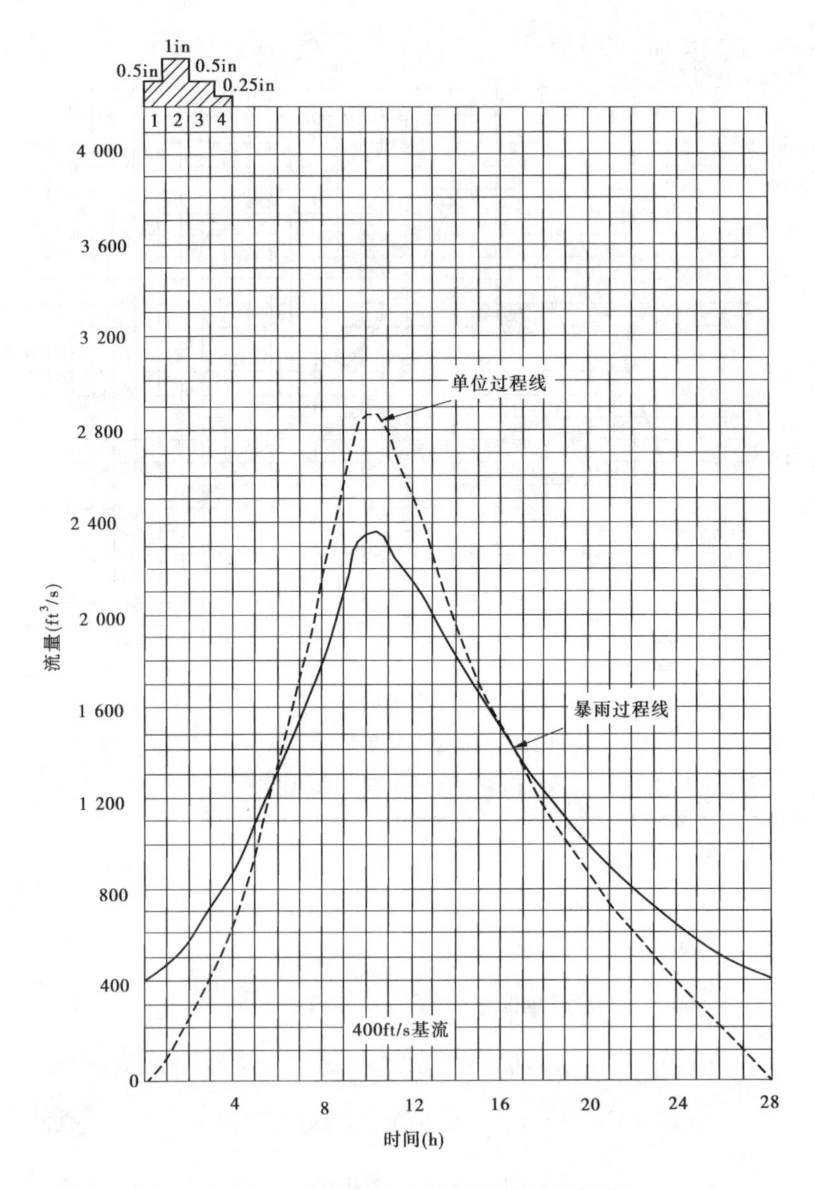

图 2-13　根据暴雨过程线推导单位过程线

习题

1. 写一篇关于印度和巴基斯坦之间印度河协议的短文。评论其对巴基斯坦的利与弊。

2. 在 1991 年 3 月签署了印度河协议,请问签署双方是谁？此协议对巴基斯坦灌溉有什么重要意义？

3. 建设 Kalabagh 大坝对其下游地区的灌溉补给有什么影响？

4. 绘制水文循环图,并指出各环节的重要性。

5. 下图所示为雨量站 A、B、C、D,其年平均降雨量分别为 30,33,28,35cm。图中外围边界显示了流域的范围,比例尺为 1cm = 10km。采用 Thessen 多边形求出该区域的平均降雨量。

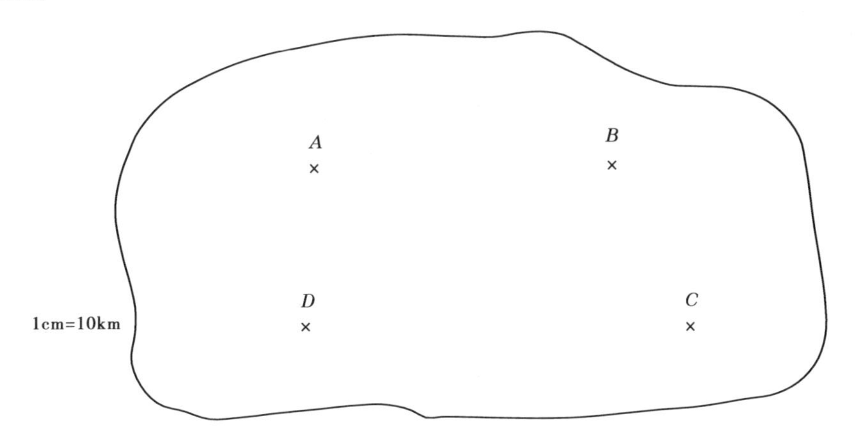

6. 解释根据所给的暴雨过程线确定直接径流量的方法。

7. 描述单位过程线推导方法及其在预报洪峰流量方面的作用。

8. 已知灌溉水的 TDS 值为1 500ppm,在冬季水流速度取为 2cm/周(6 个月),夏季取 2.5cm/周,确定下列内容:

(1)灌溉水当量电导率($\mu\Omega$/cm)。

(2)灌溉水比重为 1 时的当量含盐量(meq/L)。

(3)每年沉积在土壤中的总盐量。

9. 下表为某一流域面积为 100mile^2 的河流,在 6h 的暴雨后的径流过程线:

时间(h)	流量(ft^3/s)	时间(h)	流量(ft^3/s)	时间(h)	流量(ft^3/s)
0	1 000	24	12 000	48	2 500
3	8 000	27	10 500	51	2 100
6	15 000	30	8 000	54	1 650
9	20 000	33	6 500	57	1 200
12	23 500	36	5 000	60	1 100
15	21 400	39	4 400	63	1 050
18	19 500	42	3 600	66	1 040
21	16 400	45	3 000		

要求从径流中分出基流,并计算①总径流和径流量;②净降雨强度(in/h)。

10. 某一湖泊流域面积为 20mile^2,在冬季湖泊用于灌溉的恒定出流为 20ft^3/s,在夏季为 25ft^3/s。全年入湖恒定流量为 22ft^3/s。如果每年的平均降雨为 12in,指出湖中蓄水量是增加还是减少。流域的径流系数为 0.8,湖中的蒸发损失为 2in/a。

11. 下表给出了分别产生 12,24,18mm 径流的 3 次暴雨的每小时降雨量。试确定 Φ 指数。

时间(h)	暴雨 1(mm)	暴雨 2(mm)	暴雨 3(mm)
1	1	3	3
2	3	8	5
3	6	16	11
4	10	12	5
5	5	4	10
6	4	—	3
7	2	—	—

12. 列于下表的过程线是某一流域面积为 400km^2 的河流在经历了 4h 暴雨后的测量结果。

时间(h)	流量(m^3/s)	时间(h)	流量(m^3/s)	时间(h)	流量(m^3/s)
0	12.75	24	136.0	48	46.0
4	155.5	28	116.0	52	40.0
8	255.0	32	100.0	56	35.0
12	213.0	36	75.0	60	30.0
16	185.0	40	60.0	64	15.0
20	160.0	44	55.0	—	—

从径流中分出基流,并计算总径流量和净降雨量。通过比较卡拉奇和拉合尔的气候条件,对此暴雨作出评价。

13. 列于下表中的数据为某一流域面积为1 000km^2 的河流在经历 3h 的暴雨后的流量情况,基流为 120m^3/s。试推导出流域的单位过程线。

时间	第一天	第二天	第三天	时间	第一天	第二天	第三天
上午 6 点	17	130	50	下午 6 点	225	75	25
上午 9 点	15	110	40	晚上 9 点	200	67	22
中午	170	100	35	半夜	170	60	20
下午 3 点	270	85	30	清晨 3 点	150	53	16

参 考 文 献

[1] Ahmed N. Tubewell Maintenance and Construction. Scientific Research Store Lahore, 1969.

[2] Design of Small Dams. U.S. Bureau of Reclamation. Department of the Interior. Washington, 1977.

[3] Hansen V E, Israelsen O W, Stringham G E. Irrigation Principles and Practices. John Wiley and Sons, Fourth Edition. New York, 1979.

[4] Lieftinck P, Sadone A R, Creyke T C. Water and Power Resources of West Pakistan, Vol. II: The Development of Irrigation and Agriculture. John Hopkins Press, Baltimore, 1968.

[5] Linsley R K, Kohler M A, Paulhus J L H. Hydrology for Engineers. Third Edition McGraw－Hill Book Co.. New York, 1984.

[6] Schofield C S. The Salinity of Irrigation Water. Smithsonian Institute Report, Washington D.C., 1935.

[7] Wilson E M. Engineering Hydrology. Macmillan Press, London, Second Edition, 1975.

[8] Shainberg I, Oster J D. Quality of Irrigation Water. International Irrigation Information Centre, Ottawa, Canada, 1978.

[9] Mckee J E, Wolf H W. Water Quality Criteria. State Water Resources Control Board, California, Second Edition, 1971.

[10] Planning Commission. Govt. of Pakistan Seventh Five Year Plan 1988～1993 Islamabad, 1988.

3　低水头引水坝(拦河闸)

3.1　前　言

堰是在河道上适宜的堰址修建的一种流线型的低水头引水建筑物。通常,当河道流量较大并能满足最大灌溉需水量要求时,没有必要修建大坝蓄水,可以用堰把河水抬高到要求的水位,通过渠道引水灌溉。

如果堰上设有闸门进一步抬高水位,则这样的结构就叫做低水头引水坝或拦河闸。拦河闸通常包括闸墩、工作桥、交通桥和闸门。堰是一种过时的建筑物,已经完全由拦河闸所替代。但是,两种建筑物水力学设计的基本原理是相同的。

和大坝不同,堰或拦河闸对基础要求不高。它们通常建在密实的透水土层(如冲积层、细砂或砂上,允许基础产生渗流和扬压力。拦河闸必须满足基础渗流稳定和安全溢流的要求。

3.2　修建拦河闸的作用

在河道上修建拦河闸的作用在于:

(1)从河道引所需的水量进入渠道;

(2)抬高引水水位,以便引水在重力作用下自流至灌区;

(3)控制泥沙;

(4)作为渠道永久的首部建筑物,在洪水期间可关闭闸门,保护渠道;

(5)与堰相比,调节性能更好。

3.3　拦河闸的组成

图 3-1 和图 3-2 所示为典型的拦河闸平面布置和剖面图。

3.3.1　**拦河闸主体部分**

拦河闸的主体通常为钢筋混凝土板,用以支撑钢闸门。该部分主要由下面的建筑物组成:

(1)上游混凝土板,用以延长渗径,保护布置有闸墩、闸门和桥梁的闸室。

(2)堰顶,高度需高出底板,当闸门关闭时支撑于上面。

(3)上游斜坡段,用于连接上游混凝土板和堰顶。

(4)下游斜坡段,具有合适的体型和坡度,用于连接堰顶和下游底板(可能是河床高程或低于河床高程),在斜坡上形成水跃,因为它比平底板稳定,可以减小下游混凝土工程的长度。

(5)下游混凝土板,长度满足水跃长度的要求。此处应该注意紊流会引起气蚀。同时,为了增加摩擦从而减少剩余动能,应根据水工模型试验确定消力墩的体型和间距。

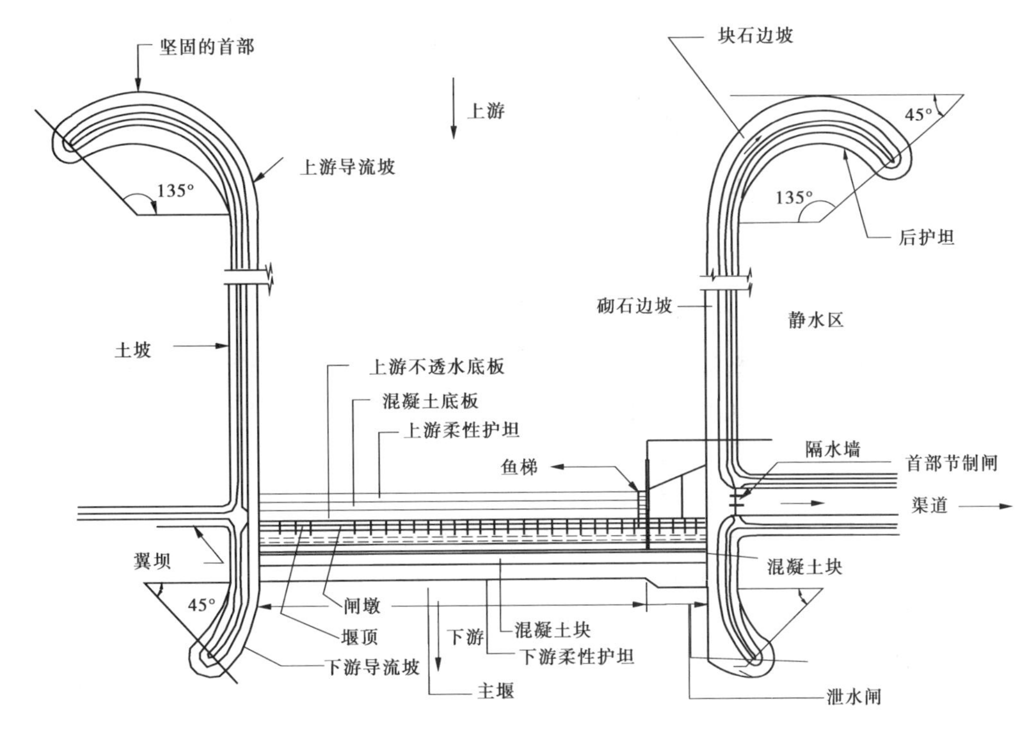

图 3-1　拦河闸平面布置

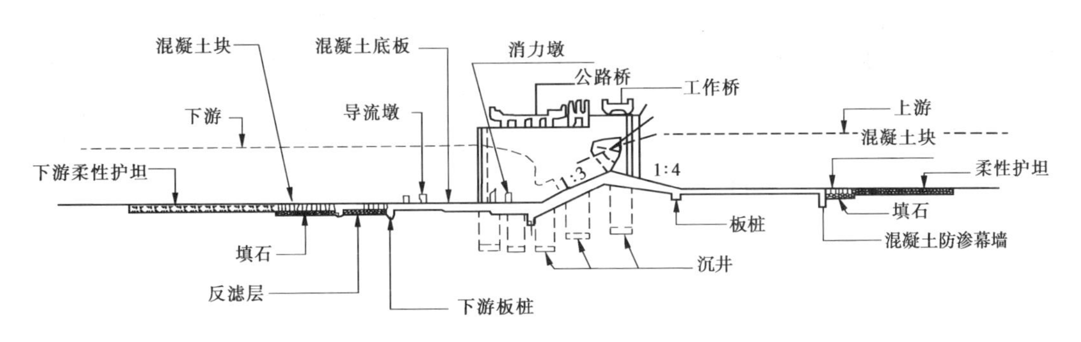

图 3-2a　拦河闸主体剖面

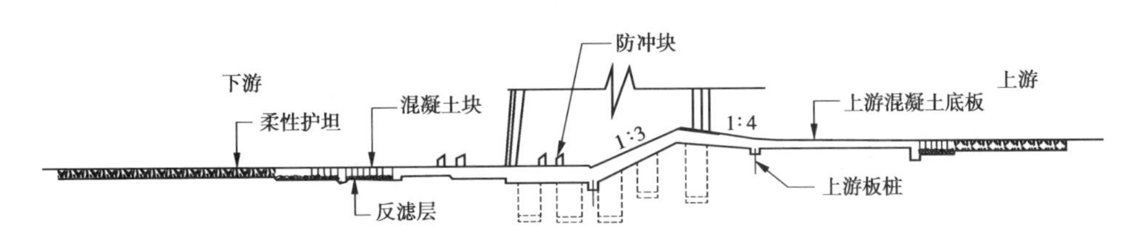

图 3-2b　泄水闸剖面

3.3.2　钢板桩

一般设有 3 道或 4 道板桩，它们是用低碳钢制成的。每部分 1.5～2 ft 宽，0.5ft 厚，长度根据需要确定，并设有凹槽，用于和其他板桩连接，见图 3-3。

根据钢板桩在拦河闸中的作用，可将其分为 3 类：

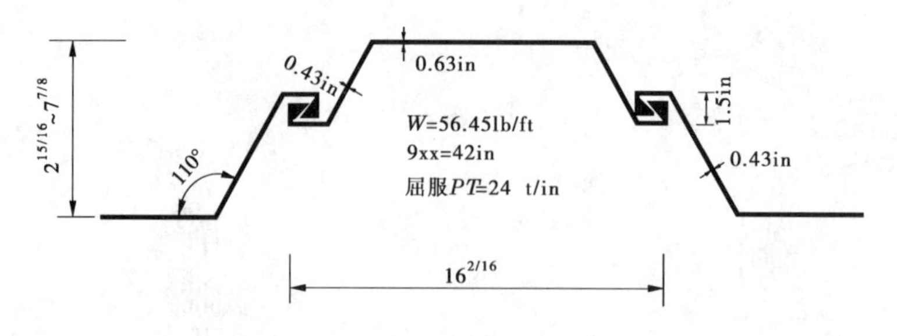

图 3-3 Larssen 钢板桩典型断面图

(1)上游板桩位于上游混凝土底板的上游端部。桩的深度应该超过可能发生的最大淘刷深度,其主要作用为:①保护建筑物不受淘刷;②降低拦河闸底板扬压力;③当拦河闸底板设计为筏基时,打板桩可以使桩间砂土密实,提高基础承载力。最近修建的拦河闸如 Qadirabad 和 Chashma,地基承载力可达 $20kN/ft^2$。

(2)中间板桩位于上游斜坡段和下游斜坡段的端部,它们为第二道防线。如果由于不断地冲刷或淘刷,上、下游板桩遭到破坏,这些板桩可以保护拦河闸主要建筑物不受破坏,即闸墩、交通桥和工作桥。同时中间板桩也可以起到延长渗径和降低扬压力的作用。

(3)下游板桩位于下游混凝土底板的端部,它们的主要作用是检查出逸坡降。它们的深度应该大于最大可能冲刷深度。

3.3.3 反滤

下游板桩和柔性护坦之间设有反滤,一般由 6in 的砂、9in 的粗砂和 9in 的砾石组成。反滤料将根据河床组成颗粒的大小进行变化。反滤上面设有足够重量和尺寸的混凝土块(4ft×2.75ft×4ft Kalabagh 拦河闸用)。混凝土块之间留有缝,水可从中溢出,缝间用砂充填。反滤的长度应为下游板桩深度的 2 倍,它的基本作用为阻挡土中细颗粒从渗漏水中流失。万一发生淘刷,它可以提供足够的盖重,保护下游板桩抵抗出逸坡降的增大,见图 3-4。

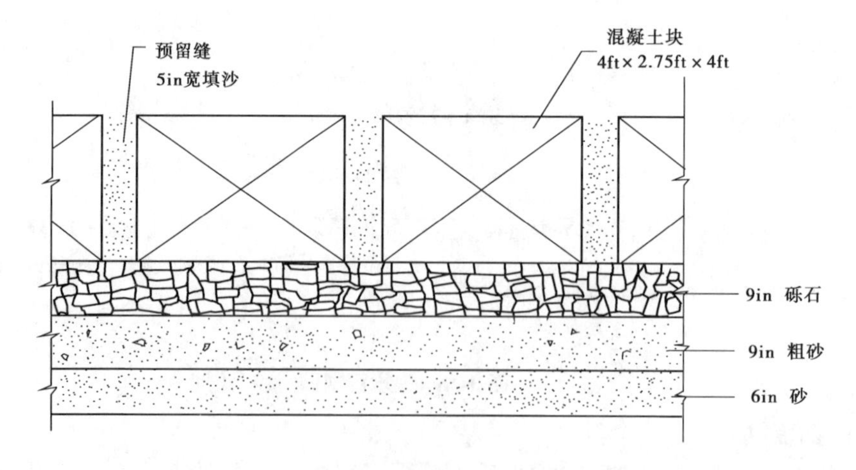

图 3-4 反滤层

3.3.4 柔性护坦

柔性护坦位于反滤的下游，由大块石组成。块石要足够大，能够抵抗最大可能发生的流速。柔性护坦能够防护冲刷坑上、下游坡，即上游坡能防护 1.5 倍冲刷坑深度，下游坡在坡度为 1∶3 时能防护 2 倍冲刷坑深度。

3.3.5 泄水闸

在拦河闸端部，渠首调节闸附近有几孔闸堰顶高程低于其他闸孔。泄水闸的主要作用是，在泄水闸段形成深水区，当河道流量小时利于引水。同时，在渠首调节闸前，河水深，流速降低，所以有利于减少泥沙进入渠道。由于坝顶高程低或者说水头差大，开启闸门后，高速水流可以轻易地冲走淤积的泥沙。

3.3.6 隔水墙

隔水墙将泄水闸和常规闸孔分开。隔水墙上游长度要满足使墙端的紊动水流远离泄水闸的上游防护工程的要求，同样，下游侧的长度应超过水跃长度和其引起的紊流区。

隔水墙的主要作用如下：

(1) 将泄水闸和常规闸孔分开，以避免由于两部分水头不一致产生的紊流。在引水渠前形成净水池，这更有利于泥沙控制。

(2)产生平行流，因而可以避免破坏泄水闸段的柔性护坦。

3.3.7 鱼道

沿隔墙修建鱼道。鱼道是使鱼双向自由通过人工障碍物的建筑物。鱼道的最优流速为 6～8 ft/s。这样可以产生空间水流，就像 Marala，Qadirabad 和 Chashma 的鱼道一样。

3.3.8 导流堤

导流堤为土堤，其迎水侧采用砌石护坡，用于引导水流通过拦河闸。这些导流工程通常建在平原河道上水工建筑物或桥的上、下游，有关详细设计内容参见附录。

3.3.9 堤岸

堤岸也叫防洪堤，是导流堤的延续，用于限制河道洪水，使其不超出河道的洪水区。防洪堤的高度和长度应根据拦河闸修建后的回水影响确定。防洪堤不必采用砌石护坡，只需完全控制回水的长度。

3.4 闸址的选择

当进行拦河闸闸址选择时，应考虑下述因素：

(1)所选闸址应能够控制整个灌区，同时必须避免供水渠过长；

(2)闸址应选择在河床宽度较窄，且稳定的地方；

(3)对外交通方便，可以减少运输费，从而减少拦河闸的投资；

(4)易于施工导流；

(5)在引水后，河道中心应接近拦河闸中心线，这是泥沙控制的关键；

(6)如果打算将洪水渠道改为常年渠道，闸址就会受到渠首调节闸和已有的洪水渠线限制；

(7)岩石基础最好，但是在冲积平原上，常常是砂基。

在巴基斯坦，习惯将拦河闸修建在非主河道的干地上。工程建成后，引河水通过拦河闸。

这是一种间接的方法，会带来很多问题。下面的拦河闸定线导则是拉合尔灌区研究所提出来的。他们的意见是根据许多针对不同情况的水工模型试验结果提出来的。

(1)如图3-5所示，如果渠首工程轴线和河道轴线的夹角超过10°，在导流堤内就会引起水流向一侧集中的问题，同时另一侧发生淤积，形成沙岛，目前巴基斯坦的Islam Sidhnai和Balloki工程就是这样。

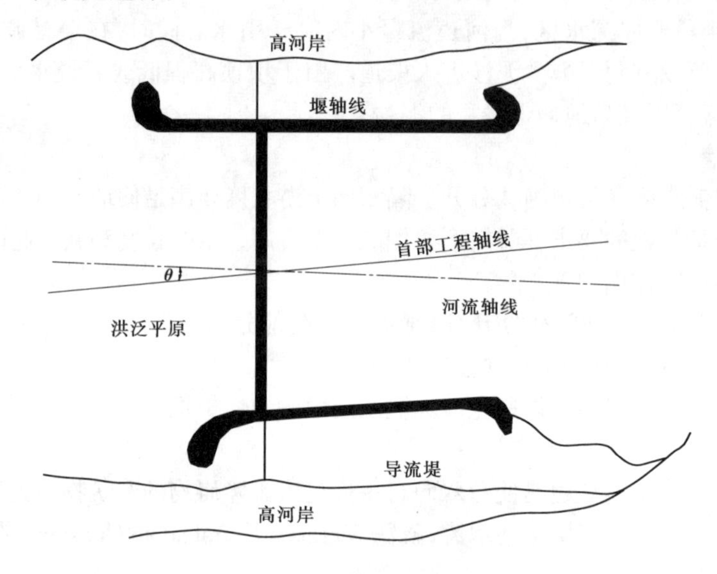

图3-5　拦河闸的基本布置

(2)如果河道轴线位于渠首轴线右侧，水流就会集中在左侧，这样就会在右岸形成沙岛，反之亦然。

(3)当拦河闸位于两河交汇处下游时，应远离交汇处，同时须考虑到哪条河起主导作用。

(4)拦河闸尽量位于洪泛平原的中部。不对称布置会增加形成沙岛的可能性，并需修建昂贵的导流工程。

(5)当在干地施工时，最合适的拦河闸位置是弯道凸岸外侧的下游，后面接直道。

Khadir是河流洪泛平原。Khadir轴线(洪泛平原轴线)穿过两座高山之间河道的中心线，直至回水影响线。

拦河闸的轴线就是沿拦河闸堰顶的一条直线。

河道轴线是一条在拦河闸中心处平行于Khadir轴线的直线。

渠首工程轴线垂直于拦河闸轴线。

3.5　拦河闸的设计

拦河闸设计包括以下两方面：

(1) 地表漫流或溢流；

(2) 基础渗透稳定(这两方面内容详见3.6和3.7)。

3.6 溢　流

当考虑采用溢流时，下述内容需进行设计或估算：

(1)设计洪水；

(2)拦河闸长度；

(3)河床消落；

(4)河床淤积；

(5)拦河闸的剖面：①上游底板高程；②下游底板高程；③堰顶高程；④上、下游斜坡段。

3.6.1　设计洪水估算

首先应估算拦河闸设计采用的最大设计洪水。根据工程使用年限、投资和工程的重要性，可确定设计洪水为50年一遇或100年一遇。在前面的章节中对洪水估算的一般方法已有描述，详细内容可参见任何水文标准教科书。

3.6.2　拦河闸长度

冲积平原上的河道，其特点是在洪水期间，蔓延几英里宽，而在枯水期间，仅主河槽有水。很显然，拦河闸的长度不可能取整个洪泛平原的宽度，也不可能仅取主河槽的宽度。为了确定拦河闸的最优长度，可以采用莱西(Lacey)公式。对宽浅河道，由于湿周几乎等于河道底宽，所以该方程仅与冲淤平衡的冲积河流湿周有关。莱西(Lacey)公式为经验公式，它认为在洪泛平原上，河道的湿周仅为流量的函数。

$$P_w = 2.67\sqrt{Q} \tag{3-1a}$$

式中　P_w——湿周＝宽度，ft；

Q——设计流量，ft^3/s。

上述公式采用英制单位，并且通过大量不同河床材料和流量情况下的人工非衬砌渠道、河流、洪泛平原得到了验证。采用公制单位时，系数2.67将变为4.75，公式相应变成：

$$P_w = 4.75\sqrt{Q} \tag{3-1b}$$

式中　P_w——湿周＝宽度，m；

Q——设计流量，m^3/s。

3.6.3　河床消落

河床消落是在河道冲积土层上修建堰或拦河闸后发生的临时现象。由于回水影响、水深增加和流速的减少，导致了泥沙淤积。由于流过拦河闸的水流含沙量低，可冲起下游河床的泥沙，从而造成下游数英里范围内河床下降，称为河床消落。这通常在最初的几年里发生，随后河床的高程就会恢复到以前的高程。这种现象是临时的，因为在最初的几年中，河道及河道坡度要适应由于拦河闸的修建形成的新的水流条件，随之过堰水流的含沙量即可恢复正常。然后由于下游水深增加，泥沙就会沉积，消落的下游河床恢复到平衡点。在洪水期间，河床消落值最小，在小流量时消落值最大。河床消落值的变化范围为2.0～8.5 ft。

当确定下游河床高程以保证水跃发生在下游斜坡末端时，下游河道消落高程的假定则非常重要。水跃是下游水位的函数，因此对水跃的形成需验算下游河床消落高程以及河道正常高程和河床淤积高程三种情况。然而，在确定下游底板高程时，河床消落高程更为关键。

3.6.4 河床淤积

河床淤积与河床消落正好相反，常常发生在上游，但在河床消落循环完成后，有时也会发生在下游。

与河床消落相比，在设计中河床淤积不是很重要，因为较高的下游水位往往将水跃推上斜坡，使其更安全。因此，水跃的计算应根据河床消落高程来计算，而对于淤积高程来说总是安全的。

3.6.5 拦河闸剖面

拦河闸的基本剖面图见图 3-6。

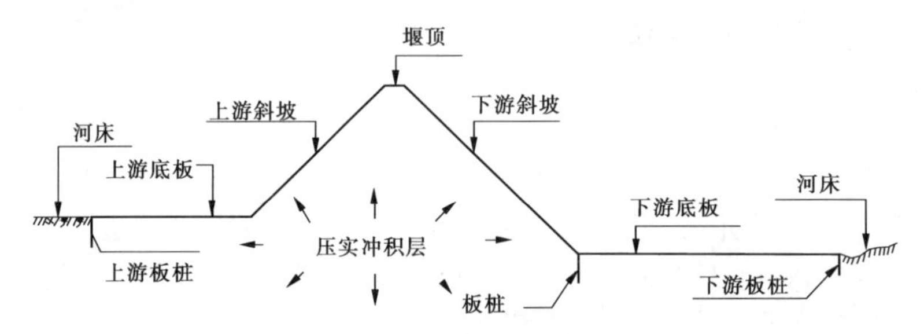

图 3-6 拦河闸基本剖面图

3.6.5.1 堰顶高程

堰顶高程应按照满足下泄设计洪水流量的要求确定。

闸前水位取最高洪水位，由于河道的宽度已知，最大水深可以根据 Lacey 冲刷公式算得。英制单位，Lacey 冲刷公式为

$$R = 0.9\left(\frac{q^2}{f}\right)^{1/3} \tag{3-2a}$$

式中 R——冲刷深度，ft；

Q——单宽流量，$ft^3/(s \cdot ft)$；

f——莱西(Lacey)泥沙系数。

公制单位，莱西(Lacey)公式为

$$R = 1.35\left(\frac{q^2}{f}\right)^{1/3} \tag{3-2b}$$

式中 R——冲刷深度，m；

Q——单宽流量，$m^3/(s \cdot m)$；

f——莱西(Lacey)泥沙系数，与英制单位公式中的一样。

堰顶宽度应满足闸门安装要求，通常 1.5～2.5m 就足够了。

行进流速应为 q/R，因此可以算出流速水头 V。这样就可以确定上游总能量线，采用下述泄量公式

$$Q = CLH^{3/2} \tag{3-3}$$

式中 Q——泄量,ft^3/s;

L——堰顶长,ft;

H——总能量,为 $V^2/2g + h$;

C——流量系数,流量系数值取决于堰的淹没度,一般在 3.5～3.1 之间,英制单位。

因此,通过上式即可确定 H,这样堰顶高程就确定了。

【例题 3-1】

根据下列参数,计算设有闸门控制的堰顶高程。

最大泄量＝1 000m^3/s;最高洪水位＝100m;堰顶长度＝200m;f＝0.1;闸前水位取最高洪水位。

解:

$$q = \frac{1\ 000}{200} = 5m^3/(s \cdot m)$$

$$R = 1.35\left(\frac{5^2}{0.1}\right)^{1/3} = 8.4$$

$$V = \frac{5}{8.4} = 0.59m/s$$

$$\frac{V^2}{2g} = 0.192m$$

据宽顶堰的泄流公式

$$Q = CLH^{3/2}$$

公制单位

$$C = 2.03$$

$$1\ 000 = 2.03 \times 200 \times H^{3/2}$$

$$H = \left(\frac{1\ 000}{200 \times 2.03}\right)^{2/3} = 2.36^{2/3} = 1.822m$$

$$h = H - \frac{V^2}{2g} = 1.822 - 0.192 = 1.630m$$

拦河闸堰顶高程＝100－1.63＝98.37m

3.6.5.2 上游底板高程的确定

设计参数应提供正常河床高程(在拦河闸修建之前)。该河床高程被认为是拦河闸上游底板的高程。拦河闸底板的长度应能满足水闸闸墩、交通桥、工作桥和闸门结构的布置的要求。长度在 50～75m 之间的任何数都是可以接受的。

3.6.5.3 上游斜坡段

上游斜坡段为连接上游底板下游端和堰体上游端的连接段,其坡度为 1∶2。

3.6.5.4 下游底板和水跃

水跃在下游斜坡段上形成,这样比发生在水平底板上更稳定。如果水跃在下游斜坡上发生,也可以缩短下游工程的总长度,但是,当水跃发生在下游斜坡上时,存在着高淹没度导致弱水跃,降低消能效果的风险,因此,水跃的最佳位置应是下游坡脚。

如图 3-7 所示，水跃基本方程式是用来确定水跃在底板上的位置，及计算底板高程和下游斜坡与底板长度的。为了确定下游底板高程，必须首先确定下游水流的能量线。水跃段的水头损失值 H_L，假定为 3～4ft 或为已知水头 H 的 15%。根据水头损失 H_L 就可以确定下游的能量线。采用下列基本方程，计算下游的总能量，以便确定下游底板高程。

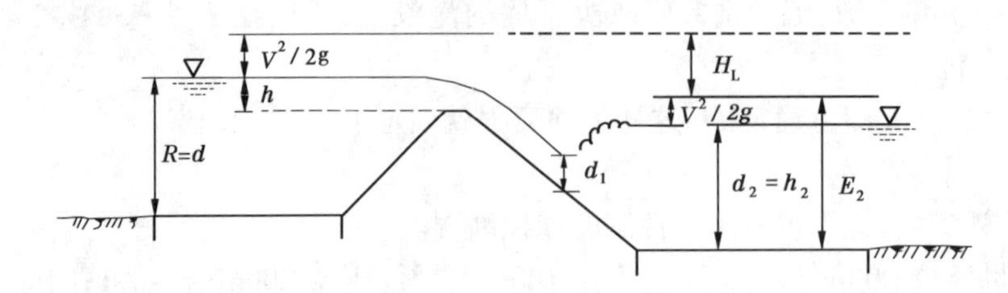

图 3-7　水跃

$$H_L = \frac{(d_2 - d_1)^3}{4d_1 d_2} \tag{3-4}$$

$$d_1 d_2 (d_2 + d_1) = \frac{2q^2}{g} \tag{3-5}$$

由于 H_L 和 q 已知，于是可以根据上面的两个方程解出 d_2。如果 d_2 已知，也可以求解 V_2，因此可以确定下游能量 E_2，$E_2 = d_2 + \frac{V_2^2}{2g}$。从下游能量线中减去 E_2 就可以确定下游底板高程。确定下游底板起点，即斜坡坡脚的方法，受水跃要在坡脚形成这一条件控制。根据基本方程可以推出以下 3 种确定底板高程和坡脚位置的方法：①Crumps 曲线法；②Blench 曲线法；③共轭水深法。

在介绍这些方法之前，先介绍一下水跃基本方程。

3.6.6　水跃基本方程

跃前水深 d_1 和跃后水深 d_2 之间的关系可以根据动量变化的平衡方程得到。

$$d_2 = \frac{d_1}{2} + \sqrt{\frac{2}{g} \times \frac{q^2}{d_1} + \frac{d_1^2}{4}} \tag{3-6}$$

式中　q——单宽流量；

E_1——跃前断面的总能量；

E_2——跃后断面的总能量。

$$H_L = \left(d_1 + \frac{V_1^2}{2g}\right) - \left(d_2 + \frac{V_2^2}{2g}\right) \text{或} H_L = \frac{(d_2 - d_1)^3}{4d_1 d_2} \tag{3-7}$$

方程 3-6 可以写为

$$(d_1 + d_2) d_1 d_2 = \frac{2q^2}{g} \tag{3-8}$$

$$V_1 = \frac{q}{d_1} \tag{3-9}$$

$$V_2 = \frac{q}{d_2} \tag{3-10}$$

$$H_L = \frac{(d_2 - d_1)^3}{4d_1 d_2} = E_1 - E_2$$

$$H_L = d_1 + \frac{q^2}{2gd_1^2} - E_2$$

$$K + F = E_1 = E_2 + H_L$$

K 和 F 根据图 3-8 确定,消去 d_1 和 d_2。

$$E_2 = d_2 + \frac{V_2^2}{2g}, q = v_1 d_1$$

$$E_1 = d_2 + \frac{q^2}{d_2^2 \times 2g} + H_L$$

$$d_2 + \frac{V_2^2}{2g} = d_2 + \frac{q^2}{d_2^2 \times 2g} + H_L$$

或

$$H_L = \left(\frac{q}{V_1} + \frac{q^2}{d_2^2 \times 2g}\right) - E_2$$

已知 q 和 H_L,因此由方程 3-7 和 3-8 可解出 d_1 和 d_2,同时由方程 3-8 和 3-9 可解出 V_1 和 V_2。这样就可以计算出 E_1 和 E_2,d_1 为水跃前端的急流水深,即跃前水深,d_2 为水跃末端的缓流水深,即跃后水深。在水跃段内,水流由上游的急流变化为下游的缓流,临界断面发生在其间,该处水深称为临界水深,即 d_c。对于矩形断面渠道,d_c 与 q 有关。

$$d_c^3 = \frac{q^2}{g}$$

显然,$d_c > d_1$(或 $d_c/d_1 > 1$),而不能小于 1;$d_c < d_2$ 或 $d_c/d_2 < 1$,而不能大于 1。

3.6.6.1 Crump 方法

Crump 将上面的方程化为无量纲形式(见图 3-8),并绘成曲线(见图 3-9)。他绘制了 $\frac{K+F}{d_c}$,$\frac{d_1}{d_c}$,$\frac{d_2}{d_c}$和$\frac{H_L}{d_c}$之间的关系曲线,其中 $K + F = E_2$,d_c 为临界水深。

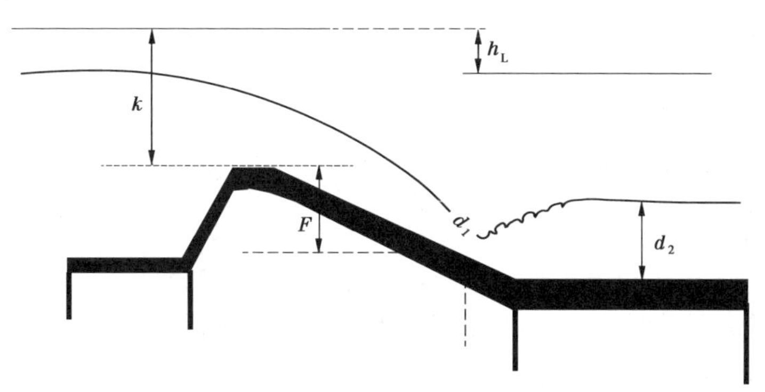

图 3-8 Crump 曲线中 K 和 F 的定义

Crump 方法如下:将式 3-8 除以 d_c,得

$$\frac{d_1}{d_c} \times \frac{d_2}{d_c} \times \frac{d_1 + d_2}{d_c} = 2 \tag{3-11}$$

将式 3-7 除以 d_c,得

$$\frac{H_L}{d_c}=\frac{(d_2/d_c-d_1/d_c)^3}{4d_1d_2/d_c^2} \tag{3-12}$$

$$E_1=d_1+\frac{V_1^2}{2g} \text{ 或 } \frac{K+F}{d_c}=\frac{d_1}{d_c}+\frac{d_c^2}{2d_1^2} \tag{3-13}$$

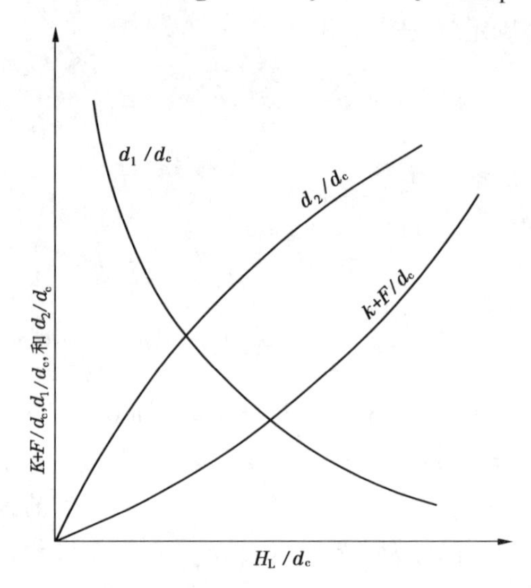

图 3-9 Crump 曲线

由于

$$\frac{V_1^2}{2g}=\frac{q^2}{d_1^2\times 2g},d_c^3=\frac{q^2}{g}$$

显然,$\frac{d_1}{d_c}<1$,而$\frac{d_2}{d_c}>1$。

Crump 根据方程 3-11、3-12 和 3-13 绘制了$\frac{K+F}{d_c}$和$\frac{H_L}{d_c}$、$\frac{d_2}{d_c}$和$\frac{H_L}{d_c}$、$\frac{d_1}{d_c}$和$\frac{H_L}{d_c}$之间的曲线。

下游斜坡段的长度必须满足水跃在其上面形成的要求。对于$\frac{H_L}{d_c}$已知的情况$\frac{K+F}{d_c}$值可以直接从曲线上查得。由于 K 已知,所以 F 可以确定。当坡度为 1∶3 时,必须将斜坡延长,使其稍低于 F,以保证产生轻度淹没水跃,从而也可以确定下游底板高程。

同样,跃前和跃后水深也可以从曲线上查到(在本章最后附有实用的 Crump 曲线)。

3.6.6.2 Blench 曲线

Blench 绘制了水头损失 H_L(上、下游能量差)和 E_2 在给定单宽流量 q 情况下的下游总能量之间的关系曲线,见图 3-10。

这些 Blench 曲线是根据下列方程绘制的。

$$H_L=\frac{(d_2-d_1)^3}{4d_1d_2} \tag{3-14}$$

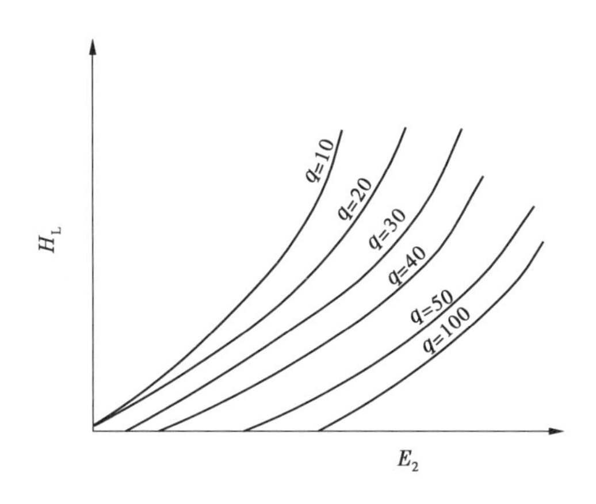

图 3-10　Blench 曲线

$$E_2 = d_2 + \frac{q^2}{2g \times d_2^2} \tag{3-15}$$

$$q = \sqrt{d_1 d_2 (d_1 + d_2) \times g/2} \tag{3-16}$$

对于给定的 q,假定一系列 H_L 值,根据式 3-15 计算 E_2。然后就可以绘制出给定 q 值下情况的第一条 H_L 和 E_2 之间的关系曲线。改变 q 值,重复上述步骤,就可以得到在不同 q 值情况下的,一系列 H_L 和 E_2 之间的关系曲线。

根据曲线,可以直接确定水跃的位置。对于给定的 q 值,利用泄量公式 $q = CK^{3/2}$ 可以确定上游的能量线,C 可以从 Gibson 曲线(溢流堰的标准值范围是 3.09~3.80,英制单位)上查到。下游水位可查水位流量关系曲线确定,该水位加上流速水头之后即得出下游的能量线。上下游两个能量线之差即为 H_L,因此就可从曲线上查得 E_2。从下游能量曲线上减去 E_2 就可以确定下游底板高程,从而确定堰顶到下游底板之间的 1∶3 的下游斜坡段。这样确定的堰体断面能保证水跃发生在斜坡段上。该堰体断面还需对各种泄量进行验算,即最大泄量、1/2、1/4 和 20%泄量 (在本章后面附有实用的 Blench 曲线)验算。

3.6.6.3　共轭水深法

以下游底板为基准面来确定上游总能量。

$$E = F + H + \frac{V_0^2}{2g}$$

式中,V_0 为行进流速,其他参数见图 3-11。

同样
$$q = V_1 \times d_1$$

则
$$E = d_1 + \frac{V_1^2}{2g}$$

所以
$$V_1^2 = 2g(E - d_1)$$

考虑流速的不均匀分布和流速系数。

$$V = \sqrt{2g(E - d_1)} \times \frac{\phi}{\alpha}$$

式中　ϕ——流速系数(1~0.8);

α——流速分布不均匀系数(1.0~1.10,根据 Careoli 曲线,对于光滑的面取 1.0,

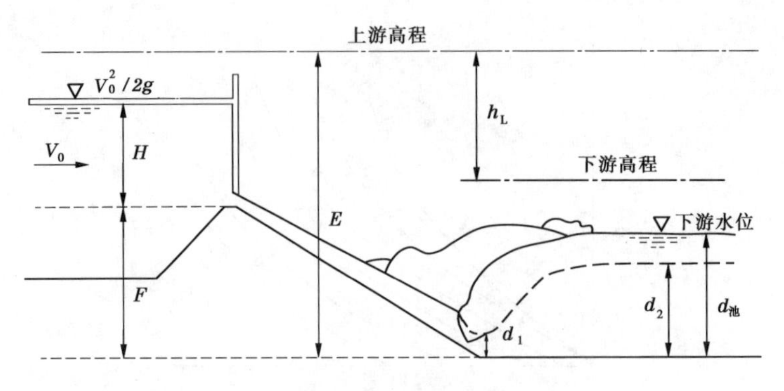

图 3-11　共扼水深方法

对于粗糙的面取 1.10)。

或

$$\frac{q}{E^{3/2}} = \frac{d_1\sqrt{2g(E-d_1)}}{E\sqrt{E}}\phi \quad (假定\ \alpha = 1.0)$$

$$\frac{q}{E^{3/2}} = 8.025\frac{d_1}{E}\sqrt{\frac{E}{E}-\frac{d_1}{E}} \quad (g = 32.2,英制;g = 9.81,公制)$$

$$\frac{q}{E^{3/2}} = 8.025z\sqrt{1-z}\phi$$

式中　$z=\frac{d_1}{E}$　$(d_1/E>1)$

假定　$\frac{1}{\phi}\frac{q}{E^{3/2}}=f(z)$

z 为上游水深 d_1 的函数,而 $f(z)$ 由下式确定

$$f(z) = 8.025z\sqrt{1-z}\phi \quad 采用英制单位$$

$$f(z) = 4.429z\sqrt{1-z}\phi \quad 采用公制单位$$

z 值的范围为 0.001～0.67(这是发生强水跃的正常取值范围),可以根据不同的 z 值,计算 $f(z)$ 的值并制成表格。

同样 $z' = f(d_2)$,z' 是 d_2 的函数,d_2 是 d_1 的共轭水深。换句话说,根据水跃方程,z' 是 z 的共轭函数。

$$d_1d_2(d_1+d_2) = \frac{2q^2}{g}$$

或

$$\frac{d_1}{E}\times\frac{d_2}{E}\times\frac{d_1+d_2}{E} = \frac{2q^2}{gE^3}$$

或

$$z\times z'(z+z') = \frac{2(fz)^2E^3\phi}{2gE^3}$$

或

$$z'(z+z') = \frac{2(fz)^2\phi^2}{gz}$$

同样,水跃方程为

$$d_2 = -\frac{d_1}{2} + \sqrt{\frac{2}{g} \times \frac{q^2}{d_1} + \frac{d_1^2}{4}}$$

用 $z = \frac{d_1}{E}$ 和 $z' = \frac{dz}{E}$ 替代,水跃方程可以写成

$$z' = -\frac{z}{2} + \sqrt{\frac{2(fz)^2}{gz}\phi^2 + \frac{z^2}{4}}$$

对上述不同的 z(范围 0.001～0.67)、$f(z)$ 和 Φ 值,计算 z',这样可以得到共轭水深表(该表附在本章最后)。

如果已知 Q 和 E,就可以查表得出 d_1 和 d_2。下游底板的高程可通过查表试算确定。假定一个合适的下游底板高程,然后可以确定 F 值,因此

$$E = F + H + \frac{V_0^2}{2g}$$

所以 $f(z) = q/E^{3/2}$ 就可以确定。

对给定的 Φ 值,可从表中查得 z 和 z',从而可得相应的 $f(z)$ 值。这样即可得出共轭水深 d_1 和 d_2。如果水跃必须在斜坡的坡脚形成,那么下游最小水深应等于 d_2。如果算出的 d_2 大于下游水深,那么水跃就不会发生在坡脚。因此应重新假定底板高程,以便使池中水深(下游水位 - 底板高程)等于 d_2。为了安全起见,可使水跃轻微淹没,即使下游水深稍大于 d_2。

3.7 基础渗流

对于建在透水土基上的拦河闸,基础渗流主要考虑两个方面,详见下述。

3.7.1 扬压力

拦河闸或引水坝通常修建在河床透水土基上,如粉砂、细砂或砾石。这些低水头建筑物不需修建在岩基上,只要采取必要的安全措施,抵抗扬压力,这些建筑物就可以修建在透水的土基上。这个定义为剩余压力的渗透水压力,垂直向上,作用在拦河闸上,因此,如采用重力式底板,斜坡或护坦的厚度必须使其重量大于扬压力。

3.7.2 渗透破坏

建筑物基础渗流还存在着第二种危及建筑物稳定的方式,这种方式称为管涌。当护坦基础孔隙中的渗流速度,使其在出口产生的渗透力大于土的浮容重和摩擦力时,土中的细颗粒就会移动。这可以在泥水从土壤表面冒出时观察到。地基土由细颗粒和粗颗粒组成,其中细颗粒充填在粗颗粒之间的缝隙中。随着细颗粒的不断流失,引起基础不均匀沉降,最终会由于管涌造成建筑物的倒塌。过闸水流会将下游松散的土壤冲走,可能使出口坡降过大,从而进一步加重这种破坏。

因此,问题主要在于控制渗透力,使其不能将基础土料冲走。下面将介绍各种方法来解决这两个问题。

3.7.3 勃莱(Bligh)法

勃莱(Bligh)是灌区工程科学设计的先锋,他对拦河闸设计中的这两个基础渗流问题非常了解。他建立了闸基渗流将会沿着阻力最小的路径流动的概念,这条渗透路径就是

基础轮廓线。任何一点的水头损失就是到这点的渗透路径长度与总的渗透路径长度的比值,见图 3-12。

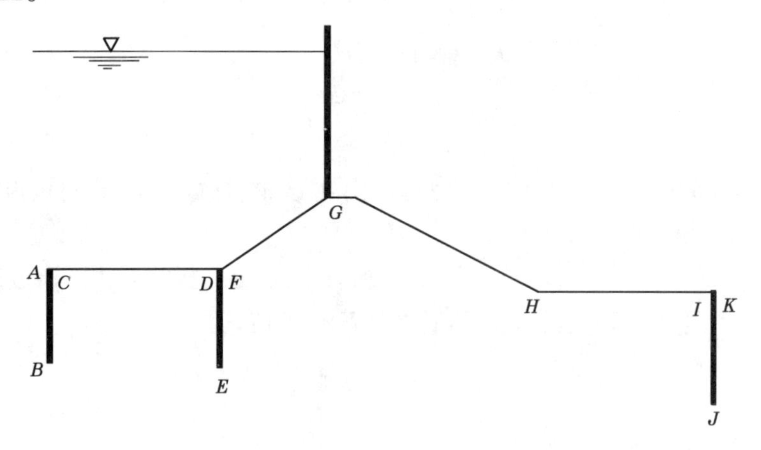

图 3-12　勃莱(Bligh)渗透路径概念

$$F\text{ 点的水头损失}=\frac{F\text{ 点的渗径长度}}{\text{总的渗径长度}}\times\text{总水头 }H$$

$$=\frac{AB+BC+CD+DE+EF}{AB+BC+CD+DE+EF+FG+GH+HI+IJ+JK}$$

$$F\text{ 点的扬压力}=H-\text{到 }F\text{ 点水头损失}$$

他发现管涌会沿着渗径发生。如果平均水力坡降 H/L 不超过 $1/C$,就可以避免发生管涌,其中 L 为总的渗径长度,C 为常数,根据不同的透水材料来确定,这些值可在表 3.1 中查到。

很明显,勃莱(Bligh)在计算渗径长度时认为垂直截水墙相当于 2 倍水平铺盖的长度。

许多建筑物是根据勃莱(Bligh)爬路长度理论进行修建的,其中有些工程是成功的,而有些工程则失败了。为了找到更合理、更科学的堰的设计方法还需要进行进一步的研究。Sukkur 拦河闸是根据勃莱(Bligh)法设计的最后一个工程,至今仍在使用。因为根据后面的设计要求,它碰巧是个安全的建筑物。

3.7.4　莱茵(Lane)法

莱茵(Lane)通过对 270 座建在透水基础上的建筑物进行研究和统计,其中包括成功的或失败的,但最终解决了这个问题。根据研究结果,他还是继续接受了勃莱(Bligh)渗透路径的概念,同时建立了建筑物基础抗渗安全的新理论。根据他的理论,在计算渗径时,垂直截水墙的权重要大于水平底板的权重。原因如下:

(1)事实上,与垂直面或陡倾角斜面的接触要比水平面或缓倾角斜面紧密。

(2)位于建筑物下面的土壤也许会沉降,形成空隙,这将进一步加重管涌。在垂直面上的空隙会由于土压力而压实。

(3)垂直防渗墙在水平层状土中更有效,可以通过自由流过低渗透性土层来验证。

(4)后面介绍的势能理论的结果也表明,即使在均质土层中,抵抗管涌破坏主要还是依赖于基础的垂直部分，而不是水平底板。

根据莱茵(Lane)的加权渗透路径原理，加权渗径为：

$$L = \frac{1}{2}S + V$$

式中 S——水平段总长及所有坡度小于45°的斜坡段长度；

V——垂直段总长及所有坡度大于45°的斜坡段长度。

为了保证不发生管涌破坏，平均水力坡降必须不大于 $1/C$，常数 C 值见表3-1。

表3-1 **不同土料中常数 C 值**

材料	Lane值	Bligh值
非常细的砂和粉砂	8.5	18
细砂	7.0	15
粗砂	5.7	12
砾石和砂	3.5~3	9
漂石和砂	2.5~3	4~6
黏土	3.0~1.6	-

3.7.5 柯斯拉 Khosla 独立变量法

该方法是以传统水动力学势能理论应用于基础渗流的假设为基础的。它适用于无漩涡运动，如通过坝溢洪道的水流或导体中的电流。关于基础渗流势能理论的正确性依赖于达西定律的正确性，任何适用于该理论的系统均应满足拉普拉斯(Laplace)方程。

$$\frac{d^2\phi}{dx^2} + \frac{d^2\phi}{dy^2} = 0$$

其中 Φ 是 x 和 y 的函数，即为流速势能。如果存在流速势能 Φ，那么也一定存在一个流量函数 Ψ，满足拉普拉斯(Laplace)方程。

$$\frac{d^2\Psi}{dx^2} + \frac{d^2\Psi}{dy^2} = 0$$

Φ 对应不同的 x 和 y 值给出等势线或等压线，Ψ 则给出了一组垂直于等势线或等压线的流量线。这个图形即为流网。

如果 H 为作用在建筑物上的水头差，那么它可以用达西定律和连续方程表示出来

$$\frac{d^2H}{dx^2} + \frac{d^2H}{dy^2} = 0$$

上式表明基础渗流满足拉普拉斯(Laplace)方程，且 H 是流速势能。对平坦曲线，按照势能理论可以得出求解扬压力的理论方法。Khosla 应用了 Schwartz－Christofil 保角变换公式

$$z = A\int \frac{dw}{(w - w_1)^{\lambda_1}(w - w_2)^{\lambda_2}(w - w_3)^{\lambda_3}}$$

他认为图 3-13 所示的组合剖面可以分解成几个基本的设计剖面。那么,通过以上公式,该剖面就可转化为图 3-14 所示的平板基础剖面,这样就可以进行理论求解了。对该条件,一旦计算出答案,可再转化回组合剖面,那么这样就可以得到组合的结果。

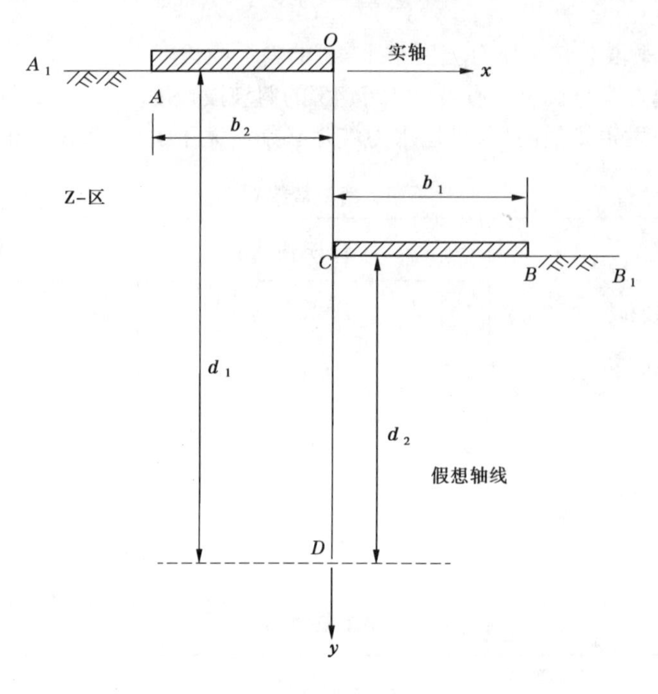

图 3-13　组合剖面

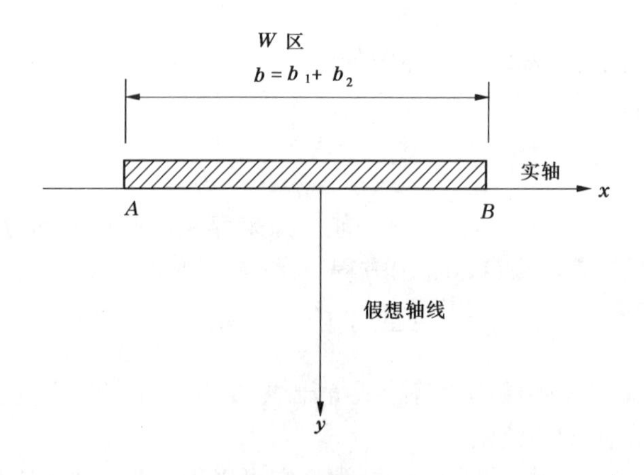

图 3-14　平板基础

Khosla 由综合剖面推出以下简单剖面(见图 3-15)的结果:

(1)底板下游设有板桩,底板和下游河床有高差;

(2)单排板桩,两侧有落差;

(3)单排钢板桩,河底无高差,无护坦;

(4)底板下游端设有板桩,底板和下游河床无高差;

(5)沉降式底板。

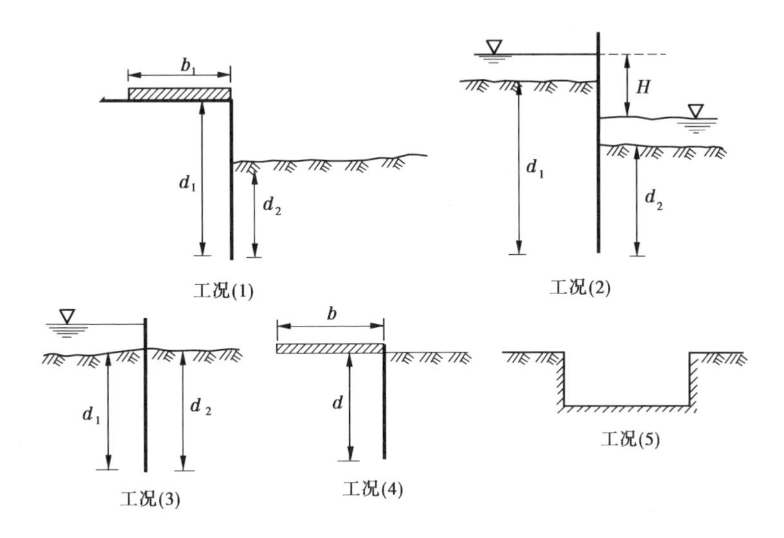

图 3-15　基本剖面图

以上的分析方法在设计中实际意义不大，因为大多数的拦河闸剖面形状都十分复杂，并不符合任何一个基本剖面形状。

经过研究，为了改进拦河闸的实际设计方法，使其精确性可以和通过势能理论得出的分析方法相媲美，Khosla 提出了独立变量假设，这个假设极大地简化了拦河闸的设计。在这种方法中，拦河闸可能有很复杂的剖面形状，但是将其分解为若干基本剖面，通过对基本断面的分析来解决实际问题。

只确定关键点的扬压力认为已经足够，关键点指板桩和底板的交点。假定关键点之间的扬压力是线性变化的。Khosla 根据可利用的分析方法制作了图表(附在本章末)，从图表上可以读出关键点的压力值。

(1)上下游设有板桩的底板；

(2)中部设有板桩的底板；

(3)沉降式底板。

该图表不需要解释。在附录中，拦河闸设计习题应用了该图表。Khosla 还提出，如果对板桩相互之间和底板倾斜的影响进行修正，那么用独立变量法求得的结果和实际值之间的误差就可以忽略不计。

板桩之间的影响公式如下

$$C = 19\sqrt{D/b'} \times (d + D)/b$$

式中　C——以百分数表示的扬压力修正值，用上述图表求得；

b'——板桩间距；

D——受相邻板桩深度 d 影响的板桩深度；

d——对板桩深度 D 有影响的相邻板桩的深度；

b——底板总长度。

如果板桩“d”在板桩“D”的上游，则用上式计算得出的修正值为正，反之为负。也就是说，板桩的影响是增加上游扬压力值，而减小下游扬压力。

为了对斜坡底板进行必要的的修正，Khosla 给出了一条曲线（见本章附录）。在本章附录中给出了应用本方法进行拦河闸设计的最佳实例。

3.7.6 出逸坡降

如前所述，基础渗流设计要考虑的第二个因素是出逸坡降，该值必须要在安全范围内。

Khosla 在 1930－1932 年应用的势能公式中提出了管涌安全准则的解决方法，在讨论 Khosla 法之前，我们先研究太沙基（Terzaghi）在 1925 年提出的关于逸出现象的理论。

3.7.6.1 太沙基（Terzaghi）理论

根据太沙基（Terzaghi）理论，出逸点的压力坡降不是勃莱（Bligh）和莱茵（Lane）所提出的平均水力坡降，它需要满足水工建筑物透水基础管涌安全准则。

他考虑可在流线上截取圆柱形平衡单元，如图 3-16 所示。

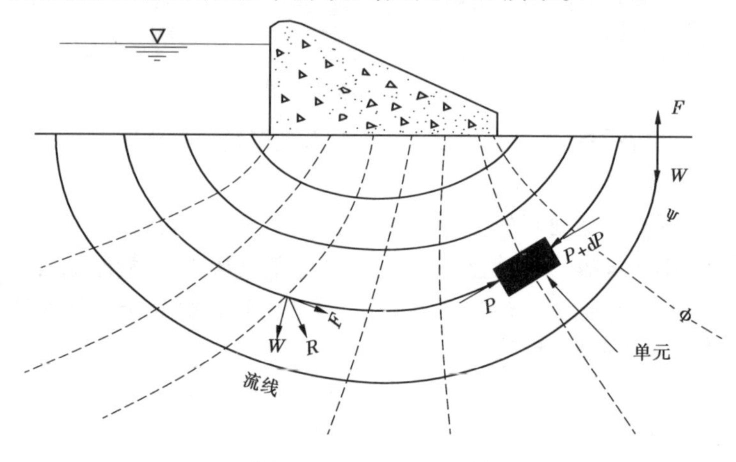

图 3-16 Terzaghis 理论

(1)渗透力

$$F = \text{总渗透力} = \text{两端的压力差} = P\mathrm{d}\alpha - (p + \mathrm{d}p)\mathrm{d}\alpha$$

$$\text{单位体积的渗透力} = \frac{-\mathrm{d}p\mathrm{d}\alpha}{\mathrm{d}s\mathrm{d}\alpha} = \frac{-\mathrm{d}p}{\mathrm{d}s} \quad (\mathrm{ft})$$

为达到平衡，合力不应向上。垂直部分的方程如下：

$$R_{\mathrm{W}} = F\sin\theta - W$$

为达到平衡，$R_{\mathrm{W}} = 0 = F\sin\theta - W$

对水平河床，出口 $\theta = 0$

则　　$F = W$（在出口）

式中，W 为土的浮容重。

因此对于极限平衡状态，土的浮重恰好能抵消渗流力的垂直向上的分力。当这种情况发生时，土就处在漂浮状态，而此时引起土漂浮的逸出坡降称为浮动坡降。如果逸出坡降超过了浮动坡降，逸出点将出现管涌现象，并且渐渐形成通向上游的水流通道。

(2)浮动坡降值

设砂的比重为 2.67，孔隙率为 40%，则砂的浮重为

$$W \times 62.5 = (2.67 - 1)(1 - 0.4)$$
$$W = 常数$$

这意味着如果要确保不发生管涌的话，逸出坡降必须大于该常数。通常建议取5～7的安全系数。

3.7.6.2 柯斯拉(Khosla)法

如前所述，出逸坡降也可以通过势能理论表达。另外也可以看出，如果下游不设板桩，一旦底板冲刷，那么出逸坡降在理论上将是无穷大的。换句话说，下游板桩对出逸坡降值起控制作用。因此在柯斯拉(Khosla)方法中，取整个底板和下游板桩作为出逸坡降的计算单元。对这种情况有如下分析方法

$$出逸坡降 = \frac{H}{d}\frac{1}{\pi\sqrt{\lambda}}$$

其中，$\lambda = \dfrac{\sqrt{1+\alpha^2}}{2}$，$\alpha = d/b$

式中 b——底板总长；

d——下游板桩深度；

H——水头。

为了更方便地使用此方法，柯斯拉(Khosla)绘制了曲线(见图3-19～3-21)，通过该曲线可以直接查得出逸坡降值。

在本章附录中举例说明了以上设计方法。另外，还举例说明了砌石护坦、导流堤、导流堤护坦、堤岸以及回水计算等。

共轭水深参数见表3-2。

表3-2　　共轭水深表

$f(z)$	z	z'				
		$\varphi=0.80$	$\varphi=0.85$	$\varphi=0.90$	$\varphi=0.95$	$\varphi=1.00$
0.008 0	0.001	0.050 1	0.053 2	0.056 4	0.069 6	0.062 7
0.016 1	0.002	0.070 5	0.074 0	0.079 4	0.083 9	0.088 4
0.024 1	0.003	0.086 1	0.091 6	0.097 1	0.102 6	0.108 1
0.032 1	0.004	0.099 0	0.105 3	0.111 6	0.117 9	0.124 2
0.040 0	0.005	0.110 4	0.117 4	0.124 5	0.131 5	0.138 6
0.048 0	0.006	0.120 6	0.128 3	0.136 0	0.143 8	0.153 5
0.056 0	0.007	0.129 9	0.138 3	0.146 5	0.154 0	0.163 3
0.063 9	0.008	0.138 6	0.147 5	0.156 4	0.165 3	0.174 2
0.071 9	0.009	0.146 7	0.154 1	0.163 6	0.175 0	0.184 4

续表 3-2

$f(z)$	z	z'				
		$\varphi=0.80$	$\varphi=0.85$	$\varphi=0.90$	$\varphi=0.95$	$\varphi=1.00$
0.079 9	0.010	0.154 3	0.164 2	0.174 2	0.184 1	0.194 1
0.099 6	0.012 5	0.171 6	0.182 7	0.193 8	0.204 9	0.216 0
0.119 5	0.015 0	0.187 1	0.199 3	0.211 4	0.223 6	0.235 7
0.139 1	0.017 5	0.201 2	0.214 3	0.227 4	0.240 5	0.253 6
0.158 8	0.020 0	0.214 2	0.228 2	0.242 2	0.256 2	0.270 2
0.178 4	0.022 5	0.226 3	0.241 1	0.255 9	0.270 7	0.285 6
0.198 1	0.025 0	0.237 6	0.253 2	0.268 8	0.284 4	0.300 0
0.217 5	0.027 5	0.258 3	0.264 5	0.280 9	0.297 3	0.313 6
0.237 1	0.030	0.258 4	0.275 4	0.292 4	0.309 5	0.326 5
0.275 9	0.035	0.277 1	0.295 4	0.313 8	0.332 1	0.350 5
0.314 5	0.040	0.294 2	0.313 7	0.333 4	0.352 9	0.372 4
0.352 8	0.045	0.310 0	0.330 6	0.351 3	0.372 0	0.392 7
0.391 1	0.050	0.324 6	0.346 4	0.368 1	0.389 9	0.411 6
0.429 1	0.055	0.338 3	0.361 0	0.363 8	0.406 5	0.429 3
0.466 8	0.060	0.351 1	0.374 8	0.398 5	0.422 2	0.445 9
0.505 5	0.065	0.363 3	0.387 9	0.412 4	0.437 0	0.461 6
0.541 7	0.070	0.374 7	0.400 2	0.425 6	0.451 0	0.476 5
0.578 9	0.075	0.385 6	0.411 8	0.438 1	0.464 3	0.490 6
0.615 7	0.080	0.395 9	0.422 9	0.450 0	0.477 0	0.504 1
0.652 4	0.085	0.405 7	0.433 5	0.461 3	0.489 1	0.516 9
0.689 0	0.090	0.415 1	0.443 6	0.472 1	0.500 6	0.529 1
0.725 3	0.095	0.424 0	0.453 2	0.482 4	0.511 6	0.540 9
0.761 4	0.100	0.432 6	0.462 5	0.492 3	0.520 2	0.552 1
0.832 7	0.110	0.448 6	0.479 8	0.510 9	0.542 0	0.573 2
0.903 6	0.120	0.463 4	0.495 7	0.528 0	0.560 3	0.592 7
0.972 7	0.130	0.477 0	0.510 4	0.543 8	0.577 3	0.610 7
1.041 8	0.14 0	0.489 6	0.524 0	0.558 5	0.593 0	0.627 5
1.109 2	0.150	0.501 2	0.536 6	0.572 1	0.607 6	0.643 2
1.160 4	0.160	0.512 0	0.548 4	0.584 7	0.621 1	0.657 6
1.242 8	0.170	0.522 0	0.559 2	0.596 5	0.633 7	0.671 0

续表 3-2

$f(z)$	z	z'				
		$\varphi=0.80$	$\varphi=0.85$	$\varphi=0.90$	$\varphi=0.95$	$\varphi=1.00$
1.307 7	0.180	0.531 2	0.569 3	0.607 4	0.645 5	0.683 0
1.372 2	0.190	0.539 8	0.578 6	0.617 5	0.656 4	0.695 3
1.435 2	0.200	0.547 8	0.587 3	0.626 9	0.666 6	0.706 2
1.497 6	0.210	0.555 4	0.595 4	0.635 6	0.676 0	0.716 4
1.559 2	0.220	0.561 9	0.602 8	0.643 7	0.684 7	0.725 8
1.619 2	0.230	0.568 1	0.609 6	0.651 2	0.692 8	0.734 5
1.678 9	0.240	0.573 8	0.615 9	0.658 1	0.700 3	0.744 6
1.737 2	0.250	0.579 0	0.621 7	0.664 4	0.707 2	0.750 0
1.794 7	0.260	0.583 8	0.627 0	0.670 2	0.713 5	0.756 9
1.851 0	0.270	0.588 0	0.631 7	0.675 5	0.719 3	0.763 4
1.906 4	0.280	0.591 9	0.636 0	0.680 2	0.724 5	0.768 9
1.960 7	0.290	0.595 4	0.639 9	0.684 5	0.729 3	0.774 0
2.041 2	0.300	0.598 4	0.643 4	0.688 4	0.733 5	0.778 7
2.066 3	0.310	0.601 0	0.646 3	0.691 8	0.737 3	0.782 9
2.117 4	0.320	0.603 3	0.649 0	0.694 8	0.740 6	0.786 6
2.167 4	0.330	0.605 2	0.651 2	0.697 3	0.743 5	0.789 8
2.216 3	0.340	0.606 8	0.653 0	0.699 4	0.746 0	0.792 6
2.264 1	0.350	0.608 0	0.654 5	0.701 2	0.748 0	0.794 9
2.310 9	0.360	0.608 8	0.655 6	0.702 5	0.749 6	0.796 7
2.356 5	0.370	0.609 3	0.656 3	0.703 5	0.750 8	0.798 1
2.400 9	0.380	0.69 5	0.656 8	0.704 1	0.751 6	0.799 2
2.405 1	0.381	0.609 5	0.656 7	0.704 2	0.751 6	0.799 2
2.425 2	0.386	0.609 5	0.656 8	0.704 3	0.751 9	0.799 6
2.444 0	0.390	0.609 4	0.656 8	0.704 3	0.752 0	0.799 8
2.448 5	0.391	0.609 4	0.656 8	0.704 3	0.752 0	0.799 8
2.469 5	0.396	0.609 2	0.656 6	0.704 3	0.752 1	0.800 0
2.486 2	0.400	0.609 0	0.656 5	0.704 2	0.752 0	0.800 0
2.527 0	0.410	0.608 2	0.655 9	0.703 7	0.751 7	0.799 8
2.566 6	0.420	0.607 2	0.654 9	0.702 9	0.751 0	0.799 2
2.605 0	0.430	0.605 8	0.653 6	0.701 7	0.749 9	0.798 2

续表 3-2

$f(z)$	z	z'				
		$\varphi=0.80$	$\varphi=0.85$	$\varphi=0.90$	$\varphi=0.95$	$\varphi=1.00$
2.642 0	0.440	0.604 1	0.652 1	0.700 2	0.748 4	0.796 8
2.677 8	0.450	0.602 2	0.650 2	0.658 3	0.746 6	0.795 1
2.712 3	0.460	0.599 9	0.647 9	0.696 1	0.744 5	0.793 0
2.745 6	0.470	0.597 4	0.645 4	0.693 6	0.742 0	0.790 5
2.777 3	0.480	0.594 6	0.642 6	0.690 8	0.739 1	0.787 6
2.807 7	0.490	0.591 5	0.639 5	0.687 6	0.735 1	0.784 4
2.836 9	0.500	0.588 2	0.636 0	0.684 1	0.732 4	0.780 8
2.864 6	0.510	0.584 5	0.632 2	0.680 2	0.728 4	0.776 8
2.890 7	0.520	0.580 6	0.628 2	0.676 1	0.724 2	0.774 5
2.915 7	0.530	0.577 4	0.623 9	0.671 7	0.719 6	0.767 8
2.938 7	0.540	0.571 9	0.619 3	0.666 8	0.714 7	0.762 7
2.960 4	0.550	0.567 2	0.614 5	0.661 9	0.709 7	0.757 6
2.980 5	0.560	0.562 1	0.609 1	0.656 3	0.703 8	0.751 5
2.982 0	0.561	0.561 5	0.608 6	0.655 8	0.703 2	0.750 9
2.999 0	0.570		0.603 6	0.650 6	0.697 9	0.745 3
3.011 3	0.580		0.597 7	0.644 6	0.691 6	0.738 8
3.031 4	0.590		0.591 7	0.638 1	0.684 9	0.732 0
3.032 7	0.591		0.591 0	0.637 5	0.684 3	0.731 2
3.045 2	0.600			0.631 4	0.677 9	0.724 7
3.055 8	0.610			0.624 4	0.670 6	0.717 1
3.065 1	0.618			0.618 6	0.664 5	0.710 7
3.066 5	0.620				0.662 9	0.709 1
3.075 1	0.630				0.654 9	0.700 7
3.081 2	0.640				0.646 5	0.691 9
3.082 9	0.643				0.644 2	0.689 4
3.085 6	0.650					0.682 8
3.088 1	0.660					0.673 3
3.088 6	0.667					0.666 3
	0.670					0.6633

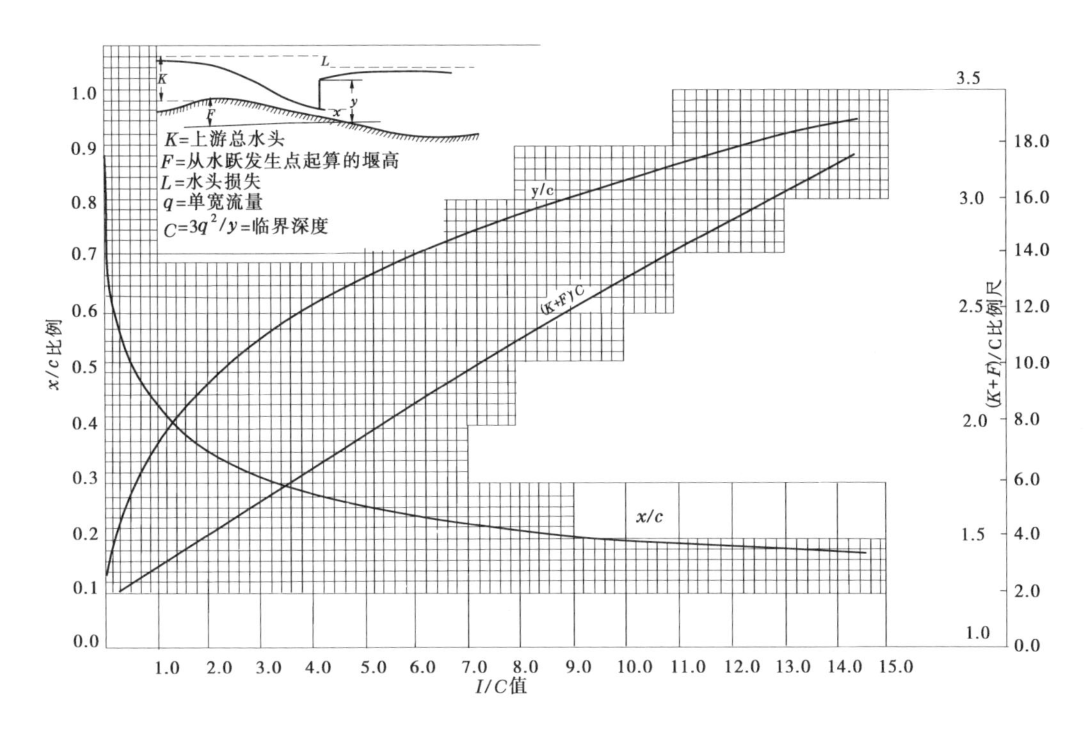

图 3-17 Crump 曲线

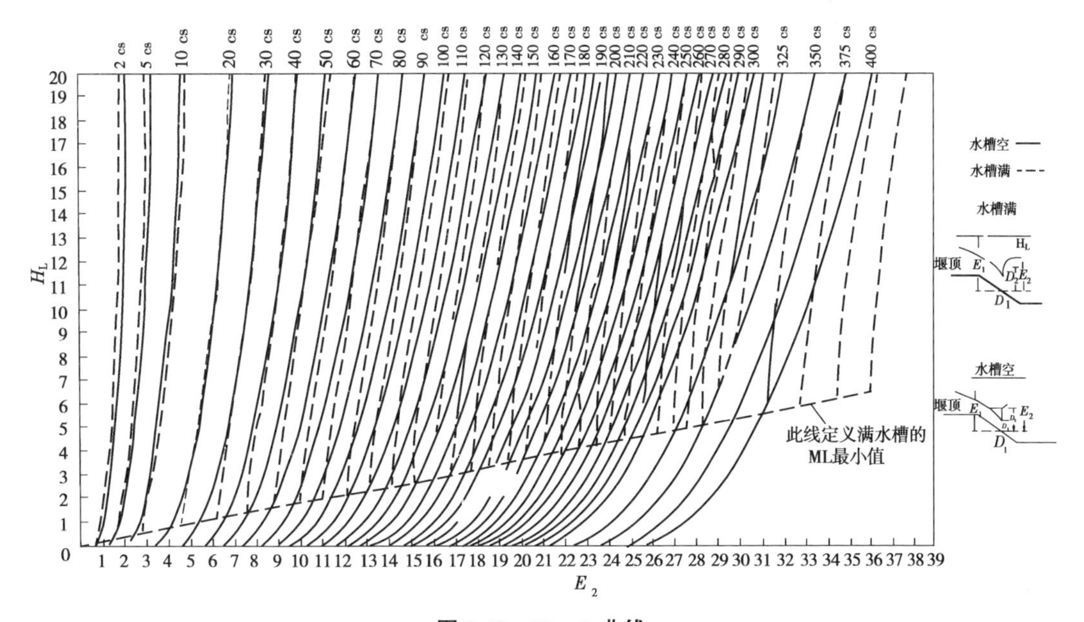

图 3-18 Blench 曲线

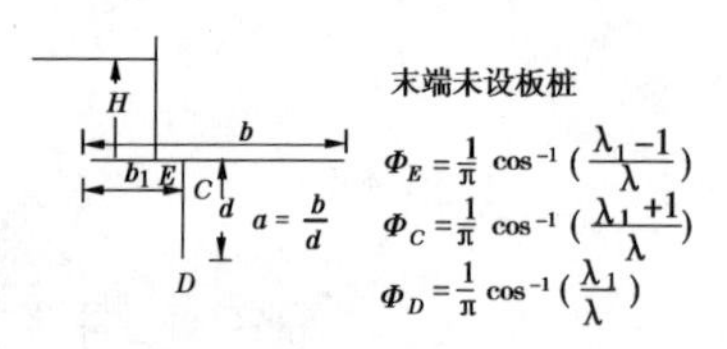

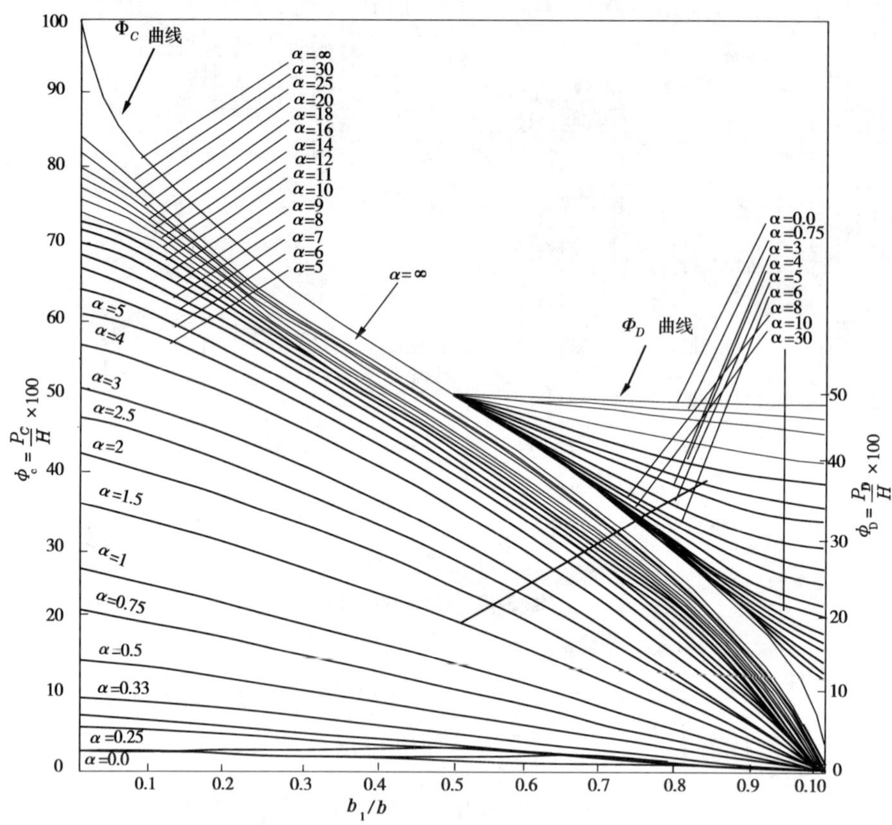

图 3-19　柯斯拉(Khosla)曲线

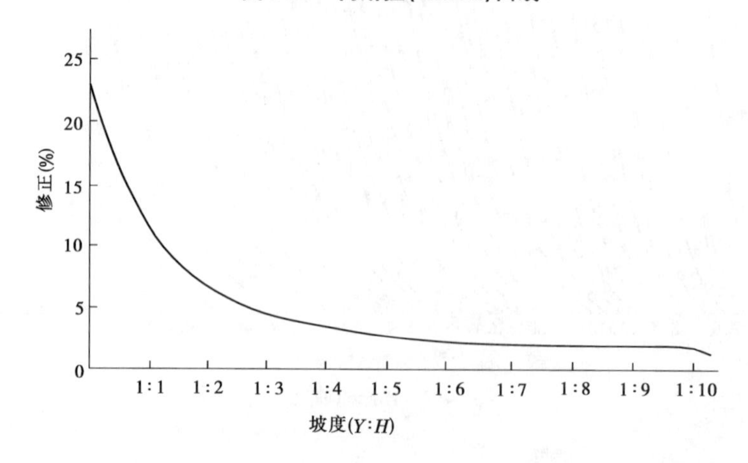

图 3-20　柯斯拉(Khosla) 坡度修正曲线

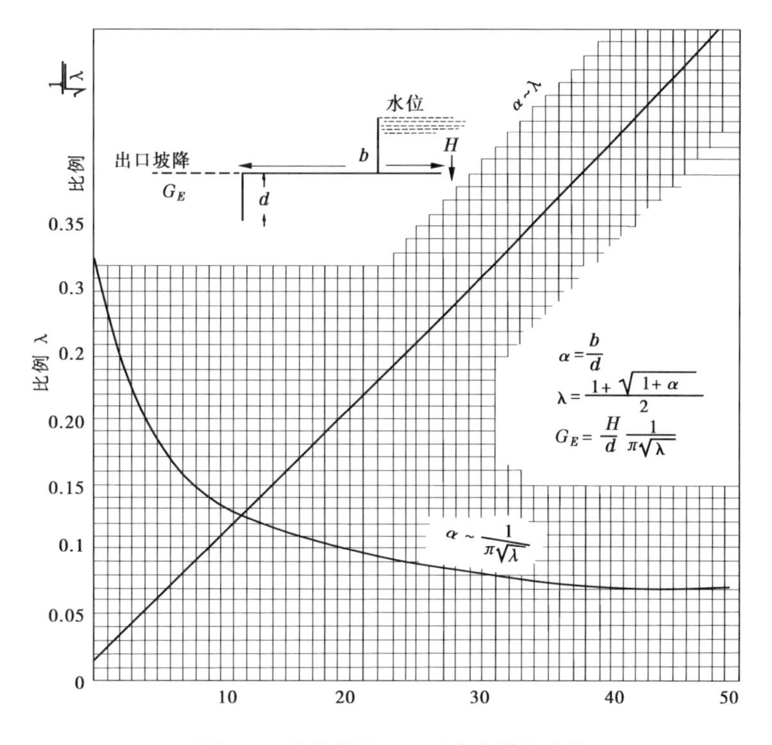

图 3-21　柯斯拉(Khosla)出逸坡降曲线

习题

1. 在透水土基上修建拦河闸与修建蓄水坝之间的不同之处是什么?
2. 绘制印度河灌渠系统的简图。
3. 下图所示为建在砂土地基上的低引水坝横剖面,试确定:

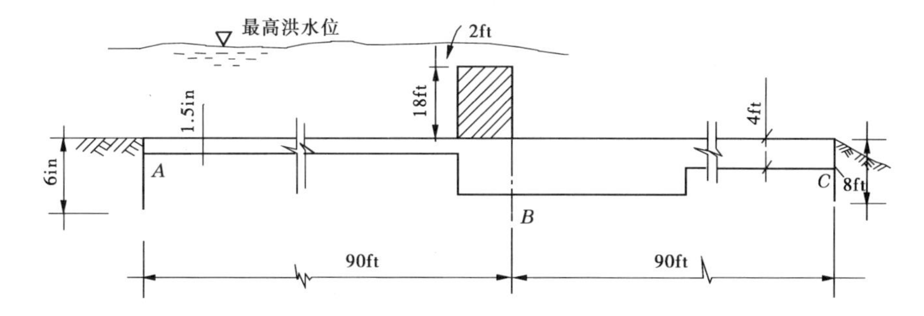

(1)A 点、B 点和 C 点的扬压力,根据:

1)勃莱(Bligh)法。

2)莱茵(Lanes)法。

3)柯斯拉(Khosla)曲线。

(2)根据柯斯拉(Khosla)法确定 B 点的底板厚度。

(3)出逸坡降。

(4)如果泄流量为 100ft^3/(s·ft),试验证上游板桩深度是否足够(Lacey 泥沙系数为 0.9)。

4. 已知堰顶长度 250 ft,河床高程 RL960,最大洪水流量 75 000ft^3/s,最高洪水位(HFL)为 RL1 000,确定拦河闸堰顶高程,并求拦河闸高度(不包括闸门高度)。假设泄流公式中的流量系数 C_d 等于 4.03。

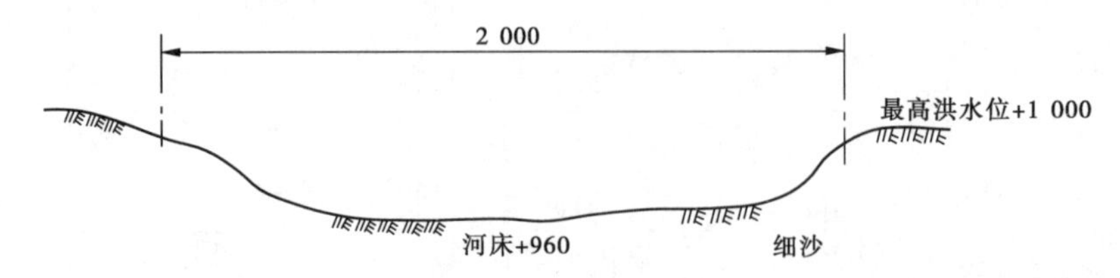

5. 根据以下资料设计一个无闸门控制的溢流坝(可采用斜坡或渥奇(Ogee)剖面):

(1) 最大流量	60 000ft^3/s
(2)最高洪水位(HFL)	+200
(3)河床底高程	+170
(4)Lacey 泥沙系数(细砂)	0.9
(5)河宽	2 000ft

如果需要,可假定其他合适的参数。

6. 拦河闸堰顶高程为+610,过堰流量为 100ft^3/(s·ft)。流量系数可取为 3.19。由流量水位关系可知上述流量对应的水位为+605,试确定水跃发生在斜坡段末端时的下游底板高程(可以用 Blench 曲线)。堰下游的流速水头可忽略不计。

7. 应用 Crump 曲线解习题 6。

8. 下图示出了拦河闸的横剖面,并且提供了以下参数:

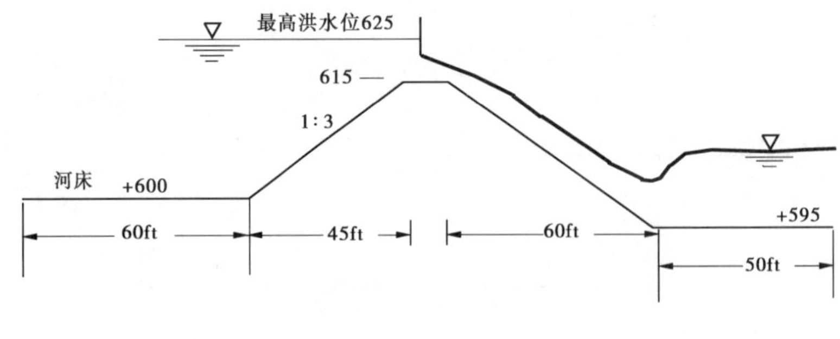

(1)河床底高程	+600
(2)最高洪水位(*HFL*)	+625
(3)最大流量	1 000ft^3/(s·ft)
(4)Lacey 泥沙系数	0.9
(5)下游底板高程	+595

试确定:

(1)上游板桩深度。

(2)对于拦河闸总长 220 ft 和安全出逸坡降为 1/5 的情况，下游板桩深度。

(3)对于水跃深度等于 20 ft 的情况，下游底板多长才能满足要求？如果不满足要求，应如何处理？

(4)下游底板两端的扬压力，以及所要求的底板厚度(混凝土密度为 150 lbs/ft^3，用柯斯拉(Khosla)法)。

参 考 文 献

[1] Central Board of Irrigation. Publication No. 12, Government of India, Shimla, 1936.

[2] Cood and Partners. Design Report on Qadirabad Barrage. W. A. P. D. A, Lahore , 1963.

[3] Mehboob S I. The Design and Construction of Kalabagh Barrage. P. W. D. Punjab Irrigation Branch Paper NO. 34, 1943.

[4] Mohiuddin K. Design of Barrages. West Pakistan Engineering Congress, Golden Julibee Publications, Lahore, 1963.

[5] Posey C J. Fundamental of Open Channel Hydraulics. Rocky Mountain Hydraulic Laboratory, Allenspark, Colorado, 1969.

[6] Rao C J M S. Lecture Notes. Indian Institute of Technology, Kharagpur, 1960.

[7] Sharma R K. Irrigation Engineering. Vol. Ⅰ, Ⅱ, Ⅲ, Rama Krishna and Sons Lahore, 1944.

[8] Bureau of Reclamation. Design of Small Dams. United States, Department of The Interior, Washington 1977.

[9] Morris H M, Wiggert J M. Applied Hydraulics in Engineering. John Wiley & Sons Inc. New York, Second Edition, 1972.

附录Ⅰ　拦河闸设计实例

基本参数

最大设计流量	500 000ft³/s
最小设计流量	12 000ft³/s
河床高程（*RBL*）	582.00ft
最高洪水水位（*HFL*）	600.00ft
最低水位（*LWL*）	587.00ft
最低前池水位	598.00ft
右岸渠道数	2
左岸渠道数	1
单个渠道最大流量	3 500ft³/s
河道纵坡	1 ft/mile

详见附图 3-3-1。

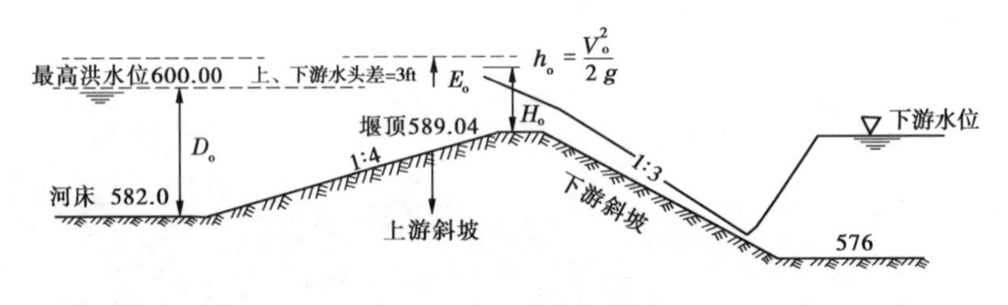

附图 3-1-1

第一部分　根据溢流条件设计拦河闸剖面

1　最小稳定湿周

$P_w = 2.666\sqrt{Q_{max}}$

$Q_{max} = 500\ 000ft^3/s$

$P_w = 2.666\sqrt{500\ 000} = 2.666 \times 100 \times 7.07 = 1\ 890ft$

取莱西(Lacey)松散系数 $LLC = 1.8$，

两边墩之间的宽度 $= W_a = LLC \times P_w = 1.8 \times 1\ 890 = 3\ 400ft$

试算

50孔，每孔长 60ft = 3 000ft

47个墩子，每个墩子宽 7 ft = 329ft

1个鱼道 = 26ft

2个隔墙 = 30ft

总长 W_a = 3 385ft

两边墩之间的流量 $= q_{abt} = \frac{500\ 000}{3\ 385} = 147.7 \text{ft}^3/(\text{s}\cdot\text{ft})$

过闸泄量 $= q_{weir} = \frac{500\ 000}{3\ 000} = 166.7 \text{ft}^3/(\text{s}\cdot\text{ft})$

2 莱西(Lacey)泥沙系数计算

$$S = \frac{1}{1\ 844} \times \frac{f^{5/3}}{Q^{1/6}}$$

$$\frac{1}{5\ 000} = \frac{1}{1\ 844} = \frac{f^{5/3}}{(500\ 000)^{1/6}}$$

所以 $f = 2.00$

3 堰顶高程的确定

参见附图 3-1-1。

假定上下游水头差 = 3ft

$P = 6\text{ft}$

最大冲坑深度 $= R = 0.9\left(\frac{q_{abt}^{\ 2}}{f}\right)^{\frac{1}{3}} = 0.9 \times \left(\frac{147.7 \times 147.7}{2}\right)^{\frac{1}{3}} = 19.96\text{ft}$

所以

$$H_0 = R - P = 19.96 - 6 = 13.96\text{ft}$$

$$V_0 = \frac{q_{abt}}{R} = \frac{147.7}{19.96} = 7.40\text{ft/s}$$

$$h_0 = \frac{V_0^2}{2g} = \frac{7.4 \times 7.4}{2 \times 32.2} = 0.85\text{ft}$$

$$E_0 = H_0 + h_0 = 13.96 + 0.85 = 14.81\text{ft}$$

$$E_1 = D_0 + h_0 + \text{水头差} = 18 + 0.85 + 3 = 21.85\text{ft}$$

$$E_1 = 582.00 + 21.85 = 603.85\text{ft}$$

所以，堰顶高程 = 603.85 − 14.81 = 589.04ft

最高下游水位 = 600.00ft(从泄流曲线查得，附图 3-1-2)

根据吉布森(Gibson)曲线(附图 3-1-3)

h = 下游水位 − 堰顶高程 = 600 − 589.04 = 10.96ft

$$\frac{h}{E_0} = \frac{10.96}{14.81} = 0.74$$

所以，$\frac{C'}{C} = 0.84$(从吉布森曲线查得)

所以，$C' = 0.84 \times 3.8 = 3.19$

$$Q = C' \times W_{\text{clear}} \times E_0{}^{3/2} = 3.19 \times 3\,000 \times 14.81^{3/2}$$
$$= 510\,000 > 500\,000 \text{ft}^3/\text{s}$$

因此满足

所以莱西松散系数$=\dfrac{3\,385}{1\,890}=1.79$

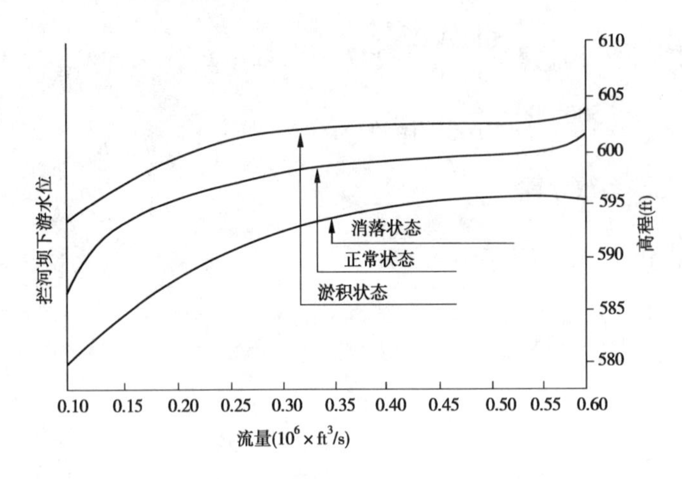

附图 3-1-2　拦河闸水位流量关系曲线

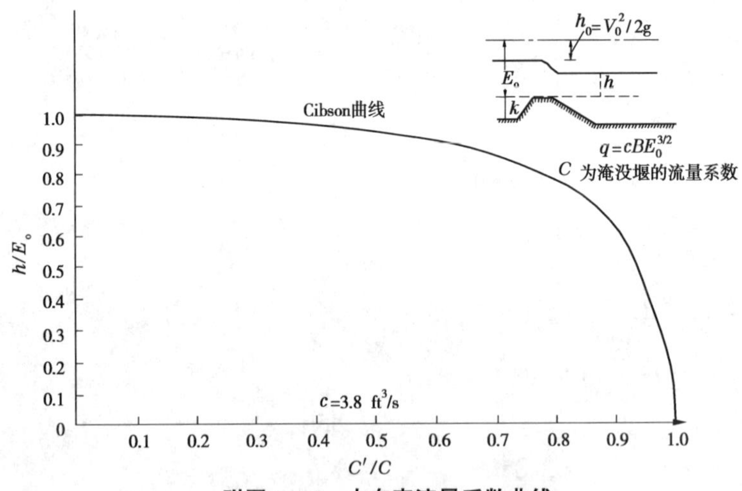

附图 3-1-3　吉布森流量系数曲线

4　底部泄水闸设计

底部泄水闸堰顶高程取低于主堰高程 3ft

所以,底部泄水闸堰顶高程 = 589.04 − 3 = 586.04ft

假定每侧共有 5 孔闸作为底部泄水闸,则 $b_1 = 5 \times 60 = 300$ft

假定:

$q_{us} = 120\%$的主堰泄量$= 1.2 \times 166.7 = 200\text{ft}^3/(\text{s} \cdot \text{ft})$

$$R = 0.9 \times (q^2/f)^{1/2} = 0.9 \times \left(\frac{200 \times 200}{2}\right)^{\frac{1}{3}} = 24.43\text{ft}$$

$\therefore \quad D_0 = 24.43\text{ft}$

$V_0 = \dfrac{200}{24.43} = 8.187\text{ft/s}$

$h_0 = \dfrac{8.187^2}{2 \times 32.2} = 1.04\text{ft}$

最大 $USEL = 603.00 + 1.04 = 604.04\text{ft}$（$USEL$ 为上游能量水位）

$E_0 = 604.04 - 586.04 = 18\text{ft}$

$h = (604.04 - 3) - 586.04 = 15\text{ft}$

$\therefore \quad \dfrac{h}{E_0} = \dfrac{15}{18} = 0.833$

$C'/C = 0.76$（查吉布森曲线）

$C' = 0.76 \times 3.8 = 2.89$

Q_1 和 $Q_3 = 2.89 \times 600 \times 18^{2/3} = 132\ 000\text{ft}^3/\text{s}$

$Q_{主堰} = 3.19 \times 2\ 400 \times 14.81^{2/3} = 408\ 000\text{ft}^3/\text{s}$

$\therefore$ 总泄量 $= 132\ 000 + 408\ 000 = 540\ 000 > 500\ 000\ \text{ft}^3/\text{s}$

所以，满足要求

通过底部泄水闸流量的百分比 $= \dfrac{132\ 000}{500\ 000} \times 100 = 26.4\%$

因此，底部泄水闸堰顶高程 $= 586.04\text{ft}$

每侧孔数 $= 5$

5　水位和能量水位的确定

我们应确定下述 3 种情况下拦河闸的水位和能量水位：

(1)河床消落；

(2)正常情况；

(3)河床淤积。

这 3 种情况下的水位流量关系曲线是根据堰址实际水位流量关系得出的，详见附图 3-1-2。

5.1　主堰校核

(1)正常情况(见附表 3-1-1、附表 3-1-2)。

(2)河床消落(见附表 3-1-1、附表 3-1-2)。

(3)河床淤积(见附表 3-1-1、附表 3-1-2)。

5.2　底部泄水闸校核

考虑 20% 的集中，$Q = 132\ 000 \times 1.2 = 158\ 400\ \text{ft}^3/\text{s}$

	下游水位(ft)	上游水位(ft)
正常情况	601.5	603.5
河床消落	595.5	601.5
河床淤积	604.0	605.5

附表 3-1-1　　**主堰堰顶高程 − 589.04**

$Q(ft^3/s)$	下游水位	上游水位	D_0 ($USWL - RBL$)	$H_0 = v_0^2/2g$	h	H_0	E_0	h/E_0	$E_0^{3/2}$	C'	Q_{clear}	Q
正常情况												
600 000	601.5	604.0	22.0	1.28	12.46	12.96	0.767	65.4	3.11	203.5	203.5	610 500
500 000	600.0	602.5	20.5	1.03	10.96	13.46	0.756	55.1	3.15	173.7	173.7	521.100
250 000	597.0	598.5	16.5	0.396	7.96	9.46	0.808	30.9	2.96	91.6	91.6	273 800
125 000	592.0	594.5	12.5	0.17	2.96	5.46	0.526	13.3	3.52	46.9	46.9	140 700
河床消落												
600 000	595.5	602.0	20	1.55	6.46	12.96	14.51	0.445	55.3	3.65	201.7	605 100
500 000	596.0	601.0	19	1.19	6.96	11.96	13.15	0.529	47.7	3.53	168.3	504 900
250 000	591.0	597.0	15	0.48	1.96	7.96	8.44	0.232	24.5	3.68	90.1	270 300
河床淤积												
600 000	604.0	606.0	24	1.08	14.96	16.96	13.01	0.829	76.6	2.85	218.4	655 200
500 000	602.5	604.0	22	0.89	13.46	14.96	15.85	0.849	63.1	2.70	170.4	511 200
250 000	601.5	602.0	20	0.27	12.46	12.96	13.23	0.942	48.1	1.91	91.4	274 200

底部泄水闸总宽＝600ft

底部泄水闸堰顶高程＝586.04ft

附表 3-1-2

项目	正常情况	河床消落	河床淤积
D_0	21.50	19.50	23.50
h_0	2.34	2.84	1.97
h	15.46	9.46	17.96
H_0	17.46	15.46	19.46
E_0	19.80	18.30	21.43
$E_0^{3/2}$	88.20	78.40	99.20
h/E_0	0.781	0.517	0.839
C'	3.04	3.55	2.86
q_{clear}	268.00	278.00	284.00
Q	160 800.00	166 800.00	170 400.00

6 下游底板高程和下游斜坡与底板长度确定

应分别计算：

(1)拦河闸的标准断面；

(2)底部泄水闸断面。

对上述两种计算情况，均应考虑下列河道情况：

(1) 正常情况；

(2) 河床消落；

(3)河床淤积。

底板高程可采用下列任何一种方法确定，并可用其他方法校核：

(1)采用 Blench 曲线；

(2)采用 Crump 曲线；

(3)采用共轭水深法。

对上述 3 种情况，应考虑下列泄量：

(1)最大洪水加 20%；

(2)最大洪水；

(3)50%的最大洪水。

下游底板高程需满足在最不利条件下能形成水跃，即最终应选择最低的底板高程。

6.1 用 Blench 曲线确定拦河闸正常断面下游底板高程

(1) 正常情况

1) 对于 600 000ft^3/s 情况

q_{clear} = 203.5ft^3/(s·ft)

h_L = $USEL$(上游能量水位) − $DSEL$(下游能量水位) = 605.28 − 602.78 = 2.5ft

E_2 = 19.1ft

$DSFL = DSEL - E_2L$ = 602.78 − 19.1 = 583.68ft

2) 对于 500 000 ft^3/s 情况

$q_{clear}=173.7ft^3/(s\cdot ft)$

$h_L=603.53-601.03=2.5ft$

$E_2=17.3ft$

$L=601.03-17.3=583.73ft$

3) 对于 250 000ft^3/s 情况

$q_{clear}=91.6ft^3/(s\cdot ft)$

$h_L=1.5ft$

$E_2=11.2ft$

$DSFL=597.396-11.2=586.196ft$

(2) 河床消落情况

由于计算过程与上述正常情况的计算类似,此处略。计算结果见附表 3-1-3。

附表 3-1-3

$Q(ft^3/s)$	$q(ft^3/(s\cdot ft))$	$h_2(ft)$	$E_2(ft)$	$DSFL(ft)$
600 000	201.7	6.5	21.0	597.05 − 21 = 576.05
500 000	168.3	5.0	18.3	597.19 − 18.3 = 579.89
250 000	90.1	6.0	13.0	591.479 − 13 = 578.479

(3)河床淤积情况

计算结果见附表 3-1-4。

附表 3-1-4

$Q(ft^3/s)$	$q(ft^3/(s\cdot ft))$	$h_2(ft)$	$E_2(ft)$	$DSFL(ft)$
600 000	218.4	2.0	19.6	605.08 − 19.6 = 585.48
500 000	170.4	1.5	16.6	603.39 − 16.6 = 586.79
250 000	91.4	0.5	10.4	601.77 − 10.5 = 591.37

综上计算,很明显最不利条件为河床消落,泄流量为最大洪水加 20%时的情况。因此,下游河床高程应定为 576.05ft,即 576.00ft。

6.2 底部泄水闸底板高程的确定

经过类似计算后,得出如附表 3-1-5 所示计算结果。

附表 3-1-5

$Q(ft^3/s)$	$q(ft^3/(s\cdot ft))$	$h_2(ft)$	$E_2(ft)$	$DSFL(ft)$
正常情况 160 800	268	2.0	22.3	603.84 − 22.3 = 581.54
河床消落 166 800	278	6.0	25.1	598.34 − 25.1 = 573.24
河床淤积 170 400	284	1.0	22.6	605.97 − 22.6 = 583.37

因此，底部泄水闸底板高程应定为573.24ft，即573.00ft。

7　用 Crump 法确定拦河闸正常断面下游底板高程和底板长度

(1) $Q = 500\ 000\ ft^3/s$

最高下游水位($DSWL$) = 602.50ft

上游水位($USWL$) = 604.00ft

上游能量水位($USEL$) = 604.89ft

河床高程(RBL) = 582.00ft

堰顶高程 = 589.04ft

下游底板高程($DSFL$) = 576.00ft

$D_{池} = 602.5 - 576 = 26.5ft$

下游流速 = 500 000/(26.5×3 385) = 5.56ft/s

下游流速水头 = $5.56^2/(2\times32.2)$ = 0.48ft

$DSEL = 602.5 + 0.48 = 602.98ft$

$K = 605.89 - 589.04 = 15.85ft$

$L = 604.89 - 602.98 = 1.91ft$

$q = 500\ 000/3\ 000 = 166.7\ ft^3/(s\cdot ft)$

$C = (q^2/g)^{1/3} = (166.7^2/32.2)^{1/3} = 9.52ft$

$L/C = 1.91/9.52 = 0.2$

$(K + F)/C = 1.94$ (从 crumps 曲线查得)

$F = 1.94\times9.52 - 15.85 = 2.65$

水跃和斜坡段交点的高程 = 堰顶高程 − F = 589.04 − 2.65 = 586.39ft

$E_2 = 602.98 - 586.39 = 16.59ft$

水跃淹没度 = 586.39 − 576.00 = 10.39ft

水跃斜坡段水跃长度 = 3×10.39 = 31.17ft

消力池长度 = $4.5E_2$ = 4.5×16.59 = 74.65ft

下游底板长度 = 74.65 − 31.17 = 43.33ft

可取45ft。

(2) $Q = 500\ 000\ ft^3/s$

最低下游水位($DSWL$) = 596ft

上游能量水位($USEL$) = 602.19ft

$D_{池} = 596 - 576 = 20ft$

下游流速 = 500 000/(20×3 385) = 7.38ft/s

下游流速水头 = $7.38^2/(2\times32.2) = 0.85ft$

$DSEL = 596 + 0.85 = 596.85ft$

$K = 602.19 - 589.04 = 13.15ft$

$L = 602.19 - 596.85 = 5.34ft$

$q = 500\ 000/3\ 000 = 166.7\ ft^3/(s\cdot ft)$ (已算出)

$C = (q^2/g)^{1/3} = (166.7^2/32.2)^{1/3} = 9.52\ ft$

$L/C = 5.34/9.52 = 0.56$

$(K+F)/C = 2.48$

$F = 2.48 \times 9.52 - 13.15 = 10.45$ft

水跃和斜坡段交点的高程= 589.04 − 10.45 = 578.59ft

$E_2 = 596.85 - 578.59 = 18.26$ft

水跃淹没度=578.59 − 576.00 = 2.59ft

水跃淹没的斜坡段长度=3×2.59 =7.77ft

消力池长度 = $4.5E_2 = 4.5 \times 18.26 = 82.9$ft

下游底板长度 = 82.9 − 7.77 = 74.43ft,取75ft

因此,我们可确定下游底板长度为75ft。

8 底部泄水闸下游底板高程的确定

(1)最低下游水位= 604ft

$Q = 158\,400$ ft^3/s

$USWL = 605.5$ft

$USEL = 605.5 + 1.97 = 607.47$ft

$DSFL = 573.0$ft

$D_{池} = 604 - 573 = 31$ft

下游流速=158 400/(600×31) = 8.5ft/s

下游流速水头=$8.5^2/(2 \times 32.2) = 1.12$ft

下游能量水头 = 604+1.12 = 605.12ft

K = USEL − 堰顶高程= 607.47 − 586.04 = 21.43ft

$L = 607.47 - 605.12 = 2.35$ft

$q = 158\,400/600 = 264$ $ft^3/(s \cdot ft)$

$C = (q^2/g)^{1/3} = (264^2/32.2)^{1/3} = 12.92$ft

$L/C = 2.35/12.92 = 0.182$

$(K+F)/C = 1.92$

$F = 1.92 \times 12.92 - 21.43 = 3.37$ft

水跃和斜坡段交点的高程=堰顶高程 − F = 586.04 − 3.37 = 582.67ft

$E_2 = 605.12 - 582.67 = 22.45$ft

水跃淹没度= 582.67 − 573.0 = 9.67ft

水跃在斜坡段长度=3×9.67 = 29.01ft

消力池长度 = $4.5E_2 = 4.5 \times 22.45 = 101$ft

下游底板长度=101 − 29.01=71.99ft,取72ft。

(2) 最低下游水位 = 595.5ft

上游能量水位=603.47ft

$D_{池}$ = 595.5 − 573 = 22.5ft

下游流速=158 400/(600×22.5) = 11.7ft/s

下游流速水头 $=11.7^2/(2\times32.2)=2.13$ft

下游能量水位 = 595.5+2.13 = 597.63ft

$K=603.47-586.04=17.43$ft

$L=603.47-597.63=5.84$ft

$C=12.92$ft(已经算出)

$L/C=5.84/12.92=0.45$

$(K+F)/C=2.32$

$F=2.32\times12.92-17.43=12.57$ft

$E_2=597.63-573.47=24.16$ft

水跃和斜坡段交点的高程 = 586.04 − 12.57 = 573.47ft

水跃淹没度 = 573.47 − 573.0 = 0.47ft

水跃斜坡段长度 = $3\times0.47=1.41$ft

消力池长度 $=4.5E_2=4.5\times24.16=109$ft

下游底板长度 = 109 − 1.41 = 107.59ft,即 110ft。

因此,我们取下游底板长 110ft。

9 用共轭水深法验算下游底板高程

9.1 拦河闸正常断面(附表 3-1-6)

$\varphi=1.00$

消力池底板高程 = 576.00

附表 3-1-6

Q = 河流流量(ft^3/s)		500 000		250 000	
Q_1 = 通过主堰的流量 $=Q\times80\%$		400 000		200 000	
		最大值	最小值	最大值	最小值
$USEL$		604.89	602.19	602.27	597.48
$E=USEL-576$		28.89	26.19	26.27	21.48
Q = 下游底板泄流强度 $=Q_1/2\ 400$		166.7	166.7	83.4	83.4
$D_{池}$ = 消力池水深 $=DSWL-576$		26.5	20.0	25.5	15.0
$E^{3/2}$		155.2	134	135	99.4
$f(z)=q/E^{3/2}$		1.072	1.242	0.616	0.832
共轭水深系数	z	0.145	0.170	0.080	0.11
	z'	0.635 4	0.671 0	0.504 1	0.573 2
共轭水深	$d_1=z\times E$	4.19	4.45	2.10	2.36
	$d_2=z'\times E$	18.37	17.59	13.22	12.3
水跃淹没为 $D_{池}-d_2$		8.13	2.41	12.38	2.7

注:任何情况下都形成淹没水跃。

9.2 底部泄水闸断面(附表 3-1-7)

附表 3-1-7

<table>
<tr><td colspan="2">Q = 河流流量(ft^3/s)</td><td colspan="2">500 000</td></tr>
<tr><td colspan="2" rowspan="2">Q_1 = 通过泄水闸流量 + 20% 的水流集中</td><td colspan="2">158 400</td></tr>
<tr><td>最大值</td><td>最小值</td></tr>
<tr><td colspan="2">$USEL$(ft)</td><td>607.47</td><td>603.81</td></tr>
<tr><td colspan="2">$E = USEL - 573$</td><td>34.47</td><td>30.81</td></tr>
<tr><td colspan="2">$q = Q_1/600$</td><td>264</td><td>264</td></tr>
<tr><td colspan="2">$D_{池} = DSWL - 573$</td><td>31</td><td>22.5</td></tr>
<tr><td colspan="2">$E^{3/2}$</td><td>202</td><td>171</td></tr>
<tr><td colspan="2">$f(z) = q/E^{3/2}$</td><td>1.308</td><td>1.542</td></tr>
<tr><td rowspan="2">共轭水深系数</td><td>z</td><td>0.18</td><td>0.217 2</td></tr>
<tr><td>z'</td><td>0.683 6</td><td>0.694 9</td></tr>
<tr><td rowspan="2">共轭水深(ft)</td><td>$d_1 = z \times E$</td><td>6.22</td><td>6.70</td></tr>
<tr><td>$d_2 = z' \times E$</td><td>23.6</td><td>20.25</td></tr>
<tr><td colspan="2">水跃淹没度 $D_{池} - d_2$</td><td>7.4</td><td>2.25</td></tr>
</table>

10 防冲保护

假定 20% 水流集中,

$$q = 166.67 \times 1.2 = 200 ft^3/(s \cdot ft)$$

$$R = 0.9(q^2/f)^{1/3} = 0.9 \times \left(\frac{200 \times 200}{2}\right)^{1/3} = 24.43 ft$$

10.1 下游防冲保护(见附图 3-1-4)

安全系数 = 1.75 (下游底板临界条件)

深度 $R' = 1.75 \times 24.43 = 42.75$ft

流量为 500 000 ft^3/s 时的最低下游水位 = 596.00ft

下游护坦高程 = 576.00ft

则 护坦上水深 = 596 − 576 = 20ft

由于水流集中,水深增加 0.5ft

则 D' 等于水流集中后的水深,即

$D' = 20.5$ft

$R' - D' = 42.75 - 20.5 = 22.25$ft

1:3 冲刷坡表面护坡长度 $= \sqrt{3^2 + 1^2} \times (R' - D') = 3.16 \times 22.25 = 70.3$ft

因此,下游抛石护坦水平长度 $= 70.3 \times \dfrac{1.25t}{1.75t} = 50.2$ft

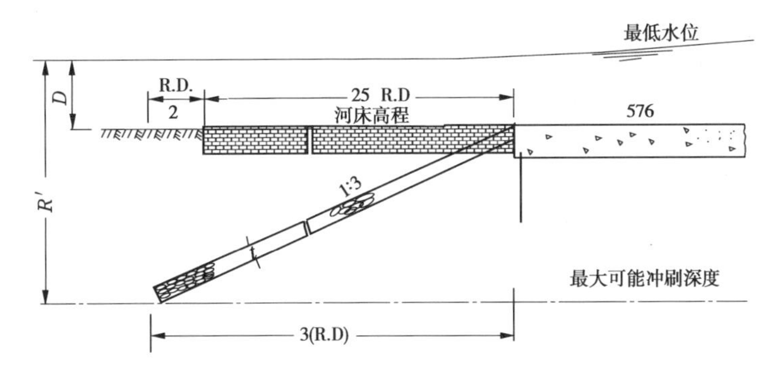

附图 3-1-4　防冲保护

10.2　上游防冲保护

安全系数＝1.25(上游底板)

$R'=1.25\times24.43=30.5$ft

流量为 500 000 ft^3/s 时的最低上游水位＝601.00ft

上游护坦高程＝582.00ft

∴ 护坦上水深＝601－582＝19ft

考虑水流集中后总深度＝19.5ft

护坦以下冲刷深度＝30.5－19.5＝11ft

∴ 要求护坦长度＝11.0×3.16＝34.76,即 35ft

∴上游护坦水平长度＝$35\times\frac{1.25t}{1.75t}$＝25ft

10.3　护坦厚度

根据附图 3-1-4,采用松散抛石护坦情况下,t 为抛石下落位置护坡厚度。附表 3-1-8 给出了河流不同纵坡和不同砂石类型要求的护坡厚度 t。

附表 3-1-8

河道纵坡(in/mile)	3	9	12	18	24
砂子分类	砌石护坡厚度(in)				
极粗砂	16	19	22	25	28
粗砂	22	25	28	31	34
中粗砂	28	31	34	37	40
细砂	34	37	40	43	46
极细砂	40	43	45	49	52

确定其厚度的基本原则是应有足够的石块能将可能最大坡度(本例中为 1:3)的冲刷面完全覆盖。对于中粗砂,河道纵坡为 12 in/mil,t 值为 34in。

∴ 水平位置护坦厚度＝$1.75\times\frac{34}{12}$＝4.95ft,即 5ft.

当设在反滤上面的混凝土块尺寸为 4ft×4ft×4ft 时,砌石护坦的厚度应为 5ft。

结论：

下游护坦总长度＝50ft

4ft 厚混凝土块护坦＝16ft(总长度的 1/3)

5ft 厚块石护坦＝34ft

上游游护坦总长度＝25ft

4ft 厚混凝土块护坦＝8ft(混凝土块尺寸 4ft×4ft×4ft)

5ft 厚块石护坦 ＝17ft

10.4 底部泄水闸防冲保护

和 10.1 中过程相似，对于底部泄水闸应计算松散抛石护坦的长度和厚度。在这种情况下，由于泄流强度更大，所以最大冲刷深度将会大于正常断面情况，相应的防护长度也会更长。

11 反滤层设计

大量的试验显示反滤层没有必要阻止土壤中所有的颗粒被水带走，只需要阻止 15% 的粗粒或土壤中粒径为 D_{85} 的颗粒。这样，反滤层中会形成更细小的孔隙，截留更细小的土颗粒。因此反滤层孔隙直径必须小于土壤中 D_{85} 的颗粒粒径。由于有效孔隙直径大约为 $\frac{1}{5D_{15}}$，所以

$$D_{85}(\text{反滤}) \leqslant 5\ D_{85}(\text{土壤})$$

如果反滤层要自由排水，其必须比土壤渗透性更高，在这种情况下，可得另一准则如下：

$$D_{15}(\text{反滤}) \geqslant 5\ D_{15}(\text{土壤})$$

河床土壤 D_{85} 可以从土壤级配曲线上查得。对于底层反滤，D_{15} 为 $5D_{85}$(土壤)，可确定反滤材料的平均颗粒大小。底层厚度取 6～9in。反滤上层可按照同样原理设计。

4ft×4ft×4ft 混凝土块应放置在 2ft 厚的反滤层上，反滤层自上而下由 9in 厚大卵石(3～6in)、9in 厚粗卵石(3/4～3in)和 6in 厚细卵石(3/16～3/4in)组成。在混凝土砌体两侧设有 2in 宽的缝隙，其中填充有可自由渗流的细卵石。

12 导流堤设计

(1)沿拦河闸上游每个导流堤直线长度为 $L_{u/s} = 1.5 \times 3\ 385 = 5\ 078\text{ft}$

(2)拦河闸下游导流堤长度为 $L_{d/s} = 0.2 \times 3\ 385 = 675\text{ft}$

(3)对于上游导流堤前端及下游导流堤全长段，采用莱西(Lacey)水深＝$1.75R = 1.75 \times 24.43 = 42.75\text{ft}$

对于上游导流堤其余部分，采用莱西(Lacey)水深＝$1.25R = 1.25 \times 24.43 = 30.54\text{ft}$

(4)可能冲刷坡度＝1∶3

(5)上游超高＝7ft(HFL 以上)；下游超高＝6ft(HFL 以上)；这些超高已经包括了安全裕量。

(6)导流堤顶部宽度＝40ft

(7)导流堤边坡 ＝1∶2

(8)最小护坦厚度 ＝4ft

拦河闸宽度 ＝3 385ft

上游导流堤长度＝5 078ft

下游导流堤长度＝675ft

上游转弯段半径＝600ft

下游转弯段半径＝400ft

上游最大保护角＝140°

下游最大保护角＝57°～80°

导流堤高程确定。以下为 Merrimen 论文中提出的回水曲线水力计算公式,可用来确定导流堤上游端的水位(见附图 3-1-5)。

$$L = \frac{d_1 - d_2}{S} + D\left(\frac{1}{S} - \frac{C^2}{g}\right)\left(\phi\left(\frac{d_1}{D}\right) - \phi\left(\frac{d_2}{D}\right)\right)$$

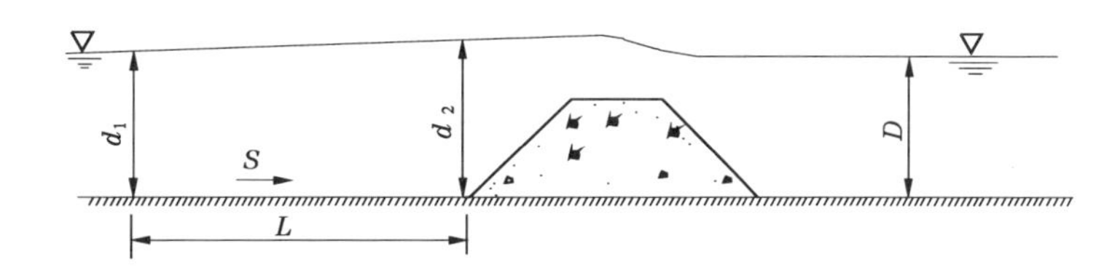

附图 3-1-5　Merrimen 回水公式

式中　D——没有堰时的正常水深(假定为一宽矩形断面渠道);

d_1——堰上游水深;

d_2——距离 d_1 水深 L 距离处的水深;

C——谢才(Chezy)系数＝71(土渠最大);

g——32.2ft/s^2;

S——河流底坡＝1/5 000。

对于不同的 d_1/D 值,$\varphi\left(\frac{d_1}{D}\right)$可通过(布雷斯)Bresse 函数计算出。

利用上述公式:

河床底高程＝582.00ft

下游淤积情况下高洪水位＝602.50ft

$\therefore D = 602.5 - 582 = 20.5$ft

淤积情况下上游 $HFL = 604.00$ft

$\therefore\ d_1 = 604 - 582 = 22$ft

河床底坡＝1/5 000

假定导流堤前端水深 d_2,计算 L 。如果假定值是正确的,那么得到的 L 值将等于导流堤的长度。

假定 $d_2 = 21.8$ft

$\therefore\ d_1/D = 22/20.5 = 1.073$, $\varphi(d_1/D) = 0.787\ 0$(由 Bresse 回水函数表得到)

$d_2/D = 21.8/20.5 = 1.063\ 4$, $\varphi(d_2/D) = 0.824\ 8$

将数值代入以上公式。

$$L = \frac{22-21.8}{1/5\ 000} + 2.05\times\left(5\ 000 - \frac{71\times 71}{32.2}\right)\times(0.824\ 8 - 0.787\ 0)$$

$$= 0.2\times 5\ 000 + 20.5\times 4\ 843.5\times 0.037\ 8$$

$$= 1\ 000 + 3\ 750$$

$$= 4\ 750 < 5\ 078\text{ft}$$

因此需要重新计算。

假定 $d_2 = 21.78$ft

$d_1/D = 22/20.5 = 1.073$，$\varphi(d_1/D) = 0.787\ 0$

$d_2/D = 21.78/20.5 = 1.062\ 4$ ，$\varphi(d_2/D) = 0.828\ 7$

$$L = \frac{22-21.78}{1/5\ 000} + 20.5\times 4\ 843.5\times(0.828\ 7 - 0.787\ 0)$$

$$= 1\ 100 + 20.5\times 4\ 843.5\times 0.041\ 7$$

$$= 5\ 240\text{ft}$$

该值几乎和导流堤长度 5 078ft 相等,因此可得出导流堤长度。一旦 d_2 确定,就可确定导流堤高程。

河床高程增加 = 5 078/5 000 = 1.01 从拦河闸处算起。

拦河闸上游 5 078ft 处首部工程轴线水位 = 582 + 1.01 + 21.78 = 604.79ft

(1)上游导流堤前端高程 = 604.79 + 超高 = 604.79 + 7 = 611.79ft

(2)拦河闸高程 = HFL + 超高 = 600 + 7 = 607.00ft

(3)下游导流堤

拦河闸下游水位 = 602.5ft

超高 = 6.00 ft

∴下游导流堤高程 = 608.5ft

13 导流堤护坦设计(见附图 3-1-6)

计算方法同第 10 节。

护坦水平长度 = $2.5(R'-D)$

1∶3 斜坡护坦长度 = $31.6(R'-D)$

如以前算出的 t = 34in,取 3ft

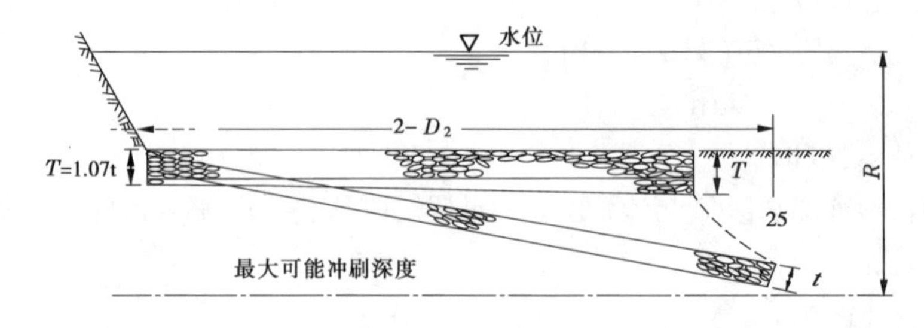

附图 3-1-6 导流堤护坦

∴ 护坦抛石体积 = $3\times 3.16(R'-D) = 9.5(R'-D)$

水平护坦最小厚度 = $1.07\times 3 = 3.2$ft

$\therefore$ 水平护坦平均厚度 $=\dfrac{9.5(R'-D)}{2.5(R'-D)}=3.80$ft

$\therefore$ 水平护坦最大厚度 $=2\times3.8-3.2=4.2$ft，取 4.5ft，$t=3$ft

不同地区的 R' 值列于附表 3-1-9。

附表 3-1-9

区域	R' 范围	R' 平均值
导流堤前端	$2.0R\sim2.5R$	$2.25R$
从前端到直线段渐变段	$1.25R\sim1.75R$	$1.5R$
导流堤直线段	$1.0R\sim1.5R$	$1.25R$

R 值可用莱西(Lacey)冲刷深度公式计算

$$R=\left(\frac{q^2}{f}\right)^{1/3}$$

因此，可确定上表中给定的 3 个位置的 R' 值。导流堤前端的 D 值已经算出，并且拦河闸处的 D 值也已经知道，利用以上公式，上下游导流堤长度即可算出。

14　堤岸设计

(1)顶宽 = 20ft。

(2)顶高程应高于考虑 1.5ft 淤积后估算的最高洪水位(HFL)5ft。

(3)堤岸迎水坡坡度为 1∶3(未砌护)。

(4)背水坡水力坡度超过 1∶6 时，应至少设置 2ft 的覆盖层。

(5)上游导流堤前端水位 = 611.79ft。

堤岸超高 = 5.00ft

所以堤岸高程 = 616.79ft

回水曲线长度计算

回水是堰上下游水位差对堰址处水面产生的影响。确定回水长度及水位将有助于确定堤顶长度和堤顶高程。第 12 节中采用的 Merrimen 公式可用于计算两个连续水深 d_1 和 d_2 间的距离，计算持续进行直到得出河流正常水深。可以列表进行计算。两个连续水深间的距离可用下式进行计算

$$L=\frac{d_1-d_2}{S}+D\left(\frac{1}{S}-\frac{C^2}{g}\right)\left(\psi\left(\frac{d_1}{D}\right)-\psi\left(\frac{d_2}{D}\right)\right)$$

布雷斯(Bresse)函数(见附图 3-1-7)中的 $\psi\left(\dfrac{d_1}{D}\right)$ 和 $\psi\left(\dfrac{d_2}{D}\right)$ 在附表 3-1-10 给出：

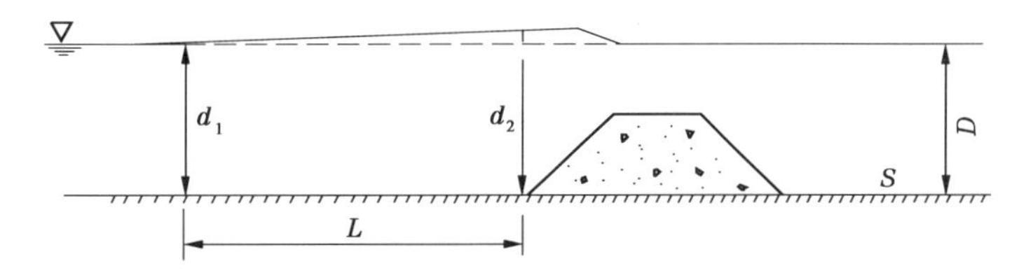

附图 3-1-7　Bresse 回水函数

附表 3-1-10 布雷斯(Bresse)回水函数表

$T=d/D$	$\psi\left(\frac{d}{D}\right)$
1.000	……
1.001	2.183 7
1.005	1.648 6
1.006	1.588 1
1.007	1.537 1
1.008	1.492 9
1.01	1.419 2
1.02	1.191 4
1.03	1.059 6
1.04	0.966 9
1.05	0.896 8
1.06	0.838 2
1.10	0.680 6
1.15	0.560 8
1.20	0.479 8
1.25	0.419 8
1.30	0.373 1
1.35	0.335 2

从表中可以查出相应于比值 $T_1=d_1/D$ 和 $T_2=d_2/D$ 的 $\psi\left(\frac{d_1}{D}\right)$和 $\psi\left(\frac{d_2}{D}\right)$值。

在最大洪水流量为 50 000ft^3/s 时,上游最高水位为 604.00ft

进而可得,$d_1=604.00-582.00=22$ft

$D=598.00-582.00=26$ft

我们应该从 $d_1=22$ft 开始,按 0.5ft 的增量计算,直到达到河流正常水深,以此得出回水曲线长度(见附图 3-1-8)。

$d_1=22$ft,$D=16$ft

具体计算见附表 3-11。

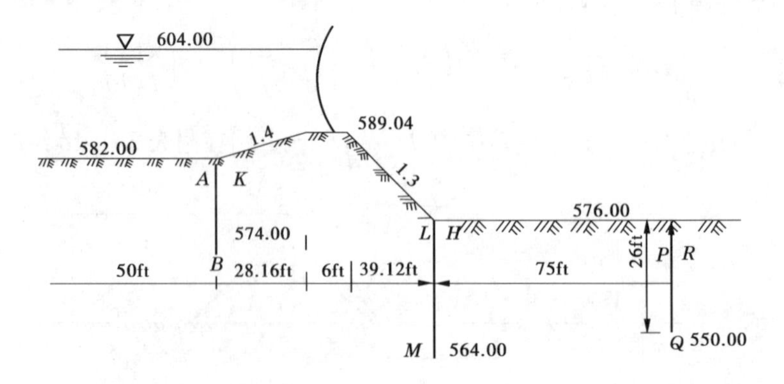

附图 3-1-8

附表 3-1-11 **回水曲线长度计算表**

D (1)	d_1 (2)	d_2 (3)	$(d_1-d_2)/S$ (4)	$1/S-C_2/g$ (5)	$T_1=d_1/D$ (6)	$T_2=d_2/D$ (7)	$\varphi_1(d_1/D)$ (8)	$\varphi_2(d_2/D)$ (9)	$\varphi_1-\varphi_2$ (10)	(5)×(10)×(1) (11)	$L=(11)+(4)$ (12)
16	22	21.5	2 500	4 843.5	1.375	1.344	0.316 2	0.339 7	0.023 5	1 820	4 320
16	21.5	21	2 500	4 843.5	1.344	1.312	0.339 7	0.363 6	0.023 9	1 850	4 350
16	21	20.5	2 500	4 843.5	1.312	1.281	0.363 6	0.390 8	0.027 2	2 100	4 600
16	20.5	20	2 500	4 843.5	1.281	1.250	0.390 8	0.419 8	0.029 0	2 240	4 740
16	20	19.5	2 500	4 843.5	1.250	1.219	0.419 8	0.457 0	0.037 3	2 880	5 380
16	19.5	19	2 500	4 843.5	1.219	1.188	0.457 0	0.499 3	0.042 3	3 270	5 770
16	19	18.5	2 500	4 843.5	1.188	1.156	0.499 3	0.551 1	0.051 8	4 000	6 500
16	18.5	18	2 500	4 843.5	1.156	1.125	0.551 1	0.620 7	0.069 6	5 390	7 890
16	18	17.5	2 500	4 843.5	1.125	1.093	0.620 7	0.708 2	0.087 5	6 760	9 260
16	17.5	17	2 500	4 843.5	1.093	1.062	0.708 2	0.838 0	0.129 8	1 0010	12 510
16	17	16.5	2 500	4 843.5	1.062	1.031	0.838 0	1.050 3	0.212 3	1 6400	18 900
16	16.5	16.1	2 000	4 843.5	1.031	1.006	1.050 3	1.588 1	0.537 8	4 1550	43 550

注:为了得到 $d_2=16.0$，$d_2/D=1$，$L=\infty$ 当 $d_2=16.0$ ft 时结束试算，因此，回水曲线长度＝24.2 mile。计算结果总计＝127 770 ft＝24.2 mile。

第二部分　拦河闸地下轮廓设计

15　确定板桩深度

冲刷深度 $R=19.96\text{ft}$。

上游板桩深度由最高洪水位降至 $1.5R$ 深度所确定的值。

$1.5\times19.96=29.94\text{ft}$，取 30ft。

则上游板桩底部高程 $=604-30=574.00\text{ft}$

下游板桩低于最高洪水位(HFL)深度 $=2R=2\times19.96=39.92$，取 40ft

则中间板桩底高程 $=604-40=564.00\text{ft}$

取下游板桩底高程 $=550.00\text{ft}$

16　出逸坡降计算

$$G_E=\frac{H}{d}\cdot\frac{1}{\pi\sqrt{\lambda}}$$

让上游水位升至 604.00ft(最大增长水位)，并且下游无水。假定下游河床最大消落深度为 4ft。

引起渗流的水头差 $=H=604.00-(576.00-4)=32\text{ft}$

下游板桩深 $=576-550=26\text{ft}$

混凝土底板总长度 $=b=50+73.28+75=198.28\text{ft}$

$\alpha=b/d=198.28/26=7.64$

查 α 和 $\frac{1}{\pi\sqrt{\lambda}}$ 关系图(图 3-21)

对 $\alpha=7.64$，$\frac{1}{\pi\sqrt{\lambda}}=0.152$

则　$G_E=\frac{H}{d}\cdot\frac{1}{\pi\sqrt{\lambda}}=(32/26)\times0.152=0.187$，所以是安全的。

浮力梯度的临界值为 1:1，允许有 5～7 的安全系数，则其结果为 1/5～1/7。

17　修正后扬压力的计算

参见附图 3-1-8。

17.1　上游板桩

$b_1=$ 混凝土底板到上游板桩的长度 $=50\text{ft}$

$b=198.28\text{ft}$

$d=582-574=8\text{ft}$

假定 $t_f=$ 上游底板厚度 $=2.5\text{ft}$

$\frac{1}{\alpha}=\frac{d}{b}=8/198.28=0.040\,4$，$\alpha=24.8$

$\frac{b_1}{b}=50/198.28=0.252$

$1-\frac{b_1}{b}=0.748$

$\Phi_B=\Phi_D=(100-33)\%=67\%$

$\Phi_A=\Phi_E=(100-31)\%=69\%$

$\Phi_K=\Phi_C=64\%$

(1)底板厚度修正

Φ_K 修正值 $=\frac{t_f}{d}(\Phi_B-\Phi_k)=\frac{2.5}{8}(67-64)\%=0.938\%$

Φ_A 修正值 $=\frac{2.5}{8}(67-69)\%=-0.625\%$

(2)板桩相互影响修正

第一排板桩影响 Φ_K 修正值 $=19\left(\frac{d+D}{b}\right)\sqrt{\frac{D}{b'}}$

$d=582-574=8\text{ft}$

$D=582-564=18\text{ft}$

$b=198.28\text{ft}$

$b'=73.28\text{ft}$

则　Φ_K 修正值 $=10\times\left(\frac{8+18}{198.28}\times\sqrt{\frac{18}{73.28}}\right)=+1.24\%$

(3)坡度影响修正

Φ_K 修正值 $=-F_s\frac{b_s}{b_1}$

对于坡度1∶4的情况,$F_s=3.3$(从图3-20坡度修正曲线查得)

$b_s=(589.04-582.00)\times4=28.16\text{ft}$

$b_1=73.28\text{ft}$

Φ_K 修正值 $=-3.3\times\frac{28.16}{73.28}=-1.27$

因此修正后的 $\Phi_A=(69-0.625)\%=68.375\%$

修正后的 $\Phi_B=67\%$

修正后的 $\Phi_K=(64+0.938+1.24-1.27)\%=64.908\%$

17.2　下游斜坡段坡脚中间板桩

假定底板厚度=10ft

$d=576-564=12\text{ft}$

$b=198.28\text{ft}$

$b_1=123.28\text{ft}$

$b_1/b=0.639$,$1-b_1/b=0.361$

$\alpha=b/d=198.28/12=16.52$

$\Phi_L=\Phi_E=(100-55)\%=45\%$

$\Phi_M=\Phi_D=42\%$

$\Phi_N=\Phi_C=36.5\%$

(1)底板厚度影响修正

Φ_L 修正值 $= -\dfrac{10}{12}\times(45-42)\% = -2.5\%$

Φ_N 修正值 $= \dfrac{10}{12}\times(42-36.5)\% = +4.58\%$

(2)板桩相互影响修正

上游板桩影响 Φ_L 修正值 $= -19\left(\dfrac{8+18}{198.28}\right)\sqrt{\dfrac{8}{73.28}} = -0.824\%$

下游板桩影响 Φ_N 修正值 $= 19\left(\dfrac{12+26}{198.28}\right)\sqrt{\dfrac{26}{75}} = +2.14\%$

(3)坡度影响修正

Φ_L 修正值 $= F_S\times\dfrac{b_s}{b_1} = \left(4.5\times\dfrac{39.12}{73.28}\right)\% = +2.4\%$

所以修正后的 $\Phi_L=(45-2.5-0.824+2.4)\%=44.076\%$

修正后的 $\Phi_M=42\%$

修正后的 $\Phi_N=(36.5+4.58+2.14)\%=43.22\%$

17.3 下游不透水底板末端板桩

假设底板厚度为 7ft

$d = 576 - 550 = 26\text{ft}$

$\dfrac{1}{\alpha} = \dfrac{d}{b} = 0.131$

$\Phi_P = \Phi_E = 32\%$

$\Phi_Q = \Phi_D = 22\%$

$\Phi_R = \Phi_C = 0$

(1) 底板厚度修正

Φ_P 修正值 $= -\dfrac{7}{26}(32-22)\% = -2.69\%$

Φ_R 修正值 $= -\dfrac{7}{26}(32-0)\% = +5.95\%$

(2)板桩相互影响修正

Φ_P 修正值 $= -19\times\dfrac{12+26}{198.28}\times\sqrt{\dfrac{12}{75}} = -1.46\%$

所以修正后：

$\Phi_P=(32-2.69-1.46)\%=27.85\%$

$\Phi_Q=22\%$

$\Phi_R=0+5.95=5.95\%$

详见附表 3-1-12

附表 3-1-12　　　　　　　　**沿板桩 E、D、C 点扬压力计算结果**

Khosla 曲线表中符号	上游板桩	中间板桩	下游板桩
Φ_E	$\Phi_A=68.375\%$	$\Phi_L=44.076\%$	$\Phi_P=22.85\%$
Φ_D	$\Phi_B=67.0\%$	$\Phi_M=42.0\%$	$\Phi_Q=22.0\%$
Φ_C	$\Phi_K=64.908\%$	$\Phi_N=43.22\%$	$\Phi_R=5.95\%$

如图 3-19(Khosla 曲线)所示,E、D、C 分别为板桩上游侧点、桩底点、板桩下游侧点,而 A、B、K 等见附图 3-1-8。

18. **底板厚度计算**

$$t_{\mathrm{f}}=\frac{\Phi}{100(G-1)}\times H$$

$$t_{\mathrm{f}}=\text{底板厚度(ft)}$$

式中　Φ——扬压力百分比(%);

H——引起渗流的最大水头差;

G——混凝土比重,取 2.4

(1) A 点底板厚度

假定厚度=2.5ft

由扬压力确定的底板厚度$=\frac{68.375}{100}\times\frac{32}{1.4}=1.56$ft

考虑到上游底板作用有多余水重,所以正常厚度取 2.5ft。

同样,K 点底板厚度及上游倾斜底板厚度均取 2.5ft。

(2)L 点底板厚度

假定厚度=10ft

由扬压力确定的底板厚度$=\frac{44.076}{100}\times\frac{32}{1.4}=10.1$ft

∴ 底板取 10.5ft。

(2)N 点底板厚度

假定厚度=10ft

由扬压力确定的底板厚度$=\frac{43.22}{100}\times\frac{32}{1.4}=9.9$ft,取 10ft

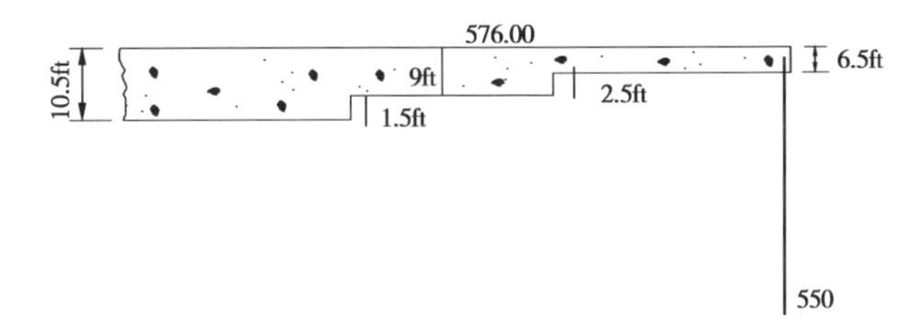

附图 3-1-9

(4)P 点底板厚度

假定厚度 = 7ft

由扬压力确定的底板厚度 $= \frac{27.85}{100} \times \frac{32}{1.4} = 6.36$ft，取 6.5ft

(5)堰底板厚度

堰顶闸门上游，由于经常有水，所以底板厚度取 2.5ft。

当堰顶闸门关闭时，闸门下游可能无水。

$$
\begin{aligned}
\text{堰体扬压力} &= \Phi_L + \frac{\Phi_K - \Phi_L}{73.28} \times 39.12 \\
&= 44.076 + \frac{64.90 - 44.076}{73.28} \times 39.12 \\
&= 44.076 + \frac{20.832}{73.28} \times 39.12 \\
&= 44.076 + 11.1 \\
&= 55.176\%
\end{aligned}
$$

因此，闸门下游堰底板厚度 $= \frac{55.176}{100} \times \frac{32}{1.4} = 12.6$ft

底板厚度取 13ft。

同样，可通过计算确定底部泄水闸底板厚度。

附录Ⅱ　巴基斯坦国内拦河闸统计表

序号	河流	堰坝	长度(ft)	流量 (×1 000ft^3/s)	完建年份
1	Indus	Jinnah	3 360	1 100	1949
2	Indus	Chashma	3 556	950	1971
3	Indus	Taunsa	4 346	1 000	1959
4	Indus	Guddu	3 840	120	1962
5	Indus	Sukkur	4 490	1 500	1932
6	Indus	Kotri	3 034	875	1955
7	Je \ helum	Rasul	3 517	900	1967
8	Chenab	Trimmu	2 980	645	1939
9	Chenab	Panjnad	2 856	700	1929
10	Chenab	Khanki	4 000	750	1892
11	Chenab	Qadirabad	3 373	900	1967
12	Chenab	Marala	4 475	1 100	1968*
13	Ravi	Balloki	1 644	140	1914
14	Ravi	Sidhnal	712	167	1965
15	Sutlej	Sulemanki	2 220	309	1927
16	Sutlej	Islam	1 650	300	1927
17	Sutlej	Mailsi	1 601	429	1965

*1905 年修建的堰已经废弃，1968 年在堰址下游作为印度河流域工程的一部分修建了新堰。

4 灌溉渠道

4.1 前　言

灌溉渠道有两种类型:衬砌渠道和非衬砌渠道。当渠道流经透水性强或沙质土壤区域时,必须进行衬砌。但巴基斯坦大部分渠道不管是否流经沙土区域都没有进行衬砌。这些渠道大多修建于几十年前或上世纪初,因没有衬砌造成地下水位上升,出现了水涝与盐碱化问题。最近修建的灌溉渠道都进行了衬砌。

对以上两种渠道进行设计时,有一些概念是通用的,这里先讨论这些概念。渠道按恒定均匀流设计,曼宁公式或谢才公式对水流描述如下。

曼宁公式

$$V = \frac{1.49}{n} R^{2/3} S^{1/2} \text{(英制)} \tag{4-1a}$$

$$V = \frac{1.0}{n} R^{2/3} S^{1/2} \text{(国际单位)} \tag{4-1b}$$

谢才公式:　$V = C\sqrt{RS}$

式中　V—流速;

R——平均水力半径,A/P;

A——过水断面面积;

P——湿周;

S——纵向能量线坡度,在均匀流中其等于河床坡度;

n——满宁系数;

C——谢才系数。

以上公式表明均匀流中流量公式 $Q = AV$ 是以下参数的函数:

(1)曼宁公式中断面参数 $AR^{2/3}$ 和谢才公式中 $AR^{1/2}$;

(2)纵坡 S。

水力最佳断面为面积一定时周长最小的断面,即由于 $Q \alpha A(A/P)^{2/3}$,断面面积一定时流量最大。所有断面中,水力最佳断面为半圆形。

矩形、梯形、三角形水力最佳断面的比较见表 4-1。

表 4-1　　**水力最佳断面**

断面	面积 A	湿周 P	H.M.R.	顶宽	水深
			R	T	D
矩形	$2.0y^2$	$4y$	$0.40y$	$2y$	y
梯形	$1.73y^2$	$3.46y$	$0.50y$	$2.31y$	$0.75y$
三角形	y^2	$2.83y$	$2.354y$	$2y$	$0.50y$

注:y 为均匀流水深。

最小允许流速指能阻止泥沙淤积和植被生长的最小流速。通常 2～3ft/s(0.61～0.91m/s)的平均流速即可避免泥沙淤积。不冲不淤流速是指非衬砌渠道在该流速下既不发生泥沙淤积也不发生冲刷。

非衬砌渠道的最小超高(即渠堤顶部与最高水位之间的垂直距离)范围为 1～4ft,小分水渠超高 1ft(0.3m),流量为 3 000ft³/s(85m³/s)的主渠超高 4ft(1.2m),对于流量大于等于 10 000ft³/s(283m³/s)的渠道,超高可取 5.5ft(1.65m)。当流量成对数增长时,相应的超高将成算术级数增长。可采用以下公式对非衬砌渠道的超高进行估算

$$F = \sqrt{Cy}$$

式中 F——超高,ft;

y——设计水深,ft;

C——系数,介于 1.5～2.5 之间,当 $Q=20\text{ft}^3/\text{s}(0.57\text{m}^3/\text{s})$时,$C=1.5$;$Q\geqslant 3\,000\text{ft}^3/\text{s}$时,$C=2.5$。

衬砌渠道中转弯段很重要,因为在转弯段外侧水位的增高会影响超高值。

$$h = \frac{v^2 b}{gR}$$

式中 h——沿渠道横断面水位的变化;

b——渠道宽度;

R——转弯半径;

v——缓流平均流速。

如果转弯段圆心到渠道中心线间的距离大于 3 倍渠底宽度,那么弯曲段的影响可以忽略不计。

但如果是未衬砌渠道,则转弯段影响较大,因为转弯段内侧有淤积,外侧则会发生冲刷。在巴基斯坦,大多数灌溉渠道都没有衬砌,所以建议转弯段曲率半径介于 300～5 000ft 之间,流量小于 10ft³/s(0.3 m³/s)的渠道半径为 300ft(91m),流量大于 3 000ft³/s(85m³/s)的渠道半径为 5 000ft(1 500m)。

4.2 衬砌渠道设计

衬砌段渠道设计非常简单,因为对水流流速没有严格的要求。只要对衬砌材料的满宁系数 n 或谢才系数 C 进行正确评估,渠道就可按照设计运行,设计中可采用以下设计程序:

(1)评估已知衬砌材料的 n 值或 C 值。

(2)按照曼宁公式计算断面参数

$$AR^{2/3} = \frac{nQ}{\theta\sqrt{S}}$$

θ 在英制单位下取值 1.49,公制下取值 1,所以 n、Q、θ 和 S 值都为已知量。

(3)假定衬砌断面形状为梯形,其边坡为 1:2(垂直:水平),渠底宽 b 。查图 4-1 所示 $AR^{2/3}/b^{8/3}$ 与 y/b 无因次曲线可确定 y 值。

(4)对于最佳水力断面,可以使用表 4-1 中的渠道数据,否则,需要应用 A 的关系通

过第 3 步算出的 y 值来计算渠道参数。

(5)检查以下值:①如果水流含有泥沙,检查水流最小允许流速;②弗汝德数小于 1。

(6)估算超高和最高水位以上 50%超高的衬砌高度。

(7)绘制简图。

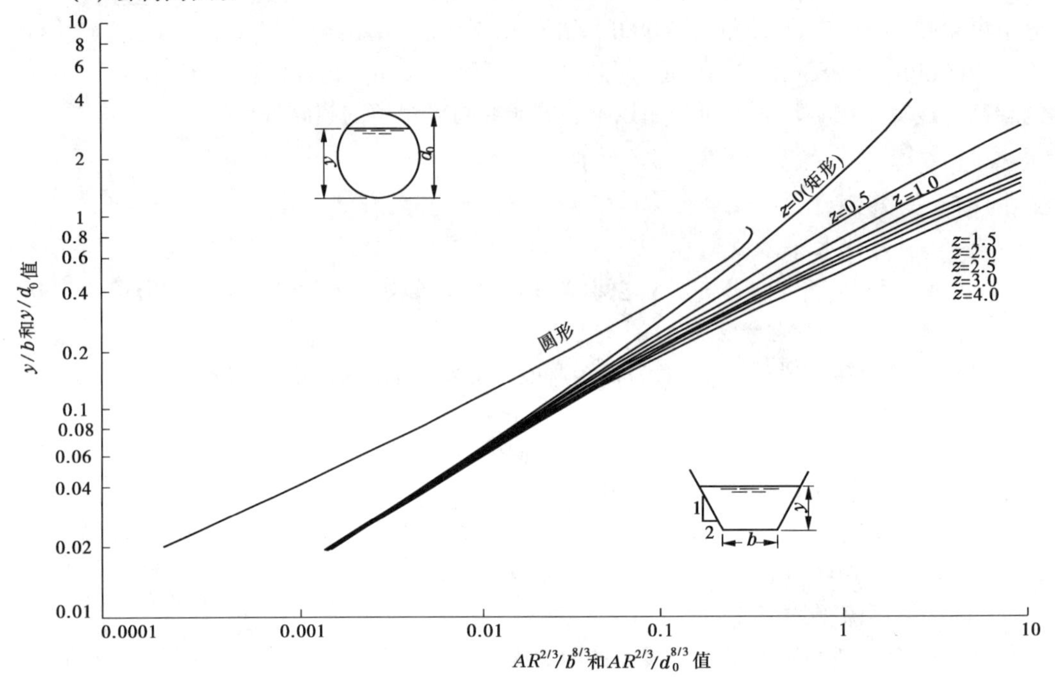

图 4-1 正常水深求解曲线

【例题 4-1】

衬砌灌渠设计过水能力为 1 000ft^3/s。混凝土衬砌表面光滑,底坡为 0.001,设计该渠道。

解: (1)从满宁数 n 值标准表格中查得光滑混凝土表面 n 值为 0.015;

(2)断面参数

$$AR^{2/3} = \frac{nQ}{\sqrt{S}1.49} = \frac{0.015 \times 1\,000}{1.49\sqrt{0.001}} = 314.4$$

(3)假定 $b=20$ft, $z=2$,(水平边坡)

查图 4-1 ,$\because \dfrac{AR^{2/3}}{20^{8/3}}=0.9$; $y/b=0.25$

$\therefore y=20\times0.25=5$ft

重新假定 $b=30$ft

查图 4-1 ,$\because \dfrac{AR^{2/3}}{30^{8/3}}=0.37$; $\dfrac{y}{30}=0.15$

$\therefore y=30\times0.15=4.5$ft

(4)因为没有对水力最佳断面做要求,所以选取 $b=20$ft 计算得到的 $y=5$ft;

(5)检查最小流速和弗汝德数(F_N)。

$$A = (b + zy)y = (20 + 2 \times 5) \times 5 = 150$$
$$V = Q/A = 1\,000/150 = 6.66\text{ft/s}$$
$$F_N = \frac{V}{\sqrt{yg}} = 0.523$$

所以该水流流速低于临界值。

(6)超高计算如下：

$$F = \sqrt{Cy} = \sqrt{2.0 \times 5} = 3.33\text{ft}$$

水面以上衬砌高度为堤岸超高的50%,即大约为2ft。

4.3 非衬砌渠道设计

如何在设计非衬砌渠道时确保渠道稳定对水利和灌渠工程师来说是一个很大的挑战。这些问题包括确定水深、渠底宽、边坡以及渠道纵坡,以便在已知流量和含沙量的情况下得出一个不冲不淤流速。现在有很多传统方法解决这个问题。确定稳定断面的经验方法主要是根据已经正常运行多年的渠道的各项观测数据中分析总结出的。在此,包括流态、含沙量以及淤积界限在内的各项数据是作为一个整体考虑的,相应的理论分析中这3项数据是各自独立的。

流速、水深、平均水力半径和边坡之间的经验关系已经找到,可用来确定渠道的稳定断面。

印巴次大陆发展的各个参数之间的理论关系包括：

(1)肯尼迪(Kennedy)泥沙理论；

(2)林德利(Lindley)修正理论；

(3)伍德(Wood)对林德利数据的改进；

(4)莱西(Lacey)动态理论。

本章4.4节和4.5节将对以上理论进行讨论。

其他一些作者对动态理论做了进一步扩展：

(1)莱西(Lacey)振动理论；

(2)布兰奇(Blench)方法；

(3)西蒙(Simon)和阿伯逊(Albertson)方法。

以上理论将在4.7节中进行讨论

美国土木工程师协会在1920年已经应用了一种经验方法,该方法在1926年(Fortier and Scobey,1926)出版,成为渠道“最大允许流速”设计方法的理论基础。因此在美国,在“基本理论”不断发展和今天“牵引力方法”仍在用于工程设计中的同时,该理论仍然是工程设计的理论工具。

在设计方法不断发展的过程中,以下里程碑式的理论具有很高的科学价值：

(1)杜波依(Doboy)推移质函数；

(2)爱因斯坦(Einstein)推移质公式；

(3)悬移质函数。

以上公式将在本章4.10节和4.11节中进行讨论。

以“允许流速理论”和“牵引力方法”为基础的最终设计方法见 4.12 节和 4.13 节,它是在巴基斯坦最近提出的两个方法之后提出的。

4.4 肯尼迪淤积理论

肯尼迪淤积理论有很重要的历史意义,因为肯尼迪是一位做科学研究工作的工程师,作为旁遮普灌区的执行工程师,肯尼迪负责上巴里多阿布河(UBDC)的设计,1895 年他通过伦敦土木工程师研究所出版了他的著作。他通过对 UBDC(1850 年修建,仍然稳定运行)中游 20 个位置的观察得出以下主要结论:

(1)稳定渠道是指不冲不淤的渠道。

(2)渠底漩涡产生使泥沙悬浮的力,因此,泥沙浮力和河床宽度成比例而与渠道周长无关。

(3)临界流速,即不冲不淤流速 V_o 如下

$$V_o = 0.84D^{0.64} = CD^b \tag{4-2}$$

式中,D 为渠深。

(4)以上公式引进了另一系数 m(临界流速比),来计算 UBDC 标准条件下沙土级数,即

$$V = m \times 0.84D^{0.64} \tag{4-3}$$

式中,$m = \dfrac{V}{V_o}$为临界流速比率(CVR)。

砂粒粒径比 UBDC 标准砂大的 m 值范围为 1.1~1.2,反之,比 UBDC 标准砂小的 m 值范围为 0.9~0.8 。

(5)没有单独的公式可用来确定坡度,可用谢才公式和库特 C 系数值计算

$$V = \sqrt{RS}$$

$$C = \frac{451.6 + \dfrac{0.002\,81}{S} + \dfrac{1.81}{n}}{1 + \dfrac{11}{\sqrt{R}}\left(41.6 + \dfrac{0.002\,81}{S}\right)}$$

式中 C——水流阻力系数;

S——渠道底坡;

R——水力平均水深;

n——糙率。

(6)B 与 D 的关系和比率没有确定。为了计算渠道断面,必须知道以下参数:Q、n、m 及 S。通过假设渠道边坡,确定渠道底宽和深度就可以确定渠道断面的面积。需要指出的是,在挟带相同量泥沙、流量也相同的情况下,我们可得出关于边坡、渠底宽、和渠深的几组不同数据,而从中选取最佳组合却比较困难。

【例题 4-2】

按照肯尼迪理论设计 1 条渠道,流量 60ft^3/s,渠道纵坡 1ft/mile,$n = 0.022\,5$,$m = 1$

解:假定深度 $D = 2.0$ft

$$
\begin{aligned}
V &= m \times 0.84 + D^{0.64} \\
&= 1 \times 0.84 \times 2.0^{0.64} \\
&= 1.31\text{ft/s}
\end{aligned}
$$

$$A = 60/1.31$$

$$A = 45.8\text{ft}^2$$

边坡为0.5∶1

$$A = (B + 0.5D)D = 45.8$$

$$(B + 1) \times 2 = 45$$

$$B = 21.9\text{ft}$$

下面检查在给定边坡值下得出的渠道断面，依据谢才公式是否能得到不冲不淤流速：

$$C = \frac{41.6 + \frac{0.002\,81}{S} + \frac{1.811}{n}}{1 + \frac{n}{\sqrt{R}}\left(4.16 + \frac{0.002\,81}{S}\right)} = \frac{41.6 + \frac{0.002\,81}{1} \times 5\,000 + \frac{1.811}{0.022\,5}}{1 + \frac{0.022\,5}{1.32}(4.16 + 0.002\,81 \times 5\,000)}$$

则 $C = 69.5$

实际流速 $V = 69.5\left(1.74 \times \frac{1}{5\,000}\right)^{1/2} = 1.30\text{ft/s}$

该结果与先前计算的 V_o'(1.31ft/s)相等，因此没有必要再做进一步验算；断面深2ft、底宽21.9ft、底坡1/5 000的渠道满足要求。

结果表明如果底坡发生变化，相同流量下可以产生几组不同的断面，并且都满足肯尼迪法则和谢才理论，但是却没有一个标准来确定其中哪个断面最好，这是肯尼迪理论的缺陷。

4.4.1 改进的肯尼迪理论

旁遮普灌溉工程执行工程师林德利与总工伍德建议对肯尼迪理论进行调整和改进。以下章节对这些调整做了简要介绍。

4.4.1.1 林德利水深与底宽关系(1919年)

林德利对下切纳布河进行了试验并提出了流速、底宽与水深之间的关系。

$$V = 0.95D^{0.57} \tag{4-4}$$

$$V = 0.59B^{0.355} \tag{4-5}$$

$$B = 3.80D^{1.61} \tag{4-6}$$

式中，V 为不冲不淤流速，B 与 D 为相应的渠道底宽和渠深。

根据林德利理论，渠道所有变量，即边坡、底宽、渠深、挟带泥沙量等都由天然确定。

4.4.1.2 伍德公式(1927年)

伍德分析了林德利的数据，并且赞同挟泥沙稳定渠道必须有固定的底宽、渠深和边坡。他提出了以下公式

$$D = B^{0.434} \tag{4-7}$$

$$V = 1.434\lg B \tag{4-8}$$

$$S = \frac{1}{2\lg Q \times 1\,000} \tag{4-9}$$

4.5 莱西动态平衡理论

联合省公共工程处灌溉部的莱西在1929年通过伦敦土木工程研究所发表了第一篇论文。他对观察得来的数据进行了系统分析并且导出了一些经验关系。如果把这些经验法则当成理论是不正确的,但是,不管怎么样,这些公式已经广泛地应用到次大陆非衬砌渠道设计中,并且取得了很好的效果。

4.5.1 动态概念

根据莱西稳定条件,相对于底宽、水深和边坡的稳定条件是指在一个水文循环周期里有效冲刷和淤积为零,当满足以下条件时,就可以建立起平衡条件。

(1)流量不变。

(2)有水流的渠道中淤积物是无黏性的,不受限制,并且和水流携带的沉积物有相同性质,无黏性淤积物是指松散粒状材料,并且可以很容易地被冲刷或者沉积下来。

(3)砂的级配和含量不变。

很明显,自然界中上述条件很难都被满足,所以平衡条件可能无法获得,因此莱西把平衡条件归纳成如下几类。

(1)真平衡:当以上条件都满足时会达到真平衡,这种情况经常发生在冲积平原上的多泥沙河流,这种河流横向无约束并且可以蜿蜒调整其长度和边坡,长度和边坡完全由流量和泥沙级配决定。

横向移动受约束的人造渠道不可能达到真平衡状态,这些类型渠道可能达到初始稳定状态,但是很少能达到最终平衡状态。

(2)初始平衡:最初开挖的渠道如果边坡有缺陷并且较窄,那么边坡上的松散砂土可能会立即滑落到河床上,增大边坡,产生更大的流速,达到不淤状态,这种状态可以归为初级稳定状态。这种渠道横向受约束,对堤岸的冲刷是不允许的。它们达到了平衡并且没有冲刷和淤积,但是这种状态不是最终平衡状态。和边坡不受约束渠道能达到的边坡和流速相比,其边坡和流速更高,断面更窄。

(3)最终平衡:如果水流的持续作用超过了边坡的抵抗作用并且形成了渠道根据流量和泥沙级配调整其周界、深度和边坡的条件,那么可以说实现了最终平衡条件。

4.5.2 莱西平衡方程

莱西研究了其他学者对世界很多地方渠道的观察记录,并且总结出不冲不淤流速是平均水力半径 R 的函数,而不是如肯尼迪理论中所示关于 D 的函数,他将可用的数据以对数形式绘出,不同的渠道得到一系列平行的直线,并且得到如下公式:

对于上巴里多阿布河　　$V_o = 1.1547(fR)^{1/2}$

对于下切纳布河　　$V_o = 1.13R^{0.4595}$

对于马德拉斯－戈达瓦里西部三角洲　$V_o = 0.79R^{0.508}$

根据以上公式,他得出:

$$V = K(fR)^{1/2}$$

式中　V——不冲不淤流速;

K——常数;

f——莱西含沙系数；

R——平均水力半径。

适合任何渠道的标准公式为

$$V = 1.1547(fR)^{1/2} \tag{4-10}$$

对于上巴里多阿布河标准条件，即肯尼迪标准淤砂，$f=1$，即 V 为常量，等于1.154 7 ×1。泥沙系数指出了泥沙级数和泥沙含量与上巴里多阿布河标准值之间的变化，显示与标准条件差距的肯尼迪临界流速比等于莱西泥沙系数的平方根，即

$$f = m^2$$

莱西给出的不同材料 f 值如下：

材料	f 值
漂石(直径 25in)	39.60
大块石	38.6
漂石、卵石和重砂	20.90
小漂石、卵石和重砂	6.12
大卵石和粗砾石	4.68
粗砂	1.56～1.49
中砂	1.31
标准肯尼迪砂(上巴里多阿布河)	1.00
下游密西西比砂	0.357

莱西还给出了如下一些公式，反应了流速 V、平均水力半径 R 和肯尼迪没有给出的边坡 S

$$V = K(fR)^{1/2}$$

或

$$V = aR^{1/2}$$

在曼宁公式中

$$V = a_1 R^x S^{1/2}$$

其中不同公式有不同的 R 值，但是 S 值都是 1/2，比较两个公式

$$V = aR^{1/2} = a_1 R^x S^{1/2} \tag{4-11}$$

或

$$\frac{a}{a_1} = R^{(x-1/2)} \times S^{1/2}$$

公式 4-11 中给出了 S 和 R 值之间的直接关系，莱西通过林德利数据得出以下公式

$$R^{1/2} S = 0.00035$$

或普遍公式

$$R^{1/2} S = A_1 \tag{4-12}$$

公式 4-11 也可以这样表示 $SR^{2(x-1/2)} = \left(\frac{a}{a_1}\right)^2$

将此公式与公式 4-12 相比，可以得出

$$2x - 1 = \frac{1}{2}$$

或

$$x = \frac{3}{4}$$

在莱西公式 $V = aR^{1/2}$ 中，稳定渠道和相同级数沙土的 a 为定值。在公式 4-12 中对于给定级数沙土和稳定渠道 A_1 也为定值，所以 a 可以写成 A_1 的函数

$$a = F(A_1)$$

或

$$\frac{V}{R^{1/2}} = F(R^{1/2}S)$$

这为推断 F 值提供了 V、R、S 之间的必要公式，并且其将自动消除糙率系数，换言之，平衡条件下 R 和 S 值已将糙率系数考虑进去了。通过对多种资料数据的分析，莱西得出以下公式

$$a = 16.0{A_1}^{1/2}$$

或

$$a = \frac{V}{R^{1/2}} = 16.0(R^{1/2}S)^{1/3}$$

或

$$V = 16.0\ R^{2/3}S^{1/3} \tag{4-13}$$

此公式在计算河流洪水流量时非常有用，并且好于曼宁公式或库特公式。其包含了糙率系数 n 这个只能靠经验得到的参数，而以前计算稳定渠道的公式没有包括这个系数 n，该公式还可直接应用于洪水期河流，因为在该时期，可以认为渠道暂时为平衡状态。

对于不是完全平衡而是初始平衡或最终平衡的情况，拉希以曼宁公式为模式得到水流公式，该公式可以通过公式 4-13 和 4-10 导出。

将公式 4-13 两边都 3 次方得

$$V^3 = \frac{4\ 096}{V}R^2S$$

或

$$V = \frac{64}{\sqrt{V}}RS^{1/2}$$

也可以为

$$V = K\sqrt{fR}$$

$$V = \frac{64}{K^{1/2}f^{1/4}R^{1/4}}RS^{1/2}$$

$$V = \frac{64}{K^{1/2}f^{1/4}}R^{3/4}S^{1/2}$$

$$V = \frac{K'}{n_1}R^{3/4}S^{1/2} \tag{4-14}$$

公制单位下曼宁公式为 $V = \frac{1}{n}R^{2/3}S^{1/2}$，和公式 4-14 联立

$$V = \frac{1}{n}R^{2/3}S^{1/2} = \frac{K'}{n_1}R^{3/4}S^{1/2}$$

如果 $n = n_1$，$R = 1\text{m}$，公制单位下 $K' = 1$，则公制莱西水流公式为

$$V = \frac{1}{n_1} R^{3/4} S^{1/2}$$

相同步骤下英制单位下莱西通用稳定公式如下

$$V = \frac{1.346}{n_1} R^{3/4} S^{1/2} \tag{4-15}$$

4.5.3 莱西湿周公式

公式 4-10 表明对于泥沙稳定渠道并且有相同流速(不冲),则 fR 为定值。以前林德利已经给出了泥沙稳定流速和水深、流速和底宽之间关系,换句话说,V 可以表示为 fP 的函数,则

$$V = F_1(fP)$$

$$V = F_2(fR)$$

或 $V = F(f^2 A)$,因为 $PR = A$

莱西根据 V 和(Af^2)之间可用数据得出如下公式

$$Af^2 = 3.8V^5 \text{ 或 } 4V^5 \tag{4-16}$$

或 $Qf^2 = 4.0V^6$

$$V = \frac{(QF^2)^{1/6}}{4.0} \quad (3.8\text{ 取整}) \tag{4-17}$$

公式 4-16 和 4-17 根据已知的 Q 和 f 给出了莱西稳定流速。

将 4-10 中的 f 值代入 4-16,消去 f 得到以下公式

$$P = 2.67Q^{1/2} \tag{4-18}$$

应该指出各值的范围为

$$5 < Af^2 < 3\,000$$

$$1 < V < 4$$

这些参数的范围是相对的,因为对于河流其平均流速可能超过 10ft/s,Af^2 则可能为 10 或者更大。但是,无论如何,这些公式是通过对不同材料和流量的人工渠道和洪水期天然河流观测得到的数据进行充分分析后得到的,并且也得到了充分的论证。系数 2.67 有 0.05 左右的浮动,但平均值可取为 2.67。

公式 4-18 表明稳定渠道的湿周和泥沙级数和含沙量无关,而仅仅由流量决定。这个公式十分有用,并可用来计算堰、桥梁和其他河流上的水工建筑物。

4.5.4 冲刷深度及稳定坡度流量公式

$$P = \frac{8}{3}\sqrt{Q} \tag{4-19}$$

$$V = \frac{2}{\sqrt{3}}\sqrt{fR} \quad \left(\frac{2}{\sqrt{3}} = 1.154\,7\right)$$

或 $$V^2 = \frac{4}{3} fR$$

并且 $$Af^2 = 4.0V^5$$

或 $$\frac{AV^4}{R^2} \cdot \frac{9}{16} = 4.0V^5$$

$$\frac{9}{16} \cdot \frac{A}{R^2} = 4.0$$

因为

$$A = PR$$

所以

$$\frac{9}{16} \cdot \frac{A}{R^2} = 4.0$$

或

$$P = \frac{64}{9} RV$$

将 P 值代入公式 4-19

$$\frac{64}{9} RV = \frac{8}{3} \sqrt{Q}$$

$$R = \frac{3}{8} Q^{1/2} \frac{1}{V}$$

$$R = 0.474(Q/f)^{1/3} \tag{4-20}$$

公式 4-20 是应用于平衡状态渠道或河流的冲刷深度公式。因为对于宽渠其平均水力深度几乎和水深相等,公式 4-20 可以用来确定洪水期河流的水深(因为洪水期河流暂时处于稳定状态)。该深度等于正常冲刷深度,并且是从高洪水位测得的,其将给出冲刷河床的高程,此公式可用来确定堰的板桩深度、桥的基础深度以及修建在淤积河床上的其他水工建筑物。然而,对于山洪莱西公式并不适用,本章最后的附录Ⅰ给出了赫恩冲刷深度公式。

如果假定 R 等于前面提到的深度,那么

$$RV = q(\text{单宽流量}) = (3/8)Q^{1/2}$$

或

$$Q = \left(\frac{q}{0.375}\right)^2$$

这样公式 4-20 中 R 用 q 表示如下

$$R = 0.9(q^2/f)^{1/3} \tag{4-21}$$

公式 4-21 中 R 用 q 替换了式 4-20 中的 Q。

对于边坡流量关系,由式 4-13 得

$$V = 16R^{2/3} S^{1/2}$$

已知　$S = V^3/4\,096R^2$

代入公式 4-10,消去 V,得

$$S = \frac{f^{3/2}}{1\,536\sqrt{3R}}$$

代入式 4-20,消去 R,得

$$S = 0.000\,542\,3\frac{f^{5/3}}{Q^{1/6}} \tag{4-22}$$

4.5.5 总结

以下公式由莱西提出,用来确定稳定渠道断面和边坡。

$$V = 1.154\sqrt{fR}$$

$$V = 16R^{2/3} S^{1/3}$$

$$V=\frac{1.346}{n_1}R^{3/4}S^{1/2} \quad (其中\ n_1=0.022\ 5f^{1/4})$$

$$P=2.67\sqrt{Q}$$

$$R=0.474\left(\frac{Q}{f}\right)^{1/3}$$

$$S=0.000\ 542\ 2\frac{f^{5/3}}{Q^{1/6}}$$

1934年印度政府灌溉水利部将莱西公式定为设计淤积层上稳定含沙量的渠道的基本依据。巴基斯坦境内渠道设计依据了莱西理论的工程如表4-2所示。

表4-2

序号	渠道名称	年份
1	哈维利	1939
2	塔尔	1946
3	BRBD	1931
4	BS link	1954
5	MR link	1956
6	科特里拦河闸渠道	1955
7	当萨拦河闸渠道	1958
8	古杜拦河闸渠道	1962

【例题4-3】

根据拉莱西论设计一条非衬砌渠道，流量 $60ft^3/s$，渠道纵坡 1ft/mile。

解：可用以下公式

$$V=1.154\ 7\sqrt{fR}$$

$$S=\frac{0.000\ 542\ 3}{Q^{1/6}}f^{5/3}$$

$$P=2.67\sqrt{Q}$$

$$V=\frac{1.346}{n_1}R^{3/4}S^{1/2}$$

公式 $V=16.0S^{1/3}R^{2/3}$ 更适合天然河流，人工渠道宜选择包含 n_1 的公式。

f 值可根据以下公式确定

$$\frac{1}{5\ 000}=\frac{0.000\ 542\ 3}{60^{1/6}}f^{5/3}$$

$$\therefore f=0.83$$

$$P=2.67\sqrt{60}=20.7ft$$

$$n_1=0.022\ 5f^{1/4}=0.021\ 2$$

$$V=1.154\ 7\sqrt{0.83}R^{1/2}$$

另外，$V=\frac{1.346}{0.0212}\left(\frac{1}{500}\right)^{1/2}R^{3/4}$

由以上公式导出 R，

$$R = 1.88\text{ft}$$

面积：$A=RP=1.88\times20.7=38.9\text{ft}^2$

假定边坡为 1/2∶1，则

$$38.9 = \left(B + \frac{1}{2}D\right)D$$

和

$$20.7 = B + 2\sqrt{\frac{5}{4}}D$$

∴ $B=11.5\text{ft}$

$D=3.25\text{ft}$

泥沙稳定流速：$V=1.1547\sqrt{0.83}\times1.88=1.44\ \text{ft/s}$

4.6 动态平衡理论的发展

4.6.1 莱西振动理论

对渠道工程师收集的数据进行分析可以看出泥沙参数 f 不是固定不变的，而是随季节相同和季节不同的断面而改变的。由公式 $V=K\sqrt{fR}$ 算出的 f 值和从 S—Q 公式算出的 f 值不同。因为糙率系数 n_1 是 f 的函数，所以上述说法也适用于 n_1。

莱西解释了振动理论中的这种现象。他将摩擦阻力分为两部分，一部分由渠道不同颗粒表面引起，另一部分则是由移动渠床的不规则渠底和边坡引起。第二种类型的阻力是由于渠底河床波纹引起的形状阻力。渠底波纹上游侧压力大于下游侧压力，产生压力差，引起形状阻力。我们称之为由于渠道自身条件引起的振动，对应的第一种类型的阻力则是由渠道材料引起。

渠道底坡提供了克服两种类型阻力所需的能量。应用从不同运行条件下得到的 n 值，莱西计算出由渠底引起的振动渠道不规则消耗了 40% 以上的总能量，表明有振动的渠道比没有振动的渠道要损耗更多的能量。另外由于振动，将产生更多的紊流，完全紊流将多于(会导致更高的泥沙级配)稳定紊流(即没有振动)，这种情况下，由稳定公式 $V=K\sqrt{fR}$ 计算得到的 f 值(关于泥沙级配或大小的公式)会比根据实际渠底泥沙级配算出的小，后者更大是因为有更多的完全紊流，如果振动可以忽略，那就意味着：边坡绝对光滑、一致；完全紊流少于稳定紊流，渠底泥沙级配小于 V_2/R，并且泥沙系数 f 比根据渠底泥沙级配算得的值大。

另一方面说，不管是稳定紊流还是振动紊流，渠道底坡都反应了完全紊流的能量损失，因此也反应出渠底泥沙级配。所以由 S—Q 公式算得的结果将更接近于实际值。因为所有的不衬砌渠道都有不规则形状，即有振动损失，那么应用 V—R 关系公式计算与用 S—Q 关系公式计算将得到不同的结果，如果完全没有振动的话，结果将是相同的。

在没有振动的稳定渠道上泥沙系数 f_r 为 $f_r=K(m_r)^{1/2}$，下标 r 表示无振动，当有振动时

$$f = Km^{1/2}$$

式中 K——黏滞系数；

m——渠底泥沙的平均粒径，mm。

还有公式

$$f_r = \sqrt{f \times f_q}$$

式中 f_r——没有振动的渠道的泥沙系数；

f——从公式 $V = K\sqrt{fR}$ 中得到的泥沙系数；

f_q——从 $S—Q$ 关系中得到的泥沙系数。

根据底坡计算存在于渠道中的振动是可能的，巴克利(Buckley)建议 n 值应用于土渠中：

渠道条件	n
极好	0.022 5
好	0.025 0
一般	0.027 5
差	0.030 0

莱西认为"极好"条件近似为没有振动的稳定状态，而在"差"的条件中存在的振动值可以通过在以下两条件下的莱西公式建立

$$V = \frac{1.346}{0.03}R^{3/4}S^{1/2} = \frac{1.346}{0.025}R^{3/4}(S - s)^{1/2} \tag{4-23}$$

或 $$(S - s)^{1/2} = \frac{0.022\,5}{0.03}S^{1/2}$$

式中，s 为振动损失坡降。

$\therefore s = 0.437S$

这意味着在条件为"差"的渠道，其总能量的 43.7% 由于振动而损失，56% 则由于克服摩擦而损失。然而，目前还没有一个可靠并且精确的方法来计算振动值。

4.6.2 布兰奇方法

布兰奇对动态理论进行了改进，尽管渠底材料总是和边坡材料不同，但是莱西给出了一个渠底和边坡的平均泥沙系数 f。在印度和巴基斯坦渠道的河床通常是无黏性的。布兰奇给出了两个泥沙系数 f_b 为河床泥沙系数，f_s 为边坡泥沙系数，定义如下：

$$f_b = \frac{V^2}{D}, f_s = \frac{V^3}{b}$$

式中 V——平均流速，ft/s；

D——平均深度；

b——平均宽度。

已知平均深度 D 和平均宽度 b，则断面面积为 $b \times D$，由以上公式可以得出

$$b = \sqrt{\frac{f_b}{f_s}} \times Q \tag{4-24}$$

$$d = 3 \times \sqrt{f_s \times Q/f_b^{\ 2}} \tag{4-25}$$

在确定 f 值时，莱西没有考虑输送的泥沙浓度，而仅考虑了泥沙尺寸，布兰奇对缓流提出了以下公式

$$f_b = 9.6\sqrt{d}(1 + 0.012c) \tag{4-26}$$

式中 d——泥沙尺寸，in；

c——泥沙浓度，ppm。

轻微黏性、中度黏性、高黏性的堤岸材料对应的 f 值分别为 0.1，0.2，0.3。

以下公式给出了边坡坡度

$$S = \frac{f_b^{0.83} f_s^{0.08} \upsilon^{0.25}}{3.63 g Q^{0.16}\left(1 + \frac{c}{233}\right)} \tag{4-27}$$

式中，υ 为水的动黏度。

4.6.3 西蒙和阿伯逊

西蒙和阿伯逊在 1960 年发表了他们的分析结果。根据他们的观点，平衡理论的主要缺点和有待的改进如下：

(1)其改进并没有依据实际遇到的变化多样的条件；

(2)在设计中没有认识到沉积物含量的重要影响；

(3)稳定理论中有一些参数，运用这些参数时需要弄清使用公式所需依据的条件。

为了克服以上缺点，他们收集了位于巴基斯坦旁遮普、信德及美国帝王谷的 24 条稳定运行的不同渠道的现场资料，这些资料包含了所有可能影响设计的条件范围，并且建立尽可能多的有关变量的公式。这些资料包括：

(1)流量大小；

(2)流速分布；

(3)水面坡度；

(4)渠道断面形状；

(5)悬浮物分布；

(6)可能的沉积物总量；

(7)底坡和边坡的材料样本；

(8)覆盖层样本；

(9)河床大体条件；

(10)水温；

(11)照片。

经过分析，将渠道分为 5 种类型，每种类型都有其对应的公式。

河床和边坡类型：

(1)砂质河床和堤岸；

(2)砂质河床和黏性堤岸；

(3)黏性河床和堤岸;

(4)粗糙无黏性材料;

(5)砂质河床黏性堤岸,并且泥沙含量为 2 000~8 000ppm。

以下公式适合于不同参数的直线图

$$b = 0.9P \tag{4-28}$$

$$b = 0.92B - 2.0 \tag{4-29}$$

$$R \leqslant 7\text{ft 时 } D = 1.21R \tag{4-30a}$$

$$R \geqslant 7\text{ft 时 } D = 2 + 0.93R \tag{4-30b}$$

$$P = K_1 Q^{1/2} \tag{4-31}$$

$$R = K_2 Q^{0.36} \tag{4-32}$$

$$V = K_3 (R^2 S)^m \tag{4-33}$$

$$\frac{C^2}{g} = \frac{V^2}{2DS} = K_4 \left(\frac{V_b}{V}\right)^{0.37} \tag{4-34}$$

在以上公式中,P、R、S、Q 有其通常的含义,C 为谢才系数,b 为平均宽度,B 为表面宽度,D 为渠道平均深度。对于前述 5 种类型渠道的 K 值和 m 值在表 4-3 中给出。

表 4-3　　系数 K 和 m

系数	渠道类型				
	1	2	3	4	5
K_1	3.5	2.6	2.2	1.75	1.7
K_2	0.52	0.44	0.37	0.23	0.34
K_3	13.90	16.00	–	17.90	16.00
K_4	0.33	0.54	0.87	–	–
m	0.33	0.33	–	0.29	0.29

这些结果或多或少地证明了莱西平衡方程的正确性,这些条件如下:

(1)有砂质底坡和通常由悬移质附着形成的轻微黏性到黏性的渠道;

(2)由于通过排沙设施合理控制了泥沙进入,渠道含沙量不超过 500ppm。

他们扩大了的条件范围几乎包括了事实上可能存在的所有条件,并且针对各种类型提出了公式,如表 4-3 所示。

这种牵引力方法适用于无泥沙水流并且为非黏性材料的渠道(在巴基斯坦的灌溉系统中不存在这种条件),然而这种方法可以应用在以下条件的渠道中:

(1)无黏性土中的渠道设计(即砂土);

(2)黏性材料中的渠道设计;

(3)携带可评估的悬移质的渠道(超过 500ppm)。

【例题 4-4】

设计 1 条灌溉渠道,流量为 $60\text{ft}^3/\text{s}$,泥沙尺寸为 0.012 5in,泥沙浓度为 200ppm,平均水温 74°F,$v = 1.0\times10^{-5}$ft/s,渠堤为黏性土,渠底为砂质土。

解:(1)用布兰奇方法

$$f_s = 0.3\text{（高黏性渠堤）}$$

$$f_b = 9.6 \times \sqrt{0.125}(1 + 0.012 \times 200) = 3.7\text{，取 }4.0$$

$$b = \sqrt{4.0 \times 60/0.3} = 28\text{ft}$$

其中,b 为平均宽度。

$$D = (0.3 \times 60/16)^{1/3} = (18/16)^{1/3} = 1.04\text{ft}$$

$$S = \frac{f_b^{5/6} f_s^{1/12} \upsilon^{1/4}}{3.63 \times 32.2 \times 60^{1/6}(1 + 500/233)}$$

$$S = 0.000\ 574$$

面积 $A = (1.04 \times 28.0) = 29.2\text{ft}^2$

假定边坡为1:2,深度为1.1ft

则底宽 b 由下列公式给出

$$(b' + 0.5 \times 1.1) \times 1.1 = 29.2$$

$$b' = 26.0\text{ft}$$

超高 $F = \sqrt{CD} = \sqrt{1.6 \times 1.1} = 1.32\text{ft}$,取1.50ft。

加上超高,则该断面深度为2.6ft,宽度为26ft,边坡1:2,底坡0.000 574。这个断面将产生如下流速

$$V = \frac{60}{29} = 2.05\text{ft/s}$$

(2)西蒙和阿伯逊方法

该渠道是第2种类型,即砂质河床和黏性堤岸。

应用公式4-31　$P = 2.67\sqrt{Q} = 20.20\text{ft}$

由公式4-28　$b = 0.9 \times 20.2 = 18.18\text{ft}$

由公式4-29　$18.8 = 0.92B - 2$

$$B = 20.8/0.92$$

∴表面宽度 $B = 22.6\text{ft}$

由公式4-32　$R = 0.44 \times 60^{0.36} = 0.44 \times 4.35 = 1.91$

由公式4-30a　$D = 1.21 \times 1.91 = 2.32\text{ft}$

∴面积 $A = b \times D = 18.18 \times 2.32 = 42\text{ft}^2$

或者 $A = P \times R = 20.2 \times 1.91 = 38.6\text{ft}^2$

取平均值 $A = 40.3\text{ft}^2$

∴ $V = 60/40.3 = 1.49\ \text{ft/s}$

应用公式4-33

$$V = 16.0(R^2 S)^{0.33}$$

$$1.49 = 16.0(1.91^2 \times S)^{0.33}$$

$$S = 0.000\ 219$$

也可以选用公式4-34

$$\frac{V^2}{DS} = 0.54\left(\frac{Vb}{v}\right)^{0.37} S = 0.000\ 151\ 3$$

坡度平均值　$S = 0.000\ 185$

假定渠道为梯形断面，并且设渠底宽为 x，则有

$$\frac{x + 22.6}{2} = 18.18$$

$$x = 14.14，或取 14.0\text{ft}$$

加上超高　$F = \sqrt{1.6 \times 2.32} = 1.92\text{ft}$

因此完整的断面尺寸如下：渠底宽 14ft，表面宽度 22.6ft，水深 2.32ft，断面总深 4.24ft。

然而，F 是根据美国标准局的标准算得的，对巴基斯坦来说这个值偏高，所以推荐使用近似 1.0ft 的超高来替代 1.92ft。

4.7　理论方法

用理论方法设计非衬砌存在泥沙输送问题。任何渠道只要流速、坡度和断面能满足所有的悬浮物都被冲走，或者不含泥沙的清水不会造成冲刷的条件，那么这个渠道就是稳定的。下面简略地给出了渠道设计的一些基本公式和方法，如果要进一步研究可以参照本书参考文献[4]和[7]。

泥沙输送是个很复杂的问题，并且不大可能完全服从理论分析。假定水流条件是稳定均衡的，但在实际上由于渠底和水面的变化，水流常常是高度不稳定且不均衡的。考虑到多种外力作用在一个孤立的质点上，可以只考虑最重要的变量来使问题简化。很明显，这和实际情况并不相类似。无论如何，这确实给出了关于泥沙输送的一个基本认识。

目前归纳出一个可以直接用来设计非衬砌渠道的泥沙输送的公式是不可能的，而通过流量和泥沙性质，如重量、尺寸、级配等也许能估算出泥沙输送的数量，从而可以对稳定条件下渠道进行设计。泥沙含量被分为推移质和悬移质，很多作者总结出了推移质和悬移质的公式，这些公式根据实验室试验以及现场数据得出。

推移质——推移质沿着渠底运动，把力传给下面的静止微粒，并且以滑动或者跳跃的形式前进。

悬移质——悬移质的移动和渠底没有联系，虽然渠底微粒和悬浮泥沙之间可能会有交换（一些微粒沉积，一些微粒浮起）。悬浮泥沙由垂直涡流在支撑。

4.8　推移质公式——杜波依(Duboy)公式

杜波依推移质公式（1879 年）是使用时间最长的公式之一，后来的很多公式都是根据此公式发展而成的。

杜波依提出的推移质运动概念见图 4-2。假定推移质以层的形式活动，层厚为 d，与泥沙颗粒大小相等，水流施加泥沙移动的力。假定各层移动速度呈线性变化，从 0 增加到最大。如果顶层是静止的，那表层必定有一定速度运动。

q_s 为随水流运动的泥沙单宽流量，即单位时间单位宽度河床的输沙量。

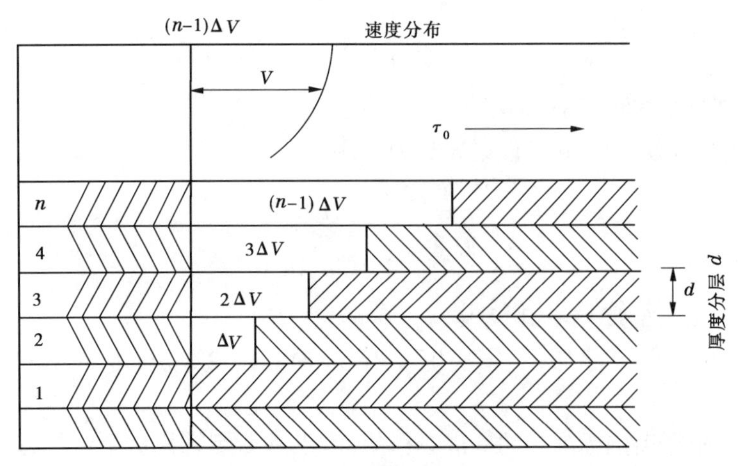

图 4-2　杜波依河床输沙模型

$$q = nd\ (n-1)\Delta V/2 \tag{4-35a}$$

式中　nd——河床泥沙层总厚度；

　　$(n-1)\Delta V/2$——泥沙层平均流速。

如果 y 为渠道水深，S 为底坡，则 $\gamma yS = t$，t 为水流方向水的重力分力，换句话说即水流的拖曳力。假定这个力因两个连续泥沙层之间的摩擦力而保持平衡，因此

$$\gamma yS = (\gamma_s - \gamma) f_s nd = \tau \quad \text{(即单位面积拖曳力)} \tag{4-35b}$$

式中　γ_s——泥沙比重；

　　f_s——泥沙层之间的摩擦系数。

临界条件是指顶层刚刚开始运动的状态，当 $n=1$ 时将产生这种状态，此时的 τ 值为临界值，用 τ_c 表示

$$\tau_c = f_s(\gamma_s - \gamma)d \tag{4-36}$$

$$\tau = n\tau_c \text{ 或 } n = \frac{\tau}{\tau_c}$$

将 n 值代入公式 4-35

$$q_s = \frac{\tau d}{\tau_c}\left(\frac{\tau}{\tau_c} - 1\right)\frac{\Delta V}{2}$$

$$\therefore \quad q_s = \frac{\Delta V d}{2\tau_c^2}\tau(\tau - \tau_c)$$

$$q_s = C_s(\tau - \tau_c)\tau \tag{4-37}$$

式中，$C_s = \Delta V d/2\tau_c^2$ 取决于泥沙特性，根据试验确定。

上式中的拖曳力 τ 可以用曼宁公式替换

$$q = \frac{1.49}{N}y^{5/3}S^{1/2}$$

其中 $R=y, A=1\cdot y$ 或

$$yS = S^{7/10}(qN/1.49)^{3/5} = \tau/y$$

因为 $\gamma yS = \tau$，所以

$$q_s = C_s \frac{S^{1.4}\gamma^2 q^{3/5}}{(1.49/N)^{1.2}}(q^{3/5} - q_c^{3/5}) \tag{4-38}$$

式中　q——每英尺宽的实际流量；

q_c——泥沙输移开始处底坡为 S_c 的每英尺宽流量(对应 τ_c)。

杜波依公式的精确度与 C_s 值的估算正确与否有关，目前该值的确定主要由研究相应较小比例的水槽确定。斯特劳波(Stranub)根据实验室试验给出了不同尺寸的泥沙 C_s 值和 τ_c 值。

D(mm)	1/8	1/4	1/2	1	2	4
C_s($ft^6 lb^2 s$)	0.81	0.48	0.29	0.17	0.10	0.06
τ_c(lb/ft^2)	0.016	0.017	0.022	0.032	0.051	0.09

根据杜波依理论得出的公式见表 4-4，由于 C_s 值和取决于泥沙特性的参数不固定，应用到相同的现场条件时，这些公式结果的变化高达 100%。

表 4-4　推移质经验公式

研究者	公式	沉积类型
Chang	$q_s = An\tau(\tau - \tau_c)$	均匀砂
Meyer Peter	$q_s(39.25q^{2/3}S - 9.95Sd)^{3/2}$	均匀砂和砾石
Mac Dougall	$q_s = AS^b(q \cdot q_c)$	级砂配
Schoklitsch	$q_s = (A/d^{1/2})S^{3/2}(q - q_c)$	均匀砂

注：A 和 b 为常量，由砂的比重和物理组成决定。

4.9　爱因斯坦推移质公式

爱因斯坦公式依据的概念和杜波依以及其他相似公式的作者依据的概念截然不同。

爱因斯坦认为：

(1)一定尺寸的泥沙颗粒以一定的长度和频率分步运动，输沙率由任一时间内移动的泥沙颗粒数量决定。

(2)单位时间泥沙颗粒运动的概率由下列数据表述：①输沙率；②粒度；③颗粒的湿重度；④与颗粒粒径和沉降速度比值相等的时间因数。

(3)这种概率也可用水流施加的动力与阻止颗粒运动的阻力之比来表述。

(4)该概率的两种形式由各自的公式表示如下

$$\phi = f(\Psi) \tag{4-39}$$

$$\phi = q_s/(g(S_s - 1)d^3)^{1/2} \tag{4-40}$$

$$\Psi = (\rho - 1)d/R'S \tag{4-41}$$

式中　ρ——泥沙密度；

d——粒径，ft；

q_s——单位宽度的推移质输沙率。

值得注意的是以上公式还可用泥沙运动的干重率来表示。

$$g_s = \gamma \rho q_s (\mathrm{lb/ft})$$

式中 S——底坡。

R'——渠底平坦无波纹时渠道的平均水力半径(换言之,即仅由颗粒粗糙度决定的那部分 R 值)。

R'的存在可做如下解释,在一个渠底起波纹的渠道中,假定渠底摩擦(或剪力,)以两种方式形成:

(1)沿表面的泥沙颗粒形成一个粗糙面;

(2)在波纹或条纹特征点从表面分流。

基于上述假定,我们可以将渠道面积分成两部分 A'和A'',每个对应上述(1)和(2)中的一个剪力。相应的,就有 $R'=A'/P$ 和$R''=A''/P$,则

$$R' + R'' = R$$

R'可通过采用斯特瑞克勒糙率系数 n',由曼宁公式计算。n'仅代表颗粒粗糙度(不包括渠底波纹),用下式表示

$$n' = 0.032 d^{1/6}$$

d 单位以英尺计,取值 d_{65}。

爱因斯坦推移质函数为 $\phi = f(\Psi)$,见图 4-3。

布朗将爱因斯坦推移质函数 $\phi = f(1/\Psi)$绘制成图,式中

$$\phi = \frac{q_s}{(g(\rho-1)d^3)^{1/2}F}$$

其中 F 为无量纲数,沉降速度函数为

$$F = \sqrt{\frac{2}{3} + \frac{36\upsilon^2}{gd^3(\rho-1)}} - \sqrt{\frac{36\upsilon^2}{gd^3(\rho-1)}}$$

式中,υ 为水的动黏度(所有量以英尺为单位)。

$\phi V_s \dfrac{1}{\Psi}$(图 4-3)缩减成为一个简单函数

$$\phi = 40\left(\frac{1}{\Psi}\right)^3 \tag{4-42}$$

上述两种方法的任一种,即爱因斯坦的原始图 4-3 或图 4-4(公式 4-42 的图)都可用于稳定渠道设计。第 4.11 节讲述了渠道设计中上述公式的应用。

4.10 悬移质函数

悬移质函数由理论分析和下列公式推导出

$$\frac{C}{C_a} = \left(\frac{D-y}{y} \cdot \frac{a}{D-a}\right)^{wkv} \tag{4-43}$$

式中 C——任一高度 y 的悬移质浓度;

C_a——渠底以上任一高度的参考点上悬移质浓度(已知);

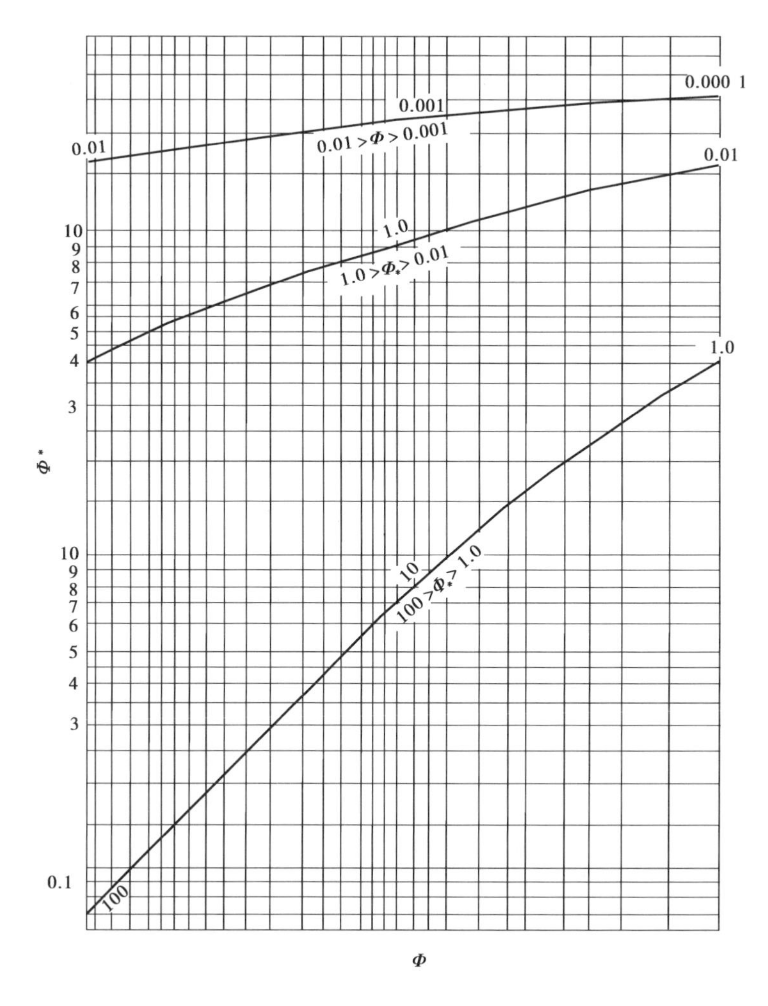

图 4-3 爱因斯坦推移质函数图

D——渠道水流深度；

w——静水中颗粒的沉降速度；

k——卡曼(V_on-Karman)通用系数；

v——剪切速度 $=\sqrt{\dfrac{\tau_0}{\rho}}=\sqrt{gDS}$；

τ_0——渠底 γys 的剪应力强度；

ρ——水的密度。

公式 4-43 在渠底无效。公式 4-43 中描述的悬移质的运动发生在渠底以上两个粒径高度的地方。图 4-5 根据上述公式绘制。

如果已知渠底以上一定高度“a”的 C_a 值，则 D 和 y 也是已知的，图中指出渠底以上任一高度 y 的 C 值，则可从图上读出 C/C_a 值。

4.11 按上述公式进行渠道设计实例

基于上述理论研究方法，还没有一个通用的、全面的和规定好的渠道设计程序。因各

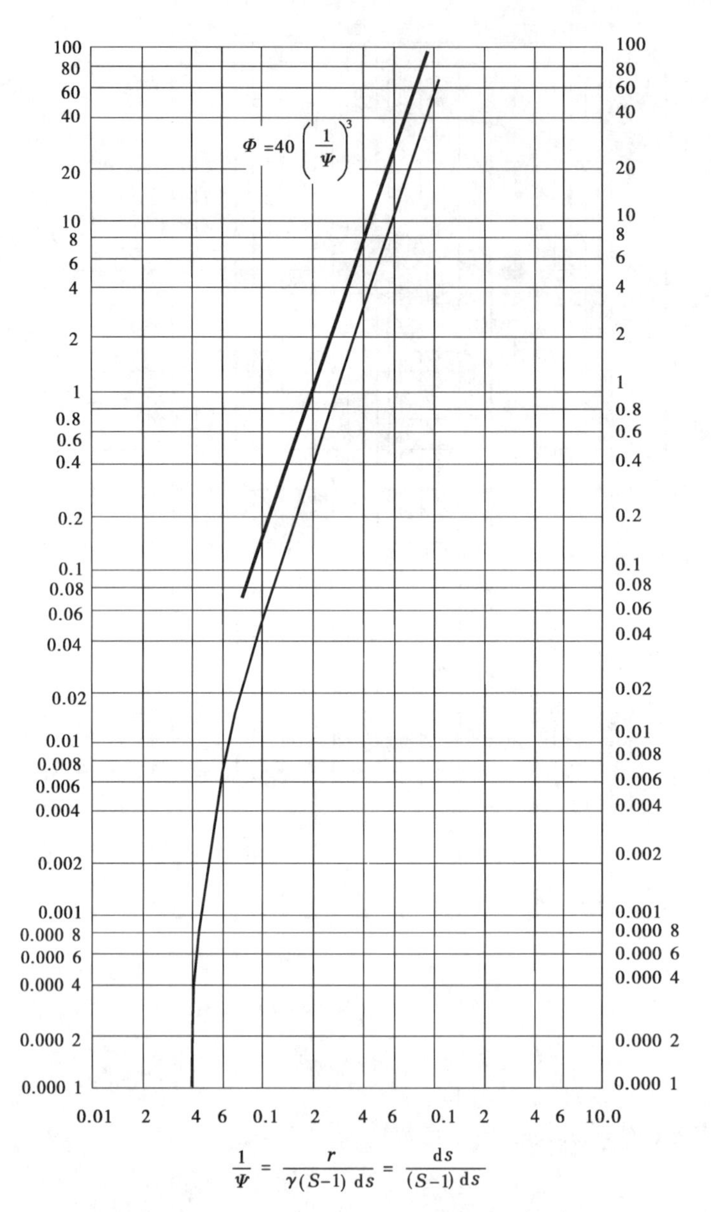

图 4-4 爱因斯坦－布朗公式函数 $\Phi = f\left(\frac{1}{\Psi}\right)$ 图

种不同参数间(如边坡、横断面面积、输沙能力和形状等)缺乏显式关系,有必要进行野外试验。问题可以通过很多种方式解决,以下就是一种可行的方法。

设计中将用到以下公式(公式在前面已给出)。

杜波依公式 4-38 可变换成含边坡的公式如下

$$q_s = C_s \gamma^2, y^3 S^2 \left(1 - \frac{S_c}{S}\right) \tag{4-44}$$

S_c 为相对于临界牵引力 $\tau_c = \gamma y S_c$ 的临界边坡。

每英尺流量可写成下式

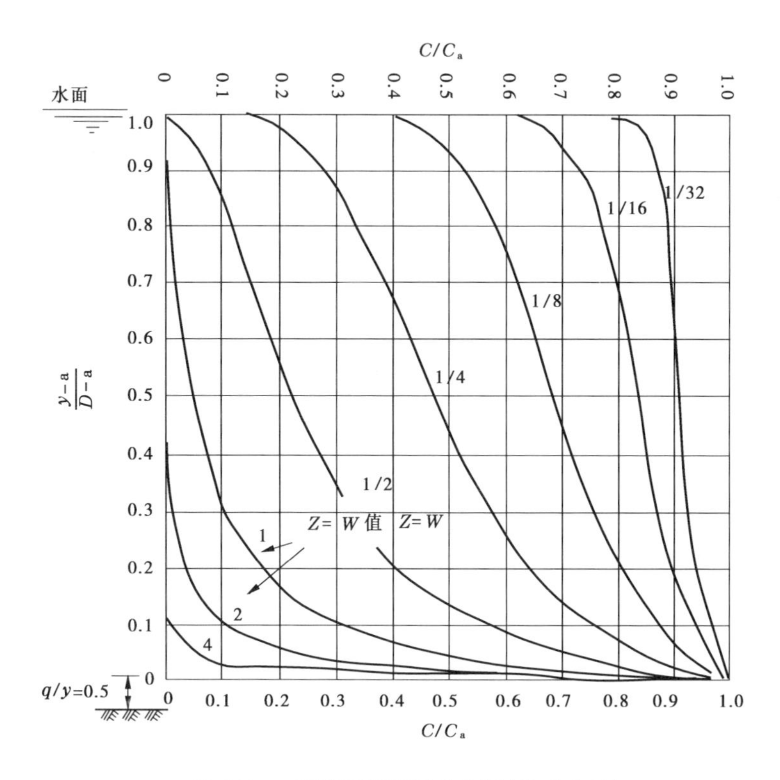

图 4-5 一定流量悬移质分布图(公式 4-43)

$$q = Cy^{3/2}S^{1/2} \quad \text{即谢才公式}$$

$$\frac{q_s}{q} = \frac{C_s}{C}\gamma^2 y^{1/2} S^{3/2}\left(1 - \frac{S_c}{S}\right) \tag{4-45}$$

$\frac{q_s}{q}$为泥沙移动的相对强度,按 ppm%表示。

谢才系数 C 与满宁系数 N 和水流深度有关

$$C = \frac{1.49y^{1/6}}{N}$$

根据斯特劳波公式有

$$C_s = \frac{0.17}{d^{3/4}}$$

和

$$S_c = 0.000\,25\left(d + \frac{0.8}{y_m}\right)$$

式中 d——泥沙尺寸,mm;

y_m——平均深度。

把 C 和 C_s 代入公式 4-44,则

$$\frac{q_s}{q} = \frac{0.11\gamma^2 Ny^{1/3}S^{3/2}}{d^{3/4}}\left(1 - \frac{S_c}{S}\right) \tag{4-46}$$

用曼宁公式

$$V = \frac{1.49}{N} R^{2/3} S^{1/2}$$

与4-46联立方程得

$$V = 0.2\left(\frac{q_s}{q}\right)^{1/3} \frac{d^{1/4}}{N^{4/3}\left(1 - \frac{S_c}{S}\right)^{1/3}} y^{5/9} \tag{4-47}$$

【例题4-5】

设计一条非衬砌渠道,流量为60ft^3/s,推移质含量为1/1 000 000,渠底材料的平均直径为0.25mm。

解:

(1)方法Ⅰ

采用杜波依公式:$\frac{q_s}{q} = 100 \times 10^{-6}$

假定 y 为水流深度,$D = 2.5$ft

则 $S_c = 0.000\,25\,\frac{0.25 + 8}{2.5} = 0.000\,1$

假定 $N = 0.022\,5$,代入公式4-46

$$100 \times 10^{-6} = \frac{0.11 \times 62.4^2 \times 0.022\,5 \times 2.5^{1/3} S^{3/2}}{(0.25)^{3/4}}\left(0.1 - \frac{0.000\,1}{S}\right)$$

或 $0.272 \times 10^{-4} = S^{3/2} - \frac{0.000\,1}{S}$

经过反复试算 $S = 9.75 \times 10^{-4}$

也就是渠道底坡为0.975ft/1 000ft(约为5ft/mil)

采用公式4-47

$$V = \frac{0.2 \times (100 \times 10^{-6})^{1/3} \times 0.25^{1/4}}{0.022\,5^{4/3} \times \left(1 - \frac{0.000\,1}{0.000\,975}\right)^{1/3}} \times 2.5^{5/9}$$

$$V = 1.75\text{ft/s}$$

$$A = \frac{60}{1.75} = 34.1\text{ft}^2$$

假定渠道边坡为1/2:1

$$面积 = BD + 1/2D$$

$$D = 2.5$$

$$B = 12.4\text{ft 或 } 12.5\text{ft}$$

则 $$底宽 = 12.5\text{ ft}$$

$$渠道底坡 = 0.975/1\,000$$

(b)方法Ⅱ

采用爱因斯坦推移质函数,假定渠道底宽=10ft

$$g_s = \frac{100 \times 10^{-6} \times 60 \times 62.4}{10}\text{lb/(ft·s)} = 3.75 \times 10^{-2}\text{lb/(ft·s)}$$

用爱因斯坦原始公式

$$\phi = \frac{g_s}{\gamma \times \rho} \times \frac{1}{\sqrt{g(\rho - 1)d^3}}$$

$$\phi = \frac{3.75 \times 10^{-2}}{62.4 \times 2.64} \times \frac{1}{\sqrt{32.2 \times 1.64}} \times \frac{1}{0.000\,82^{3/2}} = 13.20$$

从图 4-3 中可查，$\phi = 13.20$，$\Psi = 0.6$

$$\Psi = \frac{(\rho - 1)d}{R' \times S}$$

$$0.6 = \frac{1.64 \times 0.000\,82}{R'S}$$

$$\therefore \quad R'S = \frac{1.64 \times 0.000\,82}{0.6} \tag{1}$$

用斯特瑞克勒公式 $n' = 0.032 \times d^{1/6}$（此公式仅适用于无波纹平渠底，仅代表颗粒粗糙度，并不是渠底的实际情况），平均粒径 $d = 0.25$mm。因推移质材料是非均匀的，并且无颗粒级配曲线，因此假定 d_{65} 可取近似值 0.4mm。

$$n' = 0.032 \times \left(\frac{0.04}{30.48}\right)^{1/6} = 0.012$$

$$V = \frac{1.49}{n'} \times R^{2/3} S^{1/2}$$

$$V = \frac{1.49}{0.012} \times R^{2/3} S^{1/2} \tag{2}$$

如果 R 为一个起波纹渠底要求的整个水力平均深度

$$V = \frac{1.49}{0.012} \times R^{2/3} S^{1/2} \tag{3}$$

假定平均规模的冲击层的 N 为 0.022 5mm，公式(2)除以公式(3)得

$$R' = \left(\frac{n'}{N}\right)^{3/2} \times R = \left(\frac{0.012\,0}{0.022\,5}\right)^{3/2} \times R$$

或　$R' = 0.386R$　　由公式(1)得

$$R \cdot S = \frac{1.64 \times 0.000\,82}{0.6 \times 0.386}$$

$$\therefore R \cdot S = 0.005\,78 \tag{4}$$

同样 $Q = \frac{1.49}{N} \times R^{2/3} \times S^{1/2} \times PR$

假定　　$P = 16$ft

$$60 = \frac{1.49}{0.022\,5} \times 16 \times R^{5/3} \times S^{1/2}$$

或

$$R^{10/3} \times S = 0.003\,22 \tag{5}$$

公式(5)除以公式(4)得：$R = 0.975$ ft

$$S = \frac{0.005\,78}{0.975} = 0.005\,94$$

底坡 $=\frac{5.9}{1\ 000}$

假定渠道边坡为0.5:1

$$(B+1/2D)\times D=16\times 0.975$$

因为 $B=10$ft, D=1.45ft

所以由爱因斯坦推移质公式得:

渠道底坡 $=5.9/1\ 000, B=10$ft, $D=1.45$ft

用布朗绘制的爱因斯坦推移质公式(公式4-42)图同样可解出此问题。

现在
$$\theta=\frac{g_s}{\gamma\rho g^{1/2}(\rho-1)^{1/2}\times d^{3/2}\times F}$$

或
$$F=\sqrt{\frac{2}{3}+\frac{36\times(1.41\times10^{-5})^2}{32.2\times0.000\ 82^3\times1.64}}-\sqrt{\frac{36\times(1.41\times10^{-5})^2}{3.32\times0.000\ 82^3\times64}}=0.458$$

$$\phi=13.20\times\frac{1}{0.458}$$

$$\phi=28.8$$

$$\phi=4.0\left(\frac{1}{\Psi}\right)^3$$

$$\Psi=1.15$$

$$RS=\frac{1.64\times0.000\ 82}{1.15\times0.386}=0.003\ 14$$

假定 $P=16$

$$R^{10/3}\times S=0.00\ 32$$

或
$$R^{7/3}=\frac{0.003\ 2}{0.003\ 14}=1.02$$

$$R=1.02^{0.43}=1.0$$

$$S=0.003\ 14$$

$$(B+1/2D)D=16\times1$$

∴
$$D=1.45\text{ft}$$

因此,计算渠道断面为:底坡 $=3.14/1\ 000$,深 $=1.45$ft, 底宽 $=10$ft。

可以注意到公式4-42已被吉尔伯特用实验检验过,实验中用颗粒范围介于7.02~0.375mm的统一材料,得出的值几乎是原爱因斯坦公式得到的值的2倍,从而得到一个较缓的、更合理的底坡。公式4-42可以取代爱因斯坦原公式。

我们可以注意到,由爱因斯坦推移质函数得到的陡坡不适用于灌区渠道。在这个关系中,我们应进行下列观察。

(1)这种方法似乎不适用于 ϕ 值非常高的情况,也就是推移质浓度较高或低等级(小颗粒)泥沙含量的情况。

(2)这个公式及图表已被实验证实仅能用于粒径大于0.375的均匀推移质渠道。用于非均匀材料的渠道中则应进行一些修正。

(3)同样在这个例题中,流量相同,泥沙含量只有原先的一半(也就是50ppm),泥沙粒径相同,按爱因斯坦公式(公式 4-42)可得到渠道断面为:底坡 = 1.74/1 000,渠底宽 = 10ft,深度 = 1.75ft。

4.12 最大允许流速设计法

允许流速的设计方法在美国一直用于非衬砌渠道的设计。这种方法仅仅是确保不冲,也就是渠底和渠堤为黏性或非黏性的,在输送清水时,很少会淤沙。

很明显,这种方法不适用于巴基斯坦的情况,巴基斯坦的渠道中含有大量泥沙,一年中,渠道既会淤积又会被冲刷,因为在洪水季节,渠道中水流含有大量泥沙,而在冬季,泥沙的含量很低。

然而,上面提到的方法可以运用到给定情况下的渠道设计,如非衬砌渠道输送地下水。

既然渠道中的水是清水,限定的流速是渠底不冲的最大流速,并且没有最低流速(低流速会使渠道淤积)的限制。这样使得这种渠道的设计与输送多泥沙水流的渠道设计相比较就简单多了,因设计者在设计输送多泥沙水流的渠道时应确保渠道不冲不淤的流速。也就是分别给出确保使渠道不冲不淤的上限流速和下限流速。

表 4-5 给出清水和多泥沙水的最大允许流速值。然而,泥沙浓度的范围没有给出,因此,对于多泥沙水,使用此表是不可取的。

表 4-5　最大允许流速和相应的或单位牵引力值(Fortier 和 Scoby 之后,被 USBR 采用)

材料	糙率 n	清水		含沙水	
		V (ft/s)	τ_0 (lb/ft)	V (ft/s)	τ_0 (lb/ft)
细砂、胶质	0.020	1.5	0.027	2.50	0.075
沙壤土、无胶质	0.020	1.75	0.037	2.50	0.075
粉砂壤土、无胶质	0.020	2.00	0.048	3.00	0.11
淤砂、无胶质	0.020	2.00	0.048	3.50	0.15
普通硬壤土	0.020	2.50	0.075	3.50	0.15
黏土、强胶质	0.025	3.75	0.26	5.00	0.46
淤泥、胶质	0.025	3.75	0.26	5.00	0.46
页岩及硬土层	0.025	6.00	0.67	6.00	0.67
粗砾石、无胶质	0.025	4.00	0.30	6.00	0.67

上表中的值仅适用于季节较好、底坡较缓和渠道内水深小于 3ft 的渠道。巴基斯坦灌溉系统的渠道尺寸很大,因此上表很难用上,除非是小的斗渠输送无泥沙水的情况。

图 4-6 和 4-7 分别给出了无胶质土和胶质土的最大允许流速(USSR 资料)。除了上述限制外,所有资料适用于直渠,用于曲线渠道时,流速应按 Lane 的建议进行如下减小:轻微弯曲渠道,减小 5%;中等弯曲的渠道,减小 13%;大弯曲的渠道,减小 22%。

4.12.1 设计程序

已知:设计流量、地面坡度(假定与渠道坡度相同)、渠底和渠堤材料。

设计步骤：

(1)估算 n、边坡 z 和最大允许流速(边坡根据材料休止角确定,下面的值可作为通用导则)：

大渠用土	1∶1($z=1$)
硬黏土和小渠用土	0.5∶1($z=1/2$)
疏松的沙土	2∶1($z=2$)
沙壤土、多孔黏土	3∶1($z=3$)

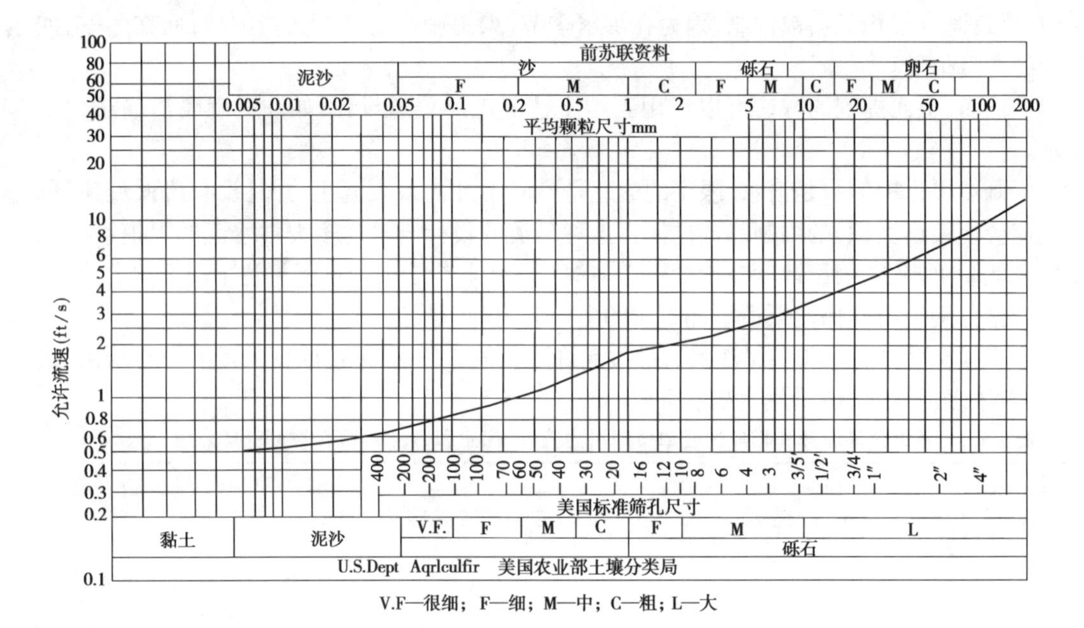

图 4-6 非黏性土允许流速(美国与前苏联资料)

(2)用曼宁公式 $V=\dfrac{1.49}{n}R^{2/3}S^{1/3}$,$R$ 为水力半径,可计算出。

(3)用连续方程：$Q=AV$,A 可以计算出。

(4)计算湿周：$P=A/R$。

(5)采用梯形断面的基本方程：$A=(b+zy)y$,$P=b+2y\sqrt{1+z^2}$,计算出 b 和 y。

(6)估算和添加安全超高。

(7)如果需要,实际操作中可进行微调。

图 4-8 示出了黏性土和非黏性土随深度变化的修正曲线。

【例题 4-6】

设计 1 条非衬砌渠道,流量 60ft^3/s,泥沙含量 100ppm。渠底材料的平均粒径为 0.25mm,淤砂在天然状态下为非黏性的,地面坡度为 1/1 000。

解：(1)平均粒径为 0.25mm 的土料分类为细砂,糙率 $n=0.02$,渠道输送清水最大允许流速为 1.5ft/s(表 4-4)

(2)$1.5=\dfrac{1.49}{0.2}\times\left(\dfrac{1}{1\,000}\right)^{1/2}R^{2/3}$

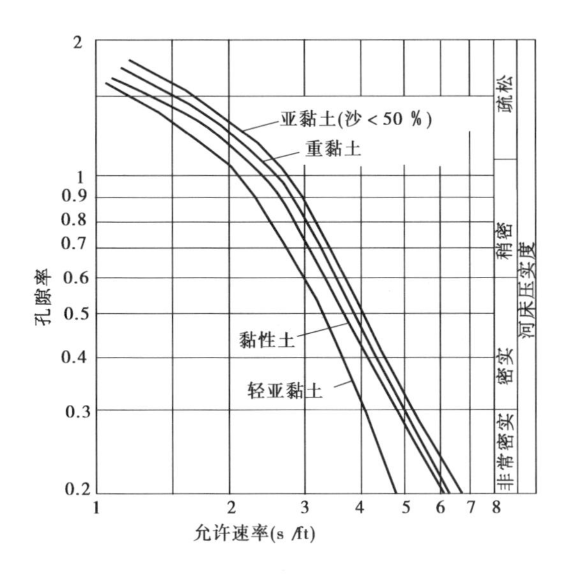

图 4-7　黏性土的允许流速(前苏联资料)

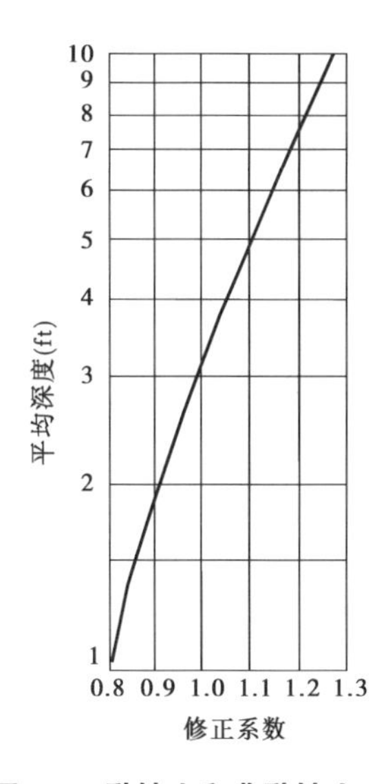

图 4-8　黏性土和非黏性土随着深度变化允许流速的修正曲线

则　$R=0.51$

(3)$A=60/1.5=40$

(4)$P=A/R=40/0.51=78.43$

(5)$40=(b+zy)y$　(1)

$$78.43=b+2y\sqrt{1+z^2} \tag{2}$$

联立方程(1)和(2),得

$$2y^2+by-40=0$$

$$b+4.48y-18.43=0$$

通过循环试算上述方程,可求得 y 和 b

$$y=0.5\text{ft}$$

$$b=79\text{ft}$$

很明显,这个断面尺寸深 0.5ft,宽 79ft 是不实际的,因为 6in 的深度非常小,而宽度 79ft 又太大。因此建议取渠道深 2ft,宽度 18ft。

$$P=18\times2\sqrt{5}=26.94$$

$$R=\frac{40}{26.14}=1.48$$

$$V=\frac{1.49}{0.02}\times1.48^{2/3}\times\left(\frac{1}{1\ 000}\right)^{1/2}=3.06\text{ft/s}$$

$$A=\frac{60}{3.06}=19.6\text{ft}^2$$

从上面的计算可以看出,对于深 2ft,宽 18ft 的渠道,流速为 3.06ft/s,超过最大允许流速 1.5ft/s 的 100%。因此,再试一下深度为 1.5ft,边坡 $z=1.5$ 的情况。

$$y=1.5\text{ft}$$

$$b = \frac{40 - 1.5^2}{1.5} = 23.6\text{ft}$$

$$P = 23.6 + 2 \times 1.5 \times 1.8 = 29\text{ft}$$

$$R = \frac{40}{29} = 1.38\text{ft}$$

$$V = \frac{1.49}{0.02} \times \frac{1}{31.6} \times 1.38^{2/3} = 2.9\text{ft/s}$$

这个结果也违反了最大允许流速为 1.5ft/s 的标准,因此,试算其他断面如

$$z = 2$$

$$y = 1.5$$

$$b = 23.6$$

$$\therefore P = 23.6 \times 2 + 1.5 \times 55 = 30.31$$

$$\therefore R = \frac{40}{30.31} = 1.32$$

$$\therefore V = \frac{1.49}{0.02} \times \frac{1}{31.6} \times 1.38^{2/3}$$

$$\therefore V = 2.8\text{ft/s}$$

这个结果同样违反了最大允许流速的标准。因此,让我们假定流速为 2ft/s,这个流速也超过了 1.5ft/s,但是没有其他选择,因为采用流速 1.5ft/s 将会得出一个失真的断面。

$$V = \frac{1.49}{0.02} \times 131.6 \times 1.32^{2/3} = 2\text{ft/s}$$

$$\therefore R = 0.781\text{ft}$$

$$A = \frac{60}{2} = 30\text{ft}^2$$

$$A = 30\text{ft}^2$$

$$P = \frac{A}{R} = \frac{30}{0.871} = 38.4\text{ft}$$

$$38.4 = b + 2y \times 2.24 \qquad (1)$$

$$30 = (b + 2y)y \qquad (2)$$

$$b = \frac{30 - 2y^2}{y} + 2.28y$$

$$38.4 = \frac{30 - 2y^3}{y} + 4.48y$$

循环试算,得

$$y = 0.83\text{ft}$$

$$b = 34.48\text{ft}$$

对于流速为 2ft/s 的渠道,深度为 0.83ft,宽度为 34.5ft。可以注意到这个断面同样不切实际,宽度太大了。这个例题说明这种方法不能提供一个实际的解决办法。

4.13 按拖曳力的设计方法

与印巴次大陆设计方法类似,这种方法同样是基于经验和观测资料而不是物理理论。

拖曳力是因水流动而作用在渠周土颗粒上的力。它是施加在一个确定面积上的力,而不是作用在单个颗粒上。这个概念首先由杜波依(Duboy)发现,这已在前面章节中讨论过。

允许拖曳力是使渠底材料在一个水平的面上发生严重侵蚀的最大单位拖曳力,也可以叫做临界拖曳力。

按照定义,拖曳力为:

$$F_t = \gamma ALS$$

式中 A——渠道横断面积;

L——控制体积的长度;

S——渠道底坡。

单位拖曳力 τ_0 为:

$$\tau_0 = \frac{\gamma ALS}{PL} = \gamma RS$$

一定宽度的渠道 $R = y$(y 是正常水深)

$$\tau_0 = \gamma yS$$

图 4-9a 和 4-9b 给出了沿渠底和渠岸单位拖曳力的理论值。按莱恩的测定,渠道底面允许拖曳力为 γS,边坡允许拖曳力为 $0.76\gamma S$。很明显,要使静止在边坡上的颗粒移动所需的拖曳力要小于使静止在渠底上的颗粒移动所需的拖曳力。

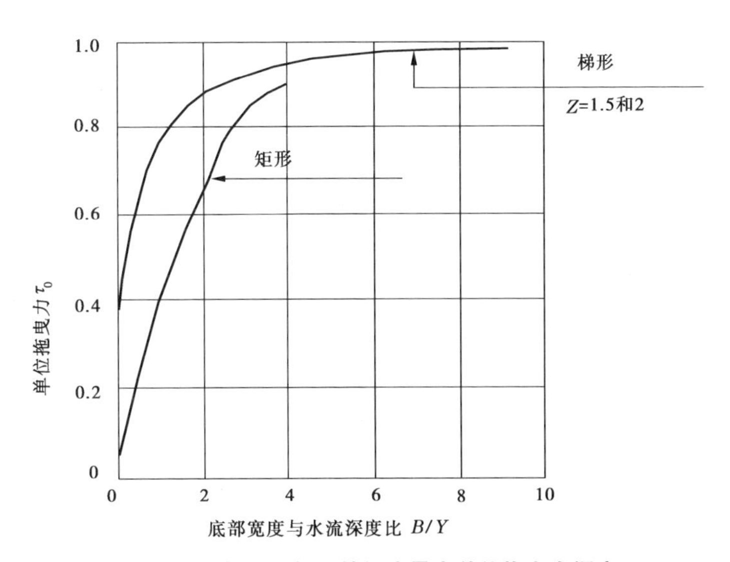

图 4-9a 根据 γys 得到的渠底最大单位拖曳力渠底

$a\tau_L$ 为沿渠底在有效面积“a”上使一个颗粒移动的拖曳力;$W_s \tan\alpha$ 为摩擦阻力;其中 W_s 为颗粒浮重,$\tan\alpha$ 为摩擦系数,α 为休止角。

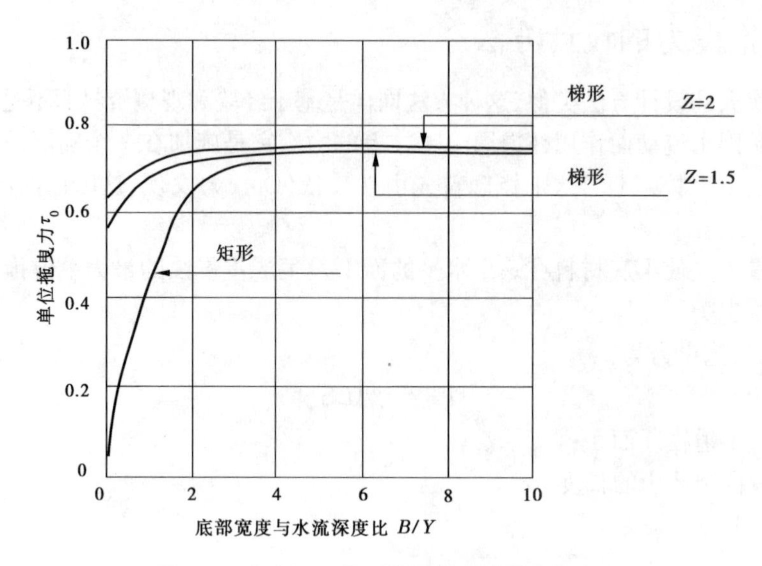

图 4-9b　根据 γys 得到的渠道岸坡最大拖曳力

运动初始时

$$a\tau_{\mathrm{L}} = W_{\mathrm{s}}\tan\alpha$$

或

$$\tau_{\mathrm{L}} = \frac{W_{\mathrm{s}}}{a}\tan\alpha$$

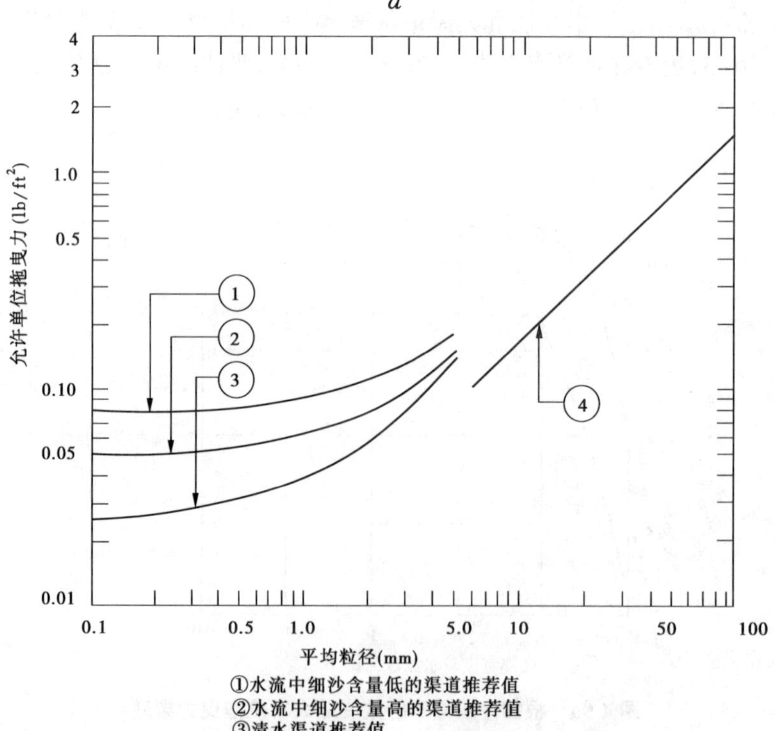

图 4-10　非黏性土渠道的推荐允许单位拖曳力(美国垦务局,Chow)

在边坡上,面积“a”上的颗粒受 3 种力的影响,即:

(1)$a\tau_s$,水流方向的拖曳力。

(2)$W_s\sin\beta$,重力分力,沿边坡向下(其中 β 为坡角)。

(3)$W_s\cos\beta\tan\alpha$,抵抗力($W_s\cos\beta$ 重力分力,垂直作用在边坡上,$\tan\alpha$ 为摩擦系数)。

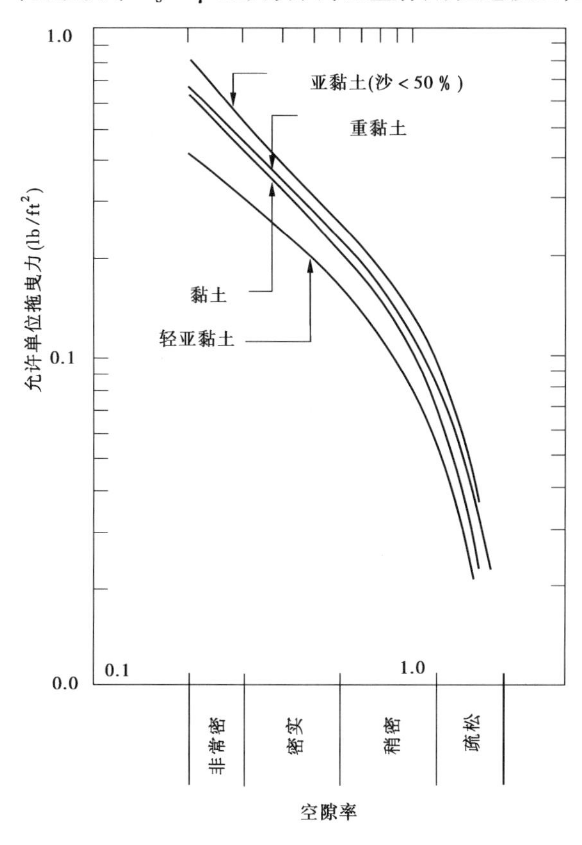

图 4-11　黏性土渠道允许单位拖曳力(美国垦务局,Chow)

(1)和(2)是使颗粒移动的力,(3)是摩阻力;因此对于临界情况,沿边坡面使颗粒运动的单位拖曳力为

$$\tau_s = \frac{W_s}{a}\cos\beta\tan\alpha\sqrt{1 - \frac{\tan^2\beta}{\tan^2\alpha}} \tag{4-48}$$

τ_s 与 τ_L 的比值称做牵引力比,广泛运用于设计中。

$$K = \frac{\tau_s}{\tau_L} = \cos\beta\sqrt{1 - \frac{\tan^2\beta}{\tan^2\alpha}} \qquad \text{(与美国垦务局一致)}$$

$$K = \sqrt{1 - \frac{\sin^2\beta}{\sin^2\alpha}} \tag{4-49}$$

TFR,K 是边坡和材料休止角的函数,图 4-12 给出了不同材料 α 角的值。

【例题 4-7】

设计 1 条非衬砌渠道,流量 $60\text{ft}^3/\text{s}$,平均底坡 1/1 000。渠道材料平均粒径为 0.25mm,非黏性。

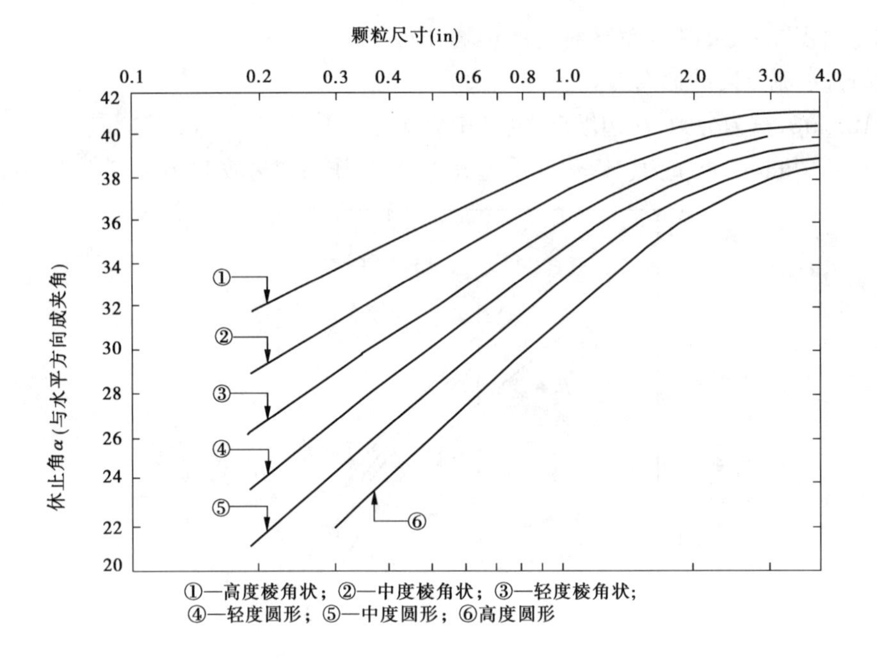

图 4-12　非黏性材料的休止角

解：(1)糙率 $n=0.020$(细沙)。

(2)没有颗粒粒径为0.25mm的土的休止角。但是,有棱角材料的摩擦角曲线可以延长,并取近似值40°。

(3)假定边坡坡度为18°,$b/y=4$。

(4)边坡最大(允许)拖曳力(这里提供的是临界值)。

$$\tau=0.75rys$$

(5)拖曳力比 K

$$K=\frac{\tau_s}{\tau_L}=\sqrt{1-\frac{\sin^2\beta}{\sin^2\alpha}}$$

$$K=\sqrt{1-\frac{\sin^2 18}{\sin^2 40}}$$

$$K=0.876$$

(6)估算渠底允许拖曳力(图4.10),渠道材料粒径0.25mm,输送多泥沙水。

$$\tau_L=0.085\text{lb/ft}$$

(7)计算 y

$$\frac{\tau_s}{\tau_L}=k$$

$$\tau_s=K\tau_L$$

$$0.75\gamma ys=K\tau_L$$

$$y=\frac{0.876\times 0.085\times 1\,000}{0.75\times 62.4\times 1}\text{ft}=1.66\text{ft 取 }1.7\text{ft}$$

(8)$\frac{b}{y}=4$

$$b=4\times1.7=6.8\text{ft}$$

(9)校核流量 Q

$$A=(b+zy)y$$
$$=(6.8+1.5\times1.7)\times1.7=15.89\text{ft}^2$$
$$P=b+zy\sqrt{1+z^2}$$
$$=6.8+2\times1.7\sqrt{3.25}=12.93\text{ft}$$
$$R=A/P=1.23\text{ft}$$
$$Q=\frac{AR^{2/3}}{n}\sqrt{S}$$
$$Q=\frac{15.89\times1.23^{2/3}}{0.02}\left(\frac{1}{1\,000}\right)^{1/2}$$
$$Q=28.9\text{ft}^2/\text{s}$$

Q 小于设计流量 $60\text{ft}^2/\text{s}$,因此要进行更多的计算,应保持 τ_s、τ_K、τ_L 和 z 不变,改变 b/y。

b/y	y	b	A	P	R	Q
8.00	1.7	13.60	27.45	19.70	1.39	5.00
8.25	—	—	28.90	20.58	1.40	57.33
8.5	1.7	14.96	29.76	21.08	1.41	59.25
8.85	1.7	15.04	29.90	21.16	1.413	59.36
8.86	1.7	15.06	29.94	22.71	1.30	—
9.00	1.7	15.30	30.34	22.95	1.32	57.80

由此,b/y 应取 8.85,得到流量为 $59.36\text{ft}^3/\text{s}$,约等于 $60\text{ft}^3/\text{s}$。

(10)校核渠底拖曳力是否允许

$$\tau_L=\gamma ySK$$
$$=62.4\times1.7\times\frac{1}{1\,000}\times0.876$$
$$=0.10\times0.876$$
$$=0.087\,6\text{lbs}\quad(\text{在允许范围内})$$

因此,设计是合适的。

(11)校核流速

$$V=\frac{Q}{A}=\frac{59.56}{29.9}=1.99\text{ft/s}$$

这个流速会阻止泥沙沉淀或淤积。

(12)超高

设计深度 1.7ft

设计流量 59.56ft/s

$$F = \sqrt{Cy} = \sqrt{1.6 \times 1.7} = 1.64\text{ft}$$

渠道断面如下所示：

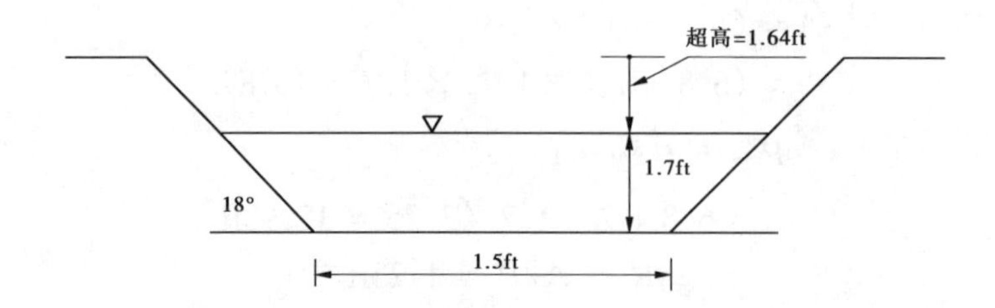

4.14 水力设计准则(HDC)

该标准是力图使非衬砌渠道达到不冲不淤的满意设计的最新标准。根据巴基斯坦水电开发署淤积渠道观测计划和渠道及首部工程观察计划，由 PRC/CHECKI 的咨询专家组成的小组对巴基斯坦水电开发署收集的资料进行了研究，并得出下列结果。

(1)渠道宽度计算；

(2)渠道深度与流量的关系；

(3)对从运行后已淤积 50 年以上的渠道系统进行输沙能力的重新设计。

研究的目的是为了找到渠道不淤断面的设计标准。

一个稳定的渠道断面是按水力条件定义的，也就是说渠道的输沙能力等于泥沙输入量时的流量、糙率、宽度、深度、流速和边坡。

基本方法与前面莱西等采用的步骤一样，但是根据咨询专家的意见，先前没有注意到泥沙输入量(含沙水进入渠道)，因此，造成泥沙含量过低或过高的问题。

4.14.1 宽度预测值

确定稳定渠道宽度的关系式是不能完全推导出的，并且所有的公式都是经验公式。对许多 ACOP 的宽度预测值(Lacey 1929, Blench 1957, Chang 1985, Sanoyan 1985, Yalin 和 Lai 1985 给出的)进行试验，结果发现宽度值大致都一样。HDC 推荐的公式为

$$B_b = K_s Q_b^{0.5} \tag{4-50}$$

式中 B_b——渠底宽，ft；

K_s——宽度系数，辛德渠道为 2.2，旁遮普渠道为 2.6；

Q_b—— 渠底流量，ft^3/s，不同于渠道流量 Q。

这个公式与莱西所给的公式 $B_t = 2.67\sqrt{Q}$ 的形式一样(B_t 为渠顶宽度，Q 为渠道流量)。

其他公式和 Chang 一样考虑了边坡和颗粒粒径

$$B_t = 4.17\left(\frac{S}{\sqrt{d}} - \frac{0.002\,38}{Q^{0.5}}\right)^{0.05} Q^{0.5} \tag{4-51}$$

式中 S——渠道底坡；

d——渠底材料颗粒的中间直径,mm。

4.14.2 深度—流速关系

深度与流速关系已被全世界许多研究者发展完善。在巴基斯坦,肯尼迪(1895 年)、林德利(1919 年)和莱西(1929 年)进行了初创工作,在前几章中已有论述。其他初创人员还有恩杰兰德(1966 年)、怀特(1979 年)、卡里姆(1981 年)和范莱恩(1986 年)。HDC 深度—流速关系在范莱恩方法的基础上描述如下。

(1)计算动黏度,单位 ft^2/s

$$\upsilon = (1.23 - 0.33(T - 15) + 0.000\ 73(T - 15)^2) \times 10^{-5} \tag{4-52}$$

式中 T——温度,℃。

(2)计算颗粒参数(无量纲)

$$d_x = \left(\frac{\rho - 1}{\upsilon^3} \times g\right)^{1/3}$$

式中 ρ——渠底材料的比重。

(3)计算临界 Shield 参数 θ_c

由 d_x 值而定

$$d_x \leqslant 4 \text{时}, \theta_c = 0.24 d_x^{-1}$$

$$4 < d_x \leqslant 10 \text{时}, \theta_c = 0.14 d_x^{-0.64}$$

$$10 < d_x \leqslant 20 \text{时}, \theta_c = 0.04 d_x^{-0.1}$$

$$20 < d_x \leqslant 150 \text{时}, \theta_c = 0.013 d_x^{0.29}$$

$$d_x > 150 \text{时}, \theta_c = 0.055$$

(4)计算平均边坡 z　　$z = (z_1 + z_2)/2$

式中 z_1——左岸边坡;

z_2——右岸边坡。

(5)计算渠底流量 Q_b

$$Q_b = \frac{Q}{\left(\frac{z^3}{2z^2 + 1}\right)^{0.5} + \frac{y}{B_b} + 1} \tag{4-53}$$

式中 y——水深;

B_b——渠底宽;

z——平均边坡。

(6)估算平均水深

$$y_j = \frac{Q^{1/3}}{1.1}$$

(7)计算平均宽度 B_a

$$B_a = B_b + y_j \times z$$

(8)计算流速

$$V_j = \frac{Q_b}{B_b \times y_j} \tag{4-54}$$

(9)计算由砂粒粗糙率引起的达西摩擦因数

$$f = 8\left(5.751\lg\frac{12y_j}{3d_{90}}\right)^{-2} \tag{4-55}$$

d_{90}为小于该粒径的土重占总重的 90%,ft。

(10)计算水流的流过砂粒 Shield 参数

$$\theta' = \frac{fV_j^2}{8gd_{90}(\rho - 1)} \tag{4-56}$$

(11)计算无量纲剪切参数

$$\tau_s = \frac{\theta'}{\theta_c} - 1$$

(12)计算渠底沙波的平均高度

$$\Delta = 0.11y_j\left(\frac{d_{50}}{y_j}\right)^{0.3} \times (-\exp(-0.5\tau_s))(25 - \tau_2) \tag{4-57}$$

(13)计算渠底沙波的平均长度

$$\lambda = 7.3y_j \tag{4-58}$$

(14)计算渠底沙波的糙率

$$K_d = 1.1\Delta\left(1 - \exp\left(-25\frac{\Delta}{\lambda}\right)\right) \tag{4-59}$$

(15)计算渠底沙波的起伏参数

$$K_r = 0.3, V_j \leqslant 1.3\text{ft/s} \tag{4-60a}$$

$$K_r = \frac{25 - V_j}{1.2} \times 0.3, 1.3 < V_j \leqslant 2.5\text{ft/s} \tag{4-60b}$$

$$K_r = 0, V_j > 2.5\text{ft/s}$$

(16)计算由渠底材料粗糙度引起的达西摩擦因数

$$f_s = 8\left(5.75 - \lg\frac{12y_j}{3d_{90} + K}\right) \tag{4-61}$$

其中 $K = K_d + K_r$

(17)计算新的流速

$$V_{j+1} = \frac{8gy_jS}{f} \tag{4-62}$$

S 为底坡

(18)计算新的水深

$$y_{j+1} = \frac{Q_b}{B_bV_{j+1}} \tag{4-63}$$

(19)比较新老水深

如果

$$|(y_{j+1} - y_j)| > \frac{y_j}{500}$$

那么

$$y_{j+2} = \frac{y_{j+1} + y_j}{2}$$

$$y_j = y_{j+2}$$

重复计算形成步骤(7)。

4.14.3 输沙关系

HDC设计准则的目的是设计渠道系统,估算渠道系统的输沙能力并与来沙量进行比较,然后决定渠道内冲刷和泥沙沉积是否在允许范围内,决定排沙设计到什么程度有效。

运用输沙公式可估算出输沙能力。对于巴基斯坦的渠道运用各种公式对数据进行计算所得的解答范围很大,因此很难确定哪个公式计算所得的结果最接近实际情况。HDC最终推荐了汉森(Enyelund Hansen)方程式,因为它比较简单。这个方程式是在水道实验(颗粒直径在190~930μm)的基础上得出的。巴基斯坦渠底材料的颗粒直径通常在75~350μm的范围内。在公制系统中,方程式为

$$V_t = 0.05\sqrt{g\Delta d_{50}^3}\left(\frac{y}{\Delta}\times\frac{S}{d_{50}}\right)^{5/2}\frac{C^2}{g}$$

式中 V_t——单宽输沙量,m^2/s;

g——重力加速度,m/s^2;

Δ——泥沙相对密度$=(\rho_s-\rho_w)\rho_w$;

d_{50}——代表性的粒径,m;

y——水深;

S——底坡;

C—谢才系数,$m^{1/2}/s$;

ρ_s——沙密度;

ρ_w——水密度。

全断面输沙总量为$V_T=B_b\times V_t$,这里要提及的是上面论述的HDC方法依然要在实地进行试验,不能想当然地认为它比现在流行的其他设计方法精确。进一步说,建议用HDC方法对巴基斯坦已淤积或冲刷的渠道重新进行设计。

按水力设计准则(HDC)进行的渠道设计程序见图4-13。

4.15 穆尼尔(Munir)和库莱希(Quraishi)方法

这是进行输送含沙水的非衬砌渠道的最新设计方法。其作者们是在实验室水槽实验数据的基础上得出此设计方法的。他们使用了诺模图和数字技术等。这种方法填补了本章前面讨论的理论方法的空白。用于渠道设计的一些参数已量化,因而避免了为得出客观结论进行的试算和错误。下面给出了用这个程序进行的实际设计举例,以说明上面提到的要点。

4.15.1 输沙准则

图4-14绘制的是诱导函数和渠底材料输送无量纲参数图。

由图4-14得出经验公式

$$\phi = 1.87\theta^2 + 0.072\theta \tag{4-64}$$

式中 ϕ——推移质函数。

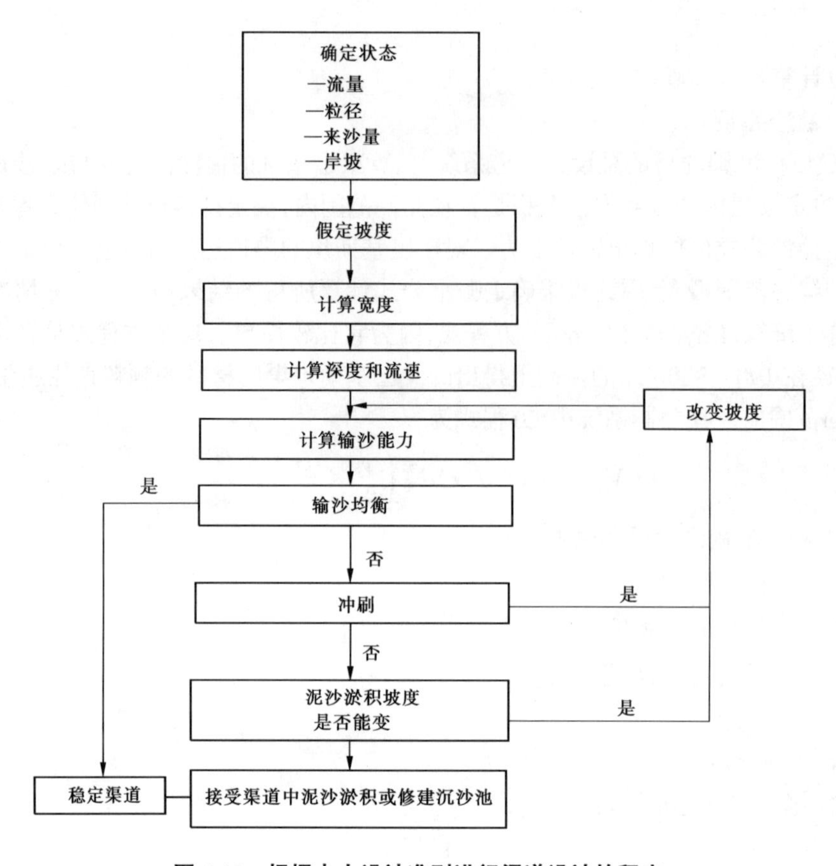

图 4-13　根据水力设计准则进行渠道设计的程序

$$\phi = V_t\sqrt{\gamma}/(\gamma_s(g(\gamma_s - \gamma)d_{50}^3)^{0.5}) \tag{4-65}$$

θ——诱导函数。

$$\theta = \tau_0/((\gamma_s - \gamma)d_{50}) \tag{4-66}$$

$$\tau_0 = rRs$$

式中　V_t——推移质流量，用单位时间单宽重量表示，kg/(m·s)；

γ——水的容重，kg/m^3；

γ_s——沙子容重，kg/m^3；

g——重力加速度，m/s^2；

d_{50}——渠底材料的代表粒径，m；

τ_0——渠底剪切应力，kg/m；

R——水力半径，m；

S——渠道底坡。

设计程序：

(1)给出渠道中泥沙浓度，以 ppm 计。

(2)用莱西公式计算湿周：$P = 4.75\sqrt{Q}$。

(3)假定渠底宽 B，小于 P。

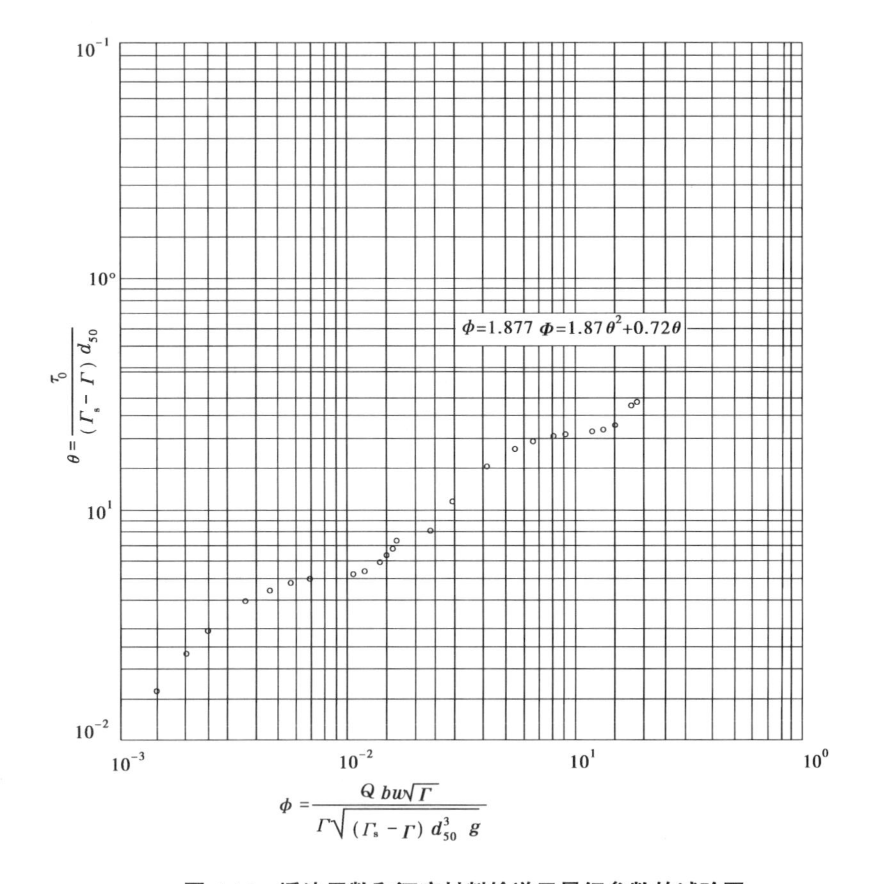

图 4-14　诱法函数和河床材料输送无量纲参数的试验图

(4)计算推移质流量 V_t。

(5)由公式 4-65 确定推移质函数 ϕ。

(6)由公式 4-66,根据水力半径 R 和渠道底坡 S,确定诱导函数 θ 值。

(7)将 θ 和 ϕ 带入公式 4-64,得到 R 与 S 乘积的值。

(8)用曼宁公式计算糙率 n。

(9)利用曼宁公式计算流量并确定水力半径 R 和底坡 S。

(10)确定水深 y。

(11)用横断面的几何形状计算湿周,并将它与莱西公式计算的湿周进行比较。

(12)如果这两个湿周不匹配,那么应再假设一个底宽,直到两个湿周匹配或相互接近。

【例题 4-8】

设计 1 条稳定渠道,流量 $43m^3/s$,淤沙平均粒径 0.323mm,泥沙浓度 50ppm。

假定 $n=0.022\ 5$,边坡 $z=0.5$,沙容重 $\gamma_s=2\ 650kg/m^3$,$\gamma=1\ 000kg/m$,$g=9.81m/s^2$。

解:由莱西公式计算湿周

$$P=4.75\sqrt{Q}=4.75\sqrt{43}=31.15m$$

则　$A = PR = 31.15R$

假定渠道底宽 $B = 27\text{m}$

输送的推移质的量为

$$V_t = 50 \times 43\ 000 \times 10^{-6}\text{kg/s}$$

$$V_t = 50 \times \frac{43\ 000}{10^6 \times 27} = 0.079\ 6\text{kg/(m} \cdot \text{s)}$$

$$\phi = V_t \sqrt{\gamma} / \gamma_s \sqrt{(\gamma_s - \gamma) g d_{50}^3}$$

$$= 0.079\ 6 \times \sqrt{1\ 000} \Big/ \left(2\ 650 \sqrt{1\ 650 \times 9.81 \times \left(\frac{0.323}{1\ 000}\right)^3}\right)$$

$$\therefore \phi = 1.286$$

$$\theta = \gamma RS / ((\gamma_s - \gamma) D_{50})$$

$$= \frac{1\ 000 \times RS \times 1\ 000}{(1\ 650 \times 0.323)} = 1\ 876RS$$

$$\phi = 1.877\theta^2 + 0.072\theta = 1.877 \times 1\ 876^2 \times (RS)^2 + 0.72 \times 1\ 876RS = 1.286$$

$$\therefore RS = 0.000\ 431 \tag{1}$$

由曼宁公式

$$Q = \frac{AR^{2/3} \times S^{1/2}}{n}$$

或

$$Q = \frac{31.15R^{5/3} \times S^{1/2}}{n}$$

$$43 = \frac{31.15R^{5/3} \times S^{1/2}}{0.022\ 5}$$

或

$$R^{10/3}S = \left(\frac{43 \times 0.022\ 5}{31.15}\right)^2 = 0.000\ 965 \tag{2}$$

将由公式(1)得到的 S 带入公式(2)

$$R = \frac{0.000\ 965}{0.000\ 431^{3/7}} = 1.41\text{m}$$

∴

$$S = \frac{0.000\ 431}{1.41} = 0.000\ 306$$

$$R = \frac{A}{P} = \frac{By + zy^2}{B + 2y\sqrt{1 + z^2}} = 1.41\text{m} \tag{3}$$

现在将 B,z 和 R 带入公式(3),并求解 y

$$y = 1.55\text{m}$$

$$P = B + 2y\sqrt{1 + z^2} = 27 + 2.24 \times 1.55$$

$$= 30.472$$

与 31.15 几乎相等,因此渠道断面为

$$B = 27\text{m}$$

$$y = 1.55\text{m}$$

$$S = 0.000\ 306$$

全断面需要加上超高 $F=\sqrt{Cy}$。

4.15.2 临界剪切应力标准

穆尼尔和库莱希还得出两个关系：①剪切强度因数和颗粒雷诺数的关系（图4-15）；②阻力系数和相对糙率（图4-16）。

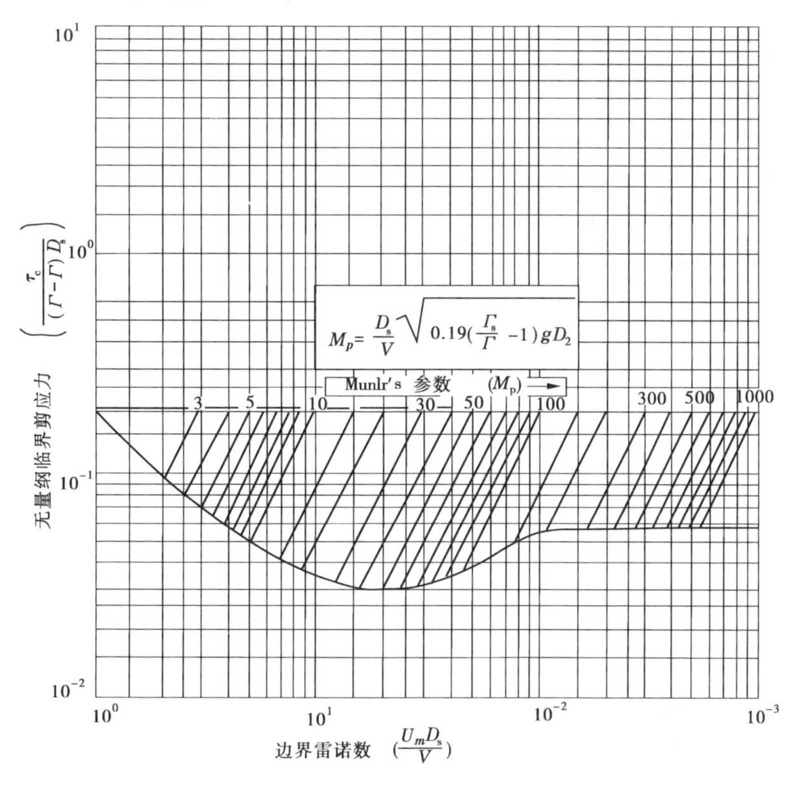

图4-15 无量纲临界剪切应力和边界雷诺数的穆尼尔图

上述方程式有助于渠道参数设计，由这些参数可以得到渠底要求的临界剪切应力和相应的雷诺数，这样，渠道的允许流量可以在稳定条件下，即恒定均匀流条件下保持悬移质的浓度。

下面用一个例题说明设计程序，解释稳定断面设计准则。

由图4-16得到的经验公式

$$\frac{U}{U_*}(\text{阻力系数}) = 4.91\left(\frac{R}{d_{50}}\right)^{1/6} \tag{4-67}$$

$$U_* = \sqrt{gRS}$$

式中 U——平均流速，m/s；

U_*——剪切流速，m/s。

设计程序：

(1)计算穆尼尔参数 M_p

$$M_p = \frac{d_{50}}{\upsilon}\sqrt{0.19\left(\frac{\gamma_s}{\gamma}-1\right)gd_{50}}$$

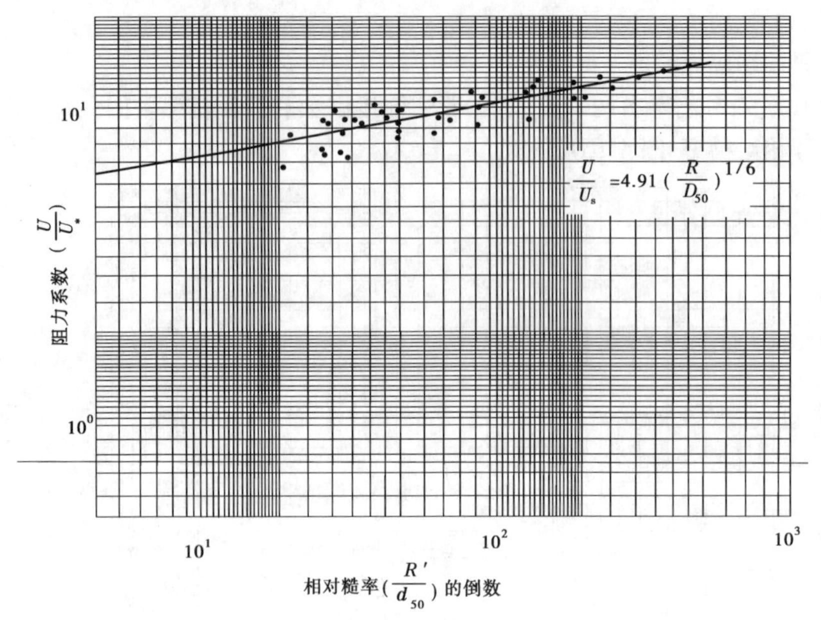

图 4-16 阻力系数$\left(\frac{U}{U_s}\right)$和相对粗糙率倒数的关系

(2)由相应的 M_p 值从图 4-15 中读出剪力强度因数,计算泥沙颗粒移动极限状态下的临界剪应力值。

(3)计算已知边坡的水力半径。

(4)由穆尼尔公式 4-67 确定流速 U。

(5)计算横断面面积 A。

(6)解下列两个方程,可求得渠底宽 B 和水深 y:

$$A = B + yz^2$$

$$A = \frac{By + zy^2}{B + 2y\sqrt{1 + z^2}}$$

【例题 4-8】

根据下列已知数据设计 1 条稳定渠道:

(1)$Q = 10\text{m}^3/\text{s}$

(2)$d_{50} = 2.5\text{mm}$

(3)$\gamma_s = 2\ 700\text{kg/m}^3$

(4)$z = 2$

(5)$S = 0.000\ 6$

(6)$g = 9.81\text{m/s}$

(7)$Temp(T) = 25℃$

解:$\upsilon = \dfrac{(1.23 - 0.033(T - 15) + 0.000\ 73(T - 15)^2 \times (0.304\ 8)^2)}{10^5} = 0.904 \times 10^{-6}\text{m}^2/\text{s}$

$$M_p = D_{50}\sqrt{0.19\left(\frac{\gamma}{\gamma_s} - 1\right)gd_{50}}/\upsilon$$

$$M_p = 0.0025\sqrt{0.19 \times (2.7 - 1) \times 9.81 \times 0.0025} = 246$$

从图 4-15 可查得 $\dfrac{\tau_c}{(\gamma_s - \gamma)d_{50}} = 0.055$

$$\therefore \quad \tau_c = 0.055(\gamma_s - \gamma)d_{50} = \gamma RS$$

或

$$R = 0.055\frac{(\gamma_s - \gamma)d_{50}}{\gamma \times S}$$

$$R = \frac{0.055(2\,700 - 1\,000) \times 2.5}{1\,000 \times 0.000\,6} = 0.40\text{m}$$

$$U/U_* = 4.91\left(\frac{R}{d_{50}}\right)^{1/6}$$

$$U = 4.91\left(\frac{R}{d_{50}}\right)^{1/6} \times \sqrt{gRS}$$

$$U = 4.91\left(\frac{0.4 \times 1\,000}{25}\right)0.167 \times \sqrt{9.81} = 0.556\text{m/s}$$

$$A = \frac{Q}{U} = \frac{10}{0.556} = 17.99\text{m}^2$$

$$R = \frac{A}{P} \text{或} P = \frac{A}{R} = \frac{17.99}{0.4} = 44.975\text{m}$$

$$A = By + zy^2 = 17.99$$

$$P = B + zy\sqrt{1 + z^2} = 44.975$$

解上面两个方程可得：

$$y = 0.41\text{m}$$

$$B = 42.8\text{m}$$

加上超高 $F = \sqrt{Cy}$，则完成整个渠道断面。

需要注意，由这种方法得到的渠道断面不切实际，渠道太浅而宽度太大。

基于输沙准则(4.15.2)所得到的断面更符合实际，可以采用。

4.16 渠道衬砌

渠道衬砌很贵，但在某些情况下是不可避免的：

(1)当渠线穿过高透水性或高渗透性地基时；

(2)因渗漏损失大量的水时；

(3)为了防止积水；

(4)当渠道内水的流速非常高时，防护渠道；

(5)当水电站引水渠和尾水渠位于渠道跌水上时。

除了减少渗漏损失，渠道衬砌还有下列优点：

(1)通过减少渗漏的水，可进一步用于灌溉；

(2)通过对渠道进行衬砌，可减小渠道横断面，也就意味着节省土方工程和减少征地；

(3)衬砌渠道的维修费要比土渠的维修费低；

(4)耕种者偷水的风险大大降低；

(5)几乎没有杂草生长的机会;

(6)没有发生冲蚀破坏的危险;

(7)盐不会被吸收;

(8)衬砌断面的设计简单,因为只需考虑不淤流速。

几种渠道衬砌类型在巴基斯坦已试用,并且还在继续研究以发现便宜又稳定的衬砌类型。一些仍在使用的衬砌类型如下所述。一些渠道的横断面如图 4-17。

4.16.1 黏土胶泥衬砌

这是最便宜的一种衬砌型式。如果附近有非常充足的黏土料源,那么这种衬砌非常合适。让黏土风化,用水浸泡后,由人在上面来回走动,充分搅拌。1ft 厚的黏土层上覆盖一层 1ft 厚淤泥或壤土是一种非常好的截断渗流方法。胶泥的量根据其干容重来判定。在奇纳布河下游河段的渠道采用黏土胶泥衬砌,渗漏减少了 80%。

4.16.2 水泥砂浆和喷混凝土衬砌

在渠道上人工浇筑 1:5 的水泥砂浆被称作水泥砂浆衬砌。1.5in 厚的砂浆用在 Jhang 支渠(1913 年)上,结果不是很成功,事实上它是用在短河段的短期方法。喷混凝土也是一种普通水泥砂浆,但不再是人工浇筑,而是通过一个喷嘴在压力设备的作用下将水泥砂浆喷在渠道面上而形成衬砌。沙子的最大粒径为 3/16in。喷混凝土初砌比起同等厚度的砂浆混凝土初砌要求更多的水泥用量。喷混凝土可以在不规则面上浇筑,并且地基不需要处理。喷混凝土用在结构坚硬的严重破裂的老混凝土面上是非常好的。喷混凝土一般厚 1in。这种衬砌很贵,而且耐久性比砂浆混凝土衬砌低。

4.16.3 混凝土衬砌

这种衬砌耐久性好,但价格贵。它在美国被广泛应用。在巴基斯坦,由于费用高,这种衬砌应用的非常有限。

混凝土中水泥、砂和骨料的比例是 1:3:6。为了使这种衬砌成功,其地基必须充分压实,以排除由于基础材料沉降而产生裂缝的机会。渠岸应特别注意并应充分压实,如果需要应布置岸坡排水,以避免水压力作用在衬砌上。

在美国,混凝土衬砌厚度一般为 2~4in。边坡必须足够平缓以免产生土压力,对于平均土坡,推荐的边坡值为 1:1.5 到 1:2.5。美国垦务局目前不推荐用少许钢筋加强,以前使用 0.25%~0.3%的钢筋并不能增加衬砌的结构强度。加钢筋的主要目的是减少混凝土裂缝或收缩裂缝,从而减少渗漏损失,但是钢筋加到 10%~15%又会增加费用,因此,除了特殊情况,通常都不配钢筋。

为了避免温度变化和混凝土收缩而产生裂缝,混凝土衬砌应设伸缩缝,缝的距离为混凝土板厚的 50 倍。图 4-18 示出了一些典型分缝。

在铺设混凝土前,基础应洒水湿润,对砂基其湿润深度应达 12in,其他类型的土应达 6in,这样地基不会从混凝土底吸收水分,也不会使混凝土变弱和产生孔隙。

4.16.4 砖衬砌

这种衬砌以多种型式在许多渠道上使用过(图 4-19~图 4-20),它比混凝土便宜并有许多优点:

(1)砖衬砌不需要设膨胀缝,实际收缩通常为零,砖的膨胀系数是混凝土的一半。

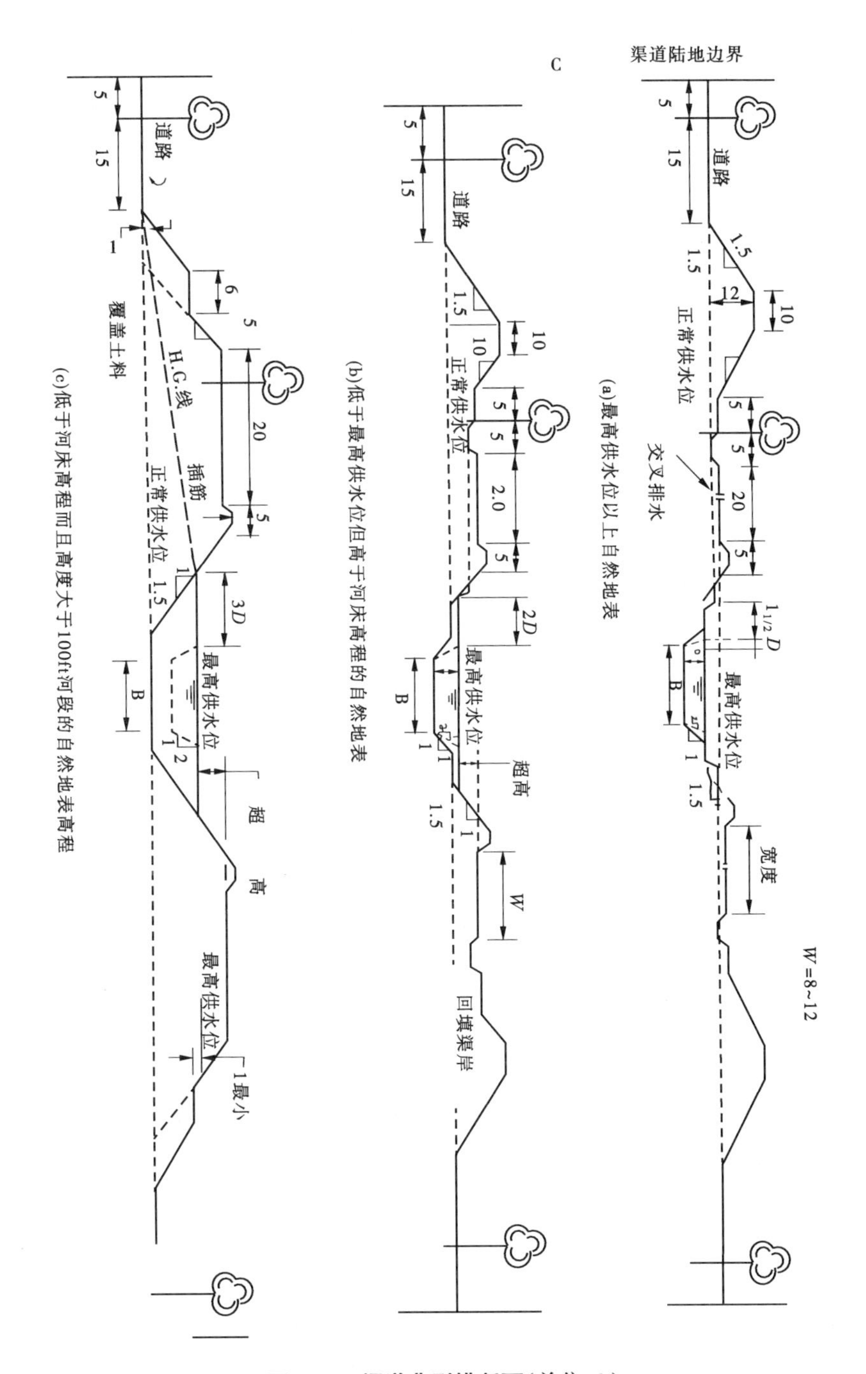

图 4-17　渠道典型横断面(单位:ft)

(2)砖可以在现场或容易到达的地方制造。而混凝土衬砌的水泥、砂和骨料通常要长距离运输。

(3)一旦发生破坏,很容易修复。

(4)不需要使用模板,很容易铺设成圆形断面。

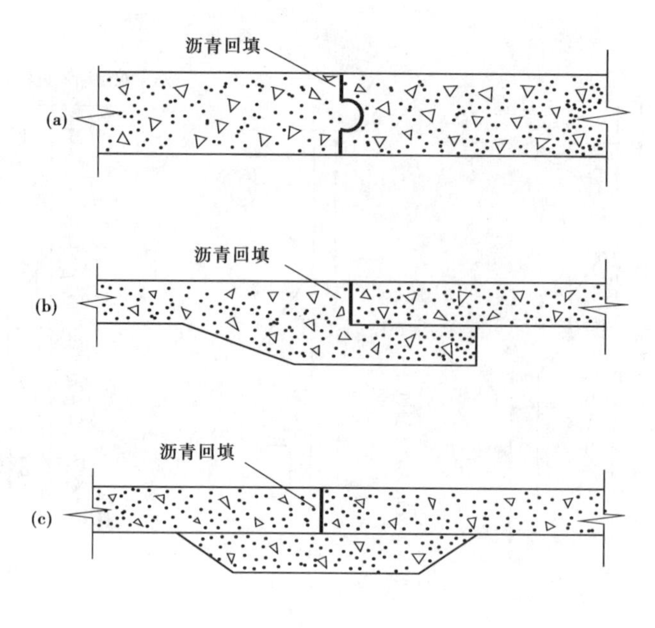

图 4-18　渠道混凝土衬砌分缝

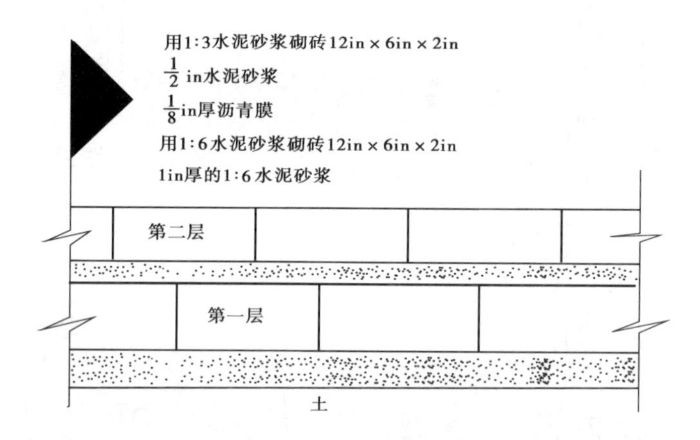

图 4-19　砖衬砌型式 1

通常的砖衬砌型式由两层砖组成,按下面的顺序铺设:

(1)在压实土上铺 1/2in 厚、1:10 水泥砂浆底基;

(2)3/8in 厚、1:3 水泥砂浆抹面;

(3)在 1/8in 厚、1:3 水泥砂浆上,用 1:3 水泥砂浆砌筑 12in×6in×2in 的砖。

在 Sidhnai Mailsi Bahawal 连接渠中,一直采用的是没有沥青膜的第二种衬砌型式:

(1)在 1in 厚 1:6 水泥砂浆上,用 1:6 水泥砂浆砌筑第一层 12in×6in×2in 的砖;

(2)在第一层砖上,铺设 1/6in 厚的沥青膜;

(3)在 0.5in 厚水泥砂浆上,用 1:3 水泥砂浆砌筑第二层 12in×6in×2in 的砖。

4.16.5　纯沥青衬砌

人们已开发出两种十分便宜且容易施工的沥青衬砌。

(1)现场喷洒 400°F 的沥青层 0.25in 厚,其上覆盖 1 层 12in 厚的土进行保护。这层

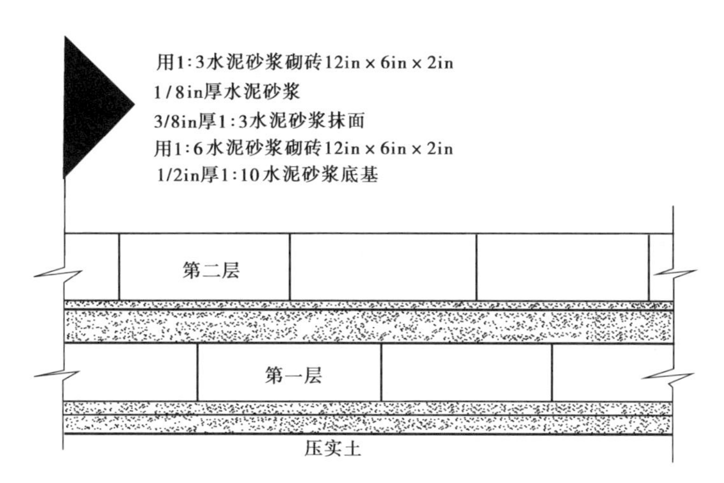

图4-20　砖衬砌型式2

保护是必要的,因为沥青作为面层寿命有限。这种沥青衬砌变形性能好,容易适应不同的基础形状。

一种预制的沥青膜已开发出来,它是在厚的牛皮纸上涂一层3/16in厚的沥青,或在一层薄的玻璃纤维网上喷涂1/8in厚的沥青。这种膜以卷的方式运送到现场。把它直接铺在地基上并在上面覆盖土进行保护。

(2)第二种型式是沥青混凝土,由沥青胶结料和选定的骨料热混合,并用手工或机械浇筑,浇筑方法与混凝土相似。沥青混凝土可形成硬面衬砌,与型式(1)不同。

4.16.6　钢丝网水泥

钢丝网水泥是使用于渠道衬砌的最新材料。它作为施工材料是最近才恢复使用的,并作为低费用材料广泛用于屋顶、小船、公园、水箱、沼气池和储气罐。用这种材料的主要优点是它不需要高级技术工人和技术工人,因此当地的工人就可以掌握这种技术。钢丝网水泥是钢筋混凝土的一种形式。然而,它不同于钢筋混凝土,钢筋混凝土中要加钢筋。它是用低水灰比(通常为0.45)的1:2水泥砂浆作为基质灌入钢丝网制成的。这样组成完美均质的组合材料具有较高的抗拉强度。除水灰比外,它的强度取决于钢丝网的数量、型式和方向。尽管在弯曲时易变形和变位大,但是它能支撑很重的荷载,原因是钢筋(钢丝网)很密。考虑到它的防水性,在水工建筑物中使用的潜力很大。它还是很方便的材料,易于修补。

在1985年进行的一系列试验中,对两个参数进行了研究,这两个参数是钢丝网的层厚和层数,水灰比不变,为0.45,砂子水泥比为1:1.75。从结果来看,钢丝网水泥的平均渗透系数为$1.06\times10^{-8}\sim9.04\times10^{-8}$ cm/s,取决于钢丝网的层厚与层数。在文克尔(Winkler)地基上,钢丝网水泥可视为各向同性板,原型渠道衬砌底板的抗冲剪力为3 360 kg,(比试验值低25%)。通过调查,原型钢丝网水泥渠道衬砌的估算费用为12*Rs*/ft²。假定在1992年价格水平上增长10%,每平方英尺的价格为13.2*Rs*。

4.17　确定灌渠流量的方法

有两种方法可以使用,下面第1节给出的方法是基于经验得出的,巴基斯坦灌溉部门通常都用这个方法。第二种方法用一种合理的原理,它考虑了农作物的用水消耗。第一种方法在下面进行详细论述,第二种方法在第二节中简单论述。

4.17.1　**灌溉部门方法**

这种方法的手册是从类似已建工程中得出的,并且出水口的需水量是确定的。必须了解以下确定需水量的术语。

(1)总供水系数——指设计阶段渠道的用水率。用水率指在一段时期(农作物生长期)要成功灌溉的需水面积上所需的渠首流量(ft^3/s)。用水率的术语已运用到渠道上,渠道设计阶段用总供水系数这个术语。

(2)灌溉强度——指每年在一定时期内可耕种灌溉面积的灌溉百分比。可耕种面积通常不能全部灌溉。通常,灌溉强度分别指秋收作物(4～9月)和早春作物(10月～第2年3月)的灌溉强度。理论上,每年最大灌溉强度为200%,即卡里夫(Kharif)地区100%,拉比(Rabi)地区100%,这是可能的。但是,实际上却达不到。巴基斯坦国内最高灌溉强度地区是马尔丹地区附近,这里有大面积的果园,该地区最高灌溉强度达180%。下面为影响灌溉强度的因素。

1)水资源短缺——水供应不足,工程的灌溉强度就会减小。按照惯例,灌溉强度最少为40%或更多一些。万一灌溉强度低于40%,工程区灌溉范围将缩小。

2)土地闲置——原始耕种的方式使得土地闲置被强制执行。通过对灌区(CCA)轮番供水,就会形成土地闲置。使用现代的肥料后,则不需要因为闲置土地原因的而减小灌溉强度。

3)水涝——地下水位比较高的地区,应进行低强度灌溉,以减少水涝的风险并鼓励耕种者修建管井。

(3)秋收作物—早春作物比——秋收作物如棉花和水稻的生长期从4～10月,而早春作物如小麦的生长期从10月～第2年3月。秋收作物比早春作物需要的水多,这些作物即使在早春作物播种的季节还连续占用土地。因此,出于灌溉的目的,秋收作物和早春作物应分别对待。秋收作物和早春作物一样,灌溉面积根据工厂类型、土壤类型、农民的习惯、农作物种类和气候等确定。秋收作物与早春作物灌溉面积的比叫做秋收作物—早春作物比。

(4)水定额——1 000acre灌区要求的出水量被称作水定额。

确定渠道容量的过程从渠道系统末端向渠首移动。每个流量变化的纵断面应分别设计。渠道容量的确定从渠道系统最后一个出水口开始。第一步,确定各出水口的水定额,要确定用水定额,应该先要知道总供水系数、灌溉强度和秋收作物—早春作物比。总供水系数由与将要修建的工程区相类似地区的用水率可利用值确定。灌溉强度和秋收作物—早春作物比依据该地区的政策确定。下面举例说明。

【例题4-10】

与工程区类似的地区秋收作物用水率为80acre/(ft^3·s)。在影响新工程区用水率供水系数的基础上,总供水系数取60acre/(ft^3·s)。求渠道系统的过流能力。其他资料在下面给出。

解:

总供水系数	60acre/(ft^3·s)
工程区总面积	108 000acre
不适合灌溉的面积	8 000acre
适合灌溉的面积(灌区)	100 000acre
灌溉强度	80%
授权灌溉的面积	80 000acre
秋收作物—早春作物比	1∶1
秋收作物面积	40 000acre
渠首所需流量	40 000/60 = 666.6ft^3/s
扣除土壤吸收损失 10%	66.6ft^3/s
水道首部总的水量	600ft^3/s
水定额	600×1 000/100 000 = 6ft^3/s

对于比较分散的地域,如果工程区域很大而且大部分地区的条件都不相同,就要确定水定额。

计算出各个区域的水定额后,在每个出水口所支配区域面积的基础上确定出水口的流量。每个出水口的设计流量相加,再加上每段的损失,就确定了各渠道断面的设计流量。因而就算出了每段渠道的底宽、深度和边坡,并且在剖面图上给出这些信息,见图4-17。为了帮助理解,提供了下面 2 个表格。

下面的解释适于表 4-6。

表 4-6　　灌溉渠道流量确定

序号 (1)	渠首距出水口的距离 (2)	渠岸左/右 (3)	总面积(acre) (4)	非控制和不可耕种面积(acre) (5)	可耕种面积(acre) (6)((4)-(5))	出水口流量以 6ft.s^{-1}/1 000acre 计算 (7)	额外用水量如花园、牧场等 (8)	总流量 (9)
1	1 200	L	450	150	300	1.8	—	1.8
2	3 250	L	725	125	600	3.6	—	3.6
3	3 250	R	950	50	900	5.4	—	5.4
4	5 000	L	290	87	203	1.2	—	1.2
5	7 800	R	1 200	115	1 085	6.48	—	6.48
6	12 000	R	1 105	135	970	5.82	—	5.82
7	12 000	L	1 170	92	1 078	6.42	—	6.42
8	16 450	L	1 500	109	1 391	8.34	—	8.34
9	1 640	R	1 425	125	1 300	7.80	—	7.80
10	20 000	L	1 567	167	1 400	8.40	—	8.40

列 1:每个出水口的系列号。

列 2:从渠首闸到各出水口起始渠道的距离,以 ft 计。

列 3:出水口位置。面向渠道的水流方向,右岸出水口用 R 表示,左岸出水口用 L 表示。

列 4:出水口所分配的总面积。

列 5:出水口可控制区域以外的面积加上 Ghairmumkin(不可能的)面积,这些面积包括建筑物、公路、池塘、排水渠和受水涝影响的贫瘠地区。

列 6:灌区。

列 7:灌区流量,根据水定额算出。

列 8:额外用水的面积,如花园,牧场等。

列 9:出水口总流量,列 7 和列 8 的和。

渠道流量表填完后,准备另外一个表格(不再陈述,见表 4-7)。

纵断面——有了上面表格的帮助,可绘出图 4-21 所示的渠道纵断面,图中包含所有有关渠道的详细信息。此图不需要加以说明。

表 4-7　　灌渠各段横断面计算

距离	渠左岸/右岸	分流流量 (ft^3/s)	渠段抽取的总流量 (ft^3/s)	渠段土壤吸收损失 (ft^3/s)	渠段总流量 (ft^3/s)	渠段的渠道流量 (ft^3/s)	建议的断面		
							底坡	底宽 (ft)	最高供水位时水深 (ft)
20 000	L	8.40	—	—	—	—	—	—	—
16 450	LR	7.80	8.40	0.152	8.55	8.55	1/3 300	2.80	2.23
16 450	L	8.34	—	—	—	—	—	—	—
12 000	R	6.42	16.74	0.356	16.495	25.058	1/3 700	8.70	2.10
12 000	L	5.82	—	—	—	—	—	—	—
7 800	R	6.48	12.24	0.41	12.65	37.70	1/3 970	11.65	2.12
5 000	L	1.20	6.48	0.31	6.79	44.49	1/4 084	13.05	2.12
3 250	R	5.00	1.20	0.21	1.41	45.90	1/4 100	13.10	2.24
3 250	L	3.60	—	—	—	—	—	—	—
1 200	R	1.80	9.00	0.260	9.26	55.16	1/4 240	14.52	2.37
		—	1.80	0.156	1.956	56.12	1/4 255	14.63	2.40

注:莱西泥沙系数 = 0.9;土壤吸收损失 = $Q_L = (ft^3 \cdot s)/1\ 000ft$;

渠道长度 = $0.013\ 3LQ^{0.562\ 5}$,其中 L 为长度,Q 为渠道流量,以 ft^3/s 计。

4.17.2 耗水量方法

此方法基于一定时期内各种农作物在田间条件下生长需要的水量得出。

许多因素影响到农作物的用水需求,这些因素均应考虑。基于耗水量,即农作物需水量,可用下面的公式确定渠道的流量。

$$q = \left(\frac{C_f \dfrac{E}{12} + \dfrac{P}{12} - \dfrac{S}{12}}{e/100} - \frac{R}{12} \right) \frac{I}{100} \times 1\ 000$$

式中　q——给定时间内每 1 000arce 可耕种面积内农作物在出水口的需水量,以 arce·ft 计;

C_f——农作物系数;

E——湖泊蒸发,以 in 计;

R——有效降雨,以 in 计;

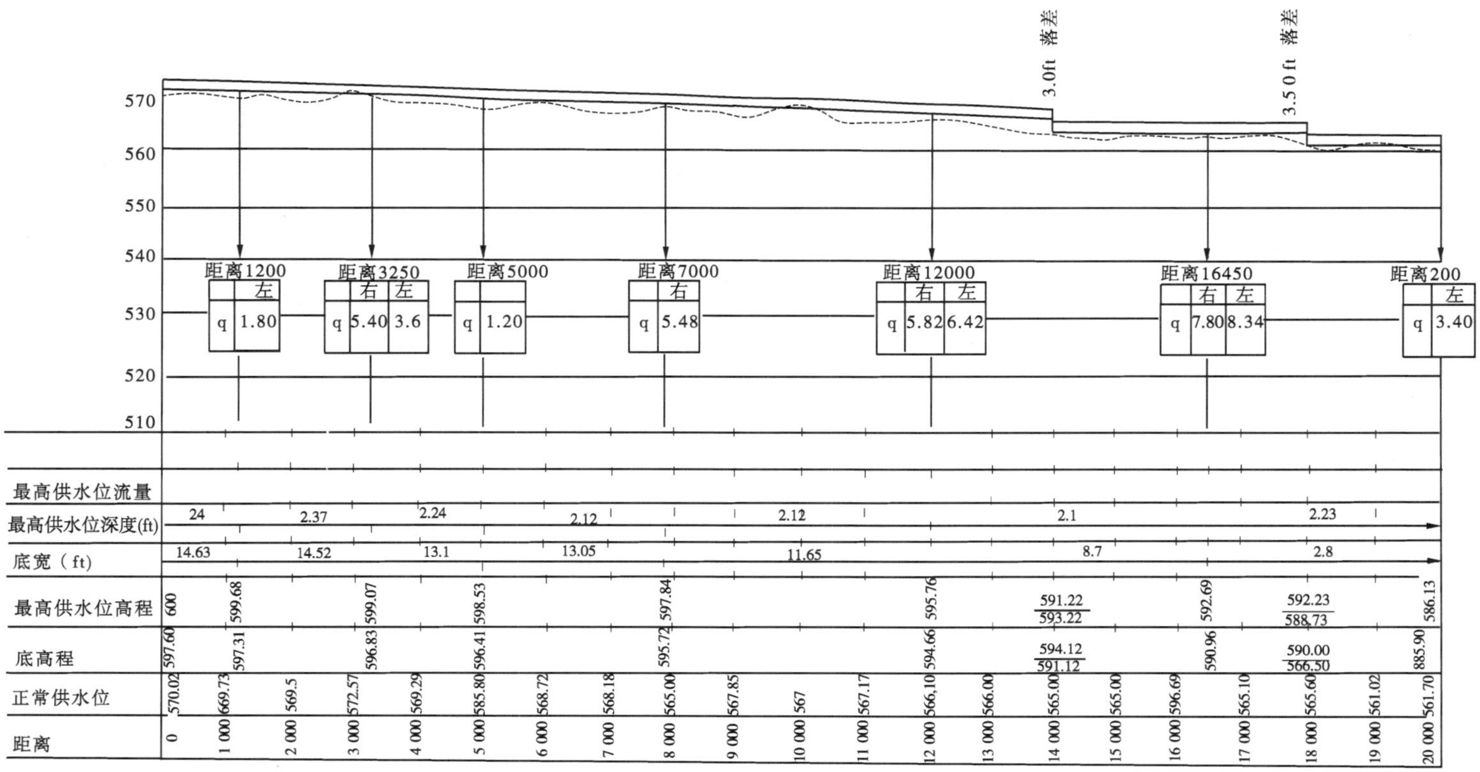

3.0ft 落差
3.5 0 ft 落差
570
560
550
540
530
520
510
距离1200 | q | 左 1.80
距离3250 | q | 右 5.40 | 左 3.6
距离5000 | q | 1.20
距离7000 | q | 右 5.48
距离12000 | q | 右 5.82 | 左 6.42
距离16450 | q | 右 7.80 | 左 8.34
距离200 | q | 左 3.40

最高供水位流量
最高供水位深度(ft): 24, 2.37, 2.24, 2.12, 2.12, 2.1, 2.23
底宽（ft）: 14.63, 14.52, 13.1, 13.05, 11.65, 8.7, 2.8
最高供水位高程: 600, 599.68, 599.07, 598.53, 597.84, 595.76, 591.22/593.22, 592.69, 592.23/588.73, 586.13
底高程: 597.60, 597.31, 596.83, 596.41, 595.72, 594.66, 594.12/591.12, 590.96, 590.00/566.50, 885.90
正常供水位: 570.02, 669.73, 569.5, 572.57, 569.29, 585.80, 568.72, 568.18, 565.00, 567.85, 567, 567.17, 566,10, 566.00, 565.00, 565.00, 596.69, 565.10, 565.60, 561.02, 561.70
距离: 0, 1 000, 2 000, 3 000, 4 000, 5 000, 6 000, 7 000, 8 000, 9 000, 10 000, 11 000, 12 000, 13 000, 14 000, 15 000, 16 000, 17 000, 18 000, 19 000, 20 000

图 4-21　渠道纵断面

I——农作物密度,以百分比计;

e——农田系数,以百分比计;

S——土壤水分损耗,以 in 计;

P——先期灌溉,以 in 计。

在给定时间内(以 N 天来说)每 1 000arce 灌区在出水口的总需水量为:$Q=(q)$ arce·ft$=\frac{4\ 840\times 9}{N+24\times 3\ 600}$ft^3/s,一旦按上面公式确定了 Q,剩下的步骤可按 4.17.1 中的描述进行。

习题

1. 已知灌区农作物型式和农作物密度,一步一步描述主渠横断面的设计步骤。

2. 根据下列资料,在冲积土上设计非衬砌灌渠横断面(渠道底宽、渠深和底坡),判断渠道在这种状态下是否可能被冲刷或淤积。

(1)最大供水流量=3 000ft^3/s

(2)莱西泥沙系数=1.0

(3)渠道边坡=1.5∶1

用 4 种不同的设计方法比较并讨论设计结果。如果需要,可进行适当的假定。

3.用曼宁公式设计一流量为 3 000ft^3/s 的灌渠非侵蚀断面,$n=0.020$,底坡为 0.002。可作任何其他合适的假定。

4. 有一黏性土中的渠道横断面,输沙流量为 3 000ft^3/s。用最大允许流速法设计横断面。地面坡度为 1∶1 000。假定其他必要的参数,用你自己的判断。

5. 用牵引力方法解习题 4。

6. 有一非衬砌渠道穿过黏性土地区(渠底和渠岸材料均为黏性土),输送清水。如果渠道流量为 1 000ft^3/s,估算渠底宽、渠深和底坡。假定必要的参数并用西蒙和阿伯逊方法。

7. 渠水含沙量为 2 000~8 000ppm,解习题 6。

8. 在农村地区条件下,讨论钢丝网水泥好于其他衬砌材料的优点。

参 考 文 献

[1] Simons D E, Albertson M L. Uniform Water Conveyance Channels in Alluvial Material. Journal Hydraulics Division, Proceedings of ASCE, May, 1960.

[2] Einstern H A. The Bed Load Function of Sediment Transportation in Open Channel Flow. Technical Bulletin No. 1026, U.S. Department of Agriculture, Soil Conservation Service, Washington D.C. 1950.

[3] Henderson F M. Open Channel Flow. Macmillan, New York, 1966.

[4] Rouse H. Engineering Hydraulics. John Wiley & Sons, New York, 1966.

[5] Lacey C A. General Theory of Flow in Alluvium. Journal of Institution of Civil Engineers, Vol. XXVII, London, 1946.

[6] Mahmood K. Design of Channels in Alluvial Soils. West Pakistan Engineering Congress, Golden Jubilee

Publications, Lahore, 1963.

[7] Raudkivi A J. Loose Boundary Hydraulics. Pergamon Press, London, 1967.

[8] Singh B. Fundamentals of Irrigation Engineering. New Chand Brothers, Roorki, 1962.

[9] Design Directorate. Design Guides: Irrigation Channels. Water and Power Development Anthority (WAPDA) Publication, No.3 Lahore, 1968.

[10] Baron W F. Van Asbeck. Bitumen in Hydraulics Engineering. Vol. I, Shell International Petroleum Company Ltd., London, 1959.

[11] Chow Vente. Open Channel Hydraulics. McGraw Hill, New York 1959.

[12] French R H. Open Channel Hydraulics. McGraw Hill Book Co., New York 1985.

[13] Bakkar B, Vermass H. Guidelines for Preliminary Design of Canals in the Rehabilitation Project. (Vol. I, II) PRC/Consultants, WAPDA, Lahore, Pakistan 1985.

[14] Engulund F, Hansen E. A Monograph on Sediment Transport. Forlag, Copenhagen, Denmark 1967.

[15] Engulund F. Hydraulics Resistance of Alluvial Streams. Journal of the Hydraulics Division, ASCE, Vlo. 92 March 1966.

[16] Babar Mohammed Munir. Sediment Transport and Bed Form Roughness in Mobile Boundary Channels. M.S., Thesis, Institute of Irrigation and Drainage Engineering, Mehran University of Engineering and Technology Jamshoro 1991.

[17] Nimityongskui P, et al. Application of Ferrocement Linning for Irrigation. Second International Symposium on Ferrocement, Bankok, Jan 1985.

[18] Sudhindra C, et al. Tentative Recommendations for Ferrocement Field Channels of One Cusec Capacity. Third International Conference on Ferrocement, Roorkee, 1988.

[19] Chalisgaonker R. Ferrocement Canal Linning. Indian Concrete Journal Vol. 63, No. 6, June 1989.

附录Ⅰ 山区河流的冲刷深度

莱西冲刷深度公式适用于渠道和冲击平原的河流，但不能用于横贯巴基斯坦北部地区坡度较陡的山区河流。

赫恩(Gorden Hearn)公式在过去100多年成功地用于确定山区河流的冲刷深度，特别是用于巴基斯坦西北边境省铁路桥墩的冲刷设计。

$$D = \left(\frac{Q}{C_r}\right)^{3/10}$$

式中 D——最大冲刷深度，ft；

Q——河流流量，ft^3/s；

C_r——主要的推移质材料系数（取 C_r 的加权值）。

C_r 按下面取值：大漂石（大于9in）=3.0；小漂石和鹅卵石=2.5；小鹅卵石和砂=2.0；粗砂=1.5；砂和淤泥=1.0。

他的第二个公式给出了河流宽度(W)、流量(Q)和 C_r 的关系，如

$$W = 2.4\left(\frac{Q}{C_r}\right)^{1/2}$$

【例题】

确定山区河流的冲刷深度，流量为85 000ft^3/s，推移质颗粒分布如下：

小漂石和鹅卵石26%；小鹅卵石和砂30%；粗砂；22%；砂和淤泥22%。

解：

C_r 的加权值为：

	%	C_r	加权值
小漂石和卵石	26	2.5	65
小鹅卵石和砂	30	2.0	60
粗砂	22	1.5	33
砂和粉砂	22	1.0	22
		总计	180

$$C_r \text{加权平均数} = \frac{180}{100} = 1.8$$

$$D = \left(\frac{Q}{C_r}\right)^{3/10} = \left(\frac{85\,000}{1.8}\right)^{3/10} = 25.26\text{ft}$$

河流宽度

$$W = 2.4\left(\frac{Q}{C_r}\right)^{1/2} = 2.4\left(\frac{85\,000}{1.8}\right)^{3/10} = 521\text{ft}$$

5 灌溉渠道中的泥沙控制

5.1 前 言

泥沙输送及其控制对灌溉系统设计人员来说一直是个难题。河水携带的泥沙会使非衬砌渠道淤积。从下面的例子我们就可以知道泥沙量有多大。

苏特里杰(Sutlej)河每年输沙3 500万 t;印度河年均径流量 93×10^6acre·ft,每年在塔贝拉的输沙总量达44 000万 t;吉拉姆河年输沙量7 000万 t。喀布尔河的瓦萨克(Warsak)水库建于 1960 年,初期有效库容为23 000acre·ft,而在最初 10 年中这一库容锐减到只剩10 000acre·ft。塔贝拉(Tarbela)水库 1975 年建成时有效库容为 930 万 acre·ft,50 年后减至 100 万 acre·ft。同期曼格拉水库有效库容减少了 30%。中国的黄河因含沙量高,河水呈黄色而得名,其含沙量高达 61lb/ft^3。

吉拉姆河和印度河上的曼格拉大坝和塔贝拉大坝的分别修建,减少了河流的含沙量,但在很大程度上仍然存在泥沙淤积问题。在切纳布河的马拉拉分水闸处分流的马拉拉-拉维河连接渠淤积深度高达 9ft(最大),而其上游河段总设计深度才 14.5ft。

与此相反,尼罗河上的阿斯旺大坝下游渠道则出现了冲刷问题。阿斯旺大坝形成的湖阻止泥沙流向下游,使下游农民从灌溉水中再也得不到肥沃的土地,并对大坝下游的水工建筑物基础造成了严重冲刷。

泥沙控制包括阻止多余泥沙进入渠道和把进入渠道的部分泥沙排出,这要在渠首几百英尺内完成。遗留在渠道中的泥沙应该均匀分布,以使每个灌溉分水口得到同等比例的泥沙。这项工作具有很大的挑战性,可通过对主渠、支渠渠首工程和向农田输水的分水口的正确设计来实现。泥沙控制问题在非衬砌渠道中非常复杂,但对允许高速过水的衬砌段却是相当简单。

本章将探讨几种不同的渠道排沙方法及泥沙分布方式,以使进入渠道的泥沙流入田地,增加土壤肥力,目前有 4 种方法。

(1)布置渠首工程,以尽可能多地从主渠排沙;

(2)进行排沙布置,排除进入主渠的泥沙,或将泥沙适当排入支渠;

(3)设计一条不冲不淤的非衬砌渠道,换句话说就是确保进入渠道的泥沙能流进农田;

(4)设计分水口,以便能带走均等份额的泥沙。

第四章已详细叙述了第三种方法,下面将详细讨论第一种和第二种方法,第四种方法将在分水口一章中论述。

下面的示意图总结了泥沙控制方法,并说明了本章的安排:

泥沙控制方法
- 进水口排沙
- 主渠排沙
- 主渠正确设计
- 出水口的设置和正确设计

5.2 进水口排沙

进水口排沙
- 隔水墙和沉沙池
- 导流墙和河流弯曲段
- 排沙设施

5.2.1 隔水墙和沉沙池

如第三章中所述,与渠首调节闸平行的隔水墙在渠道进口前形成一个沉沙池,此处水流速降低,泥沙沉积到河床上。此措施是肯尼迪于 1904 年首次提出的,当时由于锡尔欣德(Sirhind)河大量泥沙淤积,调节闸几乎堵塞。肯尼迪提出:“渠道排沙的惟一途径是堵水成池,把所有多余泥沙沉积到河床上,然后在静水中将沙排出。为此最有效的方法是抬高河流水位,远离挡水堰进行调节。”

他建议使用隔水墙和冲沙闸清除沉积泥沙。可采用下面两种方法之一进行河流调节。

(1)沉沙池调节。水流进入渠道后关闭冲沙闸。通过运行标准坝段闸门使沉沙池保持必需的水位,这时关闭渠道调节闸,开启冲沙闸,冲走沉积在沉沙池中的泥沙。英格里斯指出对一个笔直的引水渠来说,泥沙分布根据隔水墙两侧水的流速比率分布。进入沉沙池的泥沙量与 V_b/V_p 成反比,其中 V_b 为在标准堰段水的行近流速,V_p 为沉沙池中的流速。在冲沙闸完全且刚好能抽取足够的水补给渠道时,V_p 值最小。阿麦德也指出打开隔水墙附近的闸门,并使用楔形闸门调节可以进一步增加 V_b/V_p 的值。沉沙池调节的优点是进入渠道的泥沙相对较少,但是重复关闭渠道清理泥沙,并非总是可行的。

(2)半开流量调节。在这个系统中不需要间歇性地开启冲沙闸,且保持部分开启状态。其排沙方面不如沉沙池调节有效,但具有无不需关闭调节闸的优点。

(3)隔水墙和静水池长度及其他尺寸。根据英格里斯的观点,隔水墙不应超过上游调节闸。他推荐隔水墙应从拦河闸伸至距调节闸距离的 2/3 处,渠首闸门 2/3 处。

通过模型研究可确定沉沙池的最佳宽度,但总的来说,横断面必须足够宽以满足渠道和冲沙闸的过水要求,并能在最低流量时保持泄流速度。如第三章所述,底部冲沙闸的长度和堰顶高程应能下泄最大洪水的 15%。如 Kalabagh 拦河闸,其泄水部分的长度和堰顶布置就能用于施工期导流。稍稍朝向冲沙闸收缩的沉沙池比直的有利,因为这有助于冲刷。推荐收缩比不大于 1∶10。

建议渠首调节闸堰顶位于 1/3 水深处。但是拉哈尔灌溉研究所对科特里(Kotri)拦河闸进行的试验表明排沙最高效率的 d/D 随 V_b/V_p 变化。当 $V_b/V_p=2.10$ 时,d/D 约为 0.42,$V_b/V_p=1.25$ 时,d/D 约为 0.15。

5.2.2 导流墙

美国垦务局在流速和泥沙流量均上下波动的小河道渠首调节闸前面成功使用了曲线导流墙排沙。图 5-2 所示的堪萨斯州所罗门河南岔流上的伍德斯通引水坝就是采用曲线

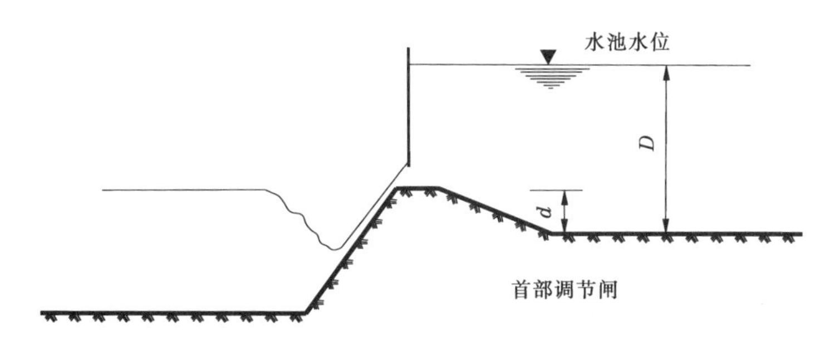

图 5-1 半开敞流量调节

导流墙作为排沙设施的例子。设计中模型研究是在平均流量为77ft³/s的基础上进行的，其中 42ft³/s 引入到渠道中，35ft³/s 用于连续冲沙。

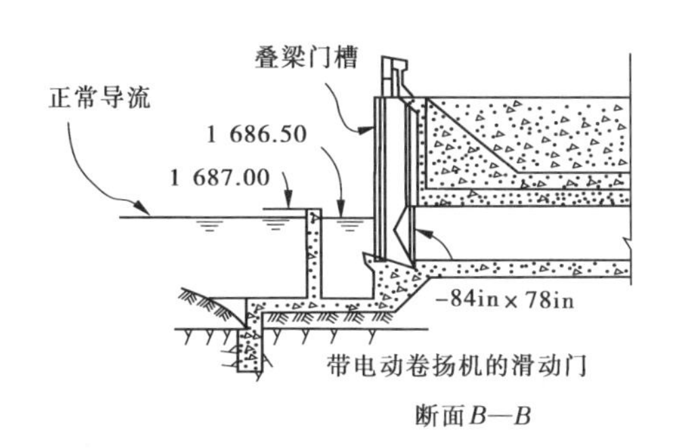

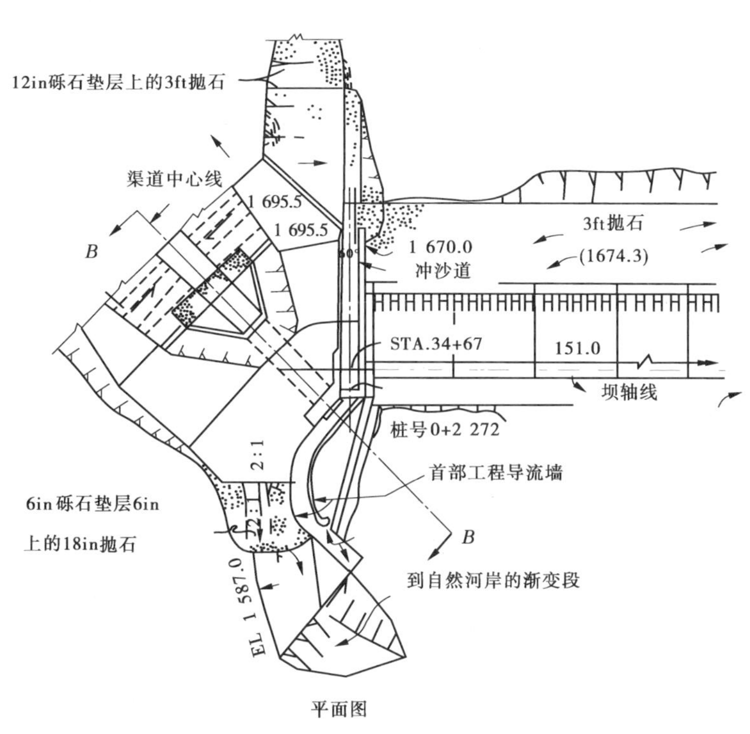

图 5-2 首部工程导流墙

为使工程正常运行，必须有足够的水用于冲沙，以使进水渠中避免泥沙淤积。如图

5-2 所示，渠首工程包括一条 5ft 宽的渠道，设有 10ft 高的曲线导流墙。导流墙形成一个人工弯曲段，其中的螺旋流将推移质冲到弯曲段内部，使其远离渠首调节闸。这样从渠道排出的沙就可通过冲沙闸冲到拦河坝的下游。

5.2.3 天然河流弯曲段

可把河流弯曲段作为排沙设施，方法是将拦河闸建在弯曲段上，将渠道调节闸建在弯曲段外侧，即凹岸一侧。

较大的推移质被冲向弯曲段内侧，外侧的泥沙含量比其他点的泥沙量低。按照汤姆森的解释，这是螺旋流作用形成的，如图 5-3 所示。

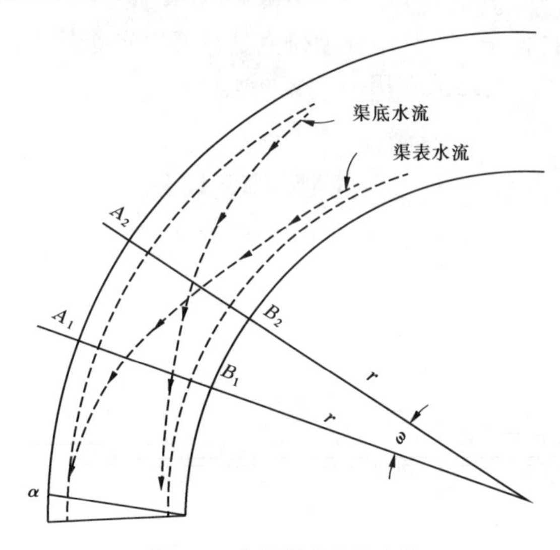

图 5-3 弯曲渠道中的水流

但当渠道从拦河闸两侧排沙时，就会出现最大的难题：渠道外侧没有泥沙，内侧则泥沙过多。苏库尔(Sukkur)拦河闸就是这样一个例子(图 5-4)。

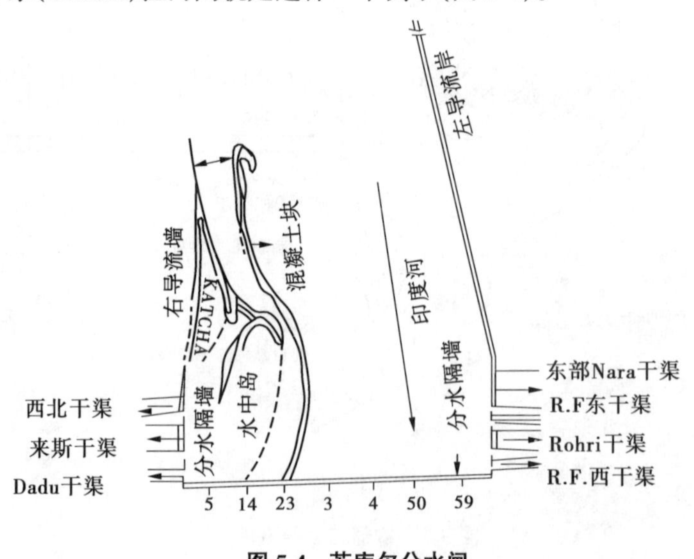

图 5-4 苏库尔分水闸

苏库尔拦河闸位于印度河苏库尔峡谷下游的天然弯曲段。左岸渠道泥沙相对较少，而右岸渠道早在 1938 年就淤积了 5ft 的泥沙。采用的补救措施为在右岸修建一个人工凸曲面，使含沙较少的河水流入渠道。这可通过关闭 10 孔拦河闸，减小水闸的过流能力，形成沙州来实现。科特里拦河闸也存在类似问题，其右岸渠道存在泥沙淤积问题，而左岸则泥沙相对较少。

如果洪水强度比设计洪水低，则会出现在渠道中靠近拦河闸的地方形成沙洲的严重问题。新锡德奈(Sidhnac)拦河闸位于拉维河的天然弯曲段上，拉维河为左岸费德渠和迈西连接渠提供了优质无沙水，但却在右岸形成了一个巨大的沙洲。

如果河道存在天然、稳定的弯曲段，渠道可从外侧曲线静水池排水，那么这是最经济、最好的排沙方法。

5.2.4 排沙设施

埃尔斯顿(Elsdon)在发表的灌溉支渠论文(1922 年第 5 期)中首次提出了排沙设施的概念。第一个排沙设施是由尼科尔森(Nicolson)在 1934 年设计的，用在了坎基(Khanki)渠首工程，如图 5-5 所示。

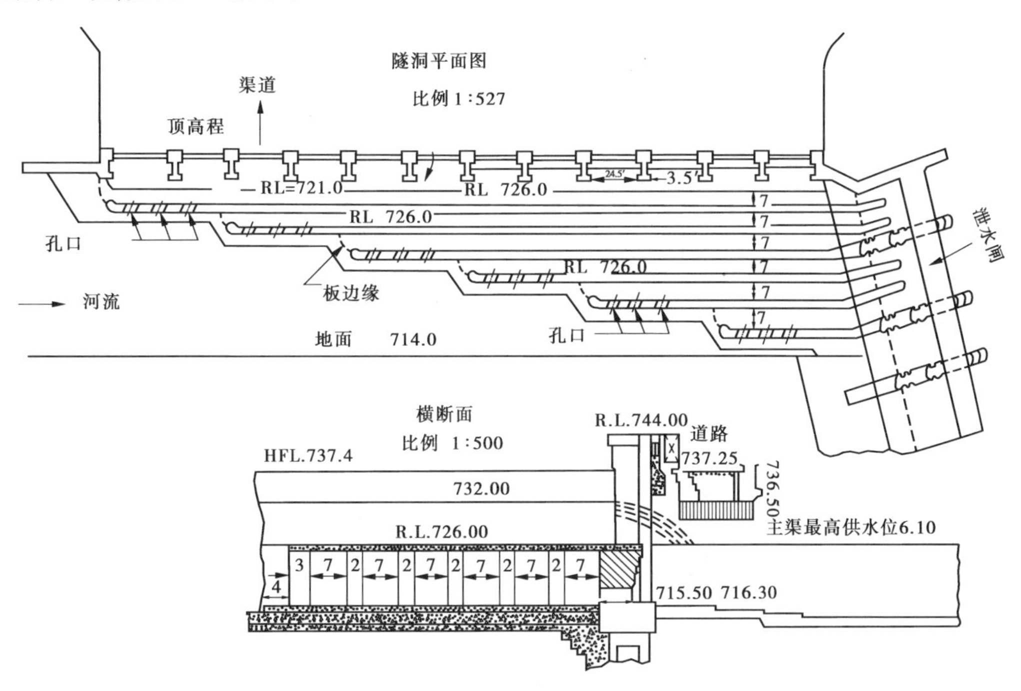

图 5-5 排沙设施(单位:ft)

排沙设施设计的基本思路是由于河流底层含沙量较高，因此，如果能只将河流上层的水引入渠道，那么所有推移质和底层泥沙就可以排除，排沙设施可实现这一点。排沙设施是一个支在多条隧洞上的隔板。隧洞与渠首调节闸平行，通过泄水闸向下游泄水。排沙设施隔板上的水流含沙量低，被引入渠道。在设计排沙设施过程中应牢记以下几点。

(1)建议通过泄水闸的隧洞流量为渠道流量的 20%；

(2)排沙设施应只覆盖 2 孔泄水闸，因为在卡拉巴格拦河闸模型研究中发现，这比覆盖4孔闸的排沙效率高；

(3)引水渠不需要衬砌；

(4)隔水墙长度应为渠首调节闸长度的1.2～1.4倍；

(5)排沙设施隔板顶部应与渠首调节闸顶部平齐，即，隧洞净高应为水深的1/3减去隔板厚度；

(6)在隧道无水情况下，顶板设计应该能够承受全部水荷载；

(7)第一条隧洞应该完全覆盖渠首调节闸，而其他隧洞应该短一点；

(8)通过隧洞的流量取决于隧洞中心线以上的水头。隧洞可视为箱涵，其流量公式为

$$Q = CA\sqrt{2gH}$$

式中 C——流量系数；

A——隧洞横截面面积；

H——水头。

混凝土箱涵的 C 值为

$$C = \left(1 + 0.4R^{0.3} + \frac{0.0045L}{R^{1.25}}\right)^{-1/2}$$

式中 R——平均水力半径；

L——隧洞长度。

(9)隧洞中流速应为6～10ft/s。已知流量，即可确定横断面面积 Q/y，且由于隧洞高度已知，即可确定合适的隧洞宽度，从而得出隧洞顶板的经济跨度。

值得注意的是 C 值对长度并不十分敏感，因此可按照一般隧洞确定 C 值，然后再应用到其他隧洞中。

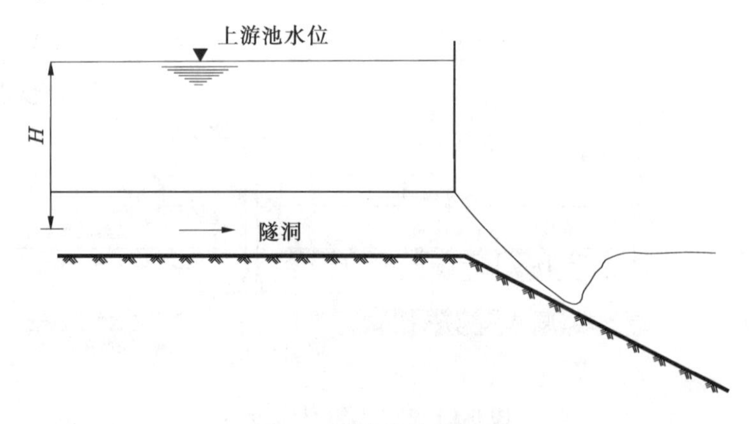

图5-6 排沙设施横断面

5.2.4.1 排沙效率

Haigh用以下方式定义了排沙效率，排沙效率表示主渠水的含沙量相对于引渠含沙量的减少量。

$$E = \frac{I_f - I_c}{I_f}$$

$$E = 1 - \frac{I_c}{I_f}$$

式中　E——排沙器效率；

I_f——引渠中水的含沙量，ppm；

I_c——主渠中水的含沙量，ppm。

如果得不到引水渠的数据，那么排沙效率可以根据主渠和排水渠得出

$$E = \frac{Q(I_x - I_c)}{I_c Q_c + I_x Q_x}$$

式中，后缀 x 表示排水量。另一种确定排沙效率的方法（如上吉拉姆河中使用的方法）为

$$E = \frac{\text{排沙总量}}{\text{引水渠中泥沙总量}}$$

$$E' = \frac{S_x}{S_f}$$

式中，S 为泥沙总量，ft^3。

所以
$$E' = \frac{Q_x I_x}{Q_f I_f}$$

或
$$E' = \frac{Q_f I_f - Q_c I_c}{Q_f I_f}$$

或
$$E' = E + \frac{Q_x I_c}{Q_f I_f}$$

很明显，后一种方法给出的数值比 Haigh 推荐方法得出的数值大。第一种定义给出了排沙效率最准确的计算方法，并且一直被采用。表 5-1 给出了坎基（Khanki）排沙设施的实际效率值，如图 5-5 所示。

5.2.4.2　影响排沙效率的因素

（1）增加排水量会在一定程度上提高排沙效率，但进一步增加排水量则不会明显提高排沙设施效率；

（2）泥沙粒径影响排沙效率。较粗的泥沙效率较高，较小的粒径则效率较低。

5.3　排沙方法和泥沙适当分布

排沙方法和泥沙适当分布
- 隧洞式排沙道
- 涡管式排沙道
- 沉沙池
- 导叶
- 引水角

本节将叙述所有布置在主渠和排水渠之间的排沙设施。

5.3.1　隧洞式排沙道

隧洞式排沙道与排沙设施采用相同的排沙原理，不同之处是隧洞式喷沙设施位于主渠河床上，距渠首调节闸下游约1 000yd。图 5-7 所示为上巴里多阿布运河上建在萨拉普（Salampur）的典型排沙的设施平面图和横断面图。

表 5-1　　　　贾巴和坎基河含沙量、流量和排沙效率

时间段	主渠		排水渠		效率%
	含沙量	流量	含沙量	流量	
符号	I_c	Q_c	I_x	Q_x	E
贾巴					
1－15－4－37	0.114	6 388	0.578	250	13.4
16－30－4－37	0.120	7 547	0.604	358	15.8
1－20－5－37	0.114	7 581	0.492	350	13.4
8－30－6－37	0.110	7 503	0.732	492	23.9
4－24－7－37	0.108	6 658	0.512	482	20.1
2－31－8－37	0.104	6 498	0.595	650	22.3
1－22－9－37	0.104	7 299	0.511	450	26.9
12－6－37	0.064	7 932	1.492	1 300	75.8
坎基					
21－31－5－37	0.038	10 571	0.88	2 791	25.3
1－10－6－37	0.037	10 709	0.104	2 874	28.3
11－20－6－37	0.033	10 866	0.088	2 897	29.4
21－30－6－37	0.083	10 976	0.476	5 024	48.1
1－10－7－37	0.088	10 718	0.215	4 935	39.9
11－20－7－37	0.070	10 998	0.232	3 519	31.5
21－31－7－37	0.164	9 364	0.448	4 224	32.0
1－10－8－37	0.161	10 881	0.535	4 892	42.1
11－20－8－37	0.067	1 142	0.241	4 745	45.8
21－31－8－37	0.145	11 272	0.313	2 835	20.0

隧洞式喷沙器设计中应牢记以下几点：

(1)应位于距渠首调节闸下游约 1 000yd 处。

(2)整个渠道底宽划分成几个隧洞。这些隧洞向右或向左弯曲，并穿过渠道堤岸，在调节流量的调节闸处终止。

(3)隧洞高度应为渠道设计水深的 20%～25%。

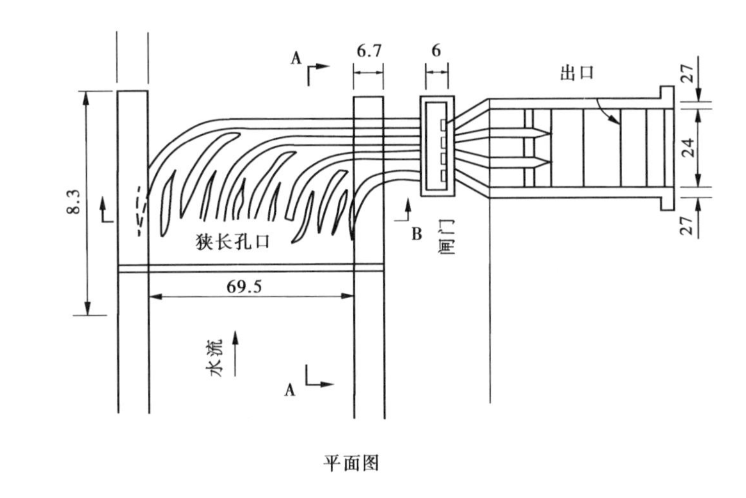

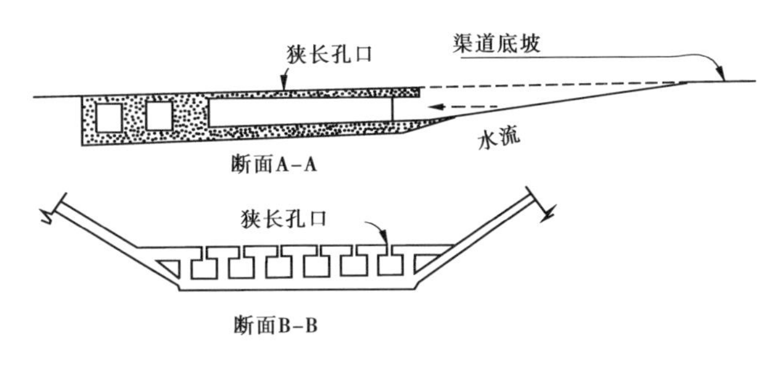

图 5-7　隧洞式喷沙器(单位:ft)

(4)隧洞挡板顶部通常在进口处突出 1.5～2ft。

(5)通常把 20%的渠道流量引入排沙道中。这意味着渠首调节闸处允许有超过设计流量 20%的流量。

(6)流量计算方法与排沙设施流量计算方法相同。

(7)通常最小排沙水头至少为 2.5ft。

(8)流经隧洞的水流速为 8～10ft/s,足以带走泥沙。

(9)水应排回渠首工程下游河流中。

设计应通过水工模型试验验证,并根据试验结果进行必要的修正。

5.3.2　涡管式排沙道

帕沙尔(Parshall)首创了涡管式排沙道,他的目标是从渠道特别是发电引水渠道中排除推移质泥沙。如图 5-8 所示,涡管排沙道包括一条直径适当的管道,此管跨河床埋设。大部分推移质存在于河流底层水中,这些水流入管道后产生涡流运动。由此产生的涡流使推移质处于悬浮状态,而截留在此的水从管道另一端泄出。帕沙尔进行了不同形状、尺寸和长度的模型试验,得出以下结论。

(1)凸缘处流速为 2.5ft/s 的水流经直径 4in 的管道时,将浪费 10%～15%的流量。

(2)涡流旋转速度为 200rpm,这一速度足以移动鸡蛋大小的砾石。

(3)管道的轴线与水流方向成 30°角,管道朝出口方向的坡度为 2/4。通过此管道排出的水只占渠道流量的 3%。若将角度从 30°变换为 45°,排水效率将增加。图 5-8 所示

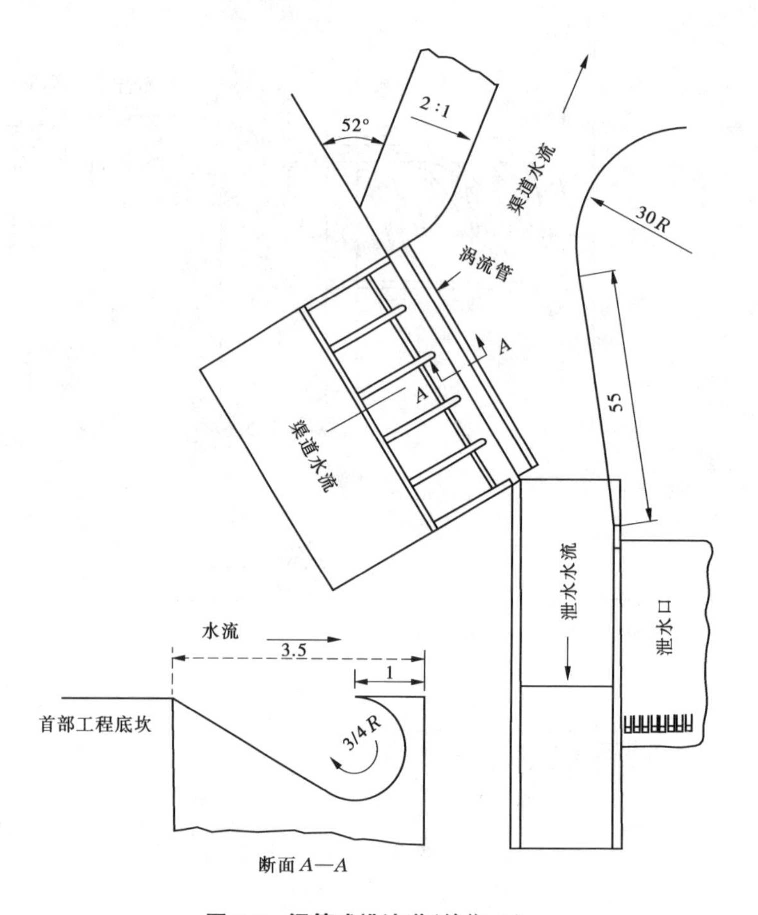

图 5-8　涡管式排沙道(单位:ft)

为美国垦务局堪萨斯州考特兰(Courtland)引水坝的推荐模型。

木斯塘和莫汗莫德·阿里(Mushtaq 和 Mohammad Ali)在拉合尔灌溉研究院进行了广泛研究,为较大的渠道如德拉加齐汗河(流量14 720ft^3/s,河床宽度 300ft,深度 12.99ft)开发出了适当的排沙道。他们推荐的型式如下(图 5-9 为平面图和横剖面图)。

(1)这类排沙道在弗汝德数为 0.8 时效率最高。

(2)管道直径应与水流深度近乎相等,并与泄流要求一致。

(3)虽然对涡管的泄流能力有影响,但缝宽对喷沙效率影响很小。

(4)涡管的两个凸缘应该在同一高度上。

(5)对较大的渠道,当沿整个长度进入涡管的流量不同时,横跨渠道的涡流管缝即使倾斜布置,在整个长度上的排沙效率也不相同(在出口端最大,在封闭端最小)。结果造成管道部分淤塞。如图 5-9 所示,将涡管长度两等分,每一部分都设有独立的出口,这样效率就会提高。

(6)在一定的泄流范围内排沙效率是恒定的,超过这一范围排沙效率降低。

(7)莱西渠道的弗汝德数为 0.2,而这种排沙道在弗汝德数为 0.8 时效果最好。可以通过流槽输水得到这个值。流槽输水达 75%不会引起任何问题,但弗汝德数为 0.8 时顶部会稍微抬高些。如果顶部再高,则会在渠道中产生淤积和汇流。

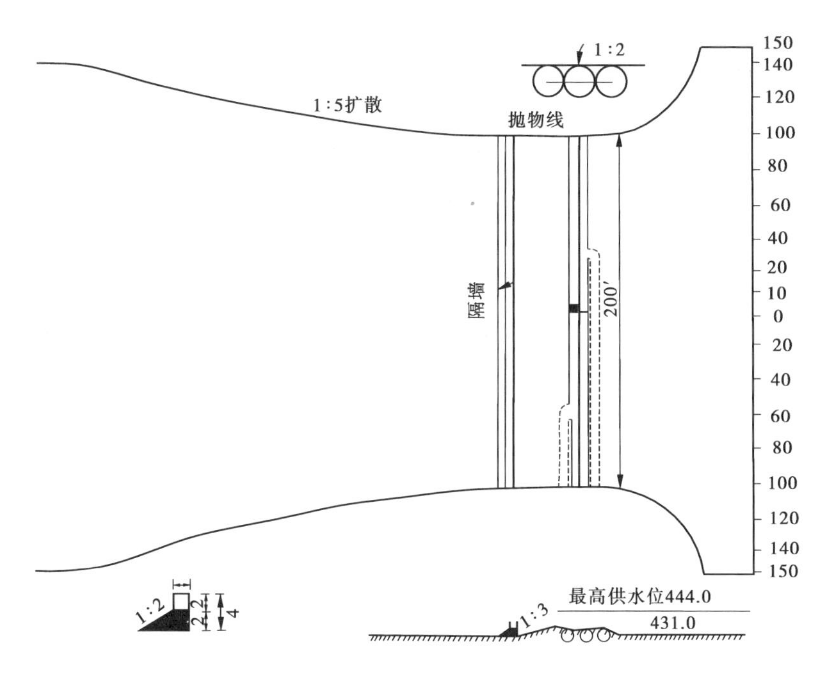

图 5-9 涡管式排沙道(D.G 汗渠道)

(8)这种排沙道的优点是在排水流量很小时,其效率几乎与传统排沙型式相同。

5.3.3 沉沙池

沉沙池是渠首调节闸下游渠道的扩宽段,可通过拓宽并加深渠道断面获得。沉沙池可使流速降低,因而使悬移质泥沙沉积。然后使用挖泥机、其他机械工具或者冲沙的方式将淤积沙排出并运离渠道。

上述的渠道和渠道排沙设施是指排除河床上或底层水流中较重的泥沙颗粒,而沉沙池则能排除水中较细的悬移质。美国垦务局在一些工程中采用了沉沙池,但是在印—巴次大陆上还从未采用过。使用沉沙池费用较高,因为它包括一些机械设备和处理淤积泥沙的运输工具。美国索科罗(Socorro)沉沙池清除淤沙的费用大约为 0.36 $/yd³(1972 年)。清淤采用了 1 台 10in 液压挖泥机,每小时可挖除 110yd³ 泥沙。工作范围是水下 20ft 深到水上 10ft,距离2 000ft。一年清淤总量为170 000yd³。假设每年 10%的通货膨胀,到 1992 年时,清淤的费用大约为 0.72 $/yd³。

除了费用过高以外,还有人认为悬移质细沙对土壤有增肥作用,对沙质土来说则可以降低其透水性。所以用如此昂贵的费用排除水中的细颗粒是有问题的。

美国垦务局在其蛮石峡谷工程最终报告(参考文献 7)中使用了下列设计准则:

$$W = W_0 e^{-vk/q}$$

式中 W——留在沉沙池的泥沙重量,lb;

W_0——进入沉沙池的泥沙重量,lb;

e——自然对数底;

v——颗粒沉积速度,ft/s;

k——沉沙池长度,ft;

q——沉沙池单宽流量。

一个更简单的沉沙池例子是美国垦务局通过扩宽和加深渠道断面修建的索科罗(Socorro)主渠沉沙池。渠道底宽为16ft,水深4ft,边坡1:2,流量为275ft³/s。沉沙池长2 000ft,宽90ft,深13ft(包括3ft超高),边坡1:2。沉沙池可使流速从渠道中的2.86ft/s降至0.25ft/s,导致泥沙沉积在渠底,然后再用液压挖泥机清除。

5.3.4 导叶

导叶是用来适当分配干渠和支渠之间泥沙的,所以在功能上与上面所述的其他结构稍有不同。第一个将导叶介绍到印-巴次大陆的工程师是金,他在旁遮普工程委员会写了3篇关于支渠渠首调节闸泥沙淤积问题的论文,阐述了泥沙淤积的原因与补救措施。他建议在主渠中设置导叶。

导叶的基本原理是使底层渠水偏离支渠的渠首调节闸,使上层较清澈的水流入支渠。导叶共有两种类型,它们都利用了以上的原理。

5.3.4.1 表面导叶

表面导叶由一个筏形结构支撑(图5-10),导叶由此向下深入水中足够的深度,以影响表层水的流向。美国垦务局对表面导叶和底部导叶进行了模型试验,以便为美国新墨西哥州的索科罗主渠开发一种合适的装置,并得出以下结论。

(1)通过模型试验可以确定特定情况下不同参数、流量、泥沙含量、长度、角度、泥沙导叶深度之间适宜的相互关系。

(2)虽然表面导叶在减少含沙量较高的推移质进入支渠方面和底部导叶一样有效,但是表面导叶拦截水上漂浮污物的缺陷会引起维护问题,所以不推荐使用表面导叶。

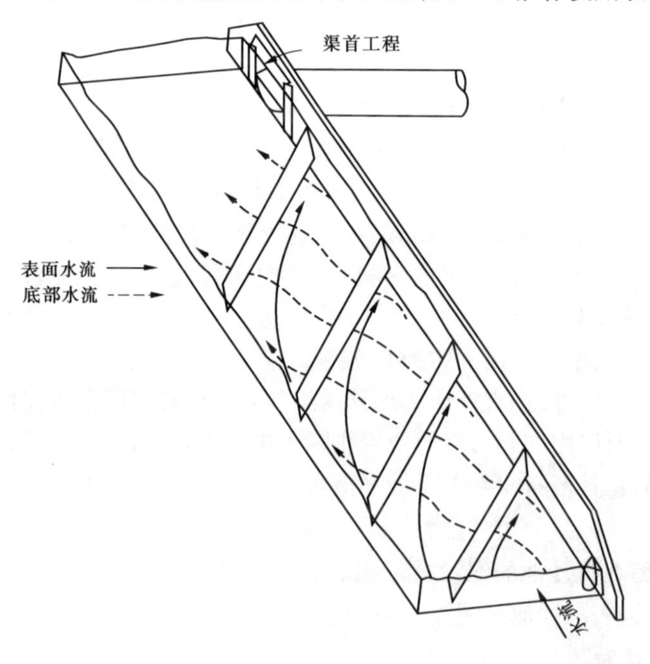

图5-10 表面导叶

5.3.4.2 底部导叶

底部导叶(图 5-11)设在渠道底部,并向上伸入水中一定的深度。这些导叶以一定的方式布置,以底层水流偏离调节闸。金氏导叶—金在 1920 年旁遮普工程委员会发表的论文《泥沙导叶》中提出了一个完整的底部导叶设计,如图 5-12 所示。

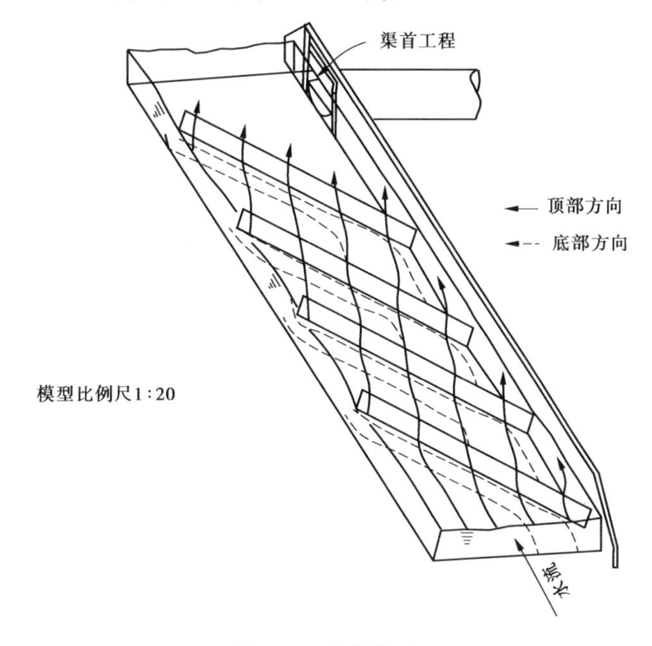

图 5-11 底部导叶

(1)导叶高度必须达到干渠深度的 1/4~1/3,或在情况较差时更高些。

(2)导叶的上游端坡度应为 1/4,下游端应垂直。

(3)导叶上游铺砌长度应至少为 50~100ft,甚至更长,取决于渠道深度。

表 5-2 给出了导叶的必要尺寸,可结合图 5-12 和图 5-13 查阅。

表 5-2 泥沙导叶尺寸

渠道宽度 W(ft)		2	4	6	8	10	12	16	20	25	30	40	50	100
强效果	X	4	5	6	6	7	8	8	9	10	10	12	12	
	Y	2	3	4	5	6	8	9	11	13	15	20	25	
	R	30	35	40	40	45	45	50	0	50	55	65	100	
弱效果	X	3	4	4	5	5	6	6	6	6	6	9	9	
	Y	2	2	4	4	5	5	6	7	9	12	15	18	
	R	25	30	30	30	30	30	35	35	35	40	50	75	
最小推荐尺寸	X	3	3	4	4	5	5	6	6	6	6	6	6	
	Y	2	2	3	4	5	5	6	7	8	10	10	12	
	R	25	25	30	30	30	30	35	35	35	40	40	50	

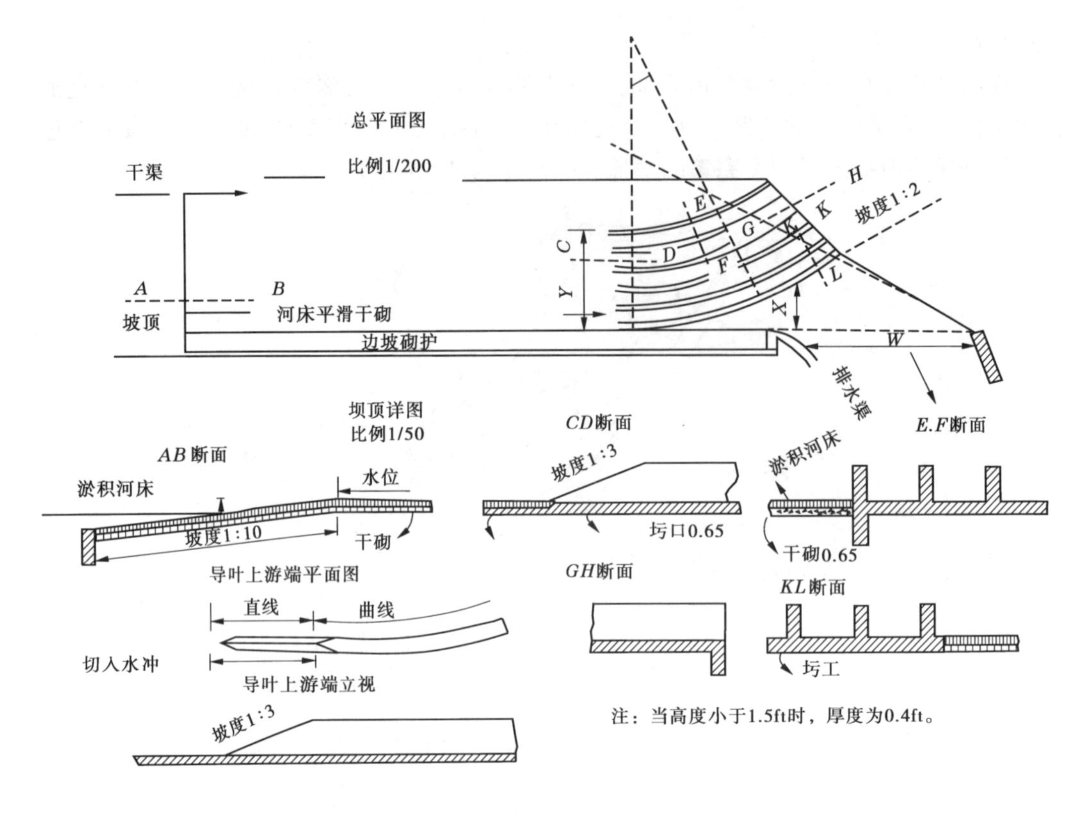

图 5-12　泥沙导叶设计

下列情况不宜采用泥沙导叶：

(1)干渠小，空间有限。

(2)当排水渠流量大于1/3干渠流量时，会有危险。这时进入排水渠的水流会产生很高的流速，托起底沙。

(3)水位变化大的渠道。

(4)排水渠小，并从较深的干渠中引水。

5.3.5　分水角

通常支渠会从主渠带走过量泥沙，导致渠首形成严重的泥沙淤积。使用上述泥沙导叶或在主渠中采用某种类型的排沙设施，可以使泥沙得到恰当分布；而且在不使用泥沙导叶的情况下，通过不同的分水角还可改善干渠和排水渠泥沙分配。

排水渠中泥沙淤积是由于主渠中底层水流速较低动量较小造成的。底层水流速低、动量小，因此，比表层水流更容易偏离进入排水渠，造成淤积。所以90°的分水角(即分水渠垂直于主渠)能使水流形成一个弧度，相当于把排水渠置于弧形的内侧。

很多调查，特别是埃及工程师所作的调查十分重视分水角的作用。他们发现模型研究是确定特定情况下分水角最好的设计指导。这些特定情况包括两条渠中的流速和泥沙含量以及排水口的位置。然而如果不使用泥沙导叶或排沙设施，90°的分水角度是不合适的。

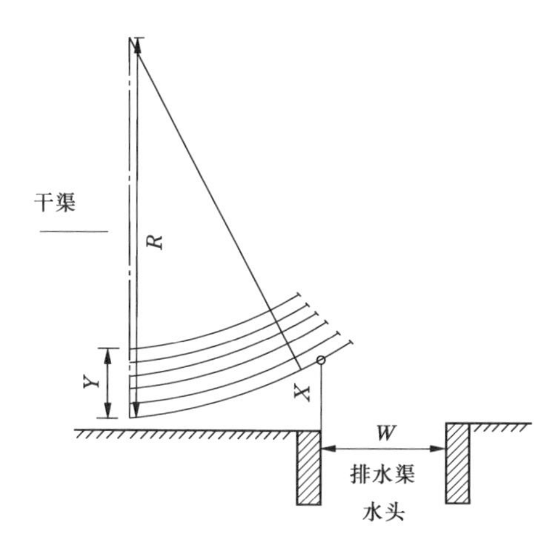

图 5-13 泥沙导叶指数示意图

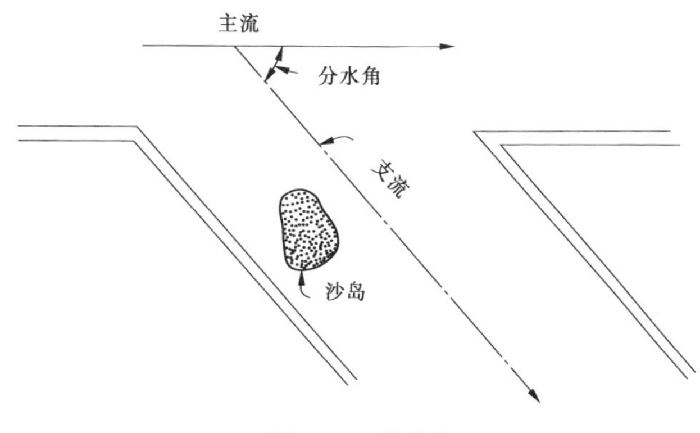

图 5-14 分水角

习题

1. 说出渠道和渠首排沙设施的区别。
2. 如果泥沙对土壤有利,为什么还要采取专门措施从渠道系统中排除泥沙?
3. 如果用管井灌溉,是否会遇到泥沙问题?
4. 在引水工程中,泄水闸前面隔水墙作用是什么?隔水墙的工作原理是什么?
5. 为了更好地控制泥沙,渠道应该在河流的凸岸还是凹岸取水,并解释原因。
6. 当渠道两岸分水时,拦河闸前面的沙岛有什么优点和缺点?
7. 说明渠首排沙和渠道排沙效率定义,并说明在实际中如何确定。

参考文献

[1] Ayoob S M. Mohammad A. Silt Ejector for Taunsa Barrage Canals. Proceedings of the 16th Annual Convention Institution of Engineers, Pakistan, Peshawar, 1970.

[2] Foy T. Lower Sind Barrage Project. Kotri Barrage Design Report, Public Works Department. Department Report, 1952. Government of Sindh, Karachi.

[3] King H W. Silt Exclusion from Distributaries. Punjab Engineering Congress Vol. XXI Paper No. 169, Lahore, 1933.

[4] King H W. Handbook of Hydraulics. MaGraw – Hill Book Co. , New York, 1954.
[5] Mohammad A. Hydraulic Features of Distributary Head Regulator. West Pakistan Engineering Congress. Golden Jubilee Publications, Lahore, 1963.
[6] Mushtaq A. Design of Silt Excluders and Silt Ejectors. West Pakistan Engineering Congress, Golden Jubilee Publications, Lahore, 1963.
[7] Task Committee on Preparation of Sedimentation Manual, Committee on Sedimentation of the Hydraulics Division, Chapter V. Sediment Control Methods, Control of Sediment in Canals. Journal of Hydraulics Division, Proceeding of ASCE, September, 1972.

6 渠道跌水建筑物

6.1 前　言

渠道的纵坡(尤其是非衬砌渠道)是根据输沙能力,即不冲不淤流速来确定的。可能会出现以下情况,即拟建渠道的地形比设计的渠道底坡要陡得多,导致大量的回填和高堤防工程,最终增加施工费用并产生水头差。水头差就是地下水面和渠道中水位之差,这会导致过度渗流并产生水涝。为避免这种现象,可在适当位置设置跌水,这可通过部分开挖和部分回填来完成(根据灌区面积确定)。用于保护跌水的建筑物叫做渠道跌水建筑物,它是灌溉系统中一个不可分割的组成部分(图 6-1)。

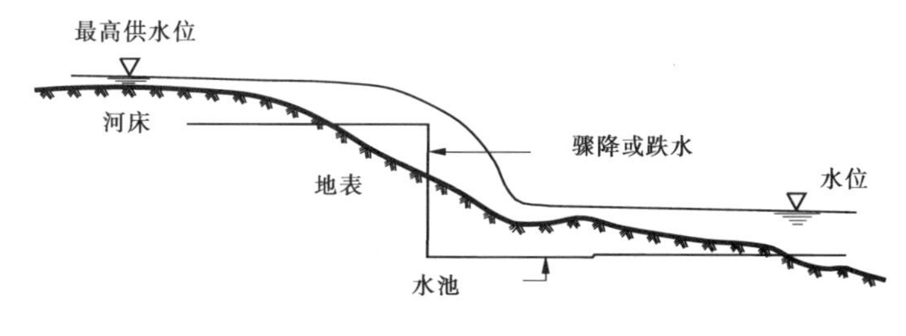

图 6-1　渠道跌水

跌水建筑物的基本要求为:

(1)适当的消能布置。对于垂直跌水,应修建一个适当的水池来抵消跌水的冲击力。对于缓斜坡和现代堰式跌水,可通过在缓斜坡趾处形成水跃再加上消力墩来实现消能。

(2)明槽输水。如果必须修建桥梁,为经济起见应设置适当数量的水槽进行输水(限制性),为此还应设置适当的上、下游过渡段。

(3)顶高程。应设计成能够挡上游渠道的正常供水水深。

(4)低费用。初期施工费用和维护费用都应越低越好。

本章简要描述了跌水的位置、不同阶段的开发、现代跌水的设计方法和消能布置等内容。

6.2 跌水位置

(1)对于不直接进行灌溉的主渠和支渠,其位置根据土方工程的经济费用确定。所有的开挖土方都用于填筑堤岸。开挖深度就是众所周知的平衡开挖深度。适当的位置应该是开挖深度低于平衡深度的地方。

(2)支渠和农渠的跌水可布置在出水口的下游,因为这样会有助于增加灌区面积并增加出水口的效率。

(3)选择位置时应考虑穿过道路的要求,因为桥梁与跌水的结合在一起设计更经济。

(4)调节闸可以与排水渠道下游的跌水相结合,如巴基斯坦旁遮普省的上 Chenab 运河上的 Bombanwala 首部工程所布置的那样。

6.3 历史进展

6.3.1 渥奇(Ogee)型

印度巴基斯坦次大陆的第一座渥奇(Ogee)型跌水(图 6-2)由英国人 Cautley 于 1842 年在上 Gange 运河上修建。这不应与溢流坝自由跌水的渥奇曲线混淆。

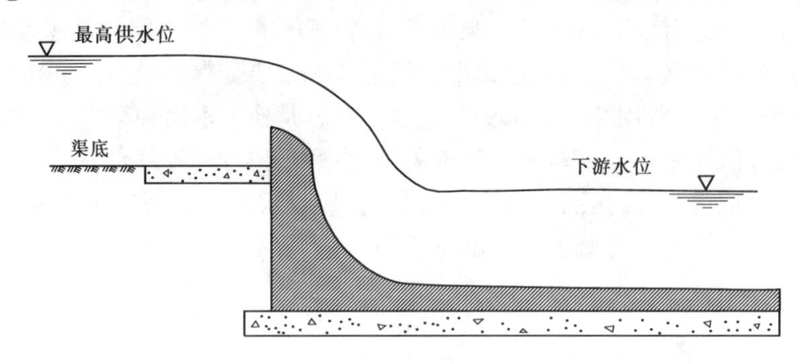

图 6-2 渥奇型跌水

该建筑物的目的是把垂直水流平稳地过渡到水平水流,从而避免因垂直水流冲击水池底板造成的损坏。但是,这样会导致流速过高,造成对下游河床的冲蚀并增加了砌护和维修费用。

6.3.2 湍滩

在渥奇型跌水之后就是 Crofton 设计的湍滩。渠道底部的跌落通过 1∶10 到 1∶20 的缓坡进行处理。实践证明,由于形成了水跃,所以它在降低下游水流速度方面是成功的,但设计者并不知道这一事实。水跃消能现象在 1918 年才被发现并予以确认。总体来说,尽管湍滩非常成功,但湍滩造价非常昂贵。

6.3.3 垂直跌水

在湍滩之后带有消力池的垂直跌水(图 6-3、图 6-4)。消力池中的水形成水垫来承受跌水水舌的冲击。消力池的尺寸没有具体限制,可根据经验公式确定。

在这些跌水之后设置了用木料、二手钢轨或槽钢制成水平或倾斜放置的格栅。以承受水的第一次冲击,并消除其能量。这种消能布置很好,但常被水中的污物所堵塞。

6.3.4 梯形槽跌水

梯形槽跌水由 Reid 在 1894 年设计(图 6-5)。这种设计在落伍前曾经风光了相当一段时间。这种跌水的顶部有一个跨渠高胸墙,里面布置了一个或几个梯形缺口,通过平滑进口跨越渠道。这种结构的主要优点是渠道由于缺口作用,在上游保持了稳定的深度—流量关系。这样缺口就可设计成在任何两流量时保持正常的水深,而且使中间值保持基本不变。这种结构的主要缺点是在淹没时即便设有消力池,也会给下游带来很大危害。

6.3.5 现代跌水

第一次世界大战后开发了许多没有流水槽的垂直跌水和设有流水槽的斜坡跌水,这些跌水目前仍在使用。现代跌水的实例主要包括 Sarda 式跌水(由旁遮普中心设计室的

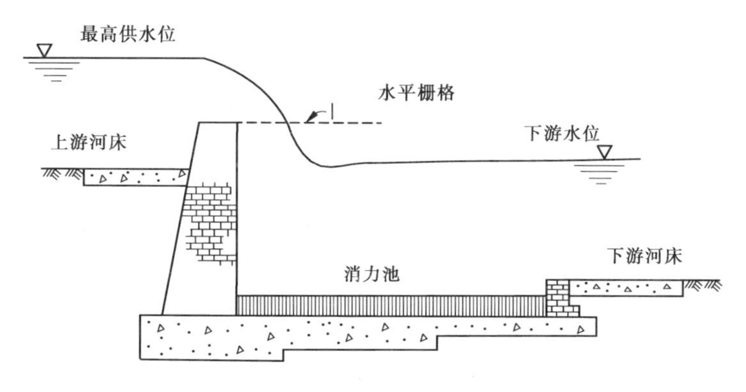

图 6-3　垂直跌水(水平栅格)

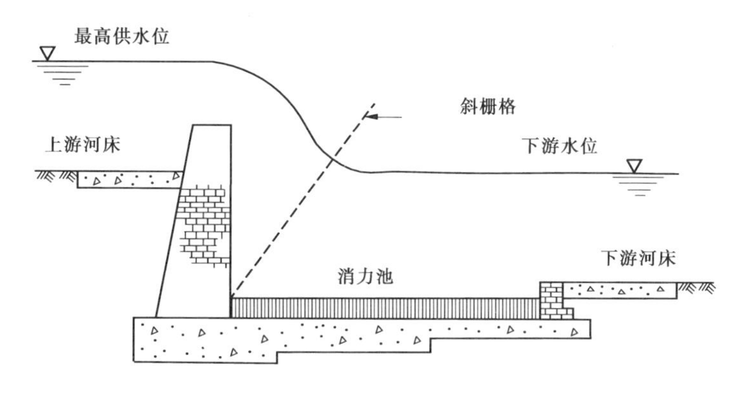

图 6-4　垂直跌水

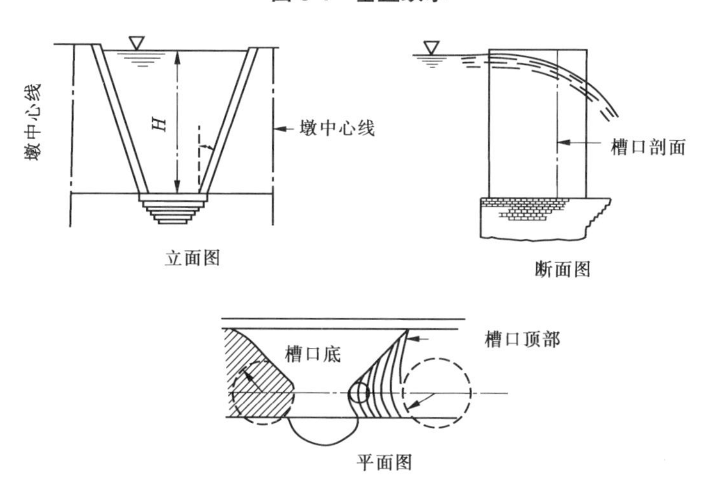

图 6-5　梯形槽跌水

Mushtaq设计)、带斜坡的流水槽式跌水、Montague跌水和Inglis式跌水。

6.4　跌水类型

从施工和消能两方面来看,现代跌水可分为以下两大类。

6.4.1 垂直跌水

垂直跌水包括一个垂直挡水墙和一个承受跌水冲击的消力池以及消除剩余能量的消力墩。这种跌水既可以设置流水槽,也可以不设置流水槽。设置流水槽时,上游和下游岸坡都要设计成适当的曲线形状。这种设计适用于所有的跌水型式。

6.4.2 斜坡式跌水

这类跌水类似于现代的挡水堰,并根据在斜坡趾处水跃的形成进行消能。和垂直跌水一样,为进一步降低水流流速,还可能需要使用消力墩。关于流水槽的问题,垂直跌水和缓坡跌水的情况都是一样的。

6.5 垂直跌水

消力池的底板位于正常河床高程以下,以便产生水垫来承受跌水的冲击。

在确定消力池的长度和深度时还没有找到合理的依据,现在只能根据经验公式或模型试验确定(图 6-6)。

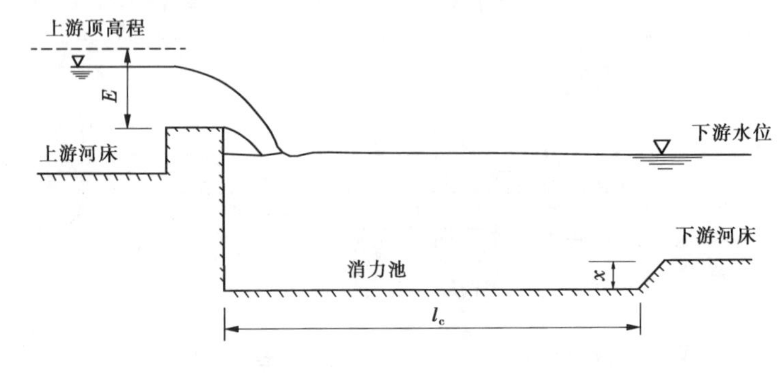

图 6-6 垂直跌水消力池

(1)Eichvery 公式

$$l_c = 3x\sqrt{H_L E}$$

$$x = \frac{1}{6} l_c$$

式中 l_c——消力池长度;

x——河床以下深度。

(2)Blench 公式

$$x + D_2 = 2D_c + \frac{1}{4}(H_L - \frac{3}{8}D_c)$$

任何情况下,H 都不应小于 $3/8D_c$,其中 D_c 为临界深度。

(3)Dyas 公式

$$x = \sqrt{H_L} \times D^{1/3}$$

(4)Bahadarbad 灌溉研究所公式

$$l_c = 5\sqrt{(E + H_L)}$$

$$x = \frac{1}{6}\sqrt{EH_L}$$

(5)Mushtaq 和 Uppal 公式

$$l_c = 6D_2$$

$$x = 0.4D_c$$

6.5.1 Mushtaq 设计

拉合尔灌溉研究院的 Mushtaq 在巴基斯坦《科学研究学报》(1950 年第 7 期)上发表的论文中,提出了渠道跌水中流水槽的新概念。这种概念似乎非常适合于小流量渠道,而且是一种垂直跌水。

在常规的斜坡式流水槽跌水中,急流常常在流水槽宽度最小处冲入缓流中。随着水流扩散,流速降低,就造成水流分离,从而使两边产生负流速区域,这样就形成水辊并对两边产生冲蚀作用。从边界层分离分析中可以了解到:

(1)只要有持续的加速流,边界层水流的分离就不大可能发生;

(2)流速减少与反压力梯度相辅相成,导致主流从边界分离;

(3)压力梯度的变化影响边界层分离,使垂直于边界的速度剖面反转,因而在尾端形成水辊。

上面提到的观点表明,为避免水流分离,从管颈处到渠道正常宽度的扩散段应出现在加速条件下。这样会减少水辊形成并减轻对边坡和渠底的冲蚀。

这类跌水的水工设计实例见本章末尾的附录。

6.5.2 Sarda 式跌水(无流水槽)

这类跌水用于替代印度北方邦 Sarda 渠系使用的那些梯形槽跌水。在该渠系设置了许多小跌水,以避免可能会切割黏土层进而达到沙层并导致过度渗流的深开挖。

6.5.2.1 堰顶

(1)长度。因未设置流水槽,主渠和支渠的堰顶长度保持与渠道底宽相等。考虑到将来可能的扩建和扩容因素,斗渠的堰顶长度可保持河床宽度加上游水深。

(2)形状。对于流量大于 500ft^3/s 的渠道(如图 6-7a 所示)

$$B = \sqrt{H + d}$$

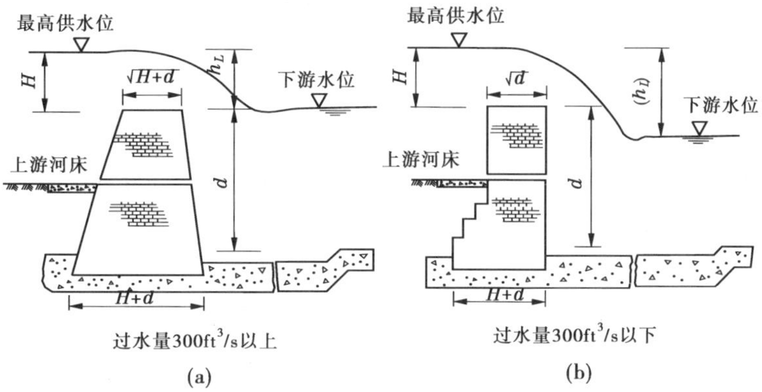

最高供水位
H
$\sqrt{H+d}$
h_L
下游水位
上游河床
d
H+d
过水量300ft^3/s以上
(a)

最高供水位
H
$\sqrt{d}$
(h_L)
下游水位
上游河床
d
H+d
过水量300ft^3/s以下
(b)

图 6-7 Sarda 型跌水

对于流量小于 500ft^3/s 的渠道

$$B = \sqrt{d}$$

底宽由$(H+d)/G$确定，但不小于d/G

式中　H——堰上水深；

d——下游河床以上堰高；

G——材料比重。

(3)上游河床以上高度。此高度应能保持上游水位不变，由以下流量公式确定

$$Q = CLH^{3/2}\left(\frac{H}{B}\right)^{1/6} \quad \text{自由流出流}$$

式中，C对梯形堰取3.61，如图6-7a；对矩形堰取3.52，如图6-7b。

并且　$$Q = CL\sqrt{2g}\left(\frac{2}{3}H_L^{3/2} + h_d\sqrt{H_L}\right) \quad \text{淹没出流}$$

式中　C——自由和淹没出流的平均流量系数，为0.65；

h_d——下游水位和顶部间的高程差。

在淹没条件下，由上述公式得出h_d，然后由$D - h_d + H_L$求出上游河床以上的堰高。

应在上游河床铺设几英尺的砖砌海漫，坡度为1:10；并在其上设置一些排水孔，在合龙期间排水。

6.5.2.2　上游引渠

上游翼墙为半径$5H$到$6H$的圆弧形翼墙。

6.5.2.3　不透水底板

在具体情况下，根据1:7到1:10的平均水力梯度，即$7\sim10d$来确定长度。在底板总长度中，下游底板长＝2×(水深＋4)＋跌水高度，而其余长度则保持在上游。厚度应根据Khosla理论进行设计。

6.5.2.4　砌石护底

根据表6-1来设置砌石护底。

6.5.2.5　下游翼墙

翼墙在$C\sqrt{HH_L}$的长度范围内垂直布置，其中C在流量小于$500ft^3/s$时取5，在流量增加时逐渐增加到8。此处的翼墙包括扭曲段，在渠道较大时扭曲段从垂直变为1:1.5，而在渠道较小时则由垂直变为1:1。

6.5.2.6　下游砌石护岸

扭曲面后，两侧设有砌石护坡。

上面的设计被证明非常成功，维护费用很低。但是只设计并修建了6ft的跌水，还没有设计更大跌水的经验。

6.6　斜坡式跌水

这类跌水利用水跃进行消能。以下讨论确定斜坡、消力池底板高程和长度以及渐变段的步骤。消力池底板高程确定与拦河闸消力池底板高程确定的方法相同，即一个确保能形成水跃的高程。

表 6-1 **河床护砌长度**

序号	堰上水深(ft)	下游砌护长度(ft)	备注	帷幕数量	墙深(ft)
1	最大 1.0	10	所有坡度 1/10	1	1.0
2	1.0~1.5	10+2 倍河床落差	至圬工翼墙水平,其余 1/10	1	1.0
3	1.5~2.0	15+2 倍河床落差	至圬工翼墙水平,其余 1/10	1	1.5
4	2.0~2.5	20+2 倍河床落差	至圬工翼墙水平,其余 1/10	1	2.0
5	2.5~3.0	30+2 倍河床落差	至圬工翼墙水平,其余 1/10	1	1.5
6	3.0~3.5	45+2 倍河床落差	至圬工翼墙水平,其余 1/10	2	3.0
7	3.5~4.0	60+2 倍河床落差	至圬工翼墙水平,其余 1/10	2	3.5
8	4.0~4.5	75+2 倍河床落差	至圬工翼墙水平,其余 1/10	3	4.5

6.6.1 流槽输水

通常渠道跌水是为桥梁和调节闸的修建提供良好机会。通过束窄渠道宽度可达到经济目的。渠道的侧向收缩会增加消力池的深度、建筑物的长度和下游的冲刷深度。因此,需要确定一个流水槽流速的最佳值。对于大型建筑物,模型研究最终确定这个问题,不过在初步设计中也可采用以下的建议。

冲刷深度 $R=0.9(q^2/f)^{1/3}$由单宽流量决定,并限制了更高的收缩值。Mushtaq 根据其在拉合尔灌溉研究所的试验提出建议,小于 75%的流槽输水比例会造成过度的冲刷,所以,带有斜坡跌水用流槽输水不应超过该界限。

6.6.2 斜坡

斜坡可以为 1:3 的直坡,这样有利于形成水跃。陡于 1:3 的坡度会使水流射入消力池并产生更低的水跃,增加下游混凝土底板的长度。如坡度太小,水跃不稳定并随流量或尾水位的轻微变化上下波动。

可采用图解法,根据尾水水位来确定斜坡,如图 6-8 所示。必须已知尾水水位流量关系曲线,对不同流量 q,沿 y 轴标记尾水水位。对不同的 q 值计算下游共扼水深 y_2。然后假设水跃长度为 $4y_2$,沿各自尾水高程标记水跃长度。绘制半径为 y_2 的圆弧,圆心为各自水跃长度和尾水高程的交点。沿这些弧的切线的坡度即为在不同流量时形成最有利水跃所需的斜坡坡度。

6.6.3 Montague 的曲线斜坡

Montague 提出了可用抛物线斜坡来取代直线斜坡。他认为,在水跃现象中流速的垂直分量保持不变,水跃只是将急流动能的水平分量转变为缓流动能。Montague 认为,这就是水跃下常常会有高速射流的原因。他的解决方法是使直线斜坡变成在工程长度内会传递最大水平加速度的曲线。有两个极限位置如下。

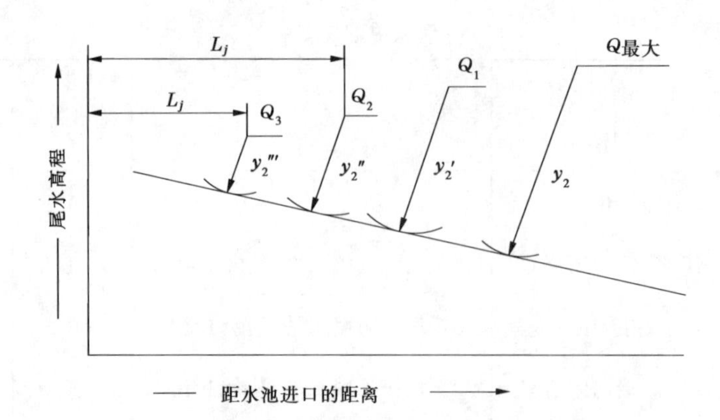

图 6-8　确定斜坡坡度图解法

(1)如图 6-9 所示的无任何竖直加速度的水平面。

(2)在重力作用下没有任何水平加速度的自由落体抛物线。在这两者间有一条抛物线。将最大的水平加速度传递给所有点上的喷出流。该抛物线可确定如下。

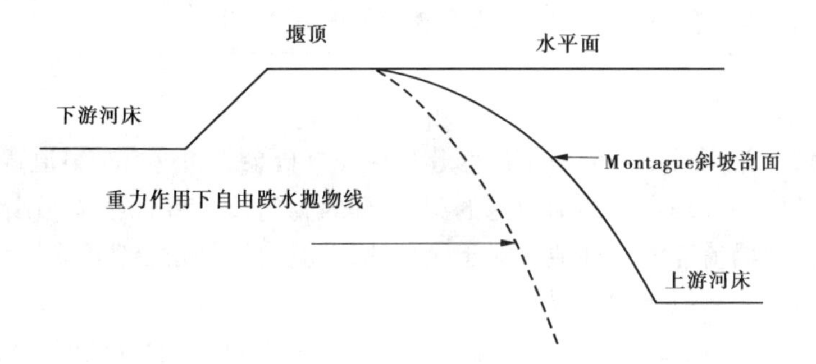

图 6-9　Montague 斜坡曲线

Montague曲线公式:设一质点m位于一个与水平方向成θ角的倾斜护坦上(图6-10)。垂直于平面的反作用力为 $R = mg\cos\theta$。

$$R_{\mathrm{h}} = R\sin\theta = mg\cos\theta\sin\theta(\text{水平分量})$$

$$R_{\mathrm{v}} = R\cos\theta = mg\cos^2\theta(\text{竖直分量})$$

所以
$$\frac{\mathrm{d}R_{\mathrm{h}}}{\mathrm{d}\theta} = mg(-\sin^2\theta + \cos^2\theta)$$

对于水平方向的最大加速度,R_{h} 应最大。

$$\sin\theta = \cos\theta$$

或
$$\theta = 45^\circ$$

其中
$$R_{\mathrm{h}} = R_{\mathrm{v}} = mg/2$$

而且水平和垂直加速度均为 $g/2$。

现在考虑质点的水平初始速度为 u,对系统(即质点和斜坡)施加反向的水平加速度来使质点静止。质点在空间中的路径为一条 45°直线,公式为

$$x = y = \frac{1}{2}ft^2$$

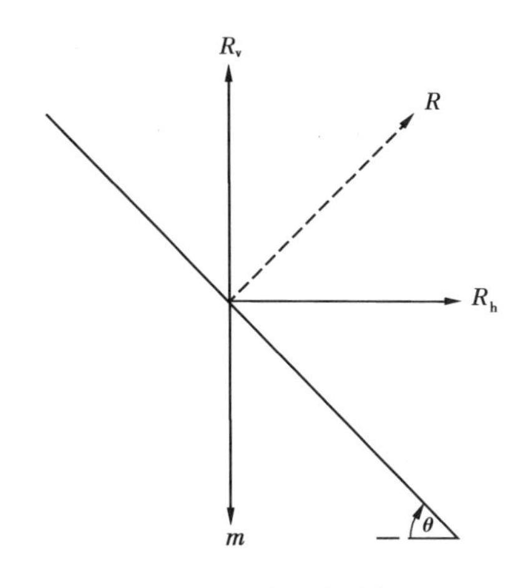

图 6-10 作用力分析图

式中 f——加速度；

t——时间。

在这种情况下加速度 $f = g/2$

$$\therefore x = y = gt^2/4$$

现在对系统施加水平速度 u 来使原点静止。这时

$$y = \frac{1}{4}gt^2$$

且

$$x = ut + \frac{1}{4}gt^2$$

消去 t 后可得

$$x = u\sqrt{\frac{4}{g}y} + y$$

上式即为能产生最大水平加速度的 Montague 斜坡剖面公式。

6.6.4 消力池底板高程

消力池底板高程可根据水跃的形成确定。在本文第 3 章中已详细讨论了水跃的基本理论和各种不同的设计曲线，如 Crump 曲线、Blench 曲线以及共轭水深方法。

6.6.5 消力池长度

确定消力池长度的基本条件是水跃应发生在消力池内，所以消力池长度应为水跃长度。但是，Uppal 和 Mushtaq 在他们 1945 年提交给印度中央灌溉研究委员会的论文中建议消力池长度为下游渠道正常深度的 6 倍。这一长度是足够的，并且合适的。

6.6.6 消力池渐变段

对于流槽跌水，必须设置适当的引渠和扩散段过渡到正常宽度。虽然引渠曲线不会产生任何问题，但是，如果缺少适当的扩散曲线很可能会在两岸形成回流和漩涡，进而造成跌水中央的侵蚀和水流集中。

6.6.7 引渠曲线

对引渠曲线考虑的主要是在收缩段能使水流分布均匀，这样消能效果最佳。如果突然收缩，会出现水流分离现象，导致水流集中。带有 1:2 抛物线曲线是合适的。正常情况

下认为半径为 r 的1/4圆是合适的,半径 r 可由下式求出

$$r = \frac{l^2 + t_s^2}{b - t_c}$$

式中 t_c——颈部宽度;

b——正常渠道宽度;

t_s——侧收缩;

l——扩散长度。

6.6.8 扩散曲线

正常建筑物(即未设掺气设施或扩散叶片)的扩散曲线必须从斜坡坡脚开始。如果在斜坡上设置了扩散叶片(薄混凝土墙)来引导水流,那么过渡曲线就应从斜坡的顶部或中部的下游开始。

美国垦务局通过比较喇叭形弯曲比例与预水跃动流因数(弗汝德数的平方),得出以下公式

$$K = 2\sqrt{\lambda_1} = 2F_1$$

式中 K——单位扩散在水流方向的长度;

λ_1——预水跃动流因数;

F_1——预水跃弗汝德数。

6.7 消力池辅助消能工

这里所提的辅助消能工和前面章节中所描述的垂直跌水和缓斜坡式跌水中应用的一样。惟一不同是在垂直跌水中,这些辅助消能工通常布置在消力池之外,而在斜坡式跌水中,这些辅助消能工则布置在消力池中,以便更好地形成水跃,并且也可在消力池以外消除剩余的动能。

辅助消能工如挑坎、陡槽消力墩、摩擦墩和底槛等消能设施,可改善消力池的运行状况,并且有利于稳定水流和增加紊动。

6.7.1 挑坎和陡槽消力墩

这些设施布置在跌水趾部以消除动能,并使河床流速分布均匀。现在水跃消能已经完全取代了挑坎消能,根据模型试验可以确定不同的挑坎高度。同样,还可用陡槽消力墩代替挑坎。其目的是增加来水的有效深度,使水流分成许多股射流并有助于增加紊动。这些设施会使射流抬高离开消力池底板,使消力池的长度更短。

6.7.2 消力齿槛

在结构上,消力齿槛是布置在消力池或混凝土底板末端的消力槛。其功能就是使高速水流向上脱离河床,使流态恢复正常。消力齿槛会产生反向水辊,引起的冲刷有限,这不会对建筑物产生危害。齿槛除以上作用外,还有利于分散射流(见图6-11)。

6.7.3 摩擦墩

交错布置的摩擦墩在所有这些设施中效率最高,而且施工最简单。在摩擦墩作用下,冲刷适当减小,高速水流流向顶部。摩擦墩包括锚固在底板上的矩形混凝土块,这些混凝

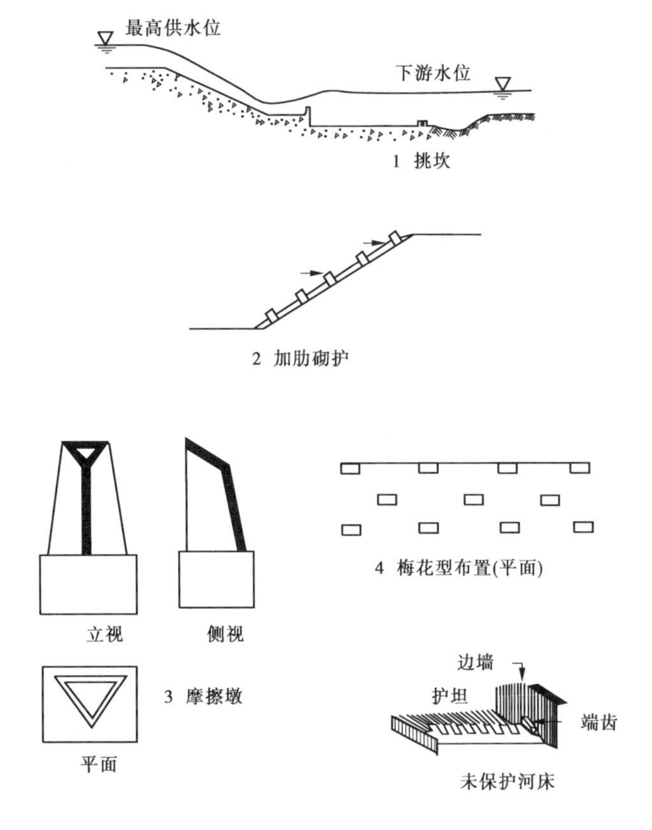

图 6-11 加糙设施

土块伸入水中的高度大约为 1/4 水深。摩擦墩间距大约为摩擦墩高度的 2 倍。根据要求可交错设置 2 排或多排的摩擦墩。

如图 6-11 所示的箭头形摩擦墩是特殊形状的摩擦墩。这些摩擦墩比矩形墩更能承受高速射流的冲击。

习题

1. 为什么渠道要设置跌水?

2. 列举并论述渠道跌水的优缺点。

3. 垂直落差渠道跌水和斜坡式跌水的主要区别是什么? 哪种形式更有利,结合不同流量详细论述。

4. 设计渠道跌水,已知落差为 6ft,流量为 100ft^3/s,河床宽 7ft,深度 7ft,边坡为 1:1。

5. 在 10mile 的河段内,地面坡度为 1:4 000,而设计的渠道底坡为 1:6 000。你将设计多少个跌水或多大的落差? 在草图上指出其位置。画一张纵断面单线图。

参 考 文 献

[1] Shakir B A. Design of Canal Falls. West Pakistan Engineering Congress, Golden Jubilee Publications, Lahore, 1963.

[2] Lindley E S. Canal Falls and Their Uses as Meters. Punjab Engineering Congress, Lahore, 1951.
[3] Ahmed Mushtaq. Some Aspects of the Design of Weirs and Canal Falls in Relation to Scour. Punjab Engineering Congress, Lahore, 1951.
[4] Montague A M R. Central Board of Irrigation. Publication No. 10 Government of India, Simla, 1929.
[5] Singh B. Fundamentals of Irrigation Engineering. New Chand Brothers. Roorki, 1962.
[6] Elevatorski E A. Hydraulic Energy Dissipators. McGraw-Hill Book Co., Inc. New York, 1959.

附录Ⅰ　Montague 渠道跌水设计

设计参数

流量 $Q=18\ 000\text{ft}^3/\text{s}$

跌水 = 7ft

流水槽输水 = 65%（假设）

设计

1　**根据莱西理论设计的渠道断面为**

深 = 6.3ft

宽 = 99ft

2　**假设地面** = 470ft

上游河床高程 = 464ft

下游河床高程 = 457ft

上游最高供水位 = 470.3ft

下游最高供水位 = 463.3ft

$$平均流速=\frac{1\ 880}{(99+\frac{6.3}{2})\times 6.3}=2.78\text{ft/s}$$

3　**流槽输水**

$$h_a=\frac{V^2}{2g}=\frac{2.78^2}{64.4}=\frac{7.77}{64.4}=0.121\text{ft}$$

$FSD = 6.4\text{ft}, E_2 = 6.421\text{ft}$

对于 $H_L=7.0\text{ft}$ 和 $E_2=6.421\text{ft}$

$Q=25\text{ft}^3/(\text{s}\cdot\text{ft})$（根据 Blench 曲线）

$$则\ B_t=\frac{1\ 800}{25}=72\text{ft}$$

$$流槽输水=\frac{72}{99}\%=72.7\%$$　对应 65%（假设）

计算出的流槽输水量在不改变上游水位的基础上确定为 72.7%。该数值不会给通常位于跌水上游侧的出水口的过流能力带来不利影响。

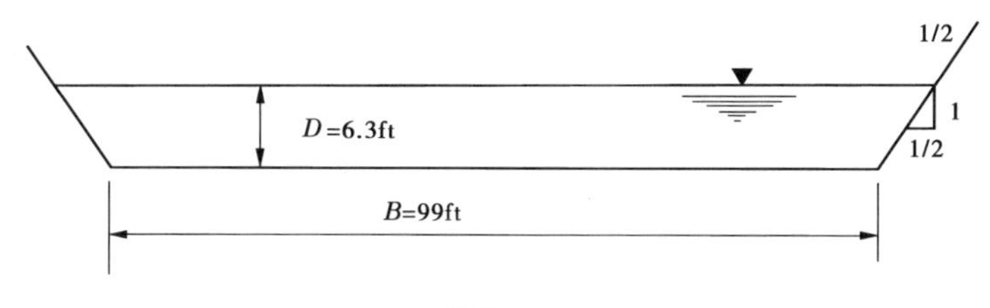

附图 6-1-1

4　堰顶

$$d_c = \left(\frac{q^2}{g}\right)^{1/3} = \left(\frac{25^2}{32.3}\right)^{1/3} = \left(\frac{625}{32.2}\right)^{1/3} = 2.69\text{ft}$$

$$E_{1\min} = \frac{3}{2} \times 2.69 = 4.03\text{ft}$$

堰顶高程 $R_L = 470.3 - 4.03 = 466.27\text{ft}$

堰顶宽 $= 2.5E_1 = 2.5 \times 4.03 = 10.07\text{ft}$

5　水头差

根据 Molesworth 公式

$$水头差 = \left(\frac{V^2}{58.6} + 0.05\right)\left(\left(\frac{A}{\alpha}\right)^2 - 1\right) = \left(\frac{(2.78)^2}{58.6} + 0.05\right)\left(\left(\frac{99 \times 6.3}{72 \times 6.3}\right)^2 - 1\right) = 0.162\text{ft}$$

该水头差值非常小因而可忽略不计(通常 0.5ft 以下的水头差均可忽略不计)。

6　上游引渠

上游两侧向外扩散 $= (99 - 72) \times 1/2 = 27 \times 1/2 = 13.5\text{ft}$

扩散长度 $= 2 \times 13.5 = 27\text{ft}$(1∶2 喇叭口)

7　消力池

池深 $= E_2/2 = 6.421/2 = 3.21\text{ft}$

底板高程 $R_L = 457 - 3.21 = 453.79\text{ft}$

池长 $= 5E_2 = 5 \times 6.421 = 32.1\text{ft}$

8　斜坡剖面设计

Montague 斜坡剖面由下式给出

$$x = u\sqrt{\frac{4}{g}}\sqrt{y} - y \tag{1}$$

$q = 25\text{ft}^3/(\text{s} \cdot \text{ft})$　　$d_c = 2.69\text{ft}$

$u = q/d_c = 25/2.69 = 9.3\text{ft/s}$,即 10ft/s。

在公式(1)中代入 u 值

$$x = 10\sqrt{\frac{4}{32.2}}\sqrt{y} + y = 10\sqrt{0.124\,1y} + y = 3.524\sqrt{y} + y$$

堰顶高程 $R_L = 466.27\text{ft}$

消力池高程 $= 453.79\text{ft}$

差值 $= 12.48\text{ft}$

附表 6-1-1　**斜坡剖面计算**

序号	y	$\sqrt{y}$	$3.524\sqrt{y}x$	$3.524\sqrt{y} + y$
1	1	1.00	3.524	4.52
2	3	1.732 1	6.11	9.11
3	5	2.236 1	7.87	12.87
4	7	2.645 8	9.33	16.33
5	9	3.00	10.527	19.57
6	11	3.316 6	11.68	22.68
7	12.48	3.532 8	12.44	24.92

$x = 3.52\sqrt{12.48} + 12.48 = 24.92\text{ft}$

消力池长 = 24.92ft

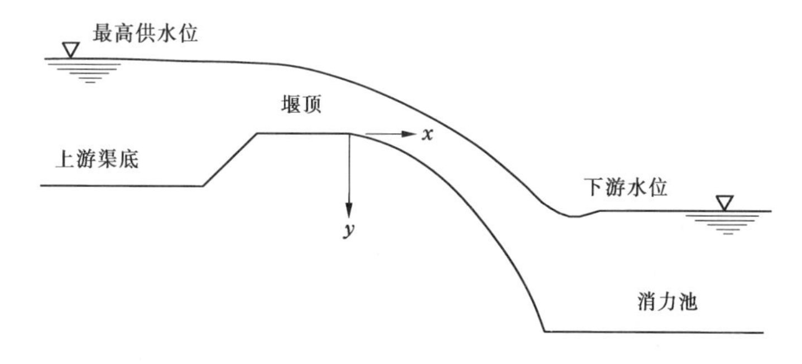

附图 6-1-2 斜坡剖面图

9 **下游扩散**

每侧扩散 = (99 − 72)/2 = 13.5ft

扩散比 1:3

长度 = 13.5×3 = 40.5ft

10 **出逸坡降**

$$G_E = \frac{H}{d}\frac{1}{n\sqrt{\lambda}}$$

假设 d = 混凝土底板末端的消力池边墙深度 = 4ft

$$\alpha = \frac{b}{d} = \frac{134}{4} = 33.5$$

H = 当水位接近堰顶而且下游无水时的临界值 = 466.27 − 457 = 9.27ft

$$\frac{1}{\pi\sqrt{\lambda}} = 0.0775$$

$G_E = 9.27/4 \times 0.0775 = 18 = 1/5.6 < 1/5$ 所以安全

11 **扬压力**

(1)上游幕墙

$FSD/3 = 6.3/3 = 2.1 \approx 2.5\text{ft}$

$$\frac{1}{\alpha} = \frac{d}{b} = \frac{2.5}{134} = 0.186$$

$\phi_{Cl} = 100 - \phi_E = (100 - 12)\% = 88\%$

$\phi_{Dl} = 100 - \phi_D = (100 - 7)\% = 93\%$

①厚度修正

$\phi_D - \phi'_C = (93 - 88)\% = 5\%$

$$C_t = \frac{5 \times 1}{2.5} = 2.0\%$$

②斜坡坡角影响

$$C_i = 19\sqrt{\frac{D}{b_1}}\frac{d - D}{b} = 19\sqrt{\frac{13.71}{59.84}} \times \frac{15.21}{134} = +1.02\%$$ 修正值

$\phi_C = (88 + 2.0 + 1.02)\% = 91.02\%$

$\phi_D = 93\%$

(2)斜坡坡角

$d = 4\text{ft} \quad b = 134\text{ft}$

$b_1/b = 59.84/134 = 0.447$

$\alpha = 134.4 = 33.5$

$1 - b_1/b = 0.553$

由曲线图(本文第3章节附录)得出

$\phi_{D1} = (100 - 45.8)\% = 54.2\%$

$\phi_{C1} = 51.5\%$

$\phi_{E1} = - 51.5\%$

①厚度修正

$\phi_{D1} - \phi_{C1} = (54.7 - 51.5)\% = 3.2\%$

$C = \dfrac{3.2}{4} = + 0.8\%$

②坡度修正

对1:2的坡度,坡度误差为6.5%

坡长=24.92ft

间距 b_1=59.84ft

$C_S = 6.5 \times \dfrac{24.92}{59.84} = + 2.71\%$

修正后 $\phi_E = (51.5 + 0.71)\% = 54.21\%$

$\phi_C = (51.5 + 0.8)\% = 52.3\%$

(3)下游幕墙

$d = 4\text{ft}$

$\dfrac{1}{\alpha} = \dfrac{d}{b} = \dfrac{4}{134} = 0.31$

$\phi_D = 10\%$

$\phi_E = 15\%$

①$C_t = (15 - 10) \times \dfrac{1}{4} = 1.25\%$

②斜坡坡角影响

$C_i = 19\sqrt{\dfrac{6.21}{72.6}} \times \dfrac{9.21}{134} = 0.38\%$

修正后 $\phi_E = (15 - 1.25 - 0.38)\% = 13.37\%$

$\phi_D = 10\%$

12 底板厚度

临界水头=9.27ft(已经算出)

(1)消力池下

$$t = \frac{54.21 \times 9.27}{1.3 \times 100} = 3.87 \approx 4\text{ft}$$

(2)在距下游斜坡坡角 32.1ft 处

$$t = \frac{52.3 + 13.37}{2} \times \frac{9.27}{1.3 \times 100} = \frac{65.67}{2} \times \frac{9.27}{130} = 2.35 \approx 2.5\text{ft}$$

(3)在距缓斜坡坡角 72.6ft 处

$$t = \frac{13.37 \times 9.27}{1.3 \times 100} = 0.9 \approx 1\text{ft}$$

13　**下游幕墙**

下游幕墙 $= \frac{1}{2}$ft,下游深度 $= \frac{6.3}{2} = 3.2$ft

在渠道弯曲时其轴线处墙厚 4ft。

14　**边墙**

边墙从垂直渐变至消力末端的 1∶2。

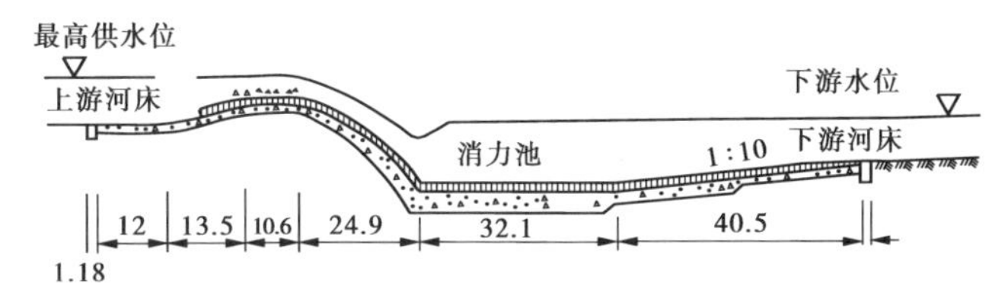

附图 6-1-3　Mongague 型跌水横断面(单位:ft)

15　**下游河床保护**

3ft 厚松散体,长度为 $6D = 6 \times 6.63 = 37.8$ft 或 40ft

16　**消力池加糙**

消力池通过了摩擦桩加糙。

平面——一个带圆角的等边三角形,背面垂直。另外的两个面稍微倾斜。顶部倾斜。整体由底到顶呈锥形,为混凝土或钢筋混凝土结构。

摩擦墩间距 $= (1\frac{1}{2} \sim 2) \times$ 墩高 $= \frac{3}{2} \times 1.25 = 1.87$ft

在预计受冲击影的地方,加糙长度 $= 3FSD = 3 \times 6.3 = 18.9$ft

若影响很小,加糙长度 $= 6D = 37.8$ft

摩擦墩详细结构见图 6-11。

说明:

(1)Montague 型渠道跌水属于斜坡(曲线)型,非常适合1 800ft^3/s 的大流量。

(2)曲线斜坡断面通过增大水平加速度最大限度降低了经常处于水跃以下的高速射流的可能性。

(3)这类跌水中使用的摩擦墩在消能方面非常有效,但是施工存在困难。

(4)曲线在施工期间难以保持,而且模板工作非常繁重。

(5)长消力池和下游喇叭口的长度,增加了此类跌水的混凝土浇筑工程量。

(6)在跌水上修桥使设计更经济。当进行流槽输水时效果更加明显。

(7)在设计数据中,流槽输水占 65%。但从计算中看出,如果上游水位不升高,72%

的流槽输水是适宜,若流槽输水占65%,则上游水位将会受到影响,这是大家不愿意看到的。

(8)根据Molesworth公式,水头差为0.16ft,非常小,因而可在计算中忽略不计。

(9)Sharma在实践中,采用的扩散段的长度为扩散宽度(BS)的3倍。然而,在现代实践中推荐的扩散段长度为下游扩散宽度(BS)的5倍。

(10)由于施工难度和费用过高,建议采用1:3的直线型斜坡,而不是Montague型斜坡,其余的设计保持不变。

附录Ⅱ　旁遮普C.D.O型跌水设计

设计参数

Q	$=300ft^3/s$
跌水	$=4ft$
流槽输水	$=60\%$
最大供水深度	$=4ft$
上游河床高程	$=700ft$
上游最高供水位	$=704ft$
下游河床高程	$=696ft$
下游最高供水位	$=700ft$
渠底宽度	$=B=37ft$

设计

1　**窄颈段**

$$颈部宽度 = B_t = \frac{37}{100}\times 60 = 22ft$$

2　**堰顶**

(1)堰顶高程

$$q_t = 窄颈段单宽流量 = \frac{Q}{B_t} = \frac{300}{22} = 13.63ft^3/(s\cdot ft)$$

假设流量系数等于3.09

$$E_1 = H + \frac{V_a^2}{2g}$$

$$E_1 = \left(\frac{q_t}{C_d}\right)^{2/3} = \left(\frac{13.63}{3.09}\right)^{2/3} = 4.4^{2/3} = 2.74ft$$

$$q_1 = C_d E_1{}^{3/2}$$

$$V_a = \frac{Q}{A} = \frac{300}{164} = 1.825,边坡 = 1:1$$

$$且\frac{V_a^2}{2g} = \frac{1.825^2}{64.4} = 0.051\,9ft$$

$H+0.051\,9=2.74ft$

$H=2.69ft$

即上游最高供水位和堰顶底高程之差$=2.69ft$

堰顶高程$=704-2.69=701.31ft$

从上游河床计算的堰体高度为$x=701.31-700=1.31ft$

(2)堰顶宽度

堰顶宽度$=L_t$

$L_t = 2H = 2 \times 2.69 = 5.38\text{ft}$

3 连接曲线

(1)连接堰顶和上游河床曲线的水平长度 L_a

$L_a = \sqrt{3}H^{1.5} = \sqrt{3} \times 2.69^{1.5} = \sqrt{3} \times 4.42 = 7.64\text{ft}$

(2)曲线半径 R_a

$$R_a = \frac{{L_a}^2 + x^2}{2x} = \frac{7.64^2 + 1.31^2}{2 \times 1.31} = 22.93\text{ft}$$

4 消力池

消力池底高程 = 下游河床高程以下 1.0ft = 696 − 1 = 695ft

消力池长 $L_c = \frac{3(B - B_t)}{2} = 3 \times \frac{37 - 22}{2} = 22.5\text{ft}$

消力池底板由以下两层组成：

(1)0.65ft 砖层；

(2)0.5ft 混凝土层。

消力池末端有一趾墙，如附图 6-2-1 所示(消力池底板的厚度可根据以前的 Khosla 法实例进行计算)。

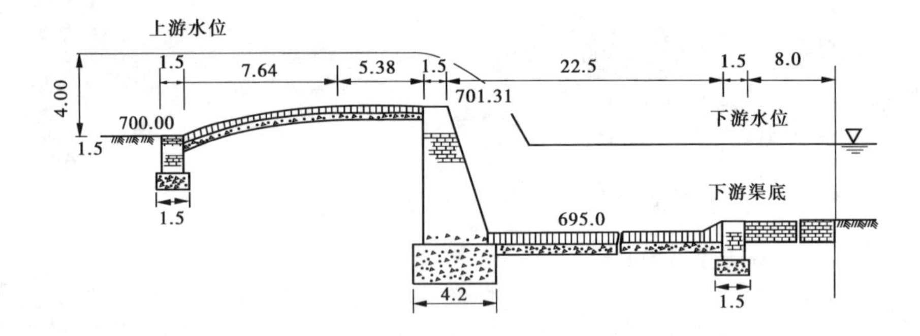

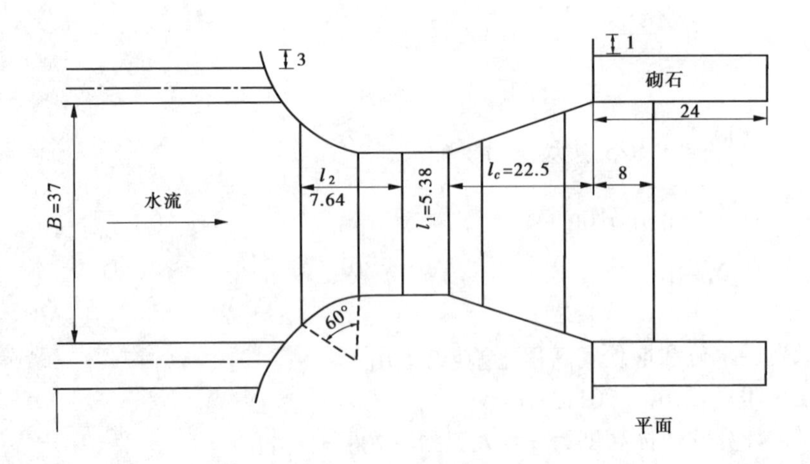

附图 6-2-1 (单位:ft)

5 **下游底板(柔性护坦)**

长度=上下游水位差

D_n=渠深

$H_w=704-700=4$ft,$D_n=4$ft。

长$=4+4=8$ft。

护坦为2ft厚的砖渣。

6 **挡土墙**

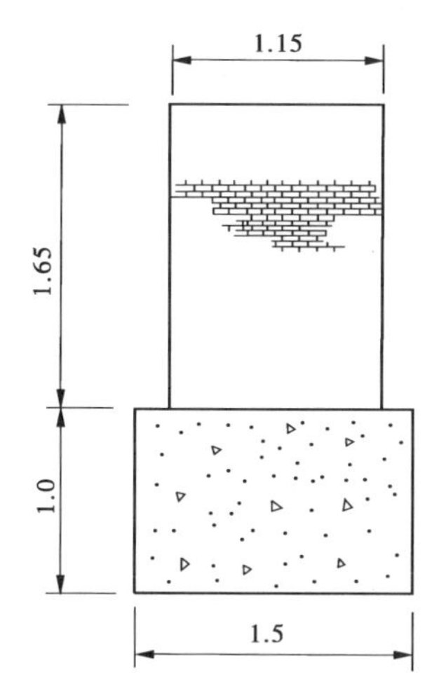

附图 6-2-2 (单位:ft)

顶宽=1.15ft

底宽$=\frac{h}{2}$

h=堰顶高程与消力池底高程之差$=701.31-695=6.31$ft

底宽$=\frac{6.3}{2}=3.2$ft

7 **上游底板**

包括以下两层:

(1)0.4ft砖层;

(2)0.5ft厚混凝土层。

8 **边坡砌护**

长度$=3(D_n+H_w)=3(4+4)=24$ft

砌砖厚度0.65ft,从流槽末端开始并延伸至下游24ft处。

附录Ⅲ　Mushtaq 扩散底板型跌水设计

设计参数

流量 Q $=150ft^3/s$

落差(H_2) $=5.0ft$

流槽输水率 $=40\%$(假设)

设计

1　根据莱西理论得出的渠道断面

深度 $=3.2ft$

渠底宽度(B) $=25.5ft$

边坡 $=1:1$

2　假设

天然地面高程 $=606.00ft$

上游渠道底高程 $=600.00ft$

下游渠道底高程 $=595.00ft$

上游最高供水水位 $=603.20ft$

下游最高供水水位 $=598.20ft$

3　窄颈段长度和宽度

按照假设条件,跌水中的流槽输水率为40%

流槽输水率 $=40\%=\dfrac{B_t}{B}\times 100$

因此窄颈宽度 $=\dfrac{40}{100}\times 25.5=10.2ft$

窄颈段单宽流量为 $=\dfrac{150}{10.2}=14.7ft/(s\cdot ft)$

假设流量系数 $=3.09$

$$E_1=H+\frac{V_1^2}{2g}=\left(\frac{qt}{3.09}\right)^{2/3}=2.84ft$$

V_1 = 堰体上游正常断面流速

$$V_1=\frac{Q}{\text{面积}}=\frac{150}{(25.5+3.2)\times 3.2}=1.65ft/s$$

$$\frac{V_1^2}{2g}=0.041ft$$

$$E_1=2.840-0.041=2.799ft$$

堰顶高程 $=603.200-2.799=600.401ft$

窄颈长度可等于 $2H=2\times 2.799=5.6ft$

4　扩散段长度和半径

若，窄颈段宽度　　$=B_t$

扩散后正常宽度　　$=B$

侧收缩　　$=B_s=B-\frac{B_t}{2}$

扩散段长度　　$=2B_s\sim3B_s(2:1\sim3:1)$

斜边扩散段长度　　$=3\left(\frac{B-B_t}{2}\right)$

$L_s=(25.5-10.2)\times1.5=22.8\text{ft}$

如采用圆弧形曲线连接，则圆弧半径为

$$R=\frac{L_s^2+B_2^2}{B-B_t}=37.8\text{ft}$$

5　**扩散底板的长度**

扩散段底板的长度应比扩散段的长度短“x”，即水舌冲击底板处到阶墙末端间的距离。

扩散底板末端的流速 V_2 可用下式计算

$$E_1=D+\frac{q^2}{64.4D}=D+\frac{V_2^2}{2g}=2.84\text{ft}$$

$$V_2=q/D$$

$$q=\frac{Q}{B}=\frac{150}{25.5}=5.88\text{ft}^3/(\text{s}\cdot\text{ft})$$

$$2.84=D+\frac{5.88^2}{64.4D^2}$$

或 $D^3-2.84D^2+0.54=0$

经计算得，$D=0.478\text{ft}$

$$V_2=\frac{q}{D}=\frac{5.88}{0.478}=12.3\text{ft/s}$$

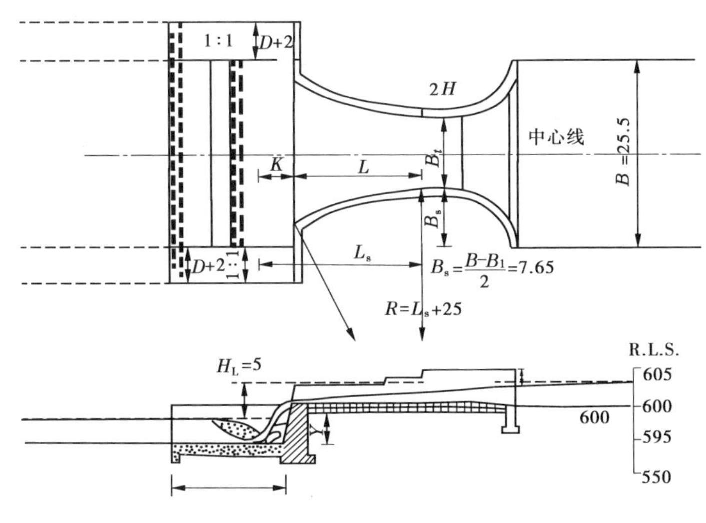

附图 6-3-1

水舌冲击堰顶高程以下“y”英尺的消力池底板处的距离 x 由下式给出

$$x = V_2 t$$

$$y = \frac{1}{2} g t^2$$

消去 t，$x = \frac{V_2}{4}\sqrt{y}$

为实用起见，$x = \frac{V_2}{6}\sqrt{y}$

其中，y 为堰顶与消力池之间的高程差。

6 消力池高程计算

消力池深度 $= 1.25E_2$(从堰顶算起)

$q = 5.88\text{ft}^3/(\text{s}\cdot\text{ft})$

$H_L = 5\text{ft}$

根据 Blench 曲线(见本文第 3 章)

$E_2 = 2.7\text{ft}$

扩散底板长度 $= 5E_2 = 6\times2.7 = 16.2\text{ft}$

消力池底板高程 $R_L =$ 下游水位 $-1.25E_2 = 598.2 - 2.7\times1.25 = 594.80\text{ft}$

7 扩散展底板长度的验收

$y =$ 堰顶高程 $-$ 蓄水池底板高程 $= 600.401 - 594.800 = 5.601\text{ft}$

$x = \frac{12.3}{6}\times\sqrt{5.601} = 4.85 = L_s - x = 22.80 - 4.85\text{ft} = 17.95\text{ft}$，而不是计算的 16.2ft。

扩散底板长度取 18ft。

说明：

(1)采用 40%的流槽输水率将大大降低窄颈处桥梁的建设费用。

(2)通常采用 2:1 至 3:1 的扩散比。

(3)水舌冲击堰顶高程以下“y”英尺的消力池底板处的距离 x，由公式 $x = \frac{V_2}{4}\sqrt{y}$ 给出。在这个求解过程中，摩擦阻力忽略未计，而且在水舌冲击消力池以前已经扩散了，因此 x 值取 $x = \frac{V_2}{6}\sqrt{y}$。

(4)结果显示，底板长度取 $6E_2$ 是合适的。事实上，底板长度大于 $7E_2$ 是浪费的，因为这不会进一步减少冲刷。

(5)掺气有助于消能，应在设计中予以重现。

(6)这类跌水仅仅适于几英尺以下的低水头和小流量的情况。

7 交叉排水建筑物

7.1 前 言

渠道会跨越诸如公路、河流、天然排水、其他渠道和铁路等障碍物。为使渠道内的水顺利穿过上述障碍物，或使上述障碍物顺利穿过渠道而建造的各类建筑物称作交叉排水工程或输水建筑物。本章详细论述了这些建筑物的类型、必要性、位置和具体设计。最后还详细讨论了渐变段的问题，因为这是所有包含输水槽的建筑物的共同的问题。附录中给出了设计实例，以便说明文章中讨论的设计原理。

7.2 渠道布置与交叉排水建筑物

主渠最好沿灌区的分水岭布置，对支渠和斗渠也是如此。因为这样布置可以使渠道两边的区域都能得到灌溉，而且更重要的是所有的天然排水的水流远离渠道，不需要建横向排水工程，使造价最低。即便这样布置也无法避免在首部渠段要设置交叉排水建筑物。主渠在该区域最低点处从河流取水，然后要爬上分水岭，即最高点，所以从节约费用方面考虑，这段距离应越短越好。

图 7-1 中选取 $H-P-K$ 横断面，P 为最高点，H 和 K 位于最低点。渠道从 H 点引水自然无法到达 P 点。采用比山脊坡度更为平缓的渠道坡度，通过坡度乘以距离 HW 可确定最短距离 HW 的位置，这样使 W 低于 H。显然，所有主要的交叉排水建筑物都将位于 HW 渠段内。同样，支渠和斗渠也应沿次高脊布置，以便更好地满足灌溉要求，并避免交叉排水。也可能会出现以下情况，即渠道会因特定的位置在短距离内从山脊上下来，并穿过排水。

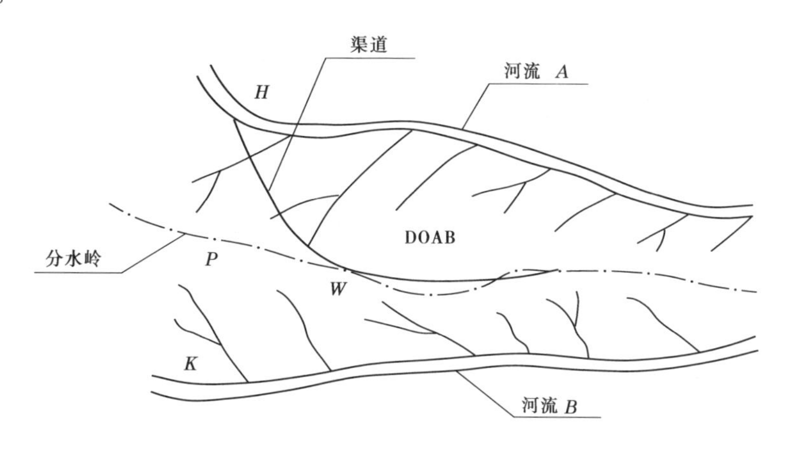

图 7-1 沿山脊布置的渠道

上述渠道布置是理想布置，不是到处都能采用这样的布置。在那些排水点与分水岭高差可能有几百英尺的山区,这样布置是不可能的。在这种情况下,渠道几乎与河道平行,直至灌区,例如上吉拉姆渠,它从吉拉姆河上的曼格拉大坝开始直到该河上的拉苏尔(Rasul)几乎与封姆河平行,然后再左转灌溉古吉拉特(Gujrat)地区的土地。如果可耕种灌区位于首部工程附近,渠道将该区域的等高线布置,除非根据设计要求,不得不设纵坡。为了灌溉渠道与河流间更多的可耕土地,灌渠需远离河流。

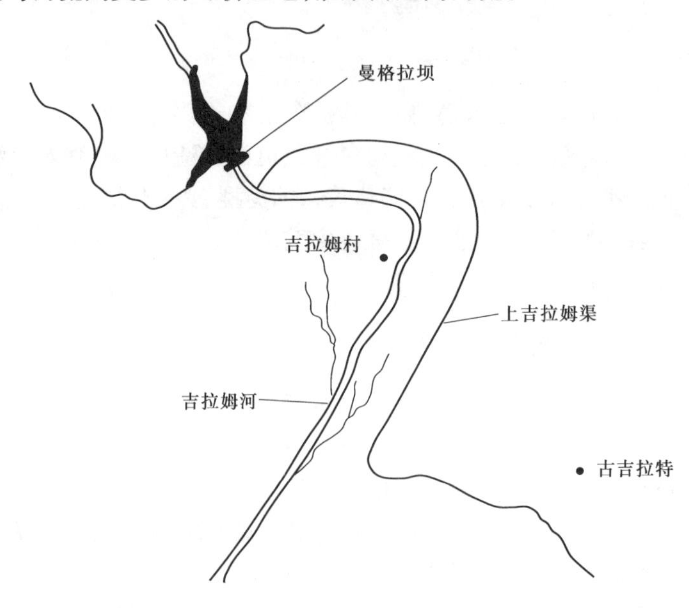

图 7-2 上吉拉姆渠道

在上述两种情况下,尤其是第一种情况,需要设置大量的交叉排水工程,而且渠道费用也会更高。在巴基斯坦,上吉拉姆渠道的交叉排水建筑物的数量最多。

7.3 交叉排水建筑物的类型

7.3.1 渡槽

当渠底高于天然排水沟中最高水位时,渠道就应根据不同的流量通过支撑在槽墩上的钢筋混凝土水槽、钢筋混凝土水管或钢管跨越排水沟。渡槽和排水沟中的水流按明渠均匀流考虑。图 7-3 和图 7-4 中所示为渡槽详图。

7.3.2 虹吸渡槽

如图 7-5 所示,当排水沟中最高水位高于渠底时,天然排水沟就在渠道下面通过钢筋混凝土箱涵或钢筋混凝土管在渠道下穿过。渠道内的水流为明渠水流时,而经过管道的排水为有压水流。由于未采用流槽输水,所以不需设置渐变段。

7.3.3 上通道

当渠道内的最高供水位低于排水沟底时,渠道继续采用非流槽输水,而且天然排水沟中的水通过钢筋混凝土流槽在渠道上方通过。这与渡槽正好相反,但是,这种情况无需设置复杂的渐变段。

7.3.4 虹吸上通道

这种布置与虹吸渡槽正好相反。当天然排水沟底低于渠道的最高供水位时,渠水可

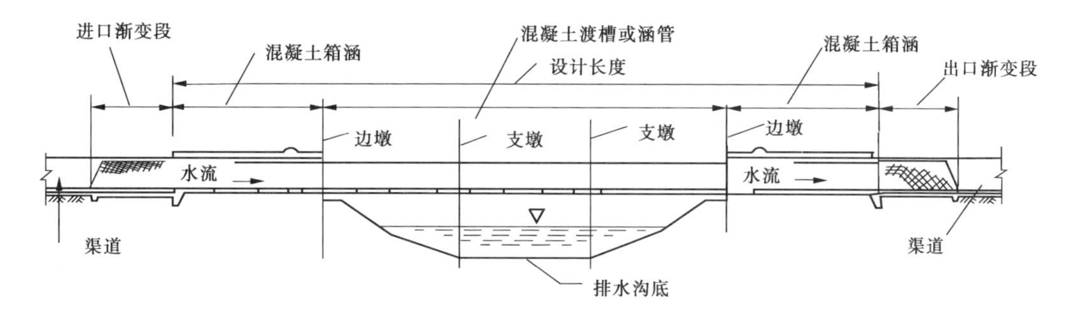

(a)典型横剖面

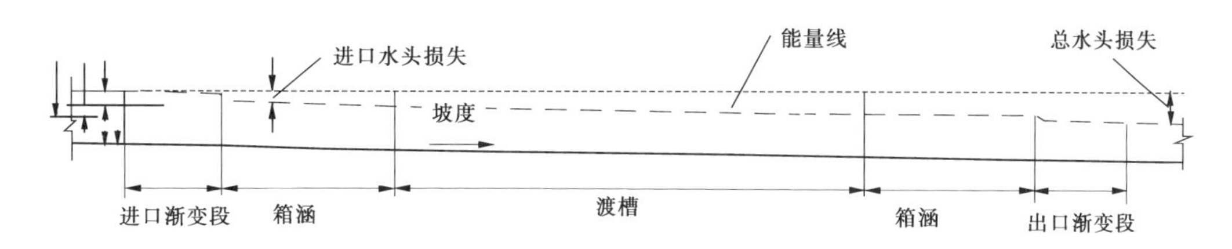

(b)渠道内的水位与能量线

图 7-3 典型的混凝土渡槽剖面

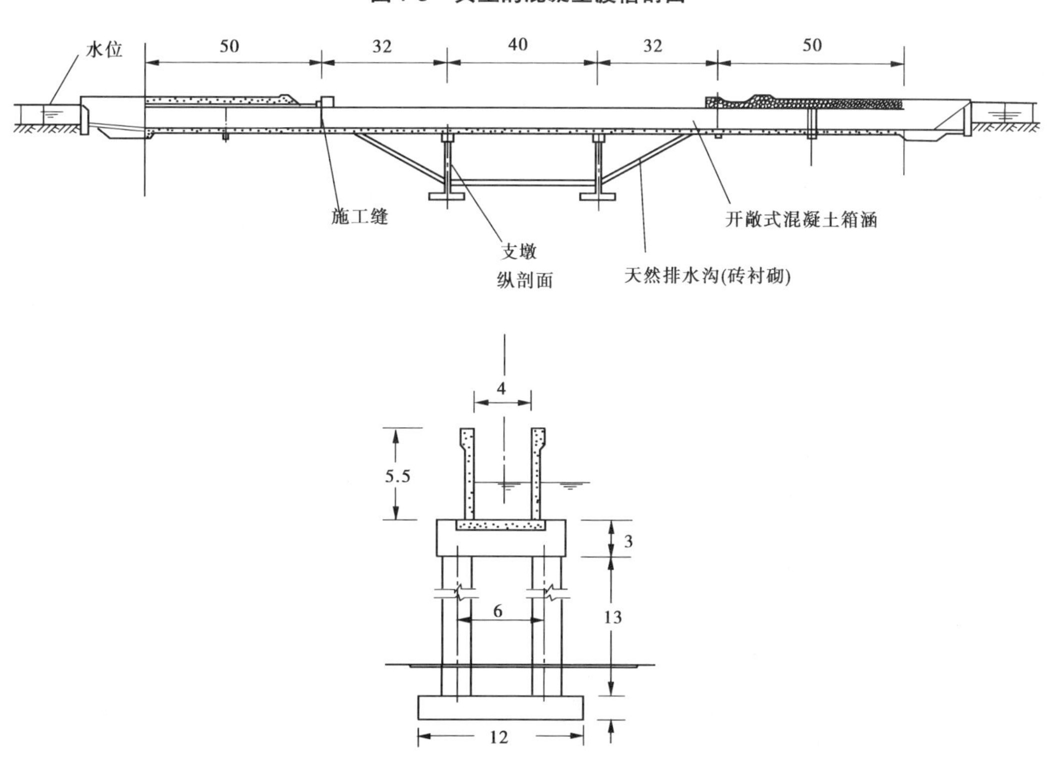

图 7-4 混凝土渡槽细部图(单位:ft)

通过钢筋混凝土管或仅仅通过降低渠底穿过天然排水沟。这样,渠道上下游水位就高于天然排槽底，从而使(见图 7-6)，渠道内的水流处于有压状态。

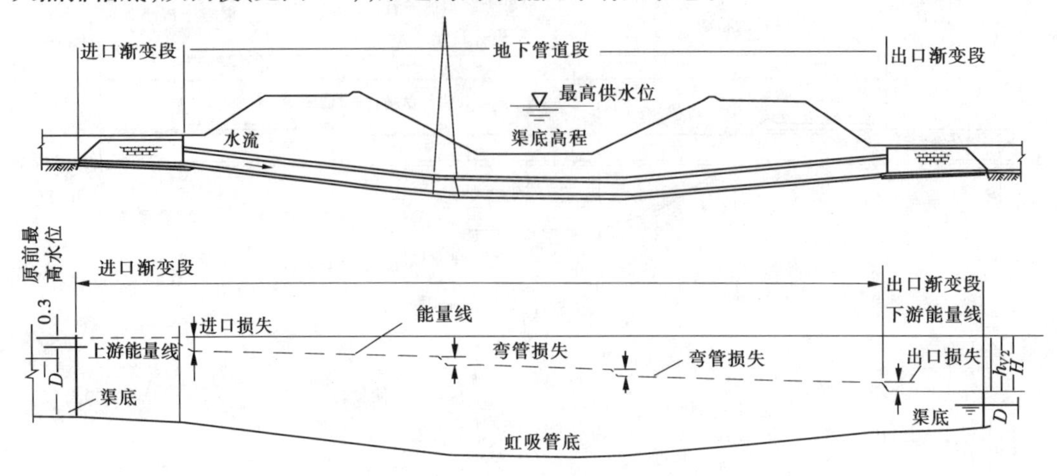

图 7-5　虹吸管典型剖面图

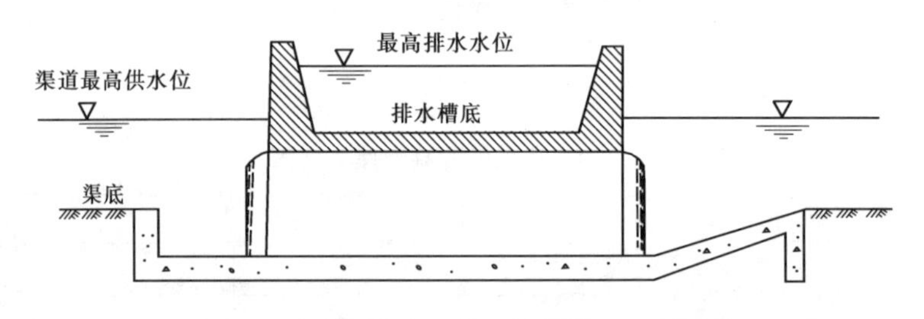

图 7-6　未设钢筋水泥混凝土管的虹吸上通道

在某些情况下两条渠道相互交叉，而不是排水沟和渠道交叉。在这种情况下，交叉建筑物就应按照渠道之一命名，而且根据具体情况叫做渡槽或虹吸。例如，下吉拉姆渠道(LJC)就是一个位于 Rasul－Qadirabad 连接渠道(RQL)下的虹吸，叫做下吉拉姆渠道虹吸。同样，下 Bari Doab 渠道(LBDC)是 SidhnaiMailsi－Bahawa 连接渠上的一条明水槽，即称作 LBDC 渡槽。

7.3.5　平面交叉

当排水沟和渠道的底部几乎处于同一高程时，可允许这两部分中的水流混合，并且渠道中水流通过节制闸进行调节。图 7-7 所示为平面交叉布置图。节制闸的设计与拦河闸设计相同。

7.3.6　天然排水进水口

如图 7-8 所示，除了提供跨渠排水的建筑物外，还要允许因降雨形成的地表径流在适当位置流入渠道。渠道水流的总体方向与地面坡度垂直时，就会出现这种情况。在这种情况下，地表径流受阻，应该允许其进入渠道。这种布置比较经济，因为这类地表径流仅在每年的少数时间内发生，而且流量也不大。

渠岸在地表径流汇集点处被挖开并且设闸门控制的挡水堰、适当的下游斜坡和产生水跃的消力池。如图中所示，该处的渠岸路为公路桥，或采用更加经济的、其长度等于道路宽度的混凝土箱体。尽管也可以设计成压力流，但是通常通过圆管的水流都是明流。

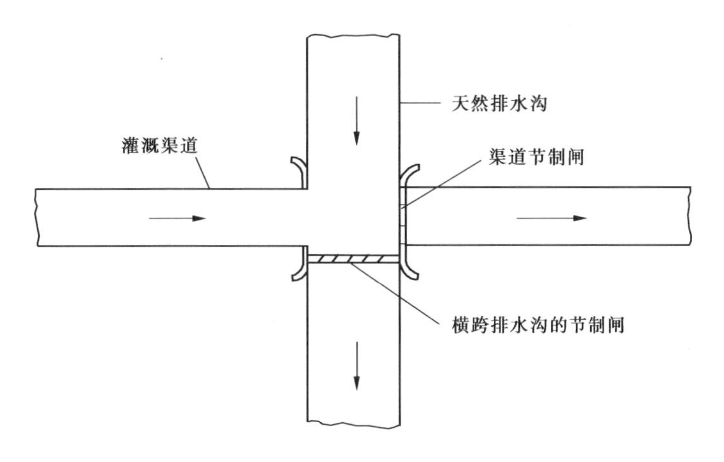

图 7-7 平面交叉

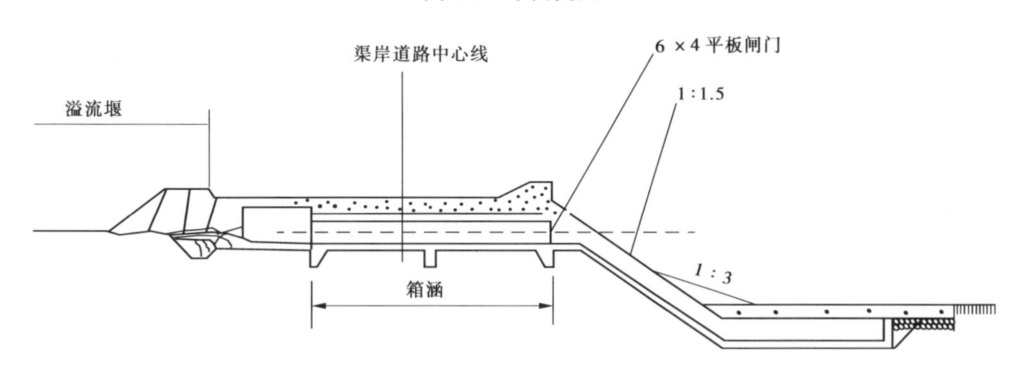

图 7-8 典型的天然排水进水口剖面图(单位:ft)

允许径流水在渠道外汇集,并且当渠道外的水位接触到计算的标记时,闸门就会打开,水流进渠道。渠道设计应能接受这些附加流量。

7.3.7 排水口

这种结构与修建在渠岸上的天然排水进水口类型相同。它把通过进水口进入渠道的多余的水泄入排水渠。堰顶应略微高于最高供水位,以便当多余的水进入渠道时,就会自动溢出。沿排水渠底部布置有消能设施,该排水渠将水排离渠道。

除了天然排水外,任何可能进入渠道多余的水都将通过渠道泄水口排走。由于下游地区的农户在降雨后不再使用渠道中的水,所以就可能会出现水过量的情况。

7.3.8 尾部溢流堰

这是小型渠道或斗渠上的终端建筑物,而不属于交叉排水工程范畴。该建筑物位于渠道尾部,借助于堰体保持必要的水位。如果水位出现任何升高,那么水就会在堰上溢出并排入邻近的排水沟,如图 7-9 所示。尾部溢流堰与排水口的惟一区别就是,尾部溢流堰布置在渠道的尾部,而渠道排水口则修建在渠岸上。

7.4 渡槽的设计程序

渡槽设计考虑的主要因素就是水头损失,或者换句话说,使上下游水头差最小或者上游水位壅高最小,因为:

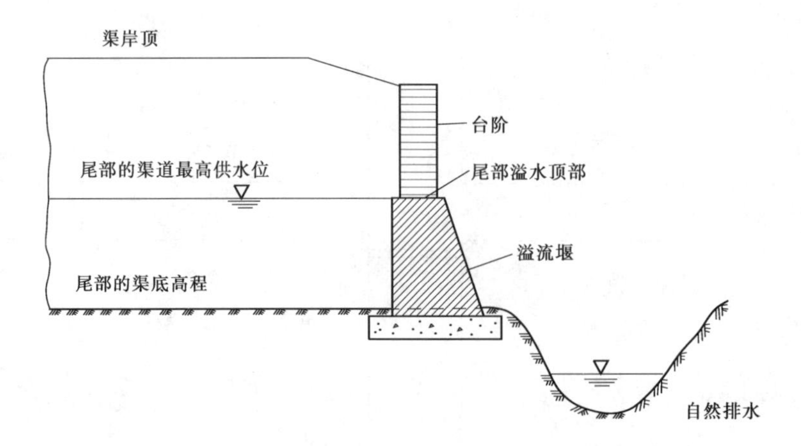

图 7-9 尾部溢流堰

(1)下游水位降低意味着灌溉面积减少。

(2)上游水位过度壅高意味着需要更高的堤岸,并意味着排水支渠与斗渠的节制建筑物顶部需要更高。

7.4.1 **水头损失**

总水头损失包括以下内容。

(1)h_1 = 渡槽进、出口的水头损失 = 通过进、出口渐变段的水头损失 + 进口或出口的水头损失。

对于设计拙劣的渐变段,水头损失最大,等于

$$\frac{V^2 - V_a^2}{2g}$$

式中 V——水槽内流速;

V_a——渠道内流速。

如果渐变段为扭曲面或辛德建议的渐变段,几乎可减小 80%~90%的水头损失。这时,水头损失为:

$$(0.1 \sim 0.4)\frac{V^2 - V_a^2}{2g} \tag{7-1}$$

进水口的水头损失取决于进水口的形状,对于流成型进水口(图 7-10),水头损失会大大地减小。通常为:

$$k \times \frac{V^2}{2g}$$

其中 k 值在锐缘进水口的 0.50 到流线型进水口(如喇叭口)的 0.08 之间变化。20 世纪 60 年代,巴基斯坦连接渠上修建渡槽所采用的 h 值如下:

$$h_1 = \frac{CV^2}{2g}$$

其中,V 为管道内或水槽内流速,C 值见表 7-1。

(2)摩擦损失。摩擦损失可通过曼宁公式计算,经过水槽的水流可看成是均匀流。那么,水头损失就可通过能量线坡度或水面坡度进行测定。

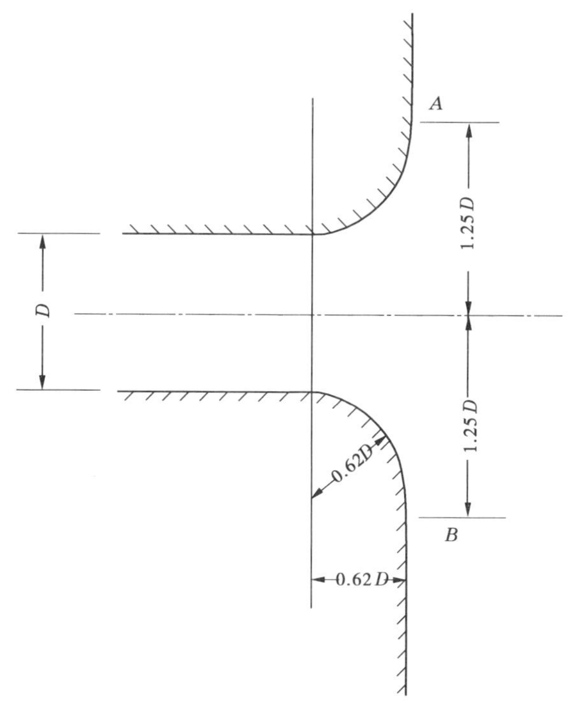

图 7-10　流线型进口

表 7-1　　不同管段进水口、出水口的 C 值

渐变段型式	C值			
	进水口		出水口	
	圆形	方形或矩形进口	圆形	方形或矩形进口
扭曲面渐变段	0.3	0.2	0.5	0.3
垂直墙渐变段	0.4	0.3	0.7	0.5

h_2 为摩擦损失，可通过计算能量线坡度 S 得出。

$$S = \left(\frac{V \times n}{1.49R^{2/3}}\right)^2$$

钢管和混凝土管道的综合糙率 $n=0.012$；单独的混凝土管道的糙率 $n=0.014$。

因此，总的水头壅高为 $H=h_1+h_2+h_1$（第一个 h_1 为进口水头损失，第二个 h_1 为出口水头损失）。

巴基斯坦远期修建过的连接渠上流量小于 $300\text{ft}^3/\text{s}$ 的渡槽，采用的 H 值为 0.5ft。对于更大的流量，可采用更大的数值。

7.4.2　流速

巴基斯坦连接渠道上的渡槽采用的最大流速为 5ft/s。在任何情况下，渡槽内可采用比渠道内流速更高的流速来获得适宜的渡槽输水比。同样，如果渡槽的输水比值是固定的，那么当流量已知时，就可计算出水流通过钢筋混凝土槽的流速。根据近期修建的连接渠道渡槽运行时所获取的经验,建议采用适当的渡槽输水比,而不是在渡槽内任意假定一个流速值。对于建设在 Qadirabad Balloki 连接渠道上的下 Chenab 渠道(LCC)渡槽,当前正面临着渡槽下游侵蚀和冲刷的严重问题。LCC 渡槽正常底宽为 110ft,渡槽输水比为 46%。这种大流量的水槽输水需要设计恰当合理的扭曲渐变段,其高额的施工费用和维护费用可能会使渡槽输水失去经济性。因此,从维修经济性考虑,建议渡槽输水比为 60%或更高。

7.4.3 底坡

渡槽坡度应与能量线坡度平行。

顶部加盖板以提供公路通道的管道或混凝土箱形渡槽应水平布置。在这种情况下,水流可看成是非均匀流,并且可通过在下游端、中心部位和上游端利用分段求和法计算回水曲线,以获取能量线。

7.4.4 超高

在巴基斯坦的连接建筑物设计中推荐的渡槽的超高(高于渠道最高供水位的建筑物高度)如下。

7.4.4.1 开敞式渡槽(表 7-2)

表 7-2　　过流张力与超高的关系

过流能力(ft^3/s)	0~100	100~250	250~500	>500
超高(ft)	1.0	1.5	2.0	2.5

7.4.4.2 封闭式渡槽

对大型管道(如 8ft 直径),按明渠水流考虑,超高为 6~12in。

渡槽最重要的部件为渡槽上、下游的渐变段。这种情况与虹吸详见 7.6 节。

7.5 倒虹吸(渡槽或上通道)的水力设计

倒虹吸管或虹吸上通道在另一条排水沟底以下输水。这可采用一节或几节钢管、圬工管或钢筋混凝土管。由于钢管太昂贵,而圬工管设计又比较落后,所以通常从强度和经济性考虑,采用钢筋混凝土管。

管内的流速大于上下游渠道内的流速,这样比较经济,而且还可防止倒虹吸管内的泥沙淤积。

7.5.1 水头损失

虹吸管内的水头损失与渡槽内的水头损失相同。

7.5.1.1 虹吸管进、出口的水头损失

$$q = aV$$

$$V = C_d\sqrt{2gh_1 + V_a^2}$$

$$V = C_d 2g\left(h_1 + \frac{V_a^2}{2g}\right)$$

或

$$h_1 = (1 + f_1)\frac{V^2}{2g} - \frac{V_a^2}{2g}$$

其中

$$f_1 = \frac{1 - C_d^2}{C_d^2}$$

$$h_1 = f_1 \frac{V^2}{2g} + \frac{V^2 - V_a^2}{2g}$$

式中 q——流量,ft^3/s;

A——虹吸管的面积,ft^2;

V——管内流速,ft/s;

C_d——根据进口体形确定的流量系数;

V_a——行进流速;

h_1——虹吸管进出口的水头损失。

第一项$\frac{f_1 V^2}{2g}$代表进水口或出水口处实际水头损失,根据进水口形状确定,锐缘损失大而流线形损失小。第二项表示转换成动能的势能,理论上讲,这部分动能还会在出口再次转换成势能(即深度)。但是,既使渐变段设计得再好也只能重新得到该部分能量的80%～90%,而对于那些设计不佳的渐变段(施工费用低廉),这部分能量就会完全损失掉。设计人员应综合考虑渐变段成本和在出口能获取的水头。

对于喇叭口(流线型进口):

$$C = 0.96 \sim 0.99 (\text{根据 Weisbach})$$

$$f_1 = (1 - 0.96^2)/0.96^2 = 0.084$$

对于圆形或圆筒状进口(锐缘):

$$C = 0.815$$

$$f_1 = (1 - 0.815^2)/0.815^2$$

$$f_1 = 0.505$$

因此,可看出喇叭口会减少水头损失,并且可计算出因进口形状引起的水头升高为:

$$0.505 \frac{V^2}{2g} - 0.084 \frac{V^2}{2g} = 0.421 \frac{V^2}{2g}$$

管内允许流速为 8～10ft/s,这意味着水头的升高将会降低约 8ft,这是个不小的降幅。由于倒虹吸采用了钢筋水泥混凝土管,布置喇叭口流线形进口并不会太昂贵。

如以上所述,如果设置了好的渐变段,那么由第二项计算的损失就可降低到大约原水平的 1/10,为 $0.1\left(\frac{V^2 - V_a^2}{2g}\right)$。因此,如果为喇叭口形渐变段,进口或出口的总水头损失为

$$h_1 = 0.084 \frac{V^2}{2g} + 0.1\left(\frac{V^2 - V_a^2}{2g}\right)$$

实际上 V_a 值很小,因而$\frac{V_a^2}{2g}$可忽略不计。这时

$$h = 0.184 \frac{V^2}{2g}$$

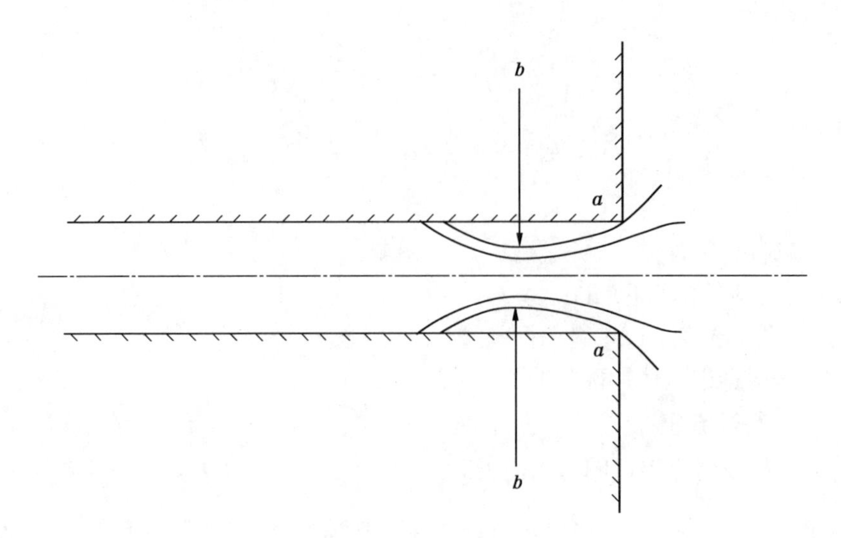

图 7-11　圆筒状进口

对于锐缘筒状进口渐变段,其水头损失为

$$h_1 = 1.505\frac{V^2}{2g}$$

在 7.4 节中已给出这两类渐变段和锐缘圆形与方形进口的一组数值。这些数值已为连接渠道上的工程所采用。

7.5.1.2　摩擦水头损失

S 可通过曼宁公式求得

$$V = \frac{1.486}{n}S^{1/2}R^{2/3}$$

因而,水头损失 $h_2 = S \times$ 管长(n 值在 7.4 节中给出)。

7.5.1.3　弯管水头损失

管道中肘管或弯管水头损失由次循环流和紧靠弯管下游的水流收缩引起。

$$h_3 = F_1\frac{V^2}{2g}$$

(1)根据 Weisbach 理论,$F_1 = \sin^2\frac{\theta}{2} + \sin^4\frac{\theta}{2}$;

(2)根据吉普森(Gibson)理论,$F = 0.000\,067\,6\,\theta^{2.17}$(其中 θ 为转弯角);

(3)Weisbach 以 R 和 D 的形式给出 F 值,如图 7-12 所示:

$$F_1 = \left(0.13 + 0.16\left(\frac{D}{R}\right)^{3.5}\right)\frac{\delta}{90}$$

根据亚历山大进行的试验,当 $R = 2.5D$ 时,F_1 值最小。但根据霍夫曼理论,当 R/D 在 7~8 之间时,F_1 值最小。

在巴基斯坦连接渠系统中,倒虹吸管所采用的弯管水头损失如下

$$k \times \frac{V^2}{2g}$$

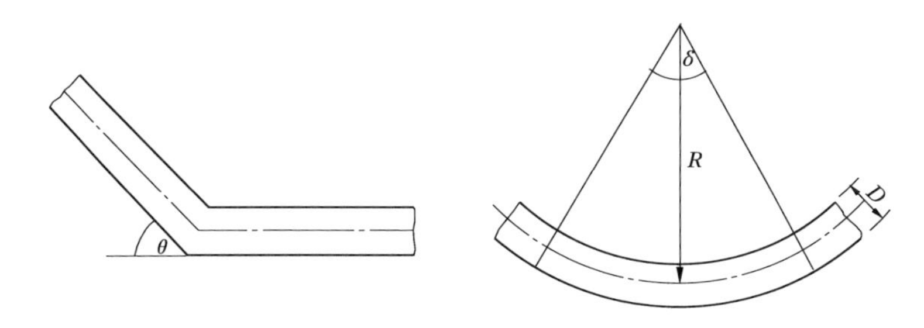

图 7-12 弯管和肘管内的水头损失

其中
$$k = \sqrt{\frac{\delta}{90}}$$

因此,经过倒虹吸管的总水头损失及其在进口处水头升高为

$$H = h_1 + h_2 + h_3 + h_1$$

其中,第一个 h_1 为进口处水头损失,第二个 h_1 为虹吸管出口处的水头损失。

7.5.2 流速

通过倒虹吸管的允许流速取 8～10ft/s,因为:

(1)这会减小过流面积,因而是经济的;

(2)防止泥沙和污物淤积。

流速的下限为 5ft/s。

7.5.3 坡度

根据地形条件确定坡度,但是倒虹吸管倾斜部分的坡度不宜大于 1:2,其后接水平段。

7.5.4 扬压力

扬压力假定有两种方法,需充分考虑:

(1)当经过倒虹吸的渠道或排水沟无水,且倒虹吸满水运行时,扬压力作用在虹吸管顶部,如图 7-13 所示。

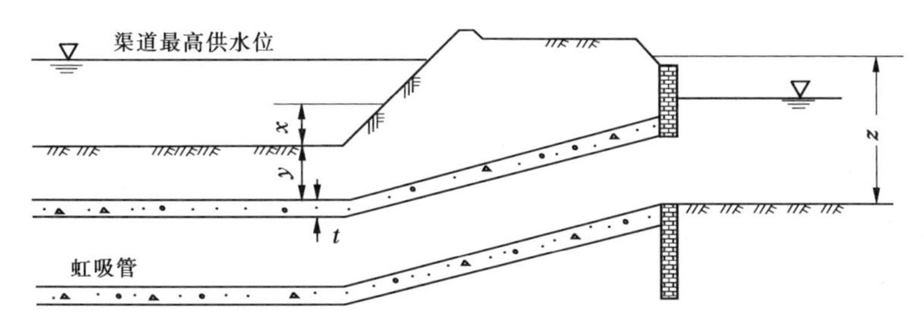

图 7-13 作用在倒虹吸结构上的扬压力

因此,顶部总的扬压力为

$$\gamma(x + y + t) = \gamma(x + y + t) - (\gamma_1 t + \gamma_2 y)$$

式中 γ_1——混凝土容重;

γ_2——土的容重;

γ——水的容重。

(2)作用在倒虹吸进出口前渐变段内倒虹吸底板上的扬压力,最不利情况是管中无水,而上面渠道或排水沟满水运行。产生扬压力的水头差为 z,底板应该相应进行设计。应根据底板厚度要求在底板起始端开始,这与拦河闸底板设计情况相同。惟一的困难是在这种情况下地下水流是三维的,但在计算中仍按照两维处理,并采用 Khosla 方法进行计算。这可通过专用的更高的安全系数来弥补。其他荷载包括作用在倒虹吸上的活荷载和死荷载。

7.5.5 设计步骤

给出的数值应为通过倒虹吸的最大流量、最大允许水头升高、底高程和水位。

步骤 1:选择最大的容许流速,如 8ft/s。

步骤 2:作为首次的近似值确定倒虹吸面积。

步骤 3:已知总断面面积,确定倒虹吸管数量。

推荐的正常尺寸用于小流量,最小管径 3ft,最大管径 4ft。对于较大流量,推荐使用宽度和高度都不小于 2.5ft 的整体混凝土箱涵。由于在深槽内铺设大直径管道的费用昂贵,应避免采用超大直径的管子。

管径为 D 的倒虹吸管数量 N 可通过下列公式获得:

$$N \times \frac{\pi D^2}{4} \geqslant A$$

N 可计算,并应取整数。

步骤 4:确定与倒虹吸管数量 N 相对应的准确面积。

步骤 5:为了确定水头损失,首先应通过绘制渠道或排水沟断面,断面下方与不同高程对应的倒虹吸管,确定倒虹吸管和弯管段长度,然后利用上述给出的公式确定水头损失。

步骤 6:如果这样获取的 H 值低于允许数值,那么计算出的 N 值和管径或尺寸都是正确的。如若不然,则需要选定新的数值重新计算。

步骤 7:复核新条件下的流速值,流速应为 8ft/s 左右。

7.6 渐变段

灌渠的灌溉面积根据其水位确定,略微降低水位就有可能使大量的耕作区域得不到灌溉。当渠道使用水槽输水时,这种情况更容易发生。在水槽段进口处,势能会转换成动能(在水槽输水段流速可高达 10ft/s)。如果在出口不设置适当的渐变段,那么所有这些额外的动能就会在漩涡和回水滚流中释放,这将对渠道底部和边坡造成侵蚀和冲刷破坏。这样就会降低出口的水位,相当于所产生的水头损失。

如设置适当的扭曲面渐变段,可减小 80%~90%的此类水头损失,而且这些动能还可转换成水深。如前面章节中所论述,不好的渐变段意味着更大的水头损失。为补偿通过渐变段和水槽输水段的水头损失,在渡槽或倒虹吸管的进口使水头壅高。这样就可能需要使上游渠道或排水沟岸坡抬高。如果水位确实被抬高,而且在如此形成的回水范围内设有出水口,那么其顶高程也不得不抬高。

因此,对于流量较大的渠道,初期投入较大的资金设计适当的渐变段,从长远考虑是

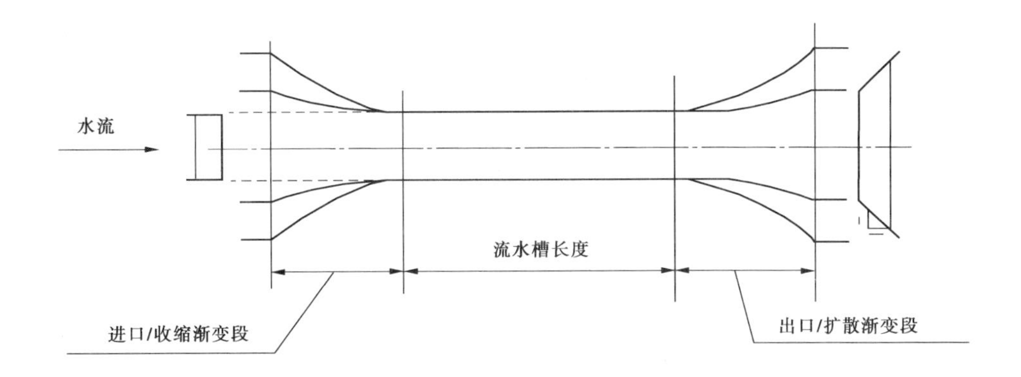

图 7-14　渐变段平面图

更加经济的。

关于水槽输水还存在另一个问题。20 世纪 60 年代修建渐变段的连接渠,采用了高达 45%的水槽输水率。由于水槽输水率过高,尽管这些工程都有造价昂贵的渐变段,但是下游还是不断出现维修问题。巴基斯坦以往的常规做法是使水槽输水达到 70%或最好 60%,这样的做法更加成功。

通过以上论述可明显看出,不论渠道是从上方还是下方穿过天然排水沟,都应为渠道设计适当的渐变段。在天然排水采用流槽输水而渠道采用上通道或倒虹吸时渐变段的重要性不大。

7.7 渐变段类型

如图 7-15 所示,渐变段的类型有 3 种。

(1)圆弧型;

(2)楔型;

(3)扭曲型。

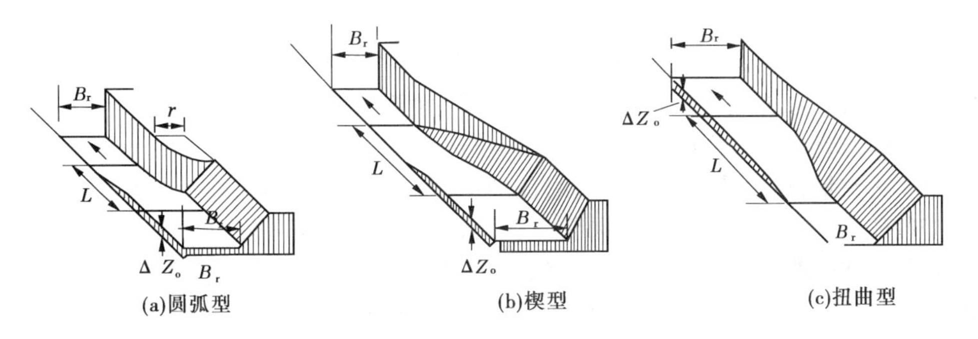

图 7-15　典型渐变段

圆弧型最为简单,可用于小流量。图 7-16 中所示,用垂直墙替代圆弧形墙体将渐变段进一步简化。图 7-17 中显示的渐变段与图 7-16 中所示的渐变段相似,不过前者是用于圆管,而后者则用于混凝土箱涵。

进口渐变段的收缩比为 1:3,而出口渐变段的扩散比可为 1:5。如图 7-16 中所示,扩

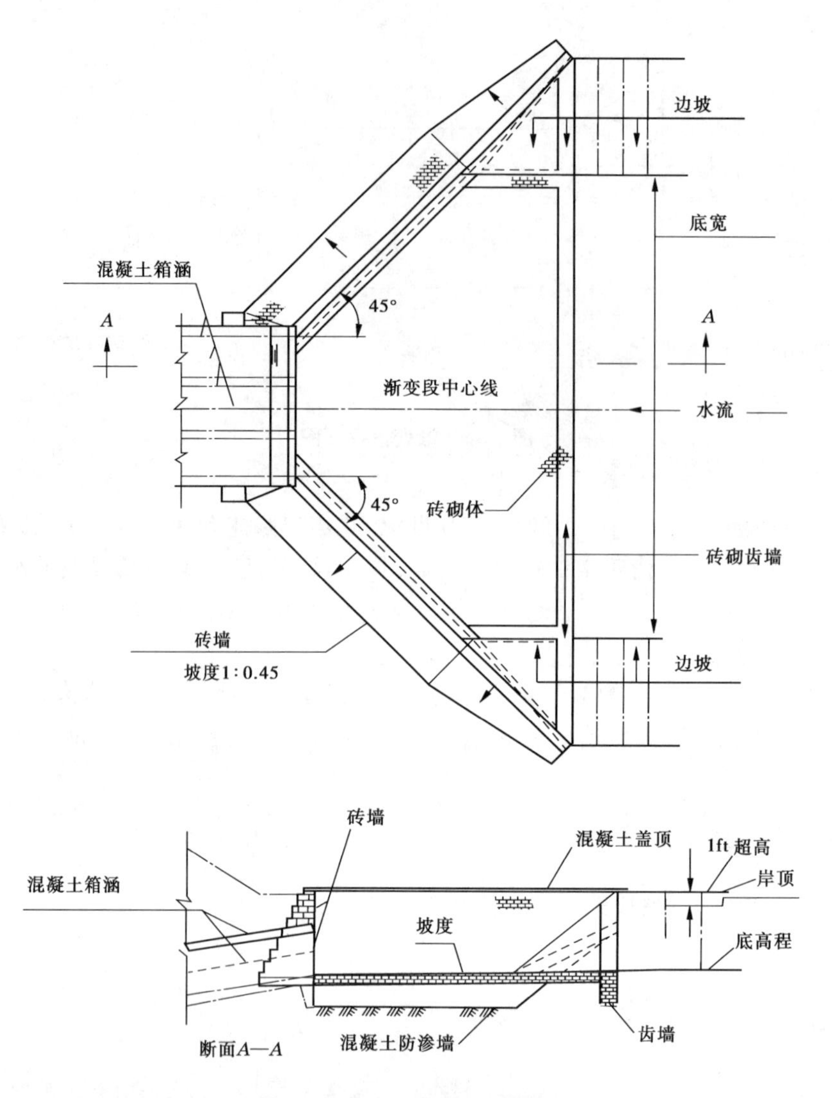

图 7-16 混凝土箱涵直墙渐变段

散角不应超过45°。这种渐变段已经用于连接渠、渡槽和倒虹吸中。这类渐变段虽然不是非常有效，但造价便宜，尤其对 300ft^3/s 以下的小流量非常经济。

对于大流量，建议采用扭曲渐变段((c)型)。辛德得出的结论认为，如果设计合理，扭曲渐变段能恢复 80%～90%的流速水头差。设计细节在以下各段中叙述。

扭曲渐变段的设计方法可以按照辛德(Hinds)指出的方法设计渐变段，他基于试算法的设计方法需要大量计算；但是这种方法的优点是更加准确。在初步设计中可采用辛德设计方法的简化形式，尽管精度不是太高，但却可节约大量的人力和时间。以下通过设计实例(附录Ⅰ)对这两种方法进行阐述。应注意这样设计的渐变段必须经过水工模型试验验证，并应根据试验结果进行最终调整。

7.7.1 **辛德方法** I(如图 7-18 中所示)

(1)渐变段的长度应足以控制渠道出口与连接进出口(即 $A-A$ 断面和$B-B$ 断面)

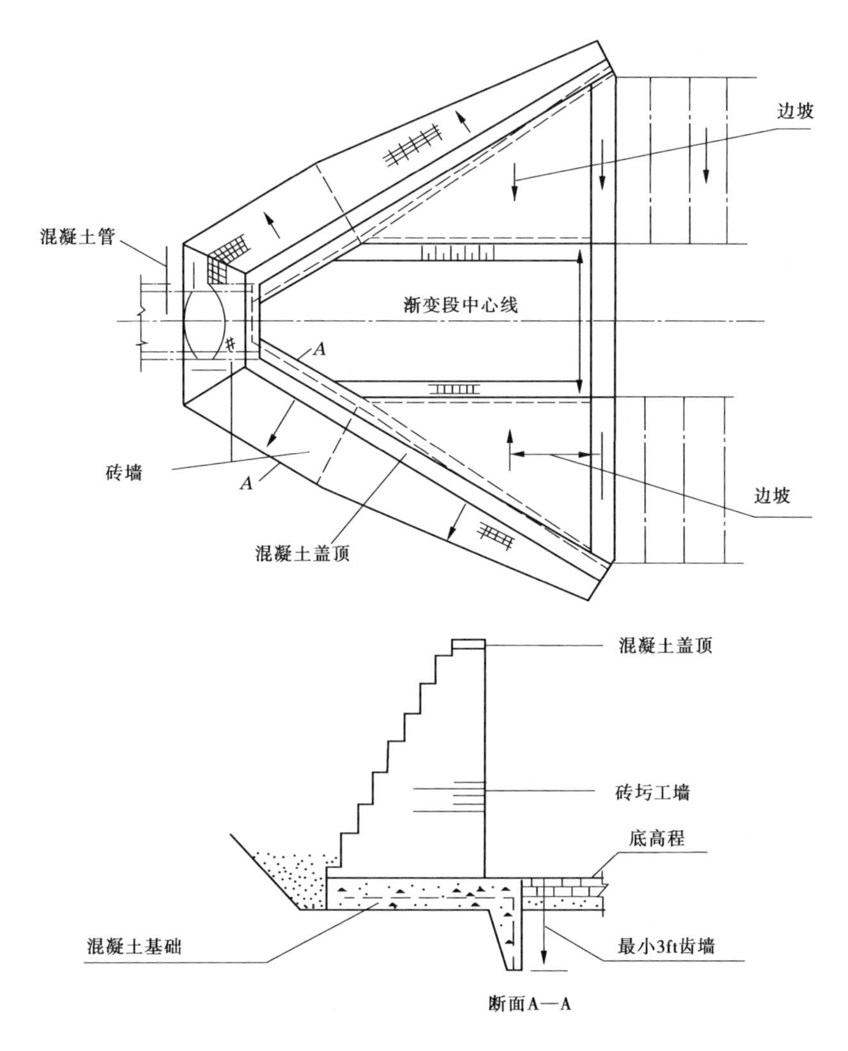

图 7-17 管道直墙渐变段

流线的连线之间的角度(下限为 12°30′)。

(2)忽略摩擦影响,水面线可看作是两条抛物线构成的反曲线。必须以进出口(A 和 B)的水面线为渐近线。总水位降包括流速水头变化再加进口损失,进口损失因不同建筑物类型而不同。

(3)水面线可用抛物线公式 $y=cx^2$ 计算,x 和 y 如图 7-18 中所示。为方便起见,可把渐变段分成许多等距的分段。

(4)在绘制了水面剖面之后,假定整个渐变段长度的水头损失均匀分布,即可计算相应段间的流速水头(h_v)变化。任何段的总流速水头(h_v)都可通过进口流速水头加流速水头变化获取。然后可计算水流的流速和过流面积。

(5)在平面上,水位线与渐变段底部均应外观光滑。这些线条可任意绘制,水面线与渠道轴线之间的扩散角不应太大(上限 25°)。记录半顶和半底宽度(给出平均值),并计算各段的相应水深。

(6) 这时可考虑摩擦影响(可以指明摩擦不会在底部剖面产生大的变化,而且摩擦损失经常可以被完全忽略而不会出现重大误差)。计算摩擦坡度(S_f)和累积摩擦水头损失(h_f)并修正水面线。这样获取的水流剖面应不会出现严重的不规则(扭曲),否则,就必须对该平面进行调整。在最终确定设计前,必须多次进行试验。

(7)计算渠道底高程,这样渐变段的水力设计就完成了(渠道底高程 = 水面高程 - 该段的水流深度)。

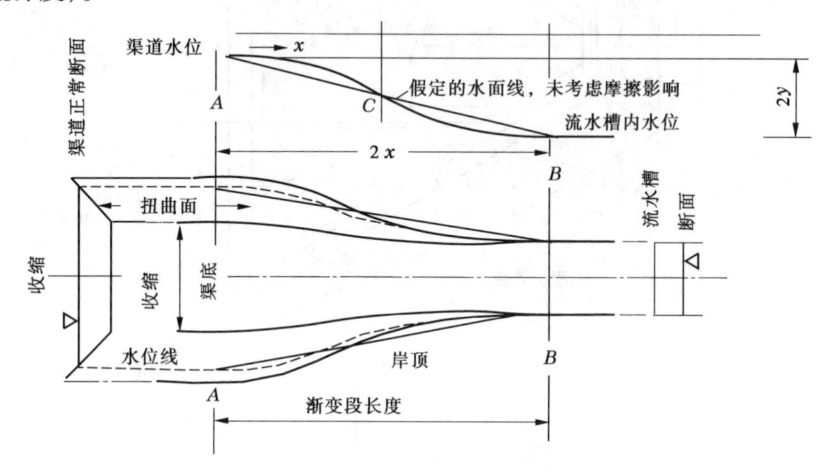

图 7-18　典型水槽进口渐变段

7.7.2　**辛德程序Ⅱ**(简化)

(1)渐变段的长度应以不使其过陡为宜。最大扩散角(与渠道轴线夹角)为:进水口30°,出水口22.50°。

(2)渐变段进出口的水流深度通常都相同。水槽输水比根据经验确定,为避免出现水跃,水槽内的水流必须为缓流。

(3)已知进出口横断面的水力特征后,就可计算出这两个流速。再加上渐变段的能量损失(0.1~0.3倍进出口流速水头差),就能绘制出总能量线。由于已知两段的流速水头,就能确定水面高程。两段的底高程由水面高程减水深来确定。

(4)在两段间的总能量线和渠底线都设为直线。

(5)水面线应按照前面的要求绘制。渐变段被分成适当数量的等距分段,并假定水面由两条 $y = cx^2$ 抛物线构成。

(6)任何分段的水深都为水面高程与渐变段底高程的差值。

(7)然后计算流速水头(总能量与水面高程之差),并据此计算水流横断面面积和水流流速。

(8)已知特定断面所需的过流面积、水深和边坡后,就能计算底宽。在渠道轴线两侧对称绘制底宽,然后徒手连接这些点即可得到渐变段底的形状。

7.8　天然排水进口设计

如前面所述,天然排水进口基本上是一个修建在渠道岸边,使径流由此进入渠道的溢流堰结构。它非常类似于斗渠的渠首调节闸,但它却允许渠道外的水流入渠道。

为使渠道道路通过,它既可为带闸门和闸墩溢流堰,也可为下部设有钢筋混凝土排水管的挡水堰,后者更便宜且施工简单。

然后是斜坡和消力池。如果排水进口顶部非常接近渠道的最高供水位(比如小于2ft),那么就需要设置平板闸门,控制来自进口的任何可能回水水流。该堰可设计为宽顶堰。

$$Q = CLH^{3/2}$$

式中,C 值取3.08。

事先估算最大流量,并且堰顶高程确定为使不产生多余蓄水为宜。如图7-19a,7-19b,7-19c所示为进口排水系统的细部情况。

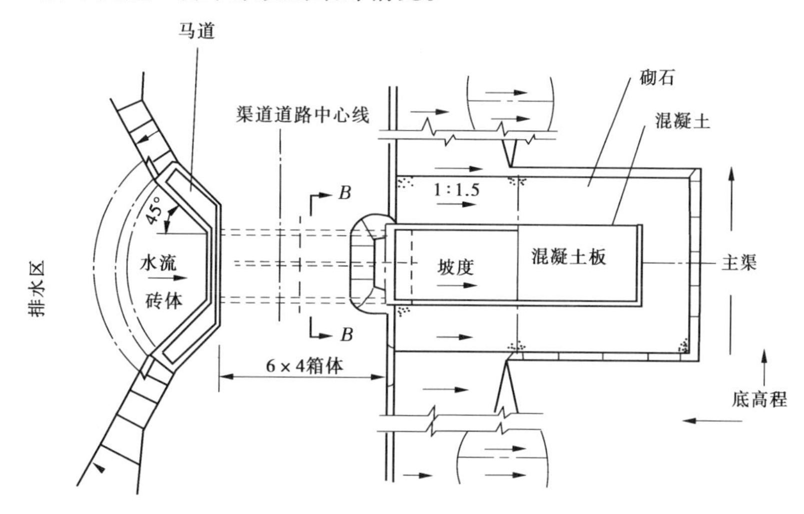

图7-19a　天然排水进口细部(平面图,单位:ft)

同样,平面交叉设计包括确定一座横跨渠道底部和排水的节制闸,控制排水流量,使渠道内水位不产生任何壅高。计算公式同上。

$$Q = CLH^{3/2}$$

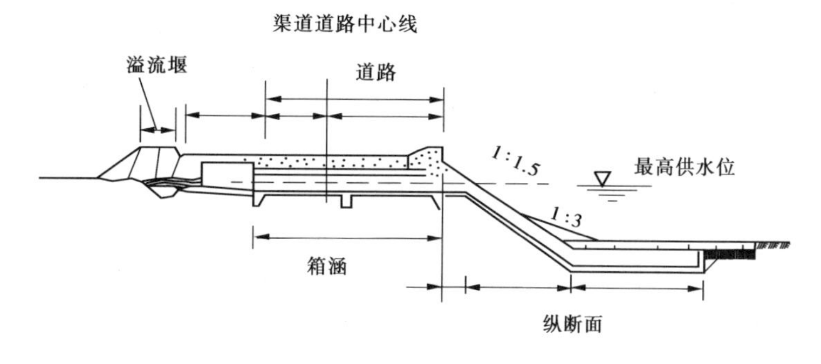

图7-19b　排水进口细部图(纵断面)

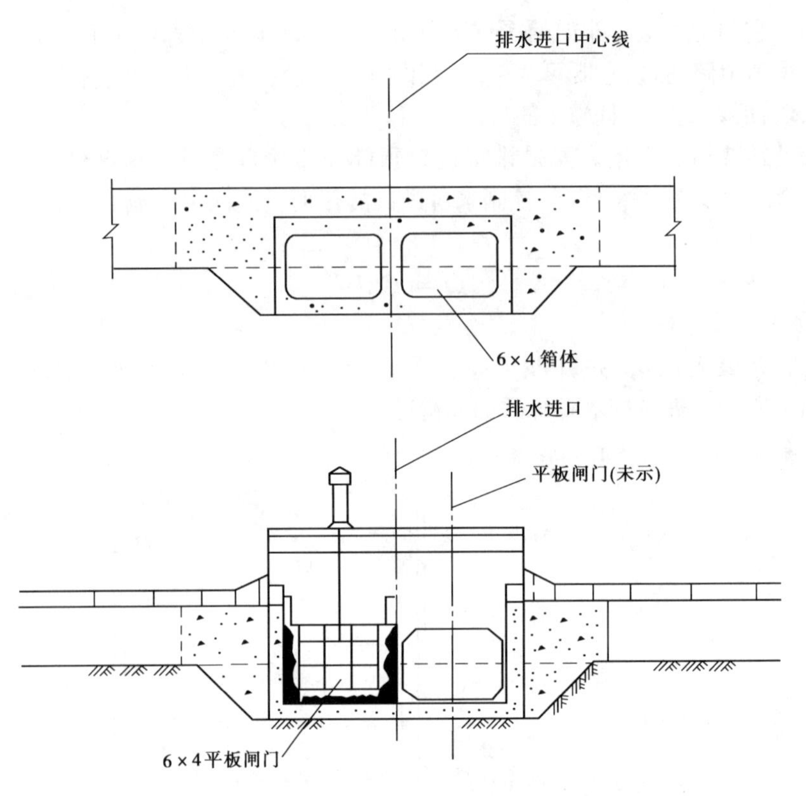

图 7-19c　排水进口细部图(横断面,单位:ft)

习题

1.在下列情况下你会推荐哪种交叉排水建筑物?并叙述你的理由。

(1)渠底和天然溪流位于同一高程,而且

a.与渠道流量相比,天然溪流流量很大;

b.与渠道流量相比,天然溪流流量很小;

c.渠道和溪流的流量几乎相同。

(2)渠道底高程高于溪流底高程,并考虑上述条件 a,b,c。

(3)渠道底高程低于溪流底高程,并考虑上述条件 a,b,c。

2.在问题1中,在什么情况下你才会推荐天然排水进口,还需要其他什么条件?

3.你是否能将公路桥和渡槽或上通道结合在一起设计?设计中你必须有哪些额外考虑或采取哪些预防措施?

4.在渠道流水槽段的进出口设置渐变段的目的是什么?

5.当流量为低、中、高时,流水槽应选择什么类型的渐变段?

6.进行渡槽进口渐变段设计,渠道流量 3 000ft/s、底宽 100ft、深度 6ft。渡槽输水率为 60%、边坡 1:1.5。如有漏项时,可假定任何其他的适当数值。

参 考 文 献

[1] Rouse H. Engineering Hydraulics. John Wiley & Sons New York, 1969.

[2] Leliavsky S. Design Text Books in Civil Engineering. Vol. II, Chapman and Hall, London, 1966.
[3] Hinds J. The Hydraulic Design of Flume and Siphon Transition. Transaction American Society of Civil Engineers, Vol. XCII, 1928.
[4] Hoffman A. Loss in 90? Pipe Bends. American Society of Mechanical Engineers, 1935.
[5] Tipton and Kalamback Inc. Design Report Rasul Qadirabad Link Canal. Indus Basin Project No.2 Vol. V, WAPDA, Lahore, 1962.
[6] Tipton and Kalamback Inc.. Completion Report Sidnai Mailsi Link Canal. WAPDA, Lahore, 1966.
[7] Ahmed Mushtaq. Lower Bari Doab Canal Aqueduct Crossing Sidhnai Mailsi Link. Technical Report No. 564/Hyd/1967. Irrigation Research Institute, Lahore.
[8] Luna B A.Burela Branch Aqueduct Crossing Sammundari Drain Outfall. Technical Report No. 709/Hyd/1973, Irrigation Research Institute, Lahore.

附录Ⅰ　渡槽设计

数据

(1)渠道

$Q=6\ 000ft^3/s$

上游水位=430.00ft

泥沙系数=1.0 (假定)

(2)河流

$Q_{max}=150\ 000ft^3/s$

最大水深=16.0ft

河床高程=392.50ft

河流水面高程=408.50ft(HFL)

设计

1　排水水道

莱西(Lacey)湿周长:

$P=2.67Q^{1/2}=2.67\times150\ 000^{1/2}=2.67\times387=1\ 032ft$

30孔,每孔净跨30ft和29个支墩,基础宽50ft。

边墩间距离:900+145=1 045ft

水道净长度:900ft

根据曼宁公式槽内流速为($n=0.018$)11.15ft/s;槽内水深为14.9ft。

假定渡槽处河床高程为392.50ft,河流水面高程为392.50+14.90=407.40ft。这说明槽内的水流高于渠底。渠道参数(根据莱西公式)如附图7-1-1所示。

底宽=186ft

水深=9.32ft

边坡=1∶1.5

面积=$17.75ft^2$

底坡=1/8 000

流速=3.38ft/s

$\frac{V^2}{2g}=0.177\ 4ft$

渡槽参数(根据曼宁公式)如下:

$$V=\frac{1.486}{n}\times R^{2/3}S^{1/2}$$

$B=90ft$　　　　$A=833.4ft$

$D=9.26ft$　　　　$S=1∶2\ 000$

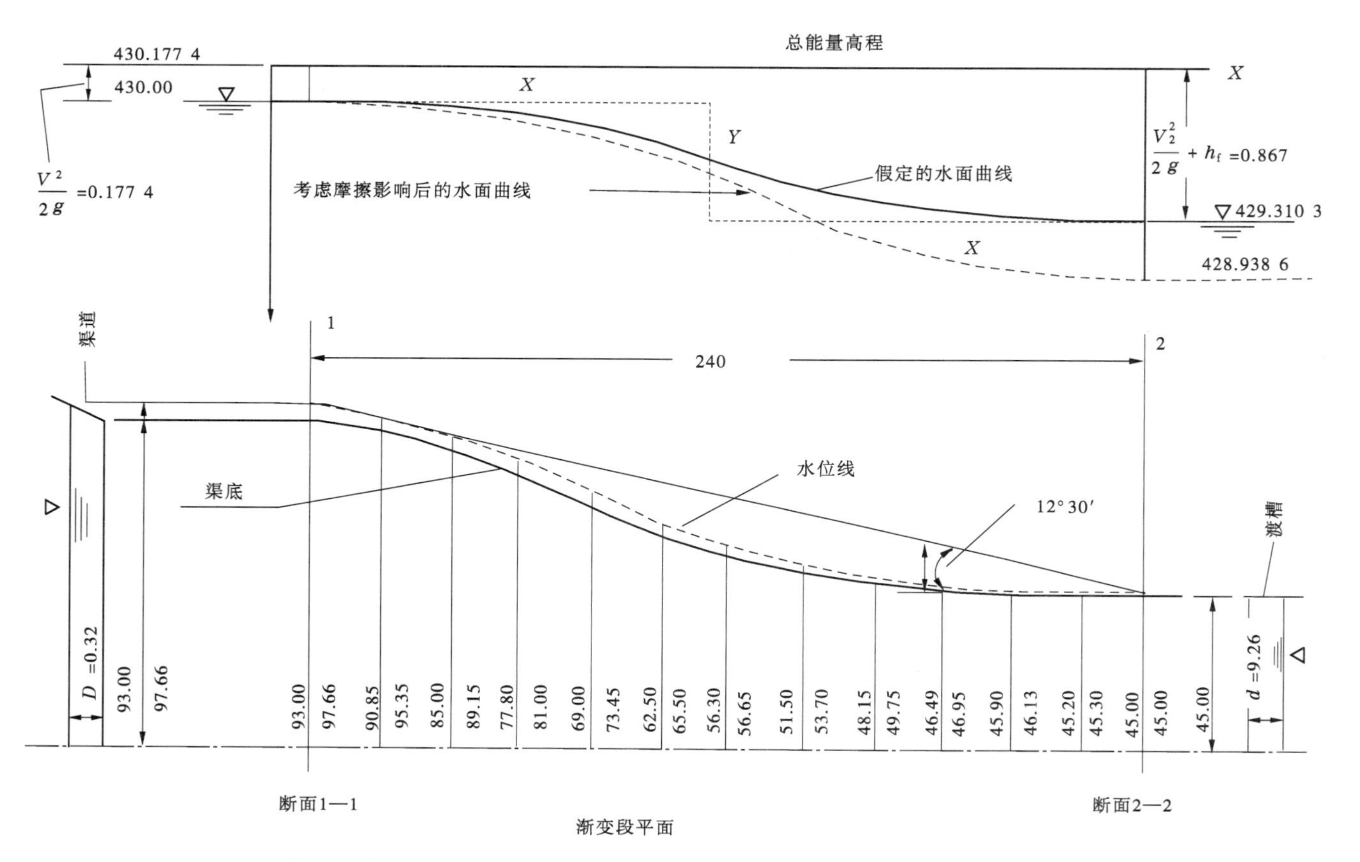

附图 7-1-1 （参考附表 **7-1-1**,单位:ft）

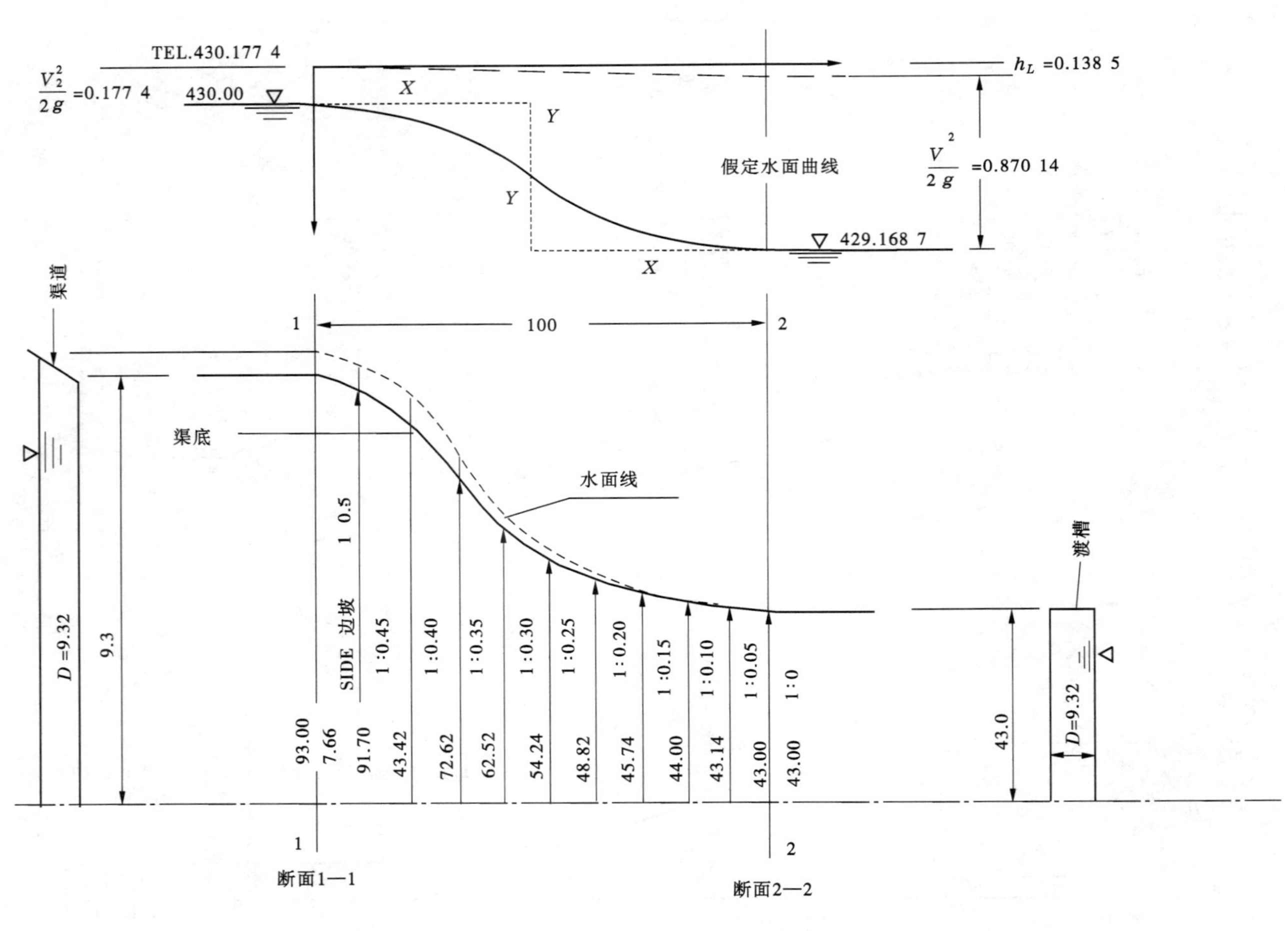

附图 7-1-2　简化法附表 7-1-2(单位:ft)

$V=7.1972$　　　$n=0.018$

$\frac{V^2}{2g}=0.804$

2　**水槽进口渐变段**(辛德法)

渐变段长度 $=\frac{195.32-90}{2}\times\frac{1}{\tan 12°30'}=237\text{ft}$

不考虑摩擦：

$y=cx^2$，其中 $x=120\text{ft}$

$y=(0.8044-0.1774)\times\frac{1.1}{2}=0.34485\text{ft}$

$0.34485=c\times 120^2$

$c=0.0000239$

详细计算如下(如附表 7-1-1)：

第 1 列：把渐变段分成 12 个 20ft 等长度的段，记录这样的分段编号。

第 2 列：顺水流方向，从 1－1 处开始量测分段距离。

第 3 列：利用公式 $y=cx^2$(其中 $c=0.0000239$)计算各段的水面落差。

第 4 列：由于假定进口的水头损失沿渐变段长度均匀分布，所以相邻两段间流速水头变化可用水位差除以 1.1 确定。

第 5 列：任一段的流速水头都是该段上的 Δh_V 和 1－1 断面的流速水头之和。

第 6 列：流速 $=\sqrt{2gh_v}$。

第 7 列：x 断面的过流面积 $=\frac{Q}{V}=\left(\frac{6\,000}{列(6)}\right)$。

第 8、9 列：渐变段底和水面都是任意绘制的，记录底宽的一半和顶宽的一半。

第 10 列：渡槽平均宽度是底宽的一半与顶宽的一半之和(列(8)＋列(9))。

第 11 列：各段的水深通过过流横断面积除以该段的平均宽度(列(7)/列(10)得出)。

第 12 列：平均水力半径 $=\frac{过流面积}{湿周}$。

第 13 列：摩擦坡度(S_f)由公式 $S_f=\frac{n^2V^2}{2^{2.22}R^{4/3}}$计算，假定 $n=0.018$。

第 14 列：该段和上一段摩擦坡度的平均值。

第 15 列：任意两段间的摩擦水头损失 h_f 为平均摩擦坡度和两段间距离的乘积(例(11)×列(14))。

第 16 列：累积摩擦水头损失($\sum h_f$)，以 ft 计。

第 17 列：包括水道摩擦影响在内的水面高程，由下式给出：

任何段的水面高程 $=430.00-\Delta y-\sum h_f=430.00-$ 列(3)－ 列(16)。

注：这样计算出的水面高程应能绘制出光滑水流剖面。如水面不规则，那么就应修正平面布置并重新进行所有计算。

第 18 列：任何段的底高程均为该段水面高程与水流之差(列(17)－列(11))。

3 渡槽进口渐变段(简化法)

(1)渠道断面 1－1

$B = 186\text{ft}$

$D = 9.82\text{ft}$

边坡 1∶1.5

$S = 1:8\ 000$

$V = 3.38\text{ft/s}$

$\dfrac{V^2}{2g} = 0.177\text{ft}$

水面高程 $RL = 430.00\text{ft}$

渠底高程 $RL = 430.00 - 9.32 = 420.68\text{ft}$

能量线高程 $RL = 430.177\ 4\text{ft}$

(2)渡槽断面 2－2

设渡槽宽度为 86ft

渐变段进出口水深相同:水深＝9.32ft

所以:

$A = 801.52\text{ft}^2$

$V = \dfrac{Q}{A} = 7.485\ 8\text{ft/s}$

$\dfrac{V^2}{2g} = \dfrac{56.038}{64.4} = 0.870\ 14\text{ft}$

在渐变段内因收缩产生的水头损失$= 0.2 \times (0.870\ 14 - 0.177\ 4)$

$= 0.2 \times 0.692\ 74$

$= 0.138\ 548\text{ft}$

能量线高程$= 430.177\ 4 - 0.138\ 548 = 430.038\ 8\text{ft}$

水面高程 $RL = 430.038\ 8 - 0.870\ 14 = 429.168\ 7\text{ft}$

渠底高程 RL(渐变段进出口水流深度相同时)$= 429.168\ 7 - 9.32$

$= 419.848\ 7\text{ft}$

渐变段进出口处水面总落差$= 0.831\ 3\text{ft}$

渐变段长度 $= 2\left(\dfrac{186-86}{2}\right) = 100\text{ft}$(假定 2∶1 收缩)

水面曲线为:

$y = cx^2$

$c = \dfrac{0.415\ 65}{25\ 000} = 0.000\ 166\ 26$

计算结果见附表 7-1-2 中的记录。

附表 7-1-1 **水槽进口(收缩)渐变段**

(i) $Q=6\ 000ft^3/s$

(ii) 长度=240ft

(iii) 水面落差=0.689 7ft

1－1 断面(进口)

底宽=186ft　　渠底高程 $RL=420.68ft$

水深=9.32ft　　水面高程 $RL=430.00ft$

边坡=1∶1.5　　总能量高程 $RL=430.177\ 4ft$

分段 (1)	距 1－1 断面距离 (ft) (2)	水面落差 y (ft) (3)	流速水头变化 $\Delta h_v=\Delta y/1.1$ (4)	流速水头 h_v(ft) (5)	流速$=\sqrt{2gh_v}$ (ft/s) (6)	面积$=Q/V$ (ft^2) (7)	0.5×底宽 (ft) (8)	0.5×顶宽 (ft) (9)
1	0	0	0	0.177 40	3.380	1 775.15	93.00	97.66
2	20	0.009 47	0.008 70	0.186 10	3.462	1 733.10	90.35	95.35
3	40	0.038 31	0.034 83	0.212 23	3.697	1 622.93	85.00	89.15
4	60	0.086 20	0.078 37	0.255 77	4.059	1 478.19	77.80	81.00
5	80	0.153 26	0.139 32	0.316 72	4.516	1 331.55	69.75	73.45
6	100	0.239 47	0.217 69	0.395 09	5.044	1 189.53	62.50	65.50
7	120	0.344 85	0.313 49	0.490 89	5.623	1 067.04	56.30	58.65
8	140	0.450 23	0.409 29	0.586 69	6.147	976.08	51.50	53.70
9	160	0.536 44	0.487 67	0.665 07	6.545	916.73	49.15	49.75
10	180	0.627 61	0.570 55	0.747 95	6.940	864.55	46.40	46.95
11	200	0.651 38	0.591 25	0.768 05	7.037	852.63	45.90	46.13
12	220	0.680 12	0.618 29	0.795 69	7.158	836.22	45.20	45.30
13	240	0.689 70	0.626 99	0.804 40	7.197	833.40	45.00	45.00

续附表 7-1-1

2－2 断面(出口)

底宽＝90ft　　渠底高程 RL＝419.678 6ft　　水流深＝9.26ft　　水面高程 RL＝428.938 6ft

边坡＝1∶0　　总能量高程 RL＝430.114 7ft

平均值	水深 (ft)	平均水力半径 R(ft)	摩擦坡度 S_f $n^2y^2/(2.22R^{4/3})$	平均摩擦坡度	摩擦水头损失 h_f(ft)	累积摩擦水头损失 (ft)	水面高程 (ft)	渐变段底高程 (ft)
(10)	(11)	(12)	(13)	(14)	(15)	(16)	(17)	(18)
190.66	9.320	113.82	0.000 312 5	0.000 322 7	–	–	430.00	420.680
186.20	9.317	111.66	0.000 333	0.000 359	0.006 454	0.006 454	429.983 968	420.666
174.15	9.313	105.804	0.000 386	0.000 466	0.007 180	0.013 634	429.948 051	420.635
158.80	9.307	98.600	0.000 546	0.000 659	0.009 32	0.022 954	429.890 837	420.583
143.20	9.301	90.545	0.000 773	0.000 917	0.013 18	0.036 134	429.810 606	420.509
128.00	9.290	82.830	0.001 061 1	0.001 768	0.018 34	0.054 474	429.706 056	420.416
114.95	9.280	77.060	0.001 455	0.001 671	0.025 16	0.079 634	429.575 516	420.295
105.20	9.275	72.250	0.001 888	0.002 069	0.033 42	0.113 054	429.436 716	420.161
98.90	9.271	69.890	0.002 250	0.002 405	0.041 38	0.154 434	429.309 126	420.028
93.35	9.268	67.130	0.002 660	0.002 710	0.048 10	0.202 534	429.169 856	419.901
92.03	9.265	66.620	0.002 760	0.002 820	0.054 20	0.256 734	429.091 881	419.826
90.50	9.260	65.905	0.002 895	0.002 920	0.056 54	0.313 274	429.006 604	419.746
90.00	9.260	65.705	0.002 945	—	0.058 40	0.371 674	428.938 626	419.678

附表 7-1-2 **水槽进口(收缩)渐变段(简化法)**

(i) 长度=100ft (ii)水面落差=0.831 3ft (iii)Q=6 000ft^3/s

1-1 断面(进口)

底宽=186ft 渠底高程 RL=420.68ft

水深=9.32ft 水面高程 RL=430.00ft

边坡=1:1 总能量高程 RL=430.177 4ft

2-2 断面(出口)

底宽=86ft 渠底高程 RL=419.848 7ft

水深=9.32ft 水面高程 RL=429.168 7ft

边坡=1:0 总能量高程 RL=430.038 8ft

分段 (1)	距 1-1 断面距离 (ft) (2)	$y=cx^2$ (ft) (3)	水面高程 (ft) (4)	最高水位高程(线变) (5)	流速水头 (5)-(4) ft (6)	流速 $=\sqrt{2gh}$ (ft/s) (7)	边坡 S (线变) (8)	过流面积 $A=Q/V$ (ft^2) (9)	底高程(线变) (10)	水深 (4)-(10) (ft) (11)	底宽 B $\left(\frac{A}{D}-SD\right)$ (ft) (12)
1	0	0	430.000	430.177 40	0.177 40	3.380 0	0.50	1775.150 0	420.680 00	9.320 00	186.000 0
2	10	0.0166 26	429.983 38	430.163 60	0.180 22	3.406 8	0.45	1761.183 5	420.596 87	9.386 51	183.405 3
3	20	0.066 504	429.933 50	430.149 70	0.216 20	3.731 5	0.40	1607.932 4	420.5137 4	9.4197 6	166.930 2
4	30	0.149 634	429.850 37	430.135 84	0.285 47	4.288 0	0.35	1 399.253 7	420.430 61	9.419 76	145.248 3
5	40	0.266 015	429.733 99	430.12 199	0.388 00	4.999 0	0.30	1 200.240 0	420.347 48	9.386 51	125.052 7
6	50	0.415 650	429.584 35	430.108 13	0.523 96	5.809 0	0.25	1 032.880 0	420.264 35	9.320 00	108.494 0
7	60	0.266 015	429.434 71	430.094 28	0.659 57	6.517 0	0.20	920.669 0	420.181 22	9.254 39	97.643 5
8	70	0.1496 34	429.318 33	430.080 43	0.762 10	7.007 0	0.15	856.286 5	420.098 09	9.220 24	91.487 3
9	80	0.665 04	429.235 20	430.066 57	0.831 37	7.317 0	0.10	820.008 2	420.014 96	9.220 24	88.013 5
10	90	0.0166 26	429.185 32	430.052 72	0.867 40	7.474 0	0.05	802.782 9	419.931 83	9.253 49	86.291 9
11	100	0	429.168 70	430.038 80	0.870 10	7.485 8	0.00	801.520 0	419.848 70	9.320 0	86.000 0

8　灌溉分水口

8.1　前　言

灌溉系统设计是否合理的惟一检测标准就是衡量其是否能够均匀地向农户分配水源,不管其与支渠的距离有多远。这种配水由作为分水口的水工建筑物来完成。分水口在巴基斯坦称为 mogha,在美国和其他国家称作 turn out。在整个灌溉系统中分水口与其他建筑物相比,数量众多,所以分水口的型式和设计与是否能够均匀分配水源关系最大。因而对灌溉工程师来说,分水口的合理设计与否至关重要。本章将介绍一些典型的分水口,包括其特征和设计方法以及设计实例。

8.2　定　义

分水口是一个从国家所有的支渠或斗渠向私人所有的农渠输送灌溉用水的水工建筑物。

8.3　分水口基本要求

分水口的基本要求如下:

(1)分水口必须有足够的强度,且无活动构件,以便最大限度减少人为破坏。

(2)容易发现用水者的人为破坏行为。

(3)分水口必须从源渠中带走适当泥沙。

(4)分水口应该能在低工作水头下工作。高工作水头要求源渠中水位更高,因此会增加灌溉系统的投资,而且高水头也容易产生水涝。

(5)总的安装和维护费用应该尽可能低。

8.4　分水口类型

分水口分以下几类(见图 8-1)。

非模型分水口:其取水流量由支渠和源渠水头差决定。这意味着用水者可以通过降低农渠的水位非法获取更多的水量。

半模型分水口:其取水流量仅由支渠水位决定,而与农渠内水位无关。它通过在流道长度内产生水跃来获取。

模型分水口,或者叫刚性分水口:其取水流量与农渠和支渠中水位都无关。其取水流量在任何设计值下都是固定的。它通过产生自由涡流,破坏超过设计流量中超过允许量的额外水头工作。

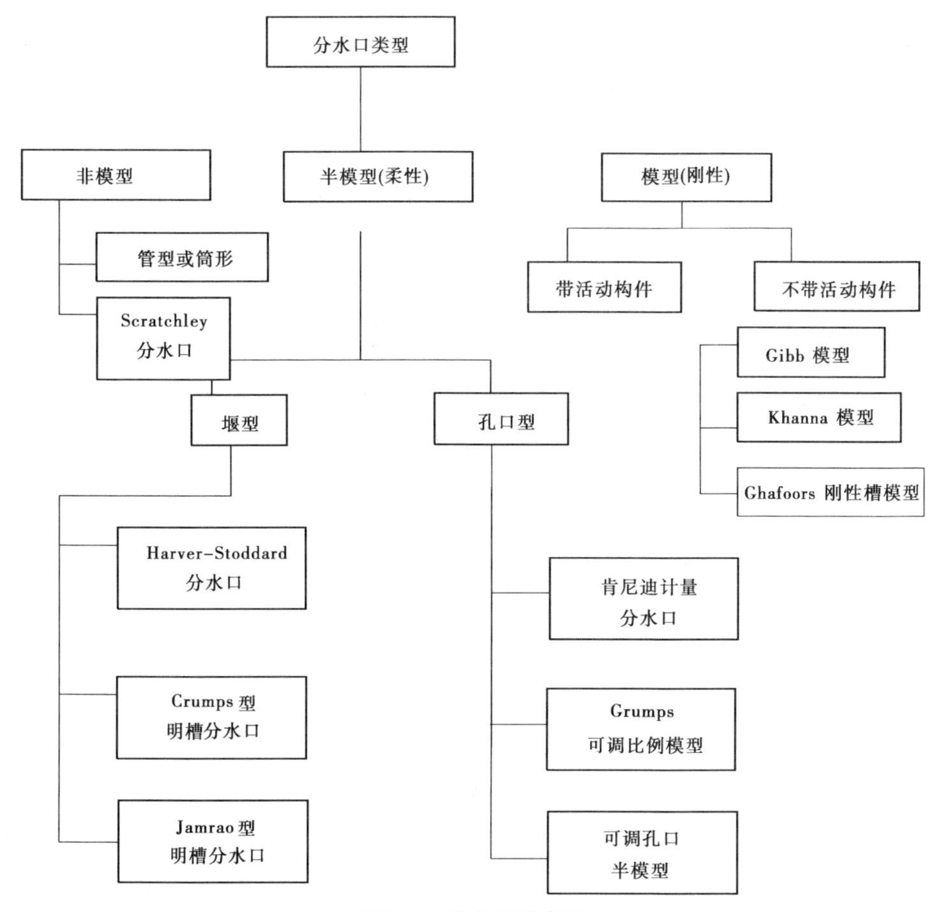

图 8-1　分水口的类型

8.5　分水口特征

8.5.1　变幅

分水口取水流量随支渠流量变化而变化的能力称为变幅，定义为分水口取水流量变化率与源渠流量变化率之比(见图 8-2)。

$$F = \frac{\mathrm{d}q}{q} / \frac{\mathrm{d}Q}{Q} \tag{8-1}$$

式中　F——柔度；

q——分水口取水流量；

Q——源渠流量。

一般来说渠道的流量可用深度 D 来表示

$$Q = CD^n$$

$$\frac{\mathrm{d}Q}{\mathrm{d}D} = nCD^{n-1}$$

$$\frac{\mathrm{d}Q}{Q} = n\frac{\mathrm{d}D}{D} \tag{8-2}$$

同样分水口取水流量可表示为:

$$q = C_1H^m$$

式中 H—— 分水口水头。

$$\frac{\mathrm{d}q}{\mathrm{d}H} = mC_1H^{m-1}$$

$$\frac{\mathrm{d}q}{q} = \frac{m\mathrm{d}H}{H} \tag{8-3}$$

$$F = \frac{m}{n} \times \frac{\mathrm{d}H}{\mathrm{d}D} \times \frac{D}{H}$$

很明显任何水位波动,即渠道中水深的变化,都将引起分水口作用的水头的变化。

$$\mathrm{d}H = \mathrm{d}D$$

$$F = \frac{m}{n} \times \frac{D}{H} \tag{8-4}$$

在一个边坡为1:0.5的梯形渠道中,n 近似为5/3。

对一个堰来说,即明槽型分水口,$m=3/2$,因此对这种类型来说:

$$F = 0.9\frac{D}{H}$$

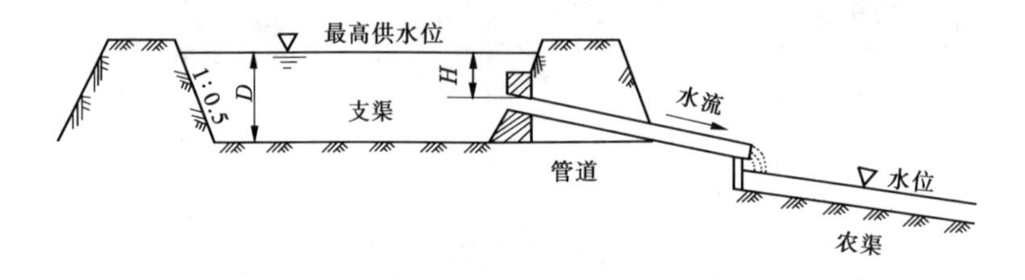

图 8-2　D 和 H 的定义

同样,对孔口型水槽,$m=3/2$,由此

$$F = 0.3\frac{D}{H}$$

如果 $F=1$,分水口称为成比例的;

如果 $F>1$,分水口称为超比例的;

如果 $F<1$,分水口称为欠比例的。

对于刚性模型,显然 F 为零。

在 $F=1$ 情况下,即源渠中流量增加或减少的百分数都将导致分水口取水流量相同的百分数流量增加或减少。

$$F = 1 = 0.9\frac{D}{H}$$

或

$$\frac{H}{D}=0.9$$

D/H 为分水口的一个控制参数，对一个成比例的明槽分水口来说，堰上水头 H 必须是 $0.9D$。同样对于孔口型的分水口，H 应为 $0.3D$，以使模型成比例。

8.5.2 敏感性

敏感性为分水口取水流量变化率与支渠水位变化率，即渠道正常水深变化率之比。

设 G 为渠道水位计读数，并设定水位计的零对应分水口零取水流量。由于半模型取水口的取水流量不受农渠水位影响，因此为了读出半模型分水口的取水流量应该先校准该水位计。

$$S = \frac{\mathrm{d}q}{q} \Big/ \frac{\mathrm{d}G}{\mathrm{d}D}$$

$$F = \frac{\mathrm{d}q}{q} \Big/ \frac{\mathrm{d}Q}{Q} = \frac{\mathrm{d}q}{q} \Big/ \frac{n\mathrm{d}D}{D}$$

因为

$$\mathrm{d}D = \mathrm{d}G$$

$$S = nF$$

$$S = \frac{5}{3}F\text{，边坡为 } 1:0.5 \text{ 的渠道}$$

当分水口水头 H 由于季节性的沙坡降度变动而变化时，敏感性也会随之变化。而上述坡度变动是由冲刷或泥沙淤积造成的，坡度的改变引起了水位变化。

在刚性模型中敏感性为零。如果对于相同水位升降下，出水口流量变化更大的话，那么敏感性也更高。

8.5.3 效率

效率为上游水位与下游水位之比。在堰型分水口中效度与淹没度相同，而在孔口半模型分水口中，是水跃高度与水头下降之比。

$$淹没度 = \frac{下游堰上水深}{上游堰上水深}$$

8.5.4 最小模型水头

最小模型水头是使模型或半模型分水口按设计要求工作所需的供水侧和引水侧最小水位差或水压差。

8.5.5 模块极限

使模型或半模型分水口不能工作的任何系数的极限值。

8.5.6 模型范围

模型范围是指模型或半模型分水口发挥设计功能时的模型极限条件范围。

8.5.7 流量系数

为了将分水口用作测量装置，在整个模型范围内流量系数都应保持不变。对一个堰型的半模型分水口来说，窄颈段长了比短了好，因为在后者中 C 可能会随着水头而升高，且数值不确定。

8.5.8 排沙能力

分水口是否能够排走其分摊的那部分泥沙是很重要的，因为这样能避免由于泥沙淤积或冲刷而引起的支渠改造。在分水系统中，通常由于排沙而损耗的水量为 10%，因此为了排沙，分水的取水流量应为支渠流量的 110%。

8.5.9　**可调节性**

模型分水口的调节范围从全部重建到某些机械布置调整，机械布置调整费用较小，例如在 Crump 的可调比例模型中可以通过开高成降低顶部活动顶板来调节。还可根据灌渠面积变化和支渠条件变化进行调节。

8.5.10　**防止人为破坏**

部分用水者通过破坏分水口引用更多的水，有时这是因为实际供水量低于实际灌溉需求所致。因此，分水口应能防止人为破坏。大部分根据水跃形式形成的半模型出水口可以防止人为破坏。

8.6　管型或圆筒型分水口

图 8-3 所示为管型分水口详图，其中使用了 A.C. 管。过去也曾用过铸铁管和钢管。分水口水平布置，与渠道中心线成直角。它们的轴线一般在最高供水位以下 9in，但主渠和支渠除外，在主渠和支渠中一般取决于水位波动。

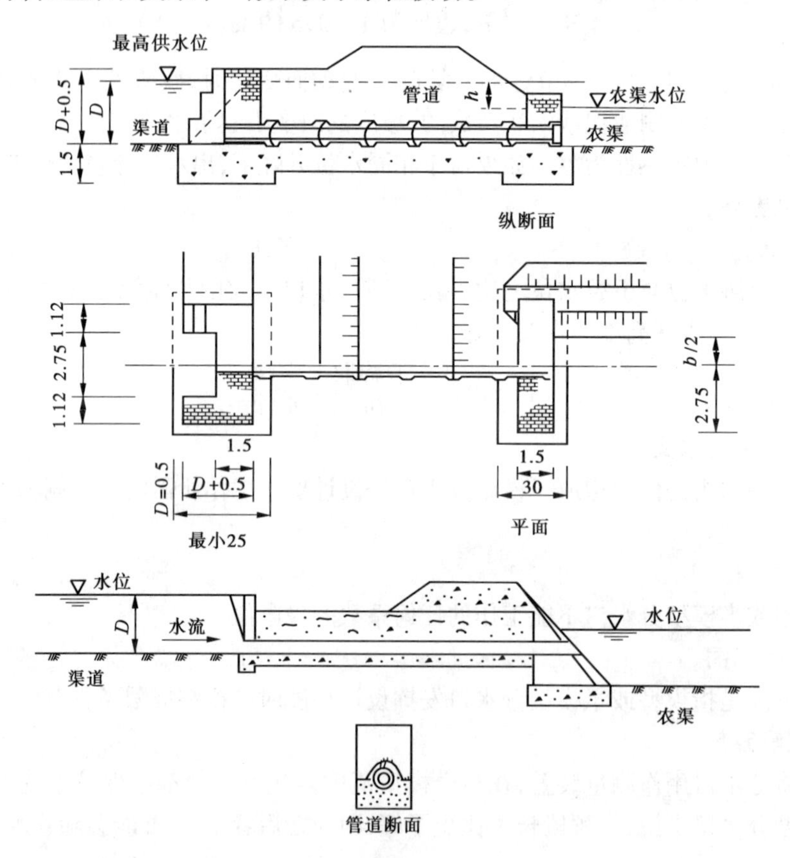

图 8-3　管道分水口

流量公式：在任何管道中，以下两个方程式都适用：

$$H = \frac{V^2}{2g} \times \frac{0.5V^2}{2g} \times \frac{flV^2}{2gd}$$

选用合适的 f 值(摩擦系数),或

$$q = CAp2gH$$

如果管道出口端被淹没,H 则为斗渠水位和农渠水位差;对于自由出流的出水口来说,H 则为渠道的最大供水位与分口中心线之差。在后一种情况中这个分水口为半模型分水口。应注意如果渠道水位上升,将自由出流分水口变为淹没型分水口,则 C 值增大,从而流量增大。这是因为淹没后,在出口处水流速度水头恢复,H 值减小的缘故。对断面为 0.6ft^2,长 15ft 的矩形断面分水口,C 值由于淹没作用从 0.63 增加到 0.74。

8.7 Scratchley 分水口

图 8-4 所示为 Scratchley 型分水口的平面图和断面图。这种分水口基本与管型分水口相似,惟一不同的是在分水口末端有 2ft^2 或 3ft^2 的蓄水池,并且在水池中设有孔口,向农渠供水。它的主要优点有:

(1)根据蓄水池和农渠中的水位差,易于确定水头。

(2)由于只需调节孔口而无需调节管身,所以对于流量的微小变化很容易进行调节。

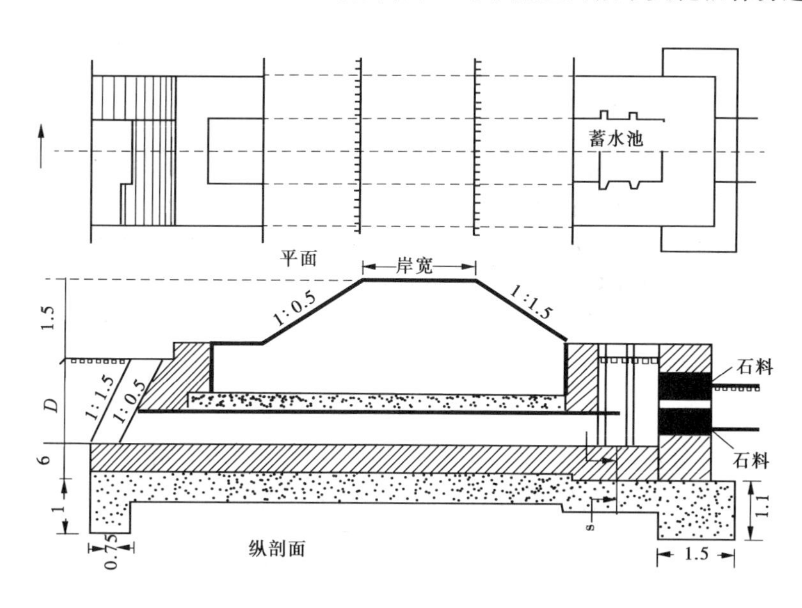

图 8-4 Scratchley 型分水口的平面和纵剖面(单位:ft)

其特征有:

可调性—— Scratchley 分水口可调节性能非常好。可以通过安装一个超过所需管径的管子,并安装一个管头将孔口调至合适的尺寸。

变幅——在旁遮普省通常将分水口布置在斗渠底高程,因而其变幅取决于工作水头,而工作水头又取决于农渠水位。

排沙能力——出水口设在渠底的支渠基本上没有淤积问题。

效率——管型分水口的惟一优点可能就是效率。与半模型出水口不同,它们可以在非常小的工作水头,甚至在 0.1ft 的水头下工作。

设计——对于Scratchley分水口,推荐表8-1中的尺寸。

水箱或蓄水池的尺寸:

分水口流量小于$1ft^3/s$　　2ft×2ft

分水口流量$1\sim2ft^3/s$　　2.5ft×2.5ft

分水口流量大于$2ft^3/s$　　3ft×3ft

表8-1　Scratchley分水口孔口和圆筒尺寸

孔口尺寸(ft^2)	圆筒尺寸	
	宽(ft)	高(ft)
0.6以下	1.0	1.0
0.61~0.7	1.2	1.0
0.71~0.8	1.4	1.0
0.81~0.9	1.5	1.0
0.91~1.0	1.5	1.25
1.01~1.4	1.5	1.5

8.8　半模型分水口

作为柔性型式,这种分水口也有两种类型:孔口型与堰型或流槽型。在下列各节中将讨论最早发明的肯尼迪型计量分水口、标准的明槽分水口型式和半模型孔口分水口型式。在8.4节中提到的各种半模型出水口具有相同的基本原理,但各部分的尺寸、窄颈段长度、坡度、扩散段等变化很大。

8.9　肯尼迪型计量分水口

这种分水口发明于1906年,其基本原理是在气室中设有排气孔,使流量不受农渠中水位的影响。这种分水口很容易通过堵塞通气孔形成气室真空并增加流量,使其遭受破坏。1915年肯尼迪发明了改良型的不容易受到人为破坏的计量分水口,如图8-5所示。

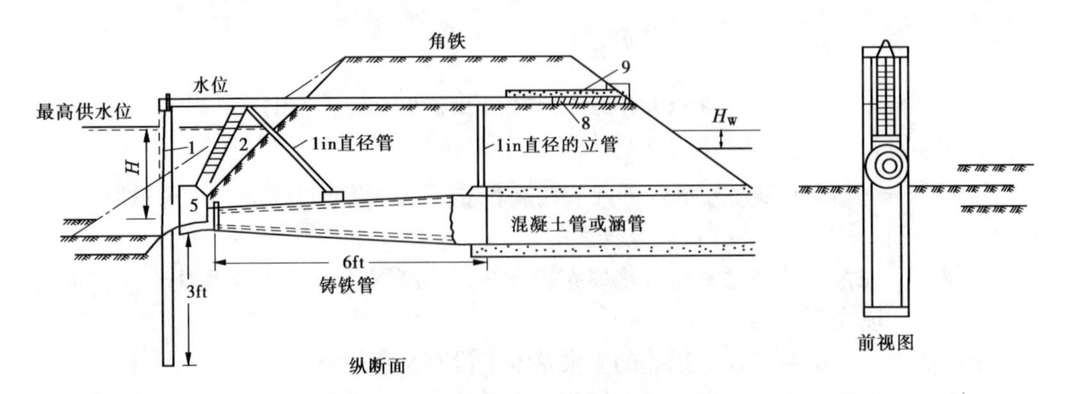

图8-5　改良的肯尼迪计量分水口详细图

原先使用的垂直排气管已被废弃,在每边外侧替换为带有搪瓷刻度的角铁,角铁内为气管。

整个结构由孔口盒中的锁定螺母拧紧固定在 10ft 长的边侧柱上，包括角铁，一个焊接在角铁上的镀锌管，以及两管之间的膨胀金属条。

水流流过喇叭口进入导向气室的铸铁孔口，铸铁孔口通过上述通风管和大气相通。水流入一个铁皮制成的断面扩大的圆锥，圆锥通常大约 10ft 长，以确保水流流速从高到低的平稳过渡，其后连接一混凝土管或涵管。

但是这个改进不能防止人为破坏和改动，用水者可以通过喇叭口堵塞排气管。这种改进现在已被废弃。

流量与孔口上的水头成比例，即 H_c 高达工作水头 H_w。如水头为 H_c 的 1/4，小于该 H_w 值，则排气管中的水量会增加并停止发挥半模型出水口的功能。

8.10 明槽分水口

明槽分水口有多种类型，具体结构各不相同，但基本原理一样，都是产生急流，形成水跃，使流量不受农渠中的水位影响。

图 8-6 所示为旁遮普省所采用的标准型式。下面的说明适用于所有这种类型的分水口。

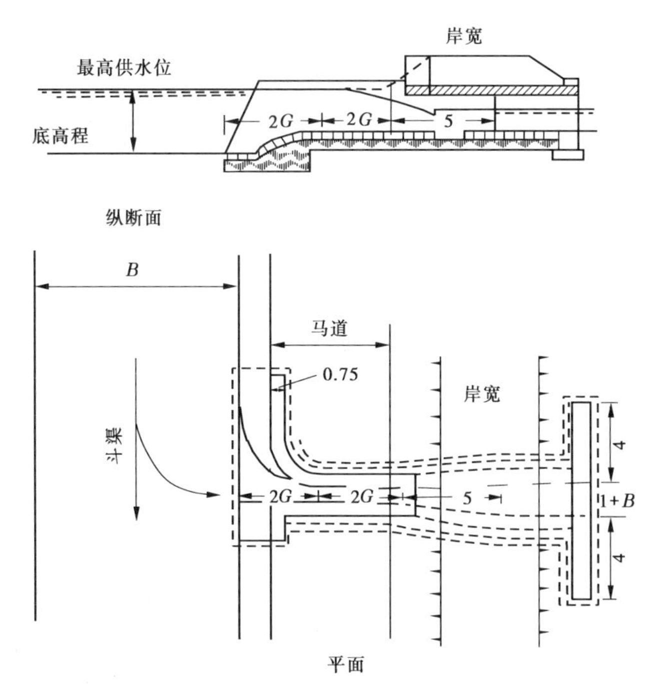

图 8-6　旁遮普使用的明槽分水口体形设计(单位:ft)

结构——明槽分水口是一个设有被称为窄颈段的收缩段的平滑堰，以确保急流流速。该段长度足以保证控制断面在所有流量情况下都位于窄颈段以内。控制断面或临界断面是形成临界流的临界点，因此，该点的水头以一定方式随流量变化，流量系数保持不变。该断面紧接着另一个扩散段，使动能转换成水深。整个结构可用砖砌筑，但窄颈段底部采用钢材、铸铁或光滑混凝土。

流量——流量由下式给出

$$q = KB_t G^{3/2}$$

式中，B_t 为窄颈段宽度。

K 的理论值为 3.087，但考虑到入口损失，其值应小于 3.087，其值如下：

B_t	K
0.2～0.29ft	2.90
0.3～0.39ft	2.95
大于 0.4ft	3.00

B_t 的最小值应为 0.2ft，以避免孔颈段被污物阻塞。只要能得到所要求的最低模型水头，所有流量系数都不变。模化程度可通过观察水跃的形成来进行检查。

可调性——不容易调节。无论是升高或降低堰顶，还是增大或减小窄颈段宽度，该结构都得部分重建。

变幅——当设定值为渠深的 0.9 倍时，它是成比例的。如果堰顶一直在 $0.9D$ 以上，$F>1$ 且它是超比例的，而如果该值更小的话则趋向刚性。在最大运行水位下降时，F 会升高；水位升高时，则 F 会下降。应在此指出的是次比例的分水口比较好，即设定值小于 $0.9D$。

排沙能力——与渠底相比堰顶越高，排沙能力就越低。为此最好设置较低的堰顶，同时也满足变幅要求，但是从水力学角度上看这不大可能，因为堰顶必须保持更高些，以适应流量要求。例如一个 3ft 深的水渠，在渠底布置 0.2ft 宽分水口，其最小取水流量为 $3.01ft^3/s$。这意味着，如果将取水流量降低为 $2ft^3/s$ 甚至更低，那么 G 值必须减小或堰顶必须抬高。

效率——最低模数水头或要求的最低工作水头在 $0.1G \sim 0.2G$ 之间。如果将之设计的更高，则这些分水口可在很小的水头下工作，这是其主要优点。这些分水口适用于：

(1)更低的渠段，或渠尾分口群(渠道尾部多组分水口)。

(2)按比例分水。

8.10.1 缺点

由以上讨论可知，这种分水口既可设计为容易被堆积物堵塞的深窄型，又可设计成超比例而不能适当排沙的宽浅型。

为克服变幅大的问题，在窄颈段上安装顶板，其在满流量时离水面 0.05～0.1ft。一旦渠道中的流量增大，在窄颈段中的水位碰到顶板，形成孔口出流 $Q = Ca\sqrt{H}$，$C = 5.0$。这将引起流量的减少和水位的上升。这样分水口中流量增大的速度会小于不加顶板的分水口 。在 Bahawalpur 地区所采用的典型顶板的设计方法如下：

(1)安装顶板，其距离等于在窄颈段上游端以下的 G 值，窄颈段长度在 $2.5G \sim 3.0G$ 之间。

(2)顶板底部应在渠顶以上 $0.7G$ 处。

(3)顶板底部应为矩形边缘。

8.10.2 **优点**

(1)要求的工作水头很小,是堰顶以上水深的10%~20%;

(2)是比较好的按比例分水的设施,适合于尾端分口群;

(3)排沙可以通过更改分水口的进口部分得以控制;

(4)当设计在0.9*D*以下时,则其趋向于次比例并且排除其分摊那部分泥沙。

图8-7所示为Crump明槽型出水口的平面及剖面图,它在1922年首次应用在Lower Bari Doal渠,并随后很快在旁遮普推广。这种型式只在细部结构上与图8-6所示的旁遮普标准类型有所不同。

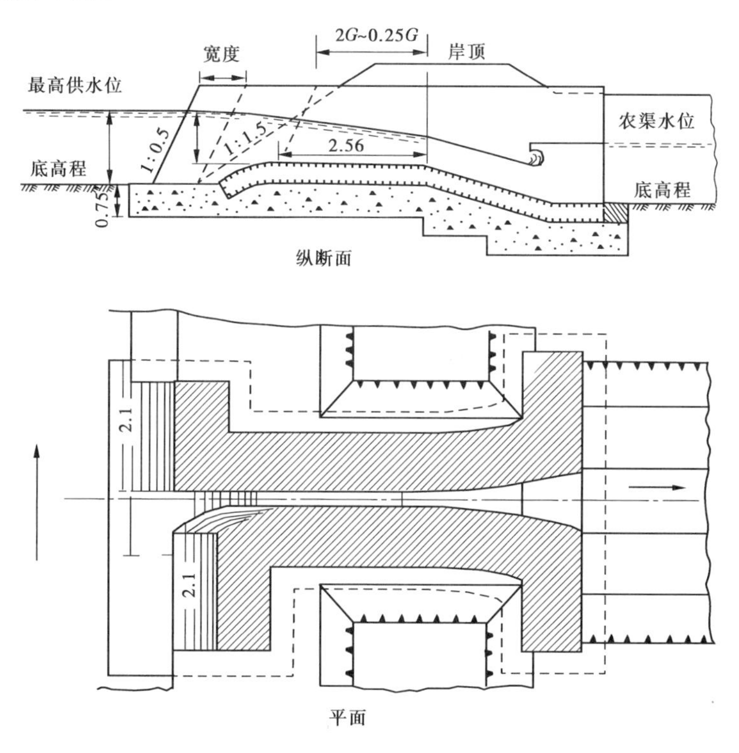

图8-7 Crumps型明槽出水口(单位:ft)

8.11 孔口半模型

一个孔口半模数型分水口主要包括一个由顶部铸板形成的孔口和逐渐扩大的渐变段。该孔口在水跃之后管口产生急流,使流量不受水渠中的水位影响。这种结构有多种类型,各类型仅在细部上有所不同。最早的类型于1922年由Crump推得并被命名为Crump的可调比例模型(可调比例模型)。图8-10所示(下文)的Crump可调比例模型在旁遮普省已不再使用,而由它的改进型可调管口半模型(AOSM)所代替,它的标准类型描述如下。

8.11.1 **可调管口半模型**(标准类型)

AOSM是Crump的可调比例模型的改进型。在Crump的可调比例模型原始设计中,$H_s = Y$。对于管口半模型当顶部铸板底部在满水位下0.3*D*处时,$F = 1$,因此在

Crump 的可调比例模型中的堰顶设计为水深的 6/10。后来发现这个设计造成了渠道淤积。为避免淤积，Crump 的可调比例模型尝试了将堰顶设计为水深的 8/10、渠底高程和低于渠底高程。但在这些情况已不再成比例，尽管这种类型仍然叫做可调比例模型。后来稍作改进就形成了 AOSM，"比例"这个词就不用了。

8.11.1.1 结构

图 8-8a 所示为一个 AOSM 的平面及立面图，图 8-8b 为从下游方向的视图。它是一个有顶部铸板的长喉管明槽，在与喉管平行的上游端进行纵向调节。顶部铸板由以下几部分组成：

(1)安装在渠顶的底盘；

(2)安装在边墙上的两块检查刻度盘；

(3)可安装在任何位置并在检查盘之间滑动的顶部铸板(见图 8-9)。

上游翼墙为急弯曲线形，后移距离 $W=\frac{q}{Q}\times$渠宽。但是在 Q 很大(如 1 000ft³/s)、q 为正常值(1～4ft³/s)时，W 值(也是分水口进口宽度)可能会小于 B_t。在这种情况下可选择大于 B_t 的 W 值。下游墙如图 8-8 所示为曲线型张开结构。水平段未显示并提供了 1:15 的缓坡贯穿前后。在喉管和正常断面间设置一个固定半径 25ft 长的渐变段。顶部铸板底部为流线型，倾斜度 1:7.5 以确保水流平稳收敛，以及得到更加稳定的流量系数值。

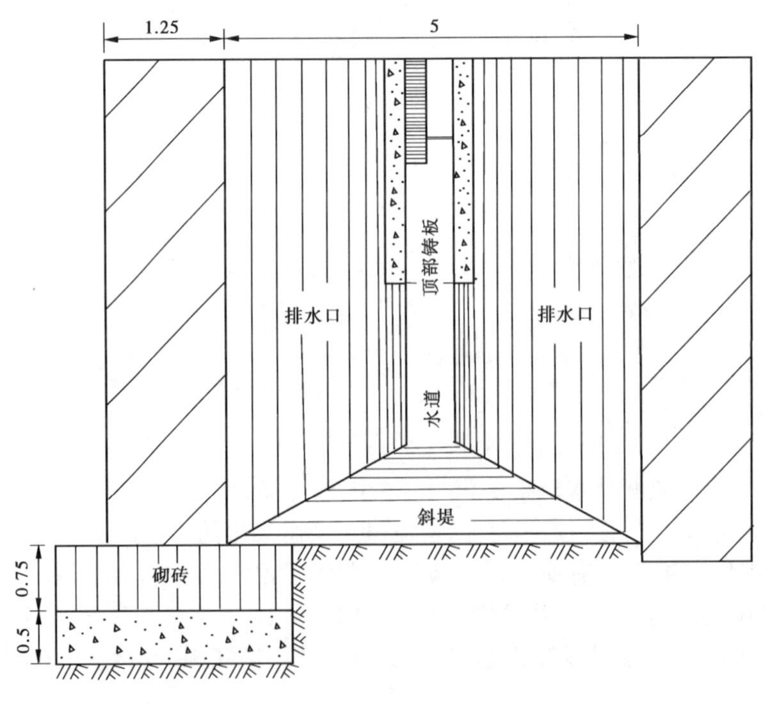

图 8-8a 可调节管口半模型分水口(单位:ft)

8.11.1.2 流量公式

可调比例模型和 AOSM 的流量公式一样，为

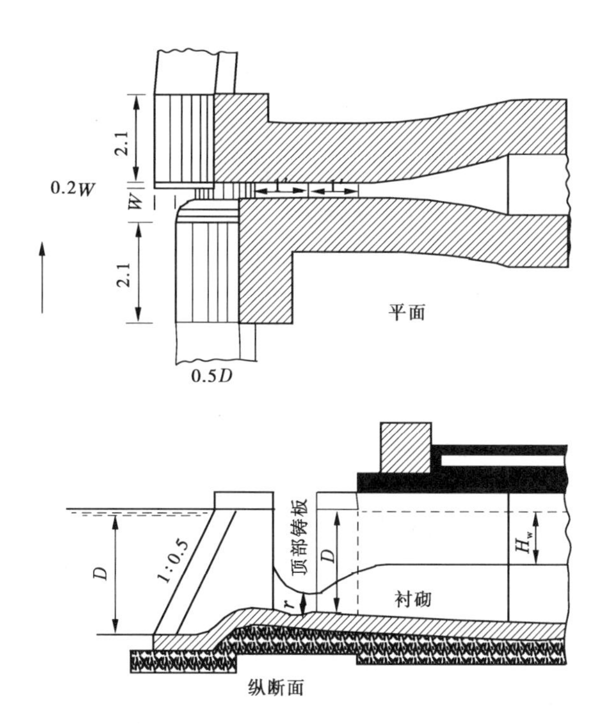

图 8-8b　可调节孔口式半模块分水口的端部视图(单位:ft)

$$q = 7.3B_t Y \sqrt{H_s}$$

8.11.1.3　可调性

正如其名所示,这种结构很容易调节。可以通过降低或升高顶部铸板巩固。顶部铸板由锚栓固定,后者则由圬工键固定,不受人为破坏。这个键可以毁坏,并在很短时间内调节顶部铸板并重建栓体,成本低廉且不改变其余结构。

8.11.1.4　柔性

$F=\frac{3}{10}\frac{D}{H_s}$当 $H=0.3D$,即顶部铸板底部在最大供水位以下 $0.3D$ 时,$F=1$。随着渠道中流量增加而导致最大供水位升高,则 F 下降,分水口也变为超比例的。

当分水口设置在按比例要求设置以下,即更靠近渠底处时,它就变成次比例。最大供水位的任何升高都会导致$\frac{D}{H_s}$值下降,分水口会更加不成比例并趋向刚性。最大供水位的下降则会提高柔性,分水口返回比例协调性。

8.11.1.5　排沙能力

随着上游墙渐近段状况改善,排淤能力比 Crump 的可调比例模型增加了 7%～8%。更深的设定同样可以增加排淤能力,观察结果如下:

6/10 设置值	99.5%
8/10 设置值	109.7%
10/10 设置值	113.7% ～ 121.9%

8.11.1.6 效率

Gulhati 已经为最低模数水头得出了如下经验公式

$$H_m = 0.83H_s - 0.5B_t$$

根据定义,效率$=\frac{J}{H_s}$,J 和 H_s 值如附录Ⅰ中的附图 8-1-1 所述。J 值,即水跃高度(水跃上下游深度差)可以通过水跃基本方程得到。参考附图 8-1-1。

$$J + Y = \text{下游共扼深度}$$

$$= -\frac{Y}{2} + \sqrt{\frac{Y^2}{4} + \frac{2V^2}{g}Y} \tag{8-5}$$

式中,V 为通过孔口的流速。

$$J = \left(\frac{3}{2}\right)Y\sqrt{\frac{Y^2}{4} + 4H_sY}$$

式中,$H_s = \frac{V^2}{2g}$。

Khosla 在(1927 年的旁遮普工程协会第 108 号论文)中获得了上述公式在公式 $E = \frac{J}{H_s}$中不计局部水头损。

用 H_s 除以方程 8-5,令$\frac{H_s}{Y}$=R=凹陷比

$$\frac{J}{H_s} = E = \frac{-3}{2R} + \sqrt{\frac{1}{4R^2} + \frac{4}{R}}$$

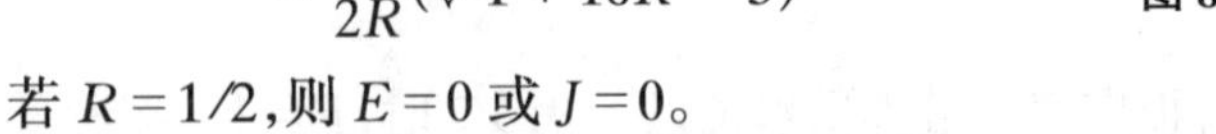

$$= \frac{1}{2R}(\sqrt{1 + 16R} - 3)$$

若 $R=1/2$,则 $E=0$ 或 $J=0$。

所以不会有水跃产生,分水口也不再起半模型作用。

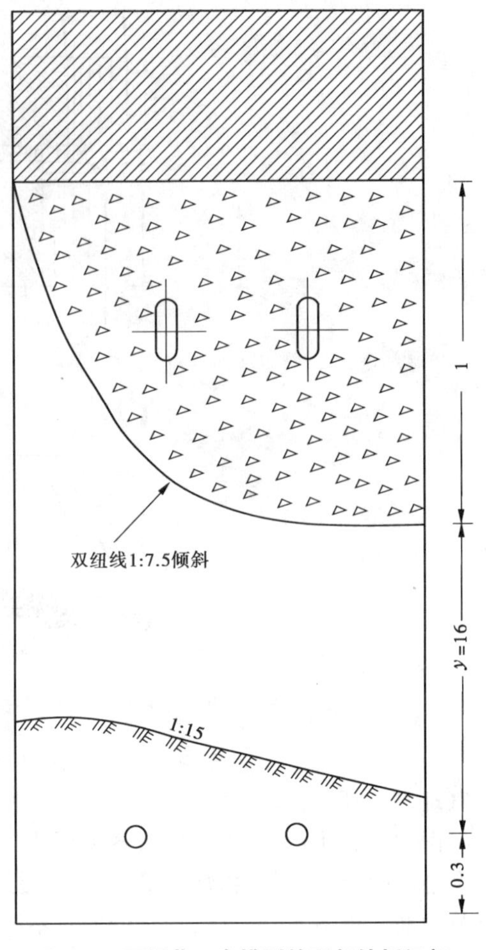

图 8-9　可调节口半模型的顶部铸板细部
(断面)(单位 ft)

8.11.1.7　人为破坏

顶部铸板可以被提起或者重新装上,但是这种人为破坏很容易被发现。有时在顶部铸板下游连续插入并固定覆土的木板,形成密封顶板。这样就会因射流不完全掺气而增加流量。

图 8-10 所示为现已废弃的 Crump 的最早的可调比例模型,可与 AOSM 做对比。

8.11.2　设计程序

假设 G 和B_t 值已知,计算得出 Y 和H_m。Y 必须小于 $0.5G$ 以确保孔口满过流,如果计算得出的 H_m 大于可获得的工作水头,则必须赋予新的 B_t 和 G 值,重新计算。

可调比例模型和 AOSM 的典型设计范例包括在本章之后的附录中。对于其他的半模型分水口可参考附录Ⅲ。

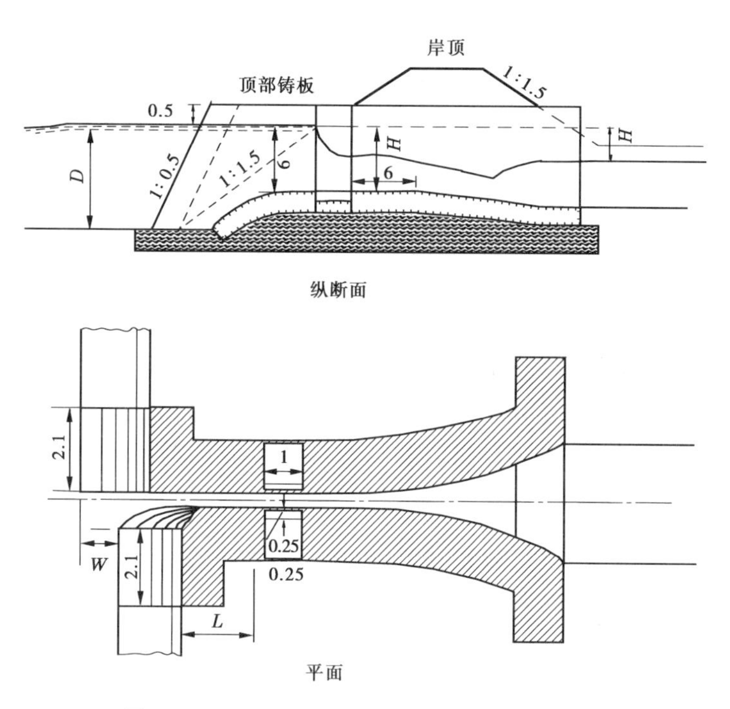

图 8-10 Crumps 原有的可调节比例模型(APM)

8.12 模块模型分水口或刚性模型

如前所述,这类模型按施工可分为两种类型:

(a)有活动部人工模型;

(b)无活动部人工模型。

其中(a)型从未在巴基斯坦应用过。这类分水口的性能取决于其活动部分,如轮盘、铜阀门等。它们既很昂贵,又容易因淤泥、岩屑、杂草及生锈等原因而损坏。其初始投资很大,且在现有工作状况下维修非常困难。

然而这种类型的分水口在欧洲国家得以应用。下面列举其中一些类型的名称,详细描述见参考文献[1]。

(1) 马赛渠型;

(2) Henares 渠型;

(3) Visvesaraya 自动型;

(4) 肯尼迪分水口模型;

(5) Wilkin 模型;

(6) 肯特"O"型模型。

(1)、(2)源于欧洲,(3)~(6)源于印度、巴基斯坦。

(b)型和(a)型相反,它不依赖可活动部分,而是依赖其水力特征,自动调节速率,保持流量恒定。这种类型有 3 个模型:

(1)Gibb 型模型;

(2) Khanna 刚性 OSM;

(3)Ghafoor 刚性槽模。

虽然 Gibb 的模型已经在灌溉系统中应用时,(2)和(3)还没有经过尝试。

8.13 Gibb 模型

如图 8-11 所示为分水口的细部结构图。水流通过进水管进入上升螺旋体。上升螺旋体由两部分组成,一个上升管和一个带缓冲的矩形涡流室。当水流进入螺旋体后,就形成了一个自由涡流。在自由涡流中,$V.R$ 保持不变,水面向涡流中心倾斜,这时的涡流中心位于管道和涡流室的内壁。随着水头上升,流速会增加,而且由于自由涡流的作用,沿着上升管和涡流室外围将会有更多的水头上升。当水流沿着螺旋管和涡流室上升时,沿途会冲击档板。设计中,档板底部向内倾斜,这样产生了涡流和紊流,因而破坏了多余流速能量,保持了设计流量。

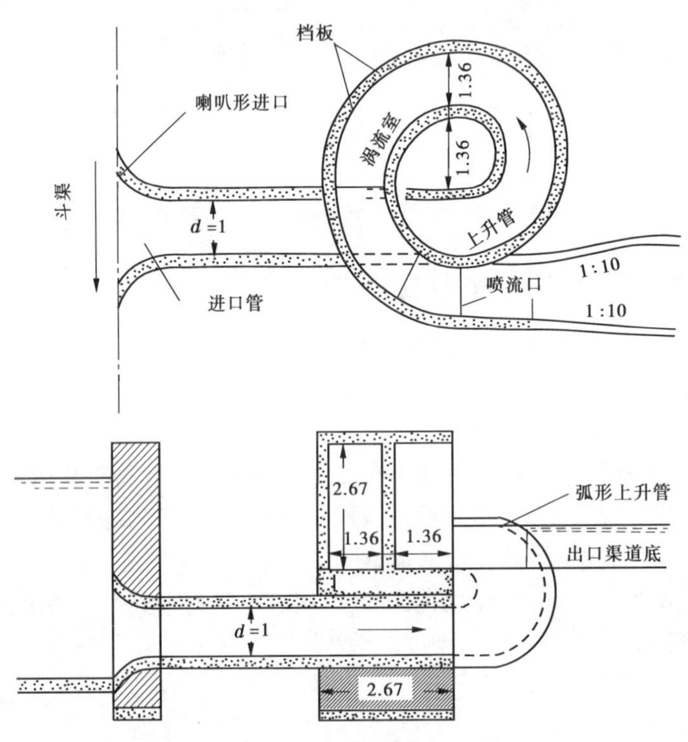

图 8-11 Gibb 模型的平面与断面图(单位:ft)

螺旋的旋转角取决于流量大小及设计工作范围,它可以从半圆变至一个半整圆。

8.13.1 流量公式

图 8-12 显示为涡流室的断面。

图中 R_i——涡流室内半圆的半径;

R_o——外半圆的半径;

y_i——内壁处水深;

y_o——外壁处水深;

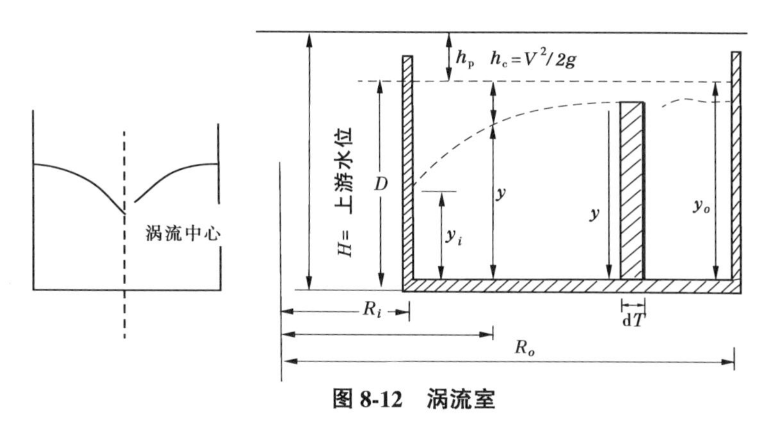

图 8-12　涡流室

h_p——进水管的水头损失；

h_p+D——水槽中最低水位与涡流室底板的水位之差；

B_t——涡流室的宽度；

q——流量。

$$M=\frac{R_o}{R_i}$$

$$M=\frac{h_o}{D}$$

如上所述，流量公式是基于自由涡流基础上的。Gibb 公式适用于其设计标准，其中：

$$M=\frac{R_o}{R_i}=2,\text{并且}\frac{h_o}{D}=\frac{1}{7}$$

$$q=\int_{R_i}^{R_o}Vy\mathrm{d}R$$

$$=\int_{R_i}^{R_o}\sqrt{2gh}y\mathrm{d}R$$

因

$$RV=R_oV_o\text{或}R\sqrt{2gh}=R_o\sqrt{2gh_o}$$

$$h=h_o\frac{R_o^2}{R^2}\text{及}y=D-h=D-h_o\frac{R_o^2}{R^2}$$

则

$$q=\int_{R_i}^{R_o}\sqrt{2gh_o\frac{R_o^2}{R^2}}\left(D-h_o\frac{R_o^2}{R^2}\right)\mathrm{d}R$$

$$=R_o\times\sqrt{2gh_o}\int_{R_i}^{R_o}\left(\frac{D}{R}-h_o\frac{R_o^2}{R^3}\right)\mathrm{d}R$$

$$=R_o\times\sqrt{2gh_o}\left(\left(D\lg\frac{R_o}{R_i}\right)-h_oR_o^2\left(\frac{-1}{2R_o^2}+\frac{1}{2R_i^2}\right)\right)$$

$$=R_o\sqrt{2g}\left(D\sqrt{h_o}\ln M-\frac{h_o^{3/2}R_i^2M^2(M^2-1)}{2R_i^2M^2}\right)$$

$$= R_o\sqrt{2g}\left(D^{3/2}K^{1/2}\ln M - D^{3/2}K^{3/2}\frac{M^2-1}{2}\right)$$

$$= R_o\sqrt{2g}D^{3/2}K^{1/2}\left(\ln M - \frac{K}{2}(M^2-1)\right)$$

Gibb 确定为 $M=2, D=7h_o$，并且对临界流，$K=0.154$，

对于本值

$$\frac{y_i}{y_o} = 0.454$$

$$\frac{y_o}{D} = 0.846$$

$$\frac{y_i}{D} = 0.384$$

则

$$K^{1/2}\left(\ln M - \frac{K}{2}(M^2-1)\right) = 0.181\ 5$$

对于比临界值 0.154 小的 K 值，流槽内壁和外壁的深度比临界情况还深，当 K 值大于 0.154 时，断面水深比临界情况要浅。水流形态分别为次临界流和超临界流。对直流槽来说 $M=1$。弯曲流槽下游末端的水流应为超临界流，以使在形成水跃时流量不受下游水位影响。

8.13.2 设计

Poona 的灌溉和水动力学研究所提出了如下设计标准：

(1) $M=2$；

(2) $h_o=D/7$；

(3)进水管直径 $=0.95\sqrt{h_iD}$；

(4)漩涡室中水流面积 = 进水管面积；

(5)缓冲档板间隔大于 y_o 而小于 $2y_o$；

(6)挡板下边缘是倾斜的，内壁终端位于离底部 $3/4y_o$ 处，外部边缘位于离底部 y_o 高度处；

(7)喷嘴的长度为 $2D$，后接 1:10 的扩散水槽；

(8)涡流室高度 = 最小工作水头 + 射程 + 6in 的超高；

(9)高出模型底板的最大允许水深为 $0.7D$。

Poona 的灌溉和水动力学研究所提出的 $3\text{ft}^3/\text{s}$ 流量的 Gibb 模型典型尺寸如下：

流量(ft^3)	3
R(ft)	2.75
R_i(ft)	1.375
M	2.0
D(ft)	0.875
h_o(ft)	0.125
y_o(ft)	0.75

y_i(ft)	0.375
B/D(ft)	1.59
进水管直径(in)	12
涡流室外挡板数	6
外围下边缘高度(ft)	0.75
内围下边缘高度(ft)	0.56
上游漫过底板上游的最大工作水深(ft)	1.10
最小工作水头(ft)	0.53
下游带有 1:10 下游扩散流槽的最小工作水头(ft)	0.49
流量变化为 3%的模型范围(ft)	1.30
Gibb 规定的范围(ft)	1.5

Gibb 模型因以下原因已经被 OSM 代替：

(1)Gibb 模型容易被人为破坏修改；

(2)造价比 OSM 高；

(3)排淤比较困难。

8.14 Ghafoor 刚性槽模型

这种模型和 Khanna 模型还没有得到应用。两种类型的原理都差不多。Ghafoor 设施如图 8-13 所示，由安装在明槽上的齿槽中的两个半圆轮盘组成。

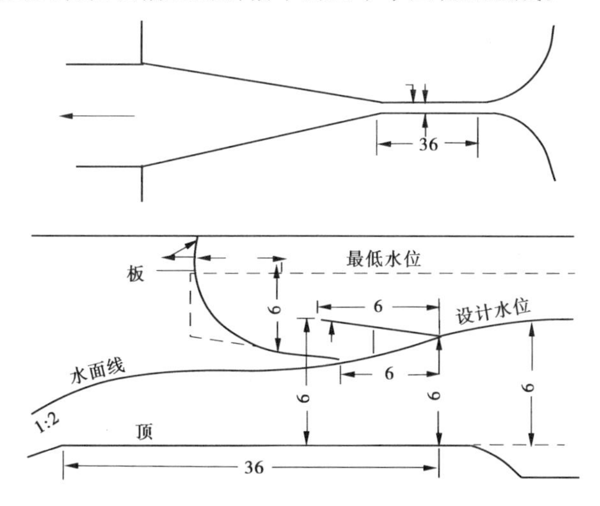

图 8-13 Ghafloor 刚性量水槽模型纵断面图(单位：ft)

随着水位的升高，水流流过第一个轮盘并通过两轮盘之间的缝隙流向相反的方向。当两束流流量减小时，上升水头引起流量的上升(由于流速增大的原因)最终流量趋于稳定。这通过合适配置轮盘来实现：

(1)轮盘长度；

(2)两盘间缝隙；

(3)它们的倾角。

运用以上三项有可能使由水头增大导致的流速增加与反向水流施加的压力平衡，从而保持稳定的流量。

8.15 流量按比例分配的分水口设置

对一个正常的灌溉系统而言，超比例分配比按比例分配更理想。但在非常年灌溉系统中，渠道在多雨季时在最大供水位下运行，而在少雨季时供水量可能只有50%，这种情况下按比例设置就更加重要，以便在任何时候都能均匀分配水源。

使用以下公式

$$x = \frac{Q_n}{Q}$$

式中 Q_n——渠道的正常流量；

Q——渠道最大流量；

D_n——正常流量下渠道水深；

D——最大流量下渠道水深；

q_n——正常供水情况下分水口流量；

H_{mn}——正常供水情况下的 H_m；

G_n——正常供水情况下的 G；

H_n——在正常和最大供水情况下模型化所需的工作水头；

H_{sn}——正常供水情况下的 H_s。

比降为1:0.5的渠道的正常供水流量随水深的5/3次方变化，因此：

$$x = \left(\frac{D_n}{D}\right)^{5/3}$$

或

$$D_n = x^{3/5} D$$

如果 $x = 0.55$，比如在Sutlej河谷渠道中，则

$$D_n = 0.7D$$

(1)明槽分水口放出一定比例流量的情况

按比例 $G = 0.9D$

最高供水位情况下 $H_m = 0.2G$

正常供水情况下 $H_m = 0.2G_n$

同时 $G_n = G - (D - D_n) = 0.9D - D + D_n = D_n - 0.1D$

$$\begin{aligned} H_n &= H_{mn} + (D - D_n) \\ &= 0.2(D_n - 0.1D) + (D - D_n) \\ &= D(0.98 - 0.8x^{3/5}) \end{aligned}$$

如果 $x = 0.55$

$$H_n = D(0.98 - 0.8 \times 0.55^{3/5}) = 0.42D = 0.4D$$

因此一个堰顶在 $0.9D$，可获得工作水头不小于 $0.4D$ 的明槽分水口，可在最大供水

量到最大供水量55%的范围内按比例分配流量。

(2)OSM按比例分配流量的情况

$$\frac{q_n}{q}=\sqrt{\frac{H_{sn}}{H_s}}$$

OSM在 q 到 q_n 之间成比例：

$$\frac{q_n}{q}=x$$

$$H_{sn}=x^2H_s$$

$$H_s=H_{sn}+D-Dx^{3/5}$$

$$H_s=x^2H_s+D(1-x^{3/5})$$

$$H_s=\frac{D(1-x^{3/5})}{1-x^2}$$

当 $x=0.55$ 时

$$H_s=0.43D$$

最小模型水头要求可使用和明槽出水口相同的方法确定。

对于模型化，假设：

$$H_m=0.75H_s(\text{实际值为 } H_m=0.82(H_s-B_t/2)=0.75D\frac{1-x^{3/5}}{1-x^2}$$

$$H_{mn}=0.75H_{sn}$$

$$H_{mn}=0.75x^2H_s$$

$$H_n=H_{mn}+D-Dx^{3/5}$$

$$=(1-0.25x^2)\frac{1-x^{3/5}}{1-x^2}$$

当

$$x=0.55$$

$$H_n=0.4D$$

因此如果OSM按照 $H_s=0.43D$ 设计，且工作水头不小于 $0.4D$，在最大供水量到最大供水量55%的范围内它能够按比例分配水源。

在实现以上目标时会有一些困难和限制条件。如若 $H_s=0.43\mathrm{D}$，则 $y=0.57D$，大于堰顶设置在渠底上(即 $G=D$)时的 H_s。在这种情况下堰顶就不能设置在渠底上，最低的设置为 $0.86D$。可以看出当OSM堰顶设置在 $0.69D$，$H_s=0.43\mathrm{D}$ 时，其在正常供水情况下能作为OSM工作，但是如果堰顶设置在 $0.8D$，$H_s=0.43D$，$Y=0.37D$ 时，分水口在正常情况下就不能作为OSM工作，因为 $H_{sm}=0.13D$ 且 $G_n=0.50D$。

这意味着 $Y>2/3G_n$ 和 $Y\gg H_{sn}$，分水口在正常供水($x=0.55$)时作为明槽分水口工作，而不是作为OSM工作。

(3)可以安排一个OSM在正常供水情况下按明槽分水口工作，而在最大供水情况下按OSM工作。

保持最大值 $Y=H_s$，假设一个 S 值，以使 $SD=G$

若
$$q/q_n = \frac{3.0}{2.575}\left(\frac{S-0.3}{S}\right)^{3/2}$$

(用管口公式计算 q 值,用堰流量公式计算 q_n 值)

若
$$q/q_n = 0.55$$

则
$$\left(\frac{S-0.3}{S}\right)^{3/2} = \frac{0.55 \times 2.575}{3.0}$$

$$\frac{S-0.3}{S} = 0.6$$

$$S = 0.75$$

这意味着顶部设置在 $0.75D$, $Y = H_s$ 时,分水口在正常供水情况下作为明槽工作,分配应得水量。

(4)最小模型水头(MMH)

最小模型水头计算如下:

$$H_m = 0.375 \times D \times 0.75 = 0.3D$$

$$H_{mn} = 0.2G_n = 0.2(0.75 - 0.3)D = 0.09D$$

$$H_n = 0.09D + 0.3D$$

$H_n = 0.4D$,即可获得工作水头必须大于 $0.4D$

8.16 分水口类型选择

如果支渠中流量和水位稳定,且有必要的有效工作水头,则具有稳定流量系数的模型或半模型是最佳选择。但是流量和水位都在变化,这就使分水口的选择复杂化。在选择分水口类型时需要注意以下几点。

(1)对于临时流量变化来说,理想的选择是用按比例半模型分水口,以分配源渠中多余水源或不足水源。

(2)底坡的季节性变化要求使用低变幅分水口,即欠比例分水口。这在渠道下游段特别有效,因为下游段的最大供水水位受到局部淤积严重影响。

(3)有些渠道,在一定时段是在最高供水位下运行,而在另外一些时段则停运。对于这样的渠道,最理想的是在渠道设置超比例的或高变幅的分水口。对于这样的分水口,只有在最高供水位下才能分得所规定的流量。这有利于稳定下游供水流量。

(4)对于承担排沙的分水口,应从源渠中分取110%～115%的源渠流量,其中10%～15%用于排沙。根据 Sharma 经验,在下述情况下分水口可以实现上述功能:①设定在 $OSM = 0.9$D;②设定带有夏利马(Sharma)引渠的 $OSM = 0.8D$;③对于 Crump 或标准明槽分水口,堰顶高程设置在渠底高程。

(5)一般来说,刚性模块在以下几种情况中比较理想:①受到供水量影响的支渠上的直接出水口;②在挡水坝以上,水头上升,补给其他渠道;③渠道由于其他原因,如浸析作用,要流过额外流量。

对于非以上提及的情况,半模型分水口比较适合。在首部段和中部段非常适合使用OSM,而对下游段适合使用可调比例模型或带变幅的明槽分水口。在分水口类型选择时有效工作水头是重要的选择原则。

表 8-2 重要出水口特征总括

模型	级别	类型	F	流量	MMH&模型范围	可调性	功能基础	主要优点	适用范围	注释
KGO	柔性	圆形孔口	0.3	$CA\sqrt{H}$	大约 $0.2H$	模型的上升或下降	孔口至大气自由射流	无	首段	容易被人为破坏修改,不易发现
明槽	柔性	明堰	1.0～1.2	$KB_tG^{3/2}$	0.15G	需要重建	形成水跃	所需工作水头很小	尾段	适于尾端出水口群按比例分水
AOSM	柔性	矩形孔口	1～0.3	$q=7.3B_tY\sqrt{H_s}$	$H=(0.82H_s-0.5B_t)$	顶部铸板可调节	形成水跃	易调节,容易发现人为破坏修改	首、尾段	最好设置在河床上
Gibbs	无活动部件,刚性	自由涡流管	0	$q=R_0\sqrt{2g}D^{3/2}K^{1/2}(\ln M-\frac{K}{2}(M^2-1))$,其中 $M=\frac{R_0}{R_i}, K=\frac{h_o}{D}$	大约 0.4ft,上下范围 0.8ft	无,需要新模型	产生自由涡流上升螺旋	流量恒定(变化在4%以内),但比OSM贵	只在首段	容易被人为破坏修改,排沙能力差

习题

1. 灌溉系统中分水口的功能是什么?它的理想特征是什么?
2. 你如何理解非模型、刚性半模型分水口?各举一例。
3. 在上游、中游和下游段你建议使用哪种类型分水口,为什么?
4. 在明槽分水口中,你通过观察怎样得出流槽作为半模型分水口工作?
5. 你是怎样理解在分水口中所使用的超比例、按比例、欠比例这些词的?这些特征适用于何时何地?
6. 分水口的灵敏度和变幅的区别是什么?推导出它们之间的关系。
7. 描述和讨论在建造和运行分水口中所使用的“柔性”和“刚性”的基本概念。
8. 叙述渠道流量变化时,分水口按比例分水的条件。
9. 描述不同情况下分水口的选择标准。

参考文献

[1] Khosla A N. Interlock Adjustable Module in Precast and Reinforced Concrete Unit. Paper 108 Punjab Engineering Congress, Lahore, 1927.

[2] Lindley E S. Application of Modules in Irrigation. Paper. 80 Punjab Engineering Congress, Lahore, 1924.

[3] Mehboob S I, Gulbati N D. Irrigation Outlet. Paper 264 Punjab Engineering Congress, Lahore, 1944.
[4] Mohammad A L. Design of Outlets. West Pakistan Engineering Congress, Golden Jubilee Publication, Lahore, 1963.
[5] Sharma K R. Silt Conduction by Irrigation Outlets. Paper 237 Punjab Engineering Congress, Lahore, 1933.
[6] Sharma K R. Improved A.P.M. and Open Flume Outlet. Paper 237 Punjab Engineering Congress, Lahore, 1940.

附录Ⅰ　附录中所用符号

(1)出水口流量 = q(ft^3/s)

(2)源渠中最大供水深度 = D(ft)

(3)工作水头 = H_w(ft)

(4)渠道流量 = Q(ft^3/s)

(5)喉管宽度 = B_t(ft)

(6)上游顶部以上水深 = G(ft)

(7)柔度 = F

①明槽,m = 3/2

②梯形渠边坡为 1:0.5 时,n = 5/3

(8)最小模型水头 = H_m(ft)

(9)顶部铸板的下端到最大供水位的距离 = H_s(ft)

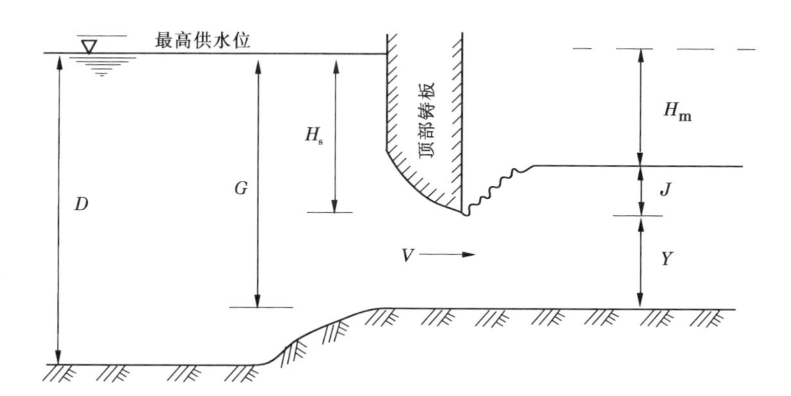

附图 8-1-1　可调节比例模型与调节管口半模型设计应用的符号示意图

附录Ⅱ　Crump 明槽分水口设计

资料

排水口流量	$q=4\text{ft}^3/\text{s}$
最大供水水深	$D=2.5\text{ft}$
工作水头	$H_w=1.0\text{ft}$
斗渠流量	$Q=60\text{ft}^3/\text{s}$

设计

1　**水渠断面**

依据莱西理论设计的斗渠如附图 8-2-1 所示。

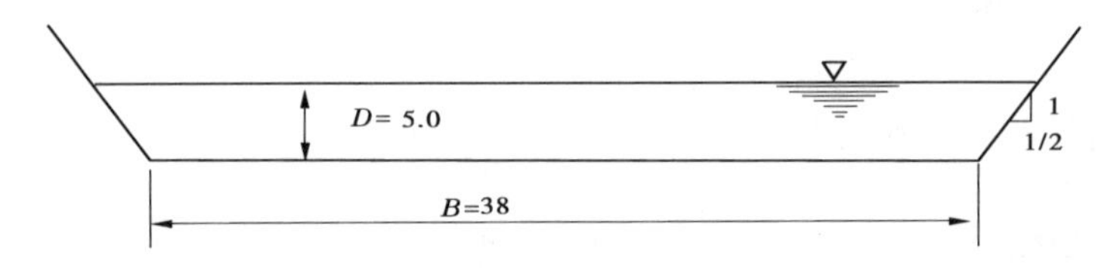

附图 8-2-1　斗渠设计(单位:ft)

2　**设置**

$G=$分水口设置$=0.9D=3.15\text{ft}$

分水口顶部以上水头$=3.15\text{ft}$

3　**喉管宽度**

$q = KB_tG^{3/2}$

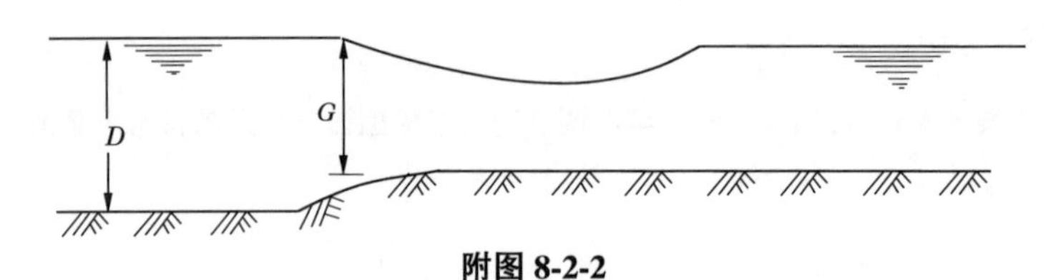

附图 8-2-2

假设　$K = 2.9$

$q = 2.9B_t\,G^{3/2}$

所以　$4 = 2.9B_t3.15^{3/2}$

所以　$B_t = \dfrac{4}{2.9\times5.6} = 0.246\,2 = 0.25\text{ft}$

式中，　B_t 值在 0.2～0.29 范围内变动,因此假设值 $K=2.9$ 假设值是正确的。

4　**顶部长度**

顶部长度$=2.5H=2.5\times3.15=7.875\text{ft}$ 即 7.9ft。

5　**上游渐变段半径**

$R = 2H = 2 \times 3.15 = 6.30\text{ft}$

6　**后移**

平行于斗渠轴线的墙需要后移的距离和斗渠分水口流量宽度与斗渠流量宽度比相同。

$\frac{q}{Q} = \frac{4}{60} = \frac{1}{15}$

所以,斗渠的后移距离/宽度 = 1/15

所以,后移距离 = 13/15 = 0.866ft

7　**河床渐变段**

河床渐变段(斗渠河床高程到顶高程)的曲线半径为 $2H = 2 \times 3.15 = 6.30\text{ft}$

8　**下游渐变段**

没有规定下游缓坡的坡降,因为它根椐河槽的底部高程决定。

9　**最小模型水头**

$MMH = 0.2\text{G} = 0.2 \times 3.15 = 0.63\text{ft}$

小于工作水头 1.0ft,所以得证。

10　**变幅**

$$F = \frac{m}{n} \times \frac{D}{H} \tag{A}$$

在 Crump 明槽分水口中

$$\frac{H}{D} = 0.9$$

代入方程(A)

$$F = \frac{3/2}{5/3} \times \frac{1}{0.9}$$

即分水口是按比例的。

11　**敏感性**

$$S = nF = \frac{5}{3} \times 1 = \frac{5}{3}$$

12　**效率**

明槽分水口的效率定义为恢复水头与进水水头之比。

在这种情况中:

进入水头 = 3.15ft

恢复水头 = 进入水头 − 工作水头 = 3.15-1.0 = 2.15ft

所以效率 = (2.15/3.15) × 100% = 68.25%

附录Ⅲ　Crump可调节比例模型

资料

(1) 出水口类型　　Crump可调节比例模型(可调比例模型)

(2) 斗渠内水深　　$D = 4.5\text{ft}$

(3) 出水口流量　　$q = 6\text{ft}^3/\text{s}$

(4) 工作水头　　$H_w = 1.9\text{ft}$

(5) 斗渠流量　　$Q = 100\text{ft}^3/\text{s}$

设计

1　管口高度确定

在Crump可调比例模型中

$G = 0.6D \quad G = 0.6 \times 4.5 = 2.7$

因为 $H_s + Y = G$(可调比例模型中 $Y = H_s$,符号参考图)

所以

$Y = 1.35\text{ft}$

$H_s = 1.35\text{ft}$

2　分水口流量

$$q = 7.3 B_t Y \sqrt{H_s}$$

$$B_t = \frac{1}{7.3Y\sqrt{H_s}} = \frac{6}{7.3 \times 1.35 \times \sqrt{1.35}} = 0.52\text{ft}$$

3　最小模型水头

$$H_m = 0.82H_s - 0.5B_t$$

$$= 0.82 \times 1.35 - 0.5 \times 0.52 = 1.11 - 0.26 = 0.85\text{ft} < 1.9(\text{ft})(H_w)$$ 得证。

4　变幅

$$F = \frac{m}{n} \times \frac{D}{H_s}$$

对管口类型来说,

$m = 1/2, n = 5/3$

所以

$F = 3/10 \times D/H_s = 0.3 \times 4.5/1.35 = 1.00$,所以成比例。

5　敏感性

$S = nF = (5/3)F$

$S = 1.67$

6　**效率**

$$E = \frac{1}{2R}(\sqrt{1+16} - 3)$$

式中

$$R = \frac{H_s}{Y}$$

所以

$$R = 1.35/1.35 = 1.00$$

$$E = \frac{1}{2 \times 1}(\sqrt{1+16} - 3) = 0.56 \text{ 或 } 56\% = 16.7\text{ft}$$

各种长度和半径的计算:

(1)斗渠宽度

在 100ft³/s 设计流量下,根据莱西理论设计的渠道断面应如附图 8-3-1 所示:

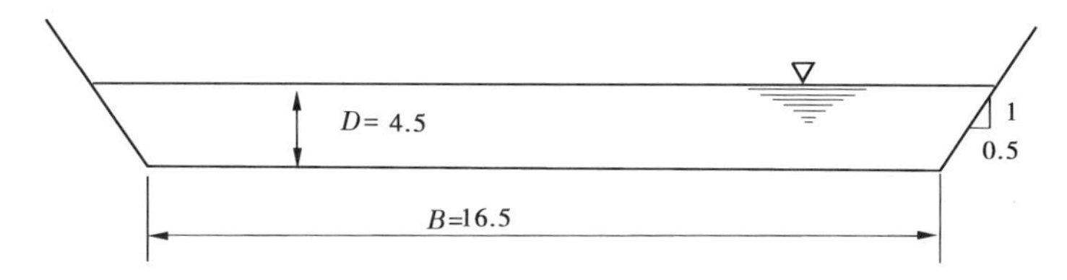

附图 8-3-1　设计渠道断面(单位:ft)

(2)顶部长度 $= G + 1 = 3.7$ft

(3)喉管颈长度 $= 2G - 0.25 = 5.4 - 0.25 = 5.15$ft

(4)上游渐变段半径为 5.4ft($2G$)(标准),渐变段的上游面墙通过下式回移

$$w = \frac{q}{Q} \times B = \frac{6}{100} \times 16.5$$

$$w = 1.00\text{ft}$$

(5)$L_0 = 9.5$ft(假设排水口长度)

(6)下游渐近段到渐变段半径 R′为:

$$R' = \frac{Y - B_t}{4} + \frac{L_o^2}{q - B_t} = \frac{1.3 - 0.52}{4} + \frac{9.5^2}{6 - 0.52} = 16.7\text{ft}$$

(7)设置为 $0.6D = 2.7$ft

(8)渐近弧线段长度

$$z = \sqrt{(w - B_t)(4F - w + B_t)} = \sqrt{0.48(10.8 - 1 + 0.52)} = \sqrt{4.96} = 2.23\text{ft}$$

结论:

(1)在首部段和中间断比例性不是理想选择。这就是为什么 Crump 可调比例模型常常用于尾部段的原因。在首部段和中间段要求使用次比例分水口。

(2)由于刚性要求的原因,顶部应该在模型允许情况下尽可能低(但不能低于源渠河床以上 3in,以避免给用水者带来过多泥沙问题),但在 Crump 的可调比例模型中,顶部设定在 $0.6D$ 的位置,在源渠中产生淤积问题。

(3)改进的 Crump 的可调比例模型的顶部降低,模型不再成比例,所以又叫做 AOSM

(可调节管口半模型)。

(4)若斗渠中水位降低,则分水口不再作为模型工作。

(5)最小工作水头不能低于$\frac{G-Y}{2}$。

(6)顶部以上最小水深1.75ft,并可以0.25ft的幅度增大。

(7)最小模型水头是对分水口效率的度量。

(8)设定在0.6D的Crump可调比例模型的效率为92.4%,改进型的(夏利马改进后)可以提高到99.5%。

(9)随着最大供水位增加,$F=\frac{3}{10}\times\frac{D}{G}$下降,且分水口变为次比例。

(10) 上游面墙回移是一个相对概念。向前凸出的是下游面墙。

附录Ⅳ 管口半模型分水口设计

资料

q 分水口 $=8\text{ft}^3/\text{s}$

$H_w=2.0\text{ft}$

最大供水深度$=5.0\text{ft}$

设计

1 在最大排泄流能力时,窄颈段宽度和水流深度确定

假设 $B_t = 0.5\text{ft}$

令 $G = 0.7D = 0.7 \times 5 = 3.5\text{ft}$

假设 $Y = 1.6\ \text{ft}$

这时 $H_s = G - Y = 3.5 - 1.6 = 1.9\ \text{ft}$

所以 $\dfrac{Y}{G} = \dfrac{1.6}{3.5} = 0.457$

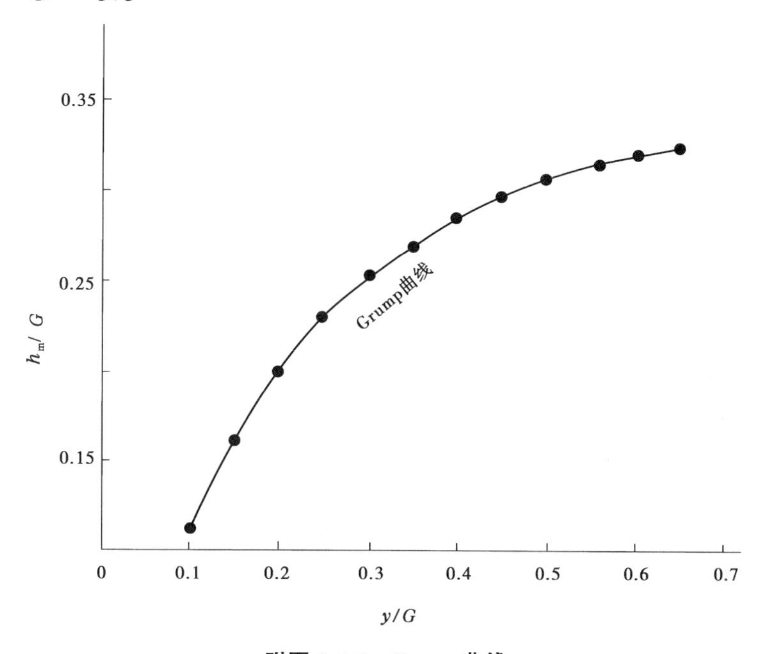

附图 8-4-1 Crump 曲线

$$\frac{Y}{G} = 0.45, \frac{H_m}{G} = 0.213(\text{Crump 曲线})$$

$$\frac{Y}{G} = 0.50 \quad \frac{H_m}{G} = 0.195$$

或 $$\frac{Y}{G} = 0.457 \quad \frac{H_m}{G} = 0.210\,5$$

所以 $H_m = 0.210\,5 \times 3.5 = 0.737\text{ft} < 2.00\text{ft}(H_w)$ 得证。

因此完全模型得以保证。

$q = 7.3B_t Y\sqrt{H_s} = 7.3 \times 0.5 \times 1.6 \times 1.9 = 8.05(\text{ft}^3/\text{s}) \approx 8.00\text{ft}^3/\text{s}$ 得证。

校核:

(1) $q = 8.05\text{ft}^3/\text{s} > 8.00\text{ft}^3/\text{s}$ 得证

(2) $\frac{Y}{G} = \frac{1.6}{3.5} = < 0.500$ 得证

(3) 由 Crump 曲线得,$H_m = 0.737\text{ft} < 2.00\text{ft}(H_w)$

2 **设置**

$$\frac{G}{D} = \frac{3.5}{5.0} = 0.7$$

如果设置在 $0.7D$,排沙能力为 104.6%

3 **变幅**

$$F = \frac{3}{10} + \frac{D}{G}$$

所以 $$F = \frac{3}{10} \times \frac{3.5}{5} = 0.429$$

该值位于 0.03~1.00 之间,因此得证。

因为 $F<1$,出水口将作为次比例分水口工作。

4 **敏感性**

$$S = nF$$

这时 $n = 5/3$

所以 $S = (5/3) \times 0.429 = 0.715$

5 **灵敏度**

由供水位 1/10ft 的变化导致的半模型流量变化。

$$S_1 = \left(\frac{3}{10} \times \frac{D}{G}\right)\left(\frac{1}{6} \times \frac{1}{D}\right) = \frac{1}{20G} = \frac{1}{20 \times 3.5} = 0.014\,3$$

$$S_1 = 0.014\,3 < 0.02$$

6 **效率**

$$E = J/H_s$$

$$J = \sqrt{Y^2/4 + 4H_s Y - 3Y/2} - 3Y/2$$

$$= \sqrt{\frac{2.56}{4} + 4 \times 1.9 \times 1.6} - \frac{3 \times 1.6}{2} = 1.175\text{ft}$$

$$E = \frac{J}{H_s} = \frac{1.175}{1.900} = 0.62 \text{ 或 } 62\%$$

7 渠道断面设计

当 $Q = 150\text{ft}^3/\text{s}$

$F = 1$

$S = 1/4\ 250$

根据莱西理论,断面设计如附图 8-4-2 所示:

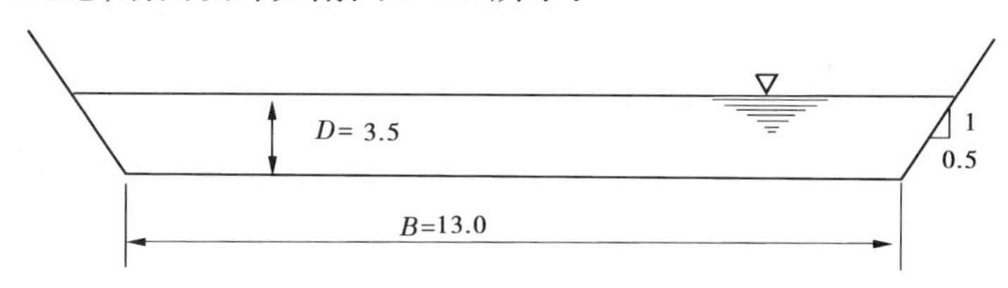

附图 8-4-2 断面设计(单位:ft)

8 上游翼墙的回移

$$w = \frac{q}{Q}\left(B + \frac{d}{2}\right) = \frac{8}{150}(38 + 2.5)$$

$$w = 2.15\text{ft}$$

9 渐近曲线长度

$$z = \sqrt{(w - B_t)(4G - w + B_t)} = \sqrt{(2.15 - 0.50)(14 - 2.15 + 0.50)} = 4.4\text{ft}$$

10 渐近曲线半径

$$R' = \frac{Y - B_t}{4} + \frac{L_0^2}{q - B_t}(\text{假设排水口长度 } L_a = 7\text{ft})$$

$$= \frac{1.6 - 0.5}{4} + \frac{56.2}{8 - 0.5} = 7.75 \approx 8\text{ft}$$

11 可调性

顶部铸板由两个嵌入圬工键内的锚栓固定。在调整时可以拆除圬工键,顶部铸板可以按需要上升或下降,然后再建费用低廉的圬工。

通过获得不同水深的流量和不同水深时的 J 值,来检查出水口的可调性。最后我们可获得斗渠的中“流量”和“水位”的关系曲线。

通过公式 $$q = 7.3B_t Y\sqrt{H_s} \tag{1}$$

$$J = \sqrt{Y^2/4 + 4H_s Y} - \frac{3Y}{2} \tag{2}$$

取 $D = 5.0, H_s = 1.9\text{ft}$

$$q = 7.3 \times 0.5 \times 1.6 \times 1.3784 = 8.05\text{ft}^3/\text{s}$$

由公式(2)得 $J = 1.175\text{ft}$

同样,我们可近似计算不同水深下 H_s、q、J 的值。

(1)$D = 2\text{ft}, H_s = 0.5\text{ft}, q = 1.06\text{ft}^3/\text{s}$

(2)$D = 4\text{ft}, H_s = 0.9\text{ft}, q = 5.52\text{ft}^3/\text{s}, J = 0.12\text{ft}$

(3)$D = 6\text{ft}, H_s = 2.9\text{ft}, q = 9.94\text{ft}^3/\text{s}, J = 1.97\text{ft}$

最后绘出调整示意图(附图 8-4-3)。从调整示意图中可以发现分水口可以在下列范围下工作：

$$q = 6.0 \sim 7.8\text{ft}^3/\text{s}$$

$$J = 1.5 \sim 1.9\text{ft}$$

水深 $= 4.6 \sim 6.0$ft(在源渠中，此范围是可以调节的)。

11　正常供水情况下(最大供水的 55%)可按比例分配流量的 OSM 特征

$$q = 76.3B_t Y + \sqrt{H_s} = 8.05\text{ft}^3/\text{s}$$

$$q_n = 55\% q = 4.42\text{ft}^3/\text{s} = 7.3B_t Y\sqrt{H_{sn}}$$

所以 $\dfrac{q_n}{q} = \sqrt{\dfrac{H_{sn}}{H_s}}$

或 $\dfrac{4.42^2}{8.05} = \dfrac{H_{sn}}{1.9}$

或 $H_{sn} = 0.573$ft

按对比例而言

$$\frac{q_n}{q} = x$$

所以 $\sqrt{\dfrac{H_{sn}}{H_s}} = x$

$$H_{sn} = x^2 H_s$$

$$H_s = H_{sn} + D - Dx^{2.3}$$

所以 $H_s = \dfrac{D - Dx^{3/5}}{1 - x^2} = \dfrac{D(1 - x^{3/5})}{1 - x^2}$

对于模型而言

$$H_m = 0.75H_s = 1.42\text{ft}$$

$$H_m = 0.75D\frac{1 - x^{3/5}}{1 - x^2} \qquad \left(x = \frac{q_n}{q}\right)$$

$$H_{mn} = 0.75H_{sn} = 0.75 \times 0.573 = 0.43\text{ft}$$

$$H_n = D(1 - 0.25 \times x^2)\frac{1 - x^{3/5}}{1 - x^2}$$

$$= 5(1 - 0.25 \times 0.304)\frac{1 - 0.698}{1 - 0.304} = 0.52 < H_m \text{ 但大于 } H_{mn}$$

$$H_{mn} = 0.75H_{sn} = 0.75 \times 0.573 = 0.43\text{ft}$$

所以　$H_n > H_{mn}$，得证。

当分水口设置在 $0.7D$ 时

$$H_s = 0.43D = 2.15\text{ft}$$

$$Y = 0.26D = 1.30\text{ft}$$

当水渠在正常供水条件下运行时

$$G_n = 0.39D = 1.95\text{ft}$$

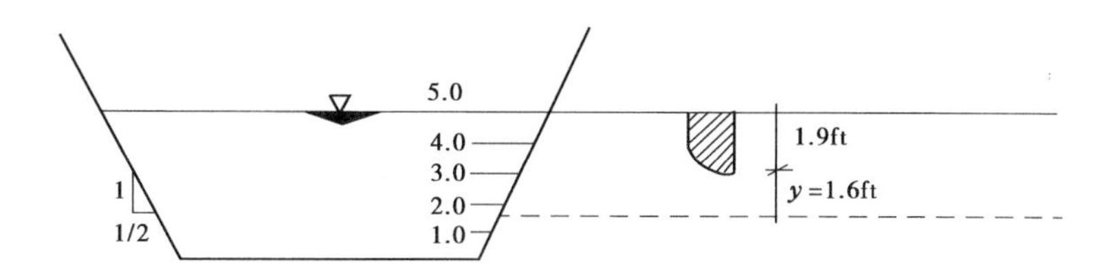

D (ft)	q (ft^3/s)	J (ft)
6.0	9.94	1.97
5.0	8.05	1.175
4.0	5.52	0.120
3.0	5.50	—
2.0	1.06	—
1.0	—	—

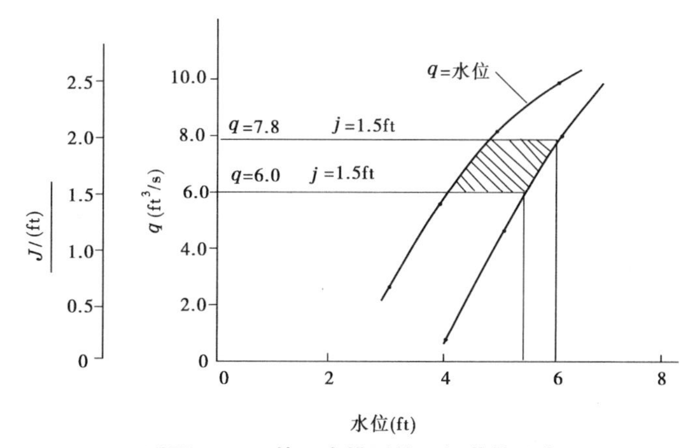

附图 8-4-3　管口半模型的可调节性图表

$$Y = \frac{2}{3}G_n = \frac{2}{3} \times 1.95 = 1.30\text{ft}$$

得证　$H_m \leqslant 0.75H_s$

这时　$0.75H_s = 0.75 \times 1.95 = 1.425\text{ft}$

$$H_m = 1.425\text{ft} < H_w = 2.00\text{ft}$$

因此得证。

9 大 坝

9.1 前 言

大坝是灌溉控制系统的一个组成部分，但是它还有其他的作用：

(1)防洪；

(2)水力发电；

(3)土壤保持。

相比之下，拦水闸只能将水引入河道用于灌溉。大坝和拦水闸的其他不同之处还有：

(1)大坝可拦蓄洪水，而拦水闸则没有蓄水库容(印度河上的恰其玛拦水闸例外，由于其地理位置特殊，它可以拦蓄 0.4×10^6 acre·ft 的水)。

(2)大坝比较高，而拦水闸堰则比较低，水深不超过 30～35ft(拦水闸也可以叫做低引水坝)。

(3)大坝需要坚固的岩基(土坝除外)和可靠的坝肩，而拦水闸则可以建在透水的冲积层上。

这章简要论述了不同类型的蓄水坝和选址要求。在本章末尾还提供了一些设计示例。

9.2 大坝的分类

根据建筑形式或施工材料，大坝可以分为以下几类。

9.2.1 重力坝

它是由实体圬工或混凝土建造的建筑物，主要依靠自身重力来抵抗水压力和其他荷载。在平面上重力坝通常建成直线形，或者利用地形建成一系列直线形，甚至有时在平面上呈曲线形，称为曲线重力坝。虽然一定的弧度增加了大坝的强度，但是大坝剖面仍然根据直线形重力坝设计。

直线形重力坝的实例有巴基斯坦的 Warsak 坝、美国的大苦力坝以及印度的巴克拉坝。

巴基斯坦的拉瓦大坝和美国的夏斯塔(Shasta)大坝则是曲线重力坝。重力坝横断面见图 9-1。

9.2.2 拱坝

它是由实体混凝土或圬工建成，上游成弧形的建筑物，它自身的重力只抵抗一小部分水压力，剩下的水压力则通过拱作用传到峡谷岸壁上。拱坝断面见图 9-2。

美国的胡弗大坝就是一个例子。

9.2.3 支墩坝

支墩坝(见图 9-3)由两个结构单元构成：

(1)承受水压力的倾斜面板；

(2)支撑面板的支墩。

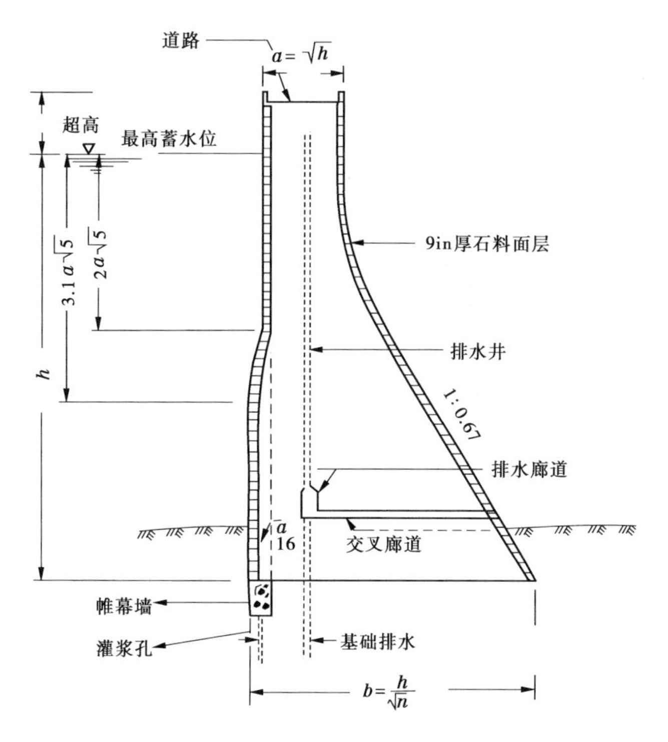

图 9-1　重力坝横断面

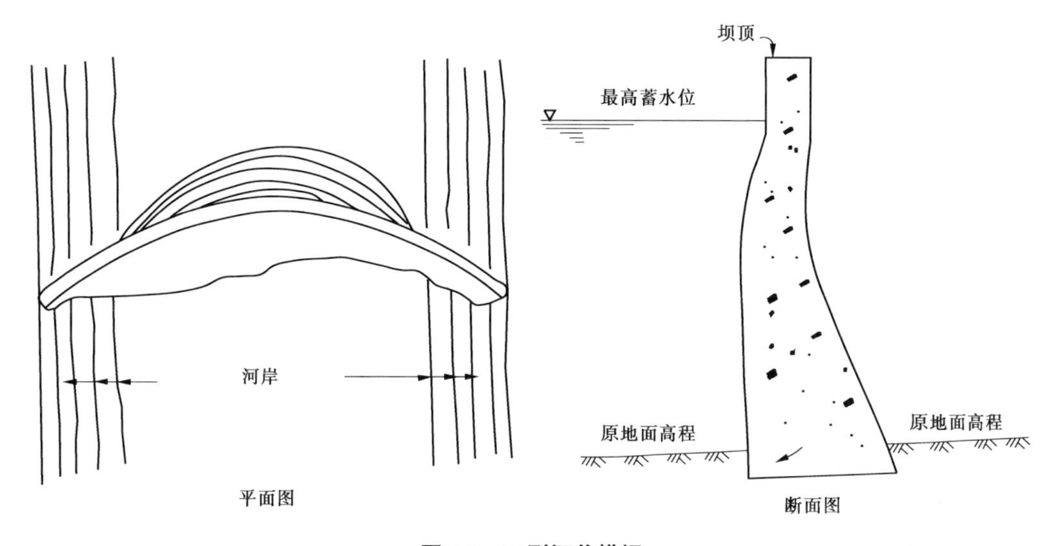

图 9-2　Ⅴ型河谷拱坝

可以根据面板的类型进一步分为：

(1)平板坝(最高的是美国的 Rodriguez 坝,高 240ft)；

(2)连拱坝(见图 9-4,最高的是美国的 Bartlet 坝,高 273ft)；

(3)大头坝(见图 9-5,美国的 Stony Gorge 坝)。

9.2.4　土坝

由土建成的建筑物,经过分级和碾压来抵抗渗流和滑坡。穿过大坝的渗漏线(也称为

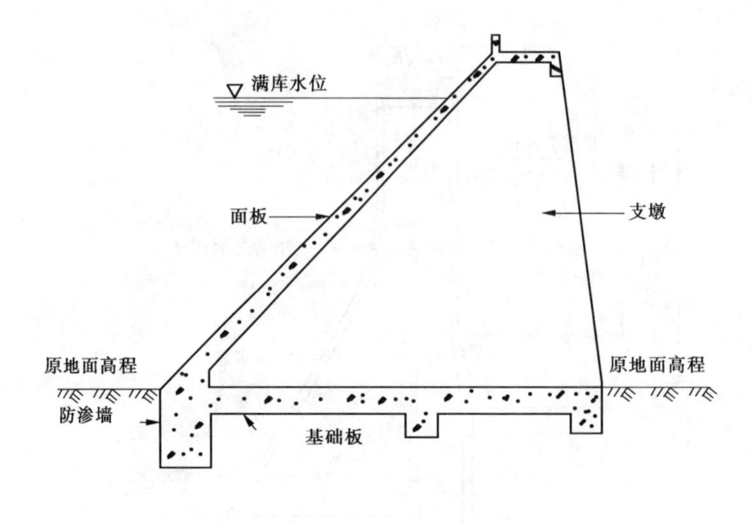

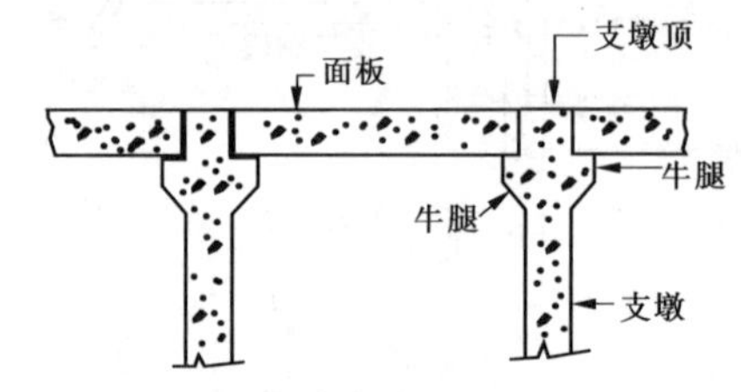

图 9-3　支墩坝

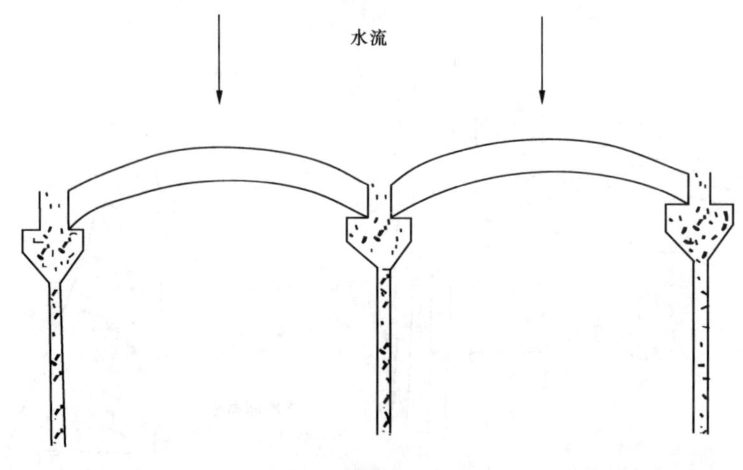

图 9-4　连拱坝平面图

浸润线)不能穿过下游坡面,否则相交的位置就会成为无限出逸坡降点,并且会从这一点发生破坏。渗润线应经过坝基,并且渗流通过反滤层排出坝体。根据所使用的材料可以分为以下几种类型:

(1)均质土坝。例如美国的 Belle Forche 大坝。

(2)非均质土坝。例如巴基斯坦的曼格拉坝和美国的 Echo 坝。

(3)土石坝。例如巴基斯坦的塔贝拉坝和美国的 Mindoka 坝。

还有另一种根据施工方法对土坝进行分类的方法,其分类如下:

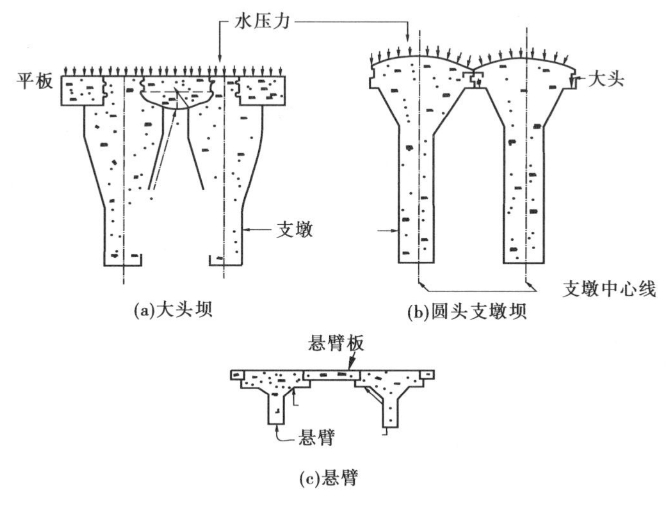

图 9-5　典型的大头支墩坝

(1)碾压土坝;

(2)半水力充填坝;

(3)水力充填坝。

碾压土坝——例如曼格拉坝或塔贝拉坝,使用翻斗车之类的机械设备运送土料,然后用羊脚碾和类似的设备压实成堤坝。

半水力充填坝——使用机械从采料场输送土料,沿堤坝的外侧倾倒。然后由喷射水流分布到堤坝上并且土料会由外至内由粗至细分布,如同下面所讲的水力充填坝。实例有美国的 Guernesy 大坝。

水力充填坝——通过水流将材料从采料场中冲或抽出并运送到堤坝。见图 9-6。

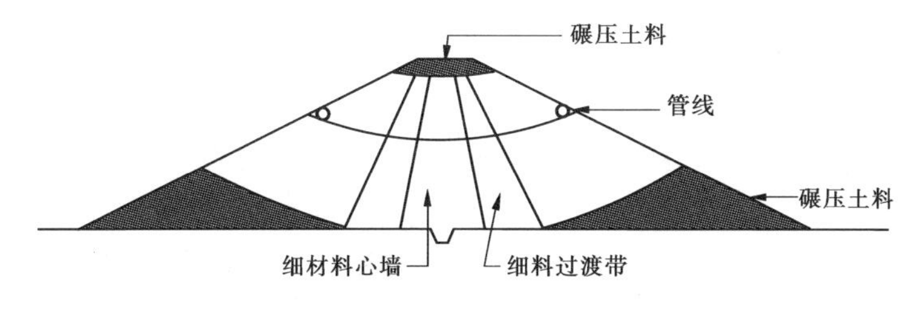

图 9-6　水力充填坝

首先填筑并压实一小部分,产生必要的朝向中心的坡度。然后用管道或水槽沿堤坝的边缘间隔一定距离填充泥浆。随着这些泥浆流向中心,当池中的水蒸发后,粗糙的材料首先在外面沉积下来,而很细的材料沉积在中心。管道或水槽也随着升高。最终顶部采用碾压填土,这样大坝就完成了。

9.2.5　堆石坝

如果坝址附近有丰富的岩石,可以用堆石坝代替土坝。在上游用混凝土面板保护填土,下游稳定在自然堆积角。堆石坝适用于中等高度。见图 9-7、图 9-8。

堆石坝包括:

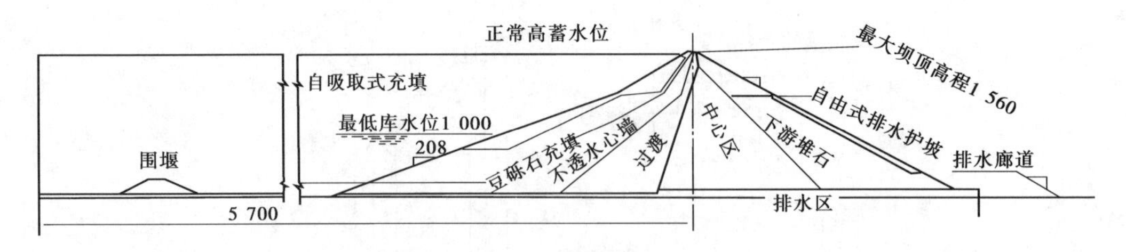

图 9-7　塔伯拉坝土坝断面(单位:ft)

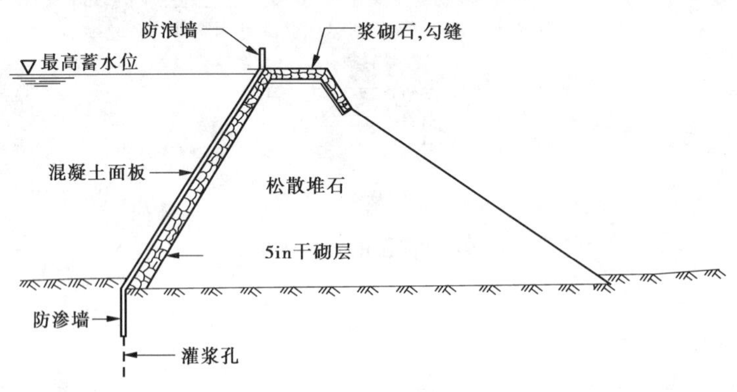

图 9-8　堆石坝

(1)堆石,即用大块岩石堆积成梯形的纵剖面。

(2)上游坡面一厚层人工干砌毛石(大约 5ft),为混凝土板提供支撑。

(3)毛石圬工上适当厚度的混凝土板,配合适当的防渗漏伸缩缝阻止渗漏。

(4)混凝土板延续部分中的防渗墙,阻止经过基础的渗透。

9.2.6　木结构或钢结构水坝

通常这些木结构或钢结构大坝要矮一些。它们与支墩坝非常相似,不同点是用钢制层面取代了碾压混凝土板,使用角钢和工字钢代替碾压混凝土扶臂。同样在木结构大坝中,这些构件都为木料。见图 9-9a、图 9-9b。

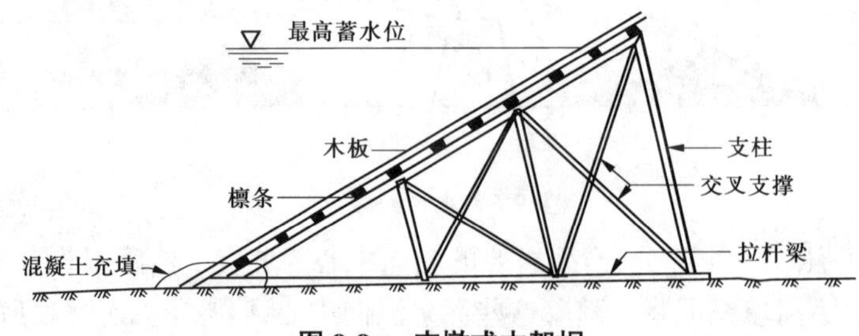

图 9-9a　支墩式木架坝

9.3　决定坝型的因素

在确定大坝类型时,要考虑以下因素:

(1)总体目标;

(2)场地条件;

(3)水力因素;

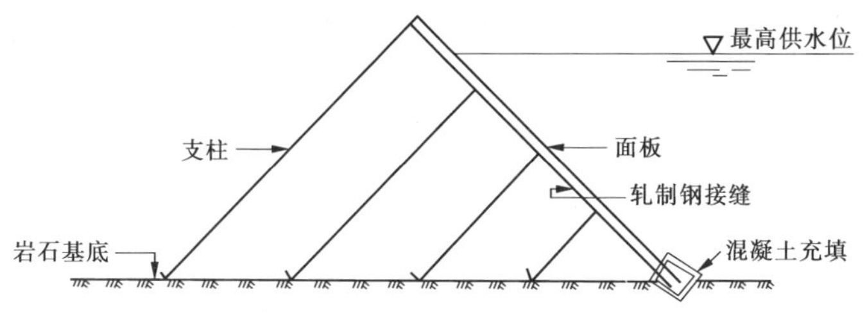

图 9-9b　直接支撑的钢材坝

(4)气候影响;

(5)交通要求。

9.3.1　总体目标

在决定水坝类型时要考虑以下因素:

(1)安全性;

(2)经济性;

(3)效率;

(4)外观。

9.3.2　场地条件

9.3.2.1　地基条件

需要采集以下数据:允许地基应力、渗透速率、开挖要求、地基沉降和灌浆效率。对于没有断层并且能采用固结灌浆进行处理的硬岩石基础适合建造任意类型和高度的水坝。若地基条件稍差,则可以考虑高度较低的重力坝或支墩坝。土坝可以安全且经济地建在几乎所有类型的土壤或岩石基础上。重力坝和拱坝需要坚固稳定的基础,而且拱坝还要求有坚固的坝肩。在不适合建重力坝的地基可以建支墩坝,因为轻微的沉降不会影响支墩坝。

9.3.2.2　地形

当地基适合建重力坝或拱坝时,地形条件决定建造直线形重力坝、折线形坝轴或者曲线形重力坝,甚至是拱坝。对于拱坝而言,峡谷的轮廓外形要清晰,坝顶长度和大坝高度理想比值大约为 5:1。

9.3.2.3　坝址交通

在根据可利用的施工材料选择坝形时,坝址交通因素非常重要。如果要修建铁路或公路才能到达水坝的话,那么水坝的花费会显著增大。

9.3.2.4　建筑材料

如果附近能获得骨料、砂子、石料或合适的土壤(黏土)这些原料来建造混凝坝、圬工坝或土坝,那么投资成本就决定坝型。如果所有以上的材料都要从远处运来,那么修建需要较少原材料的支墩坝则比较适合。

9.3.3　水力学因素

9.3.3.1　溢洪道

反弧形溢洪道是为了宣泄较大的洪水。因为重力坝的溢洪道长度不受限制,所以在这里重力坝是最适合的。拱坝适用于低洪水流量和低溢流水头的情况;支墩坝适用于轻型弧形闸门、中等流量的情况。对于土石坝而言,需要一个独立于坝体的专门溢洪道。塔贝拉大坝的陡槽式溢洪道和曼格拉大坝的反弧溢洪道分别布置,但都靠近大坝。

9.3.3.2　导流系统

在施工过程中,坝型、河流流量、河床可利用空间和溢洪道类型决定了导流系统。如果可能的话,通过混凝土坝下部墩缺口导流是最理想和经济的。同样可以在扶壁之间和面板上的临时孔导流,这也相当经济。

有时在狭窄峡谷和混凝土坝情况下,可以使用隧洞或分流建筑物,比如印度的巴克拉大坝。这些隧洞以后可以用作厂房或作为溢洪道的一部分。

在土坝中常常使用隧洞导流(比如塔贝拉和曼格拉大坝),水坝建成后,隧洞用于水力发电。

9.3.4　气候状况

在严寒的气候中,混凝土暴露在结冰和解冻的情况下会开裂。在这些地区适合用厚混凝土结构,如重力坝、厚的拱坝或土坝,不适合使用支墩坝和薄拱坝这样的结构。

9.3.5　交通要求

如果在坝顶上设公路,则可以选择以下坝型:重力坝、厚拱坝或者土坝。如果水坝上游或下游有航线,那么重力坝是理想的,而拱坝不适合。

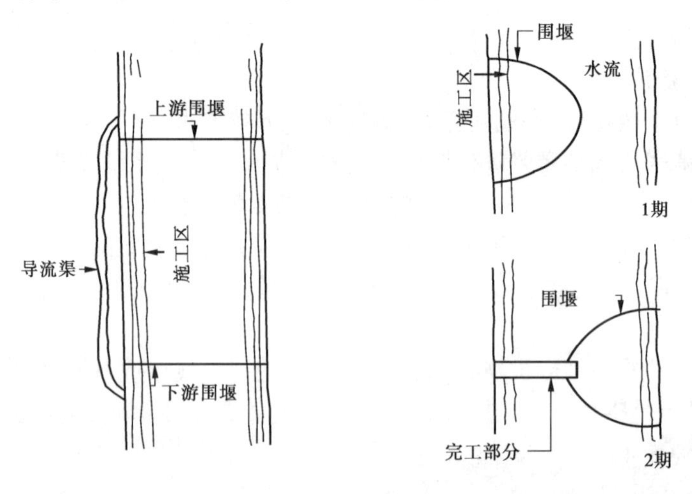

图 9-10　导流

9.4　重力坝设计步骤

以下是重力坝的两种设计方法。

(1)重力分析法;

(2)试荷载分析法。

直线型重力坝通常利用重力分析法来设计。这种方法中,假设应力成二维分布,并且地基成理想刚性。在分析中只考虑具有平行垂直面大坝的 1ft 长的横截切面,因为假设相邻条状带之间没有荷载传递。其次,基岩附近悬臂部分的偏斜可以忽略不计。

在试载法分析中,应力成三维分布,并认为岩石基础是弹性的,因此悬臂底部的偏斜不可能是零。

第二种方法比重力分析法更为精确，因为即使在水坝由一系列垂直的悬臂单元构成时，大坝也会作为一个三维整体作用。在一个地形险要、两边都是陡坡的峡谷里，悬臂从中心向外到坝肩的距离逐渐减小，因此，每个悬臂由于水荷载发生的偏转而逐渐减小。由于约束作用，长悬臂会向前拉短悬臂，而短悬臂又有向后拽的力。这样就引入了扭矩和扭力，在很大程度上改变了水坝中悬臂之间的水荷载分布。与重力分析法相比，不同之处是坝肩的水荷载大，而基础水荷载小。正如以上所述，由于岩石结构有弹性，所以悬臂底部会有一些偏转。

由于忽略了地基的弹性和扭力作用因素，重力分析法在水坝设计中并不能真实地体现应力分布情况。但由于重力分析法的简易性，它依然应用于较矮的水坝设计和非 V 型或 U 型峡谷中水坝的设计。对于大型水坝，试载分析法对于核实应力是必然之选。这种方法由美国垦务局发明，见参考文献[1]和文献[2]。一些重要的水坝都是利用荷载扭力来设计的，例如大库里坝、Madden 坝、Norris 坝、O'Shaughness 坝和 Ferry 峡谷坝。

在下面的文章中给出了广泛应用的重力分析法，而对于复杂的试荷载分析法，章节末尾处的参考书目将会对您有所帮助。

9.5 需要考虑的力

在讲解重力分析法并确定许多稳定性因素前，先讲一下非溢流部分需要考虑的外力。

(1)坝自重；

(2)水压力；

(3)浮托力；

(4)地震作用；

(5)温度应力；

(6)泥沙压力；

(7)冰压力；

(8)波浪作用。

9.5.1 水坝自重

自重在重力坝设计中起着重要作用，因为稳定性与自重息息相关。重力坝也因此而得名。通常混凝土或砌石的比重取为 150lb/ft^3。使用后张锚索会明显增加自重。著名的法国水坝设计师 Coyne 就有效地使现有水坝(阿尔及利亚的 Cheurfas 水坝)通过增高 3m 而增重。为了增重使之稳定，沿水坝轴线布置了 37 个锚索，其中心间距为 4m。为此从水坝顶上一直到地基钻了 37 个直径 25cm 的孔。每个直径 15cm 的锚索由 630 个直径 5mm 的镀锌高抗拉的平行线束组成。依靠 3 个在坝顶和钢筋混凝土推压盖之间的水力千斤顶将 1 000t 的拉力施加到每个电缆上。

9.5.2 水压力

通常水压力作用于坝表面。一个垂直面只有一个水平力。对于斜面来说，水平分力等于$(1/2)\gamma h_1^2$，其中 h_1 是水的垂直高度。垂直分力等于倾斜面上水的重量，通过重力体的中心发生作用。

可以根据流体力学的基本法则来算出合力。如果存在尾水，要做类似计算。

9.5.3 扬压力

扬压力是决定水坝稳定性的重要力之一。由于大坝蓄水产生的巨大水柱高度造成了渗漏，在大坝基础产生了向上的扬压力。美国土木工程师协会推荐适合的参数为：①面积系数；②强度系数。

面积系数是浮托作用的实际基础面积的一部分。强度系数是指作用在基础任意一点的压力强度，表示为总水头乘以一个分数。面积系数的推荐值为基础的100%或全部。根据美国垦务局的观测，强度系数是在水库踵部为水库水头的100%强度，线性降到水坝底部浮托力线的50%（在排水线处），然后在尾水水位处线性减为零（如图9-11所示）。

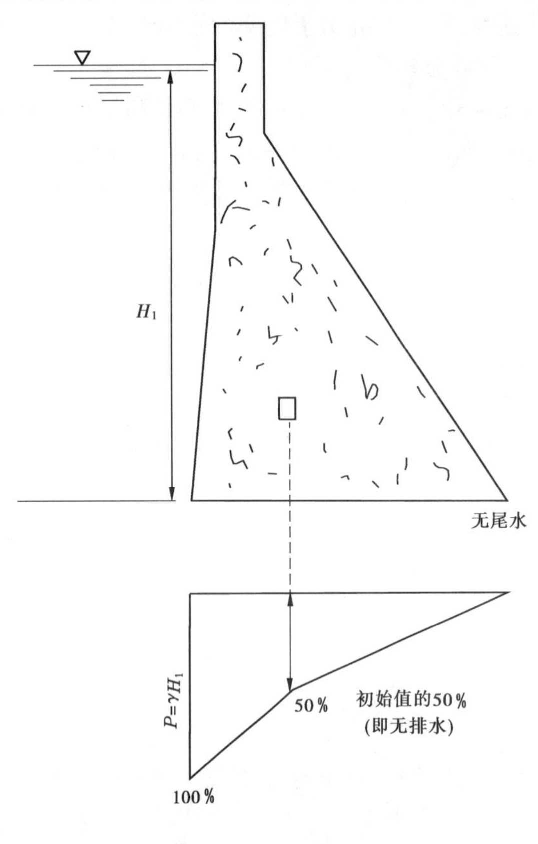

图 9-11　坝基扬压力

9.5.4 地震力

在地震多发地区建水坝时要考虑地震作用对水坝的影响。地震力有以下两种作用方式：①惯性力；②增加的水压力。

地震对于扬压力、冰压力和波浪作用的影响可以忽略不计。

9.5.4.1 惯性力

如果坝基由于地震发生移动，只要不出现断裂情况，坝体必然也会随着移动。要想产生这样的位移，必须克服建筑物的惯性。通过水坝和地基间的应力为介质来施加作用力。

在一般地区，我们设想，地震力仅仅作用于水平方向，而垂直方向的力可忽略不计。

同理对于一个排空水库，当力作用于上游方向时产生最坏的情况。如果是满水的水库，当力作用于下游方向时产生的情况最坏。在一般地区，地震产生的力是重力的1/10。换句话说，设地震的强度系数为 L，等于 $1/10g$。在严重地震带，垂直分力也要考虑。一些坐落在这些地区的水坝按如下取值：

水平地震加速度 $=0.15g$

垂直地震加速度 $=0.1g$

它们既可同时发生作用，也可分别发生作用。

除了以上的力，在高坝中要考虑共振影响。一座弹性水坝会由于地基发生地震而开始振荡。如果振荡周期与地震周期相等时，就会出现危险的状况。Westergard 算出了三角断面混凝土水坝的（空水库时）振荡周期。此水坝的弹性模量为 $2\times10^6\text{lb/in}^2$：

$$t_s = H^2/(2\,000 \times L) \tag{9-1}$$

式中　t_s——振荡周期，s；

H——水坝高度，ft；

L——基底宽度，ft。

当水坝的高度高于 1 000ft 时，t_s 接近 1s。通常地震周期为 1s，因此高 1 000ft（大部分水坝都是）以下的水坝发生共振的概率很小，可以忽略。

9.5.4.2　增加的水压力

当水静止时，大坝向上游和下游方向产生振荡。当大坝移离时，水压力下降，当大坝移向上游区域时水压力增加。Westergard 提供了估算这部分额外水压力的方法。

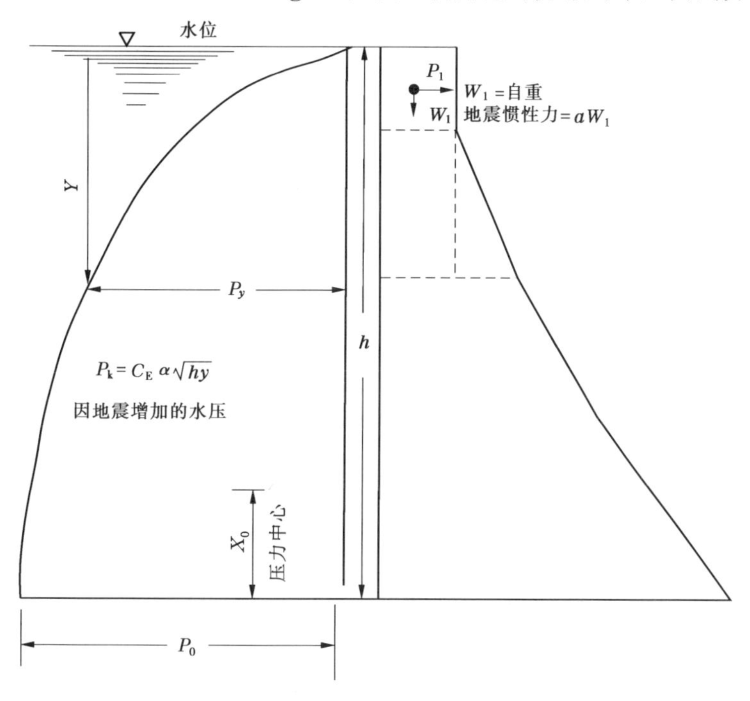

图 9-12　因地震增加的上游水压曲线

见图 9-12，由于地震产生的上游压力曲线可假定为抛物线。由此得出：

$$P = (2/3)C_e a h^2$$

$$P_{y0} = (4/15)C_e a h^3 \tag{9-2}$$

式中　P——任何水深 h 时的总水压；

P_{y0}——坝踵附近总水压力矩；

a——地震加速度与重力加速度之比；

h——总水高度；

C_e——下面所给系数。

Westergard 给出了一个近似但在所有常规情况下足够精确的公式：

$$C_e = \frac{51}{\sqrt{1 - 0.72\left(\frac{h}{1\ 000 \times t}\right)}} \tag{9-3}$$

式中　t——地震时长，s。

如果考虑地震时长，允许应力值可以有所增加：

不发生地震的正常值＝850 lb/in^2（受压）

不发生地震的正常值＝75 lb/in^2（受拉）

发生地震的允许值＝1 100 lb/in^2（受压）

发生地震的允许值＝125 lb/in^2（受拉）

9.5.5　温度应力

产生温度应力的原因有：

(1)因为温度变化造成长度改变而产生坝肩约束；

(2)水泥水化热作用使混凝土温度升高。

在重力坝设计时，习惯上忽略这些应力。

9.5.6　泥沙压力

泥沙沉积有很多原因，如分水岭管理、水流挟带泥沙量、水库中泥沙沉积类型以及上游是否存在水库。一旦设计中确定了泥沙高程，可以使用Rankine公式计算泥沙压力，并作为挡土墙的土压力。

$$P_s = \frac{\gamma_s h_s^2}{2} \times \frac{1 - \sin\theta}{1 + \sin\theta} \tag{9-4}$$

式中　P_s——总泥沙压力，lb；

γ_s——泥沙浮容重，lb/ft^3；

h_s——淤沙高度，ft；

θ——泥沙的休止角。

9.5.7　冰压力

水库完全结冰时，一旦温度上升，冰就会膨胀，对水坝施加压力。9-13的图就表明了温度每小时变化率与压力上升的关系。参见参考文献[1]。

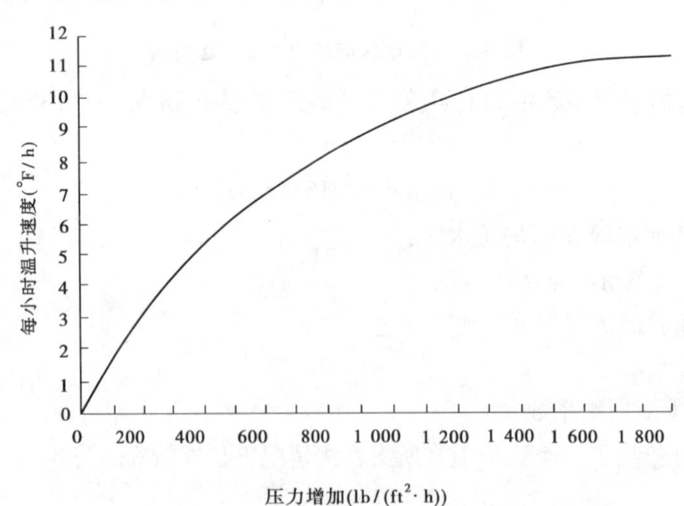

图9-13　温度与冰压力升高关系曲线

9.5.8 波浪作用

在设置超高和计算波浪对水坝产生的作用力时要考虑波浪作用。

Molitor 浪高公式

$$h_w = 0.17\sqrt{VF} + 2.5 - F^{1/4} \tag{9-5}$$

式中 h_w——从波谷到波峰的高度；

V——风速，mile/h；

F——受到风力作用的水域的吹程或直线长度，mile。

实际的超高是 1.5 h_w。浪的压力是

$$P_w = 125\ h_w^2 \tag{9-6}$$

式中 P_w——浪压力/大坝单位长度，lbs。

力的作用点位于静水面上方，作用在 $0.375h_w$ 的位置。

9.6 稳定性分析——基底应力不均匀系数和稳定安全系数

简化的重力分析即稳定性分析。在稳定性分析中，安全系数和其他应力都只在水坝的踵部和趾部计算，而重力分析在整个断面中则对应力分布做详细的分析。重力分析的优势在于了解整个水坝各个部分的受力状况，这样对设计坝上孔口很有帮助。这节详细介绍重力坝的稳定性分析。

不管是在扭力荷载分析、重力分析或稳定分析中，都将按照下面内容描述设计准则：即根据①稳定系数；②应力系数。

下面将针对大坝踵部和趾部的稳定分析详细论述这两个系数。

9.6.1 稳定系数

稳定系数有如下 3 个系数：

(1)滑动系数；

(2)抗剪摩擦安全系数；

(3)抗倾覆安全系数。

9.6.1.1 滑动系数

$$SF = \frac{水平力}{(W - U)} \tag{9-7}$$

式中 W——垂直向下的力；

U——扬压力。

对于混凝土坝，滑动系数不应超过 0.8，而对于堆石坝则应控制在 0.75 以内。

9.6.1.2 抗剪摩擦安全系数

除了摩擦阻力外，还需考虑大坝材料的抗剪强度。

$$SFF = \frac{\sum(W - U) \times f + AS}{水平力} \tag{9-8}$$

式中 F——混凝土和砌石的摩擦系数，为 0.65；

A——所考虑的水平截面面积，in^2；

S——材料的抗剪能力(lb/in²),混凝土和砌石通常为 300lb/in²。

SFF 规定的最小值为 5,保证不受抗剪破坏。

9.6.1.3 抗倾覆安全系数

抗倾覆安全系数是多余的,因为在不受拉情况时,合力会落到基础中间 1/3 处,这就自然保证了抗倾覆安全。然而该安全系数定义为趾部的抵抗力矩和倾覆力矩的比值,对于混凝土坝应为 1.2,对于砌石坝应为 1.5。

9.6.2 基底应力不均匀系数

坝体中产生的应力应保持在安全值范围内,估算如下:

(1)截面。在重力分析和稳定分析中考虑带有平行垂直面的横向截面(1ft)。

(2)拉应力。避免拉应力发展,保证将合力约束在中间 1/3 范围内。在建重要的大坝时,这一条件是不够的。在上游面这点上最小压应力值应该为水压的 40%。

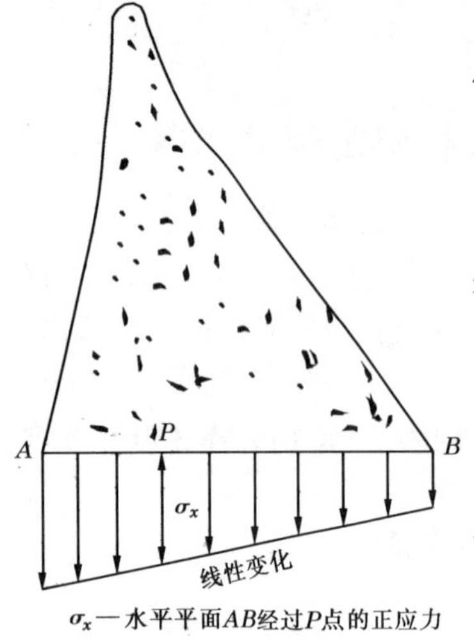

图 9-14 坝基的正应力变化

(3)压应力。直接作用在水平面上的压应力要着重考虑。图 9-14 中 σ_x 表示的水平面上的法向应力的变化成线性。

(4)最大倾斜应力。按照 Unwin 的公式,倾斜应力应考虑两种情形:

$$1)空库=\frac{2W}{L}\left(2-\frac{3B}{L}\right)\sec^2\Phi_1 \tag{9-9}$$

$$2)满库=\frac{2W}{L}\left(2-\frac{3B}{L}\right)\sec^2\Phi_2 \tag{9-10}$$

式中 W——砌石重量(包括水荷载);

B——地基上合力点至空水库时上游坝踵(满水库时下游坝趾)的距离;

L——地基宽;

Φ_1——上游面和垂直面的夹角;

Φ_2——下游面和垂直面的夹角。

一般混凝土大坝规定的最大允许压应力为 600lb/in²,剪应力为 300lb/in²。

(5)内应力分布。对于重要的水坝,使用重力分析法而不是稳定分析法来确定整个断面不同分散点上的应力。关于重力分析和扭力承重分析,可参见美国垦务局的文献。因为这些都超出了本书范围,故不再罗列。

9.7 利用稳定性分析使用分区法设计重力坝剖面

对于非溢流坝可以采用分区法来设计,如图 9-15 所示,每个区间都有其自己的特征。当往下游时,最后一个区可能受应力破坏,也可能不稳定。这样就应该尝试用别的方式,或者干脆采用如下面章节中所述的单块设计。

1 区:它包括了由浪高决定的超高部分。坝顶宽度应能允许道路通行。

2 区:上游面和下游面要保持垂直,它的极限值是合力穿过满库时下游中间三等分的位置。

3 区:上游面继续保持垂直而下游面出现斜坡,以便使合力处于下游中间三等分位置。限制分区的条件与分区 2 相同。

4 区:上游下游面出现斜坡,并延续到极限条件位置,即在空库和满库时分别穿过上游和下游的中间三等分位置。

5 区:与 4 区的特征相似,除了满水库情况外,合力都应降至下游的中间三等分范围内来控制倾斜应力。

6 区:在 6 区中,两个面都持续倾斜,合力应该在中间三等分的地方来控制坝趾和坝踵的倾斜应力。

7 区:应避免产生 7 区。当水坝高度增高时,不可能将倾斜应力控制在允许临界值内,因为,地基加宽就会使斜坡变平,导致倾斜应力增大而不是减小。

9.8 单区设计

在剖面中发现 7 区的设计在水坝设计中并不现实时,补救措施包括重新设计,或将整个水坝转换成单部件来设计。图 9-16 为 350ft 高的水坝被设计成单独部件的剖面图。从施工角度来说,图 9-16 所示的单区设计坝体更容易构建,而且能够满足所有的设计标准,因而是可行的。

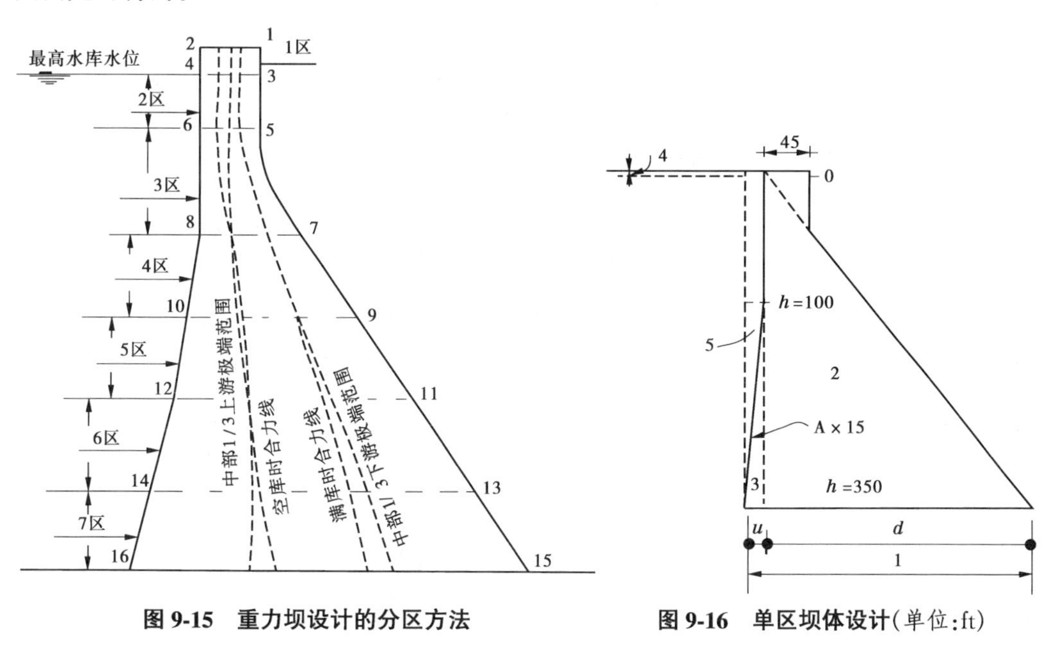

图 9-15　重力坝设计的分区方法　　**图 9-16　单区坝体设计**(单位:ft)

以上所讲设计原则通过本章附录中介绍的实例来展示。

9.9 拱坝设计

由于拱坝受与地基相连的制约,它的作用力不单是拱作用力,而是拱和悬臂梁的联合作用力,且随后具有不确定特性。拱坝的设计方法非常复杂而且专业,因而是一项专业性的工作。我们在以下众多方法中选择一种设计,因为它便于理解,并且至少能提供大致的解决方案。如要进行更详细的研究请参照本章结尾处的参考文献[1]。

(1)圆柱理论；

(2)弹性理论；

(3)拱和拱顶的悬臂方法；

(4)扩大试验荷载方法；

(5)削减试验荷载方法；

(6)倾斜拱计算方法。

9.9.1 拱坝设计的圆柱理论(细长圆柱)

在这一理论中,假定应力与薄壁等外径的圆柱体内的应力大致相等。参见图 9-17 单位高度的 AB 环。

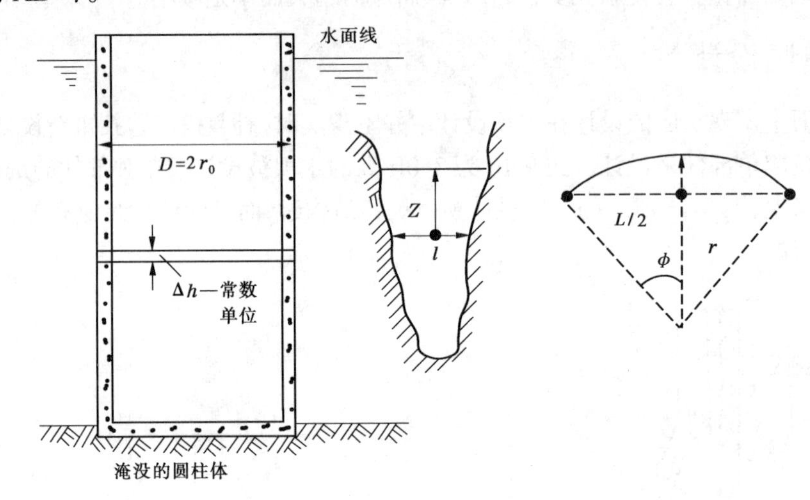

图 9-17 拱坝的圆柱体理论

垂直于直径的总荷载 $=2rhr_e$，γ 为水容重。或者认为是图 9-18 中所示的拱圈和作用在水平面上的静水压力。那么全部的拱圈承受的水压力 $=2\gamma hr_e\sin\dfrac{\theta}{2}$。这样就得出坝肩作用力 R 的合力为 $2R\sin\dfrac{\theta}{2}$。

因
$$\sum F_y = 0$$

$$2\gamma hr_e\sin\frac{\theta}{2} = 2R\sin\frac{\theta}{2} \tag{9-11}$$

或
$$R = \gamma hr_e$$

$$T = \text{平均单位推力} = R/t - rhr_e/t \tag{9-12}$$

式中， t 为拱厚。

或
$$t = \gamma hr_e/T \tag{9-13}$$

因为混凝土的 T 值已知,就可用于设计中即给出平均允许应力。

或者
$$t = \frac{\gamma hr_e}{T-0.5\gamma} \quad (\text{根据 } r_e) \tag{9-14}$$

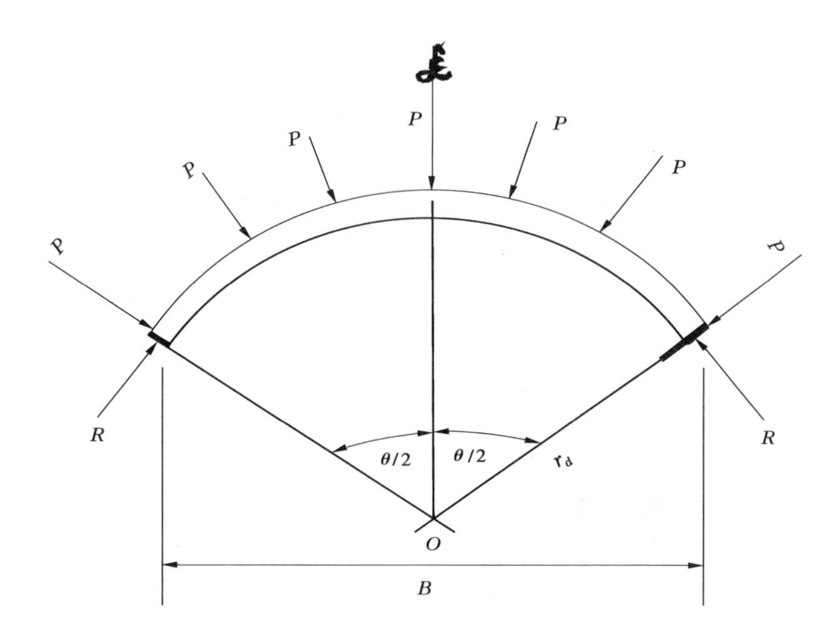

图 9-18　拱坝拱圈的受力图

$$t = \frac{\gamma h r_i}{T - \gamma h} \quad (根据\ r_i) \tag{9-15}$$

式中　r_e——拱圈外半径；

r_i——拱圈内半径；

r_c——拱圈中心线半径。

9.9.2　确定拱坝的形式

确定拱坝形式有 4 个要点：

(1)上面的圆柱体公式使我们能够确定第一个近似值，拱坝的一般特性，在峡谷中，其剖面由 $B = f(z)$定义，其中 f 为混凝土中的工作应力，然后已知的数值是 f、B 和静水压力 γz，未知的有半径 r、中心角 θ 和拱的厚度。

(2)应正确确定峡谷两侧支撑处的反作用力 R 的方向，保证岩体的承载力能够满足力的传递要求。如图 9-19 所示反作用力的散射锥形图中假定角度为 60°，这意味着中心的角度是定值 120°。

(3)峡谷的等高线通常收敛。为了获得令人满意的拱作用，中心角不应太大。

(4)中心角 133°34′这个值，有时是大坝最小混凝土体积的首选值。这样得到 $r_c = 0.544B$。

倘若考虑相应的弦长，r_e 和 r_i 也有同样的关系。

9.9.3　拱坝的类型

按照上面的理论，可采用下面拱坝类型的一种(见附录Ⅱ)。

(1)定半径或定中心拱坝。图 9-20 是一个定中心拱坝，它的上、下游面拱中心和中心线在任何高程都是一致的。这些中心的轮廓是一条垂线，拱是等厚度的。大坝的上游面通常是垂直的，但在靠近大坝中心部分靠近基础处可能有一个上游坡脚。这种类型适合

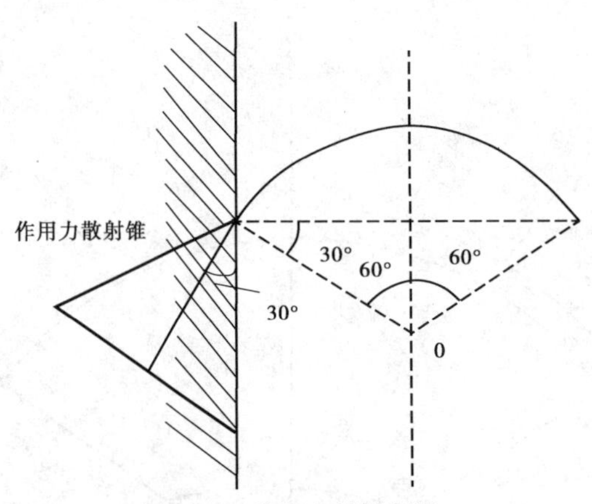

图 9-19　作用力的散射锥

U 形峡谷,而且因立模容易,施工比较容易,也比较简单。

(2)定角度拱坝。在上述定半径拱坝中,中心处各水平拱单元的对角从坝顶到基础变化已经陈述过,用 133°34′的中心角大坝的混凝土体积减小到最小。每个高程的拱叠加形成坝。如图 9-21。

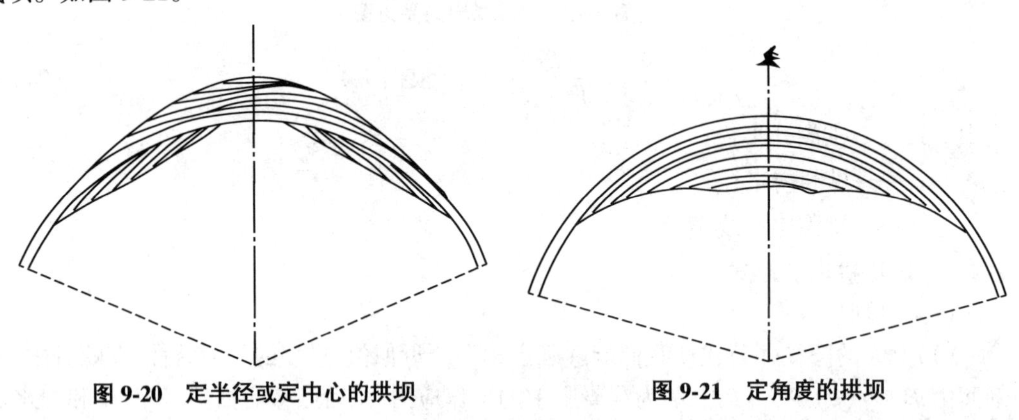

图 9-20　定半径或定中心的拱坝　　　图 9-21　定角度的拱坝

(3)变半径拱坝。在定角度拱坝中,大坝可能会产生上游倒悬或下游倒悬或上下游都倒悬的情况(图 9-22)。重力拱坝过度倒悬会带来施工困难。可以采取变半径来避免倒悬。对于上述第二种类型的中心角固定、半径变化的拱坝,这种坝型的中心角和半径都是变化的。这种坝型与第一种坝型的区别是,此坝型半径是变化的,第一种坝型半径为定值,两者中心角都变化。这种类型拱坝的实例是美国垦务局建造的 Gibson 大坝。

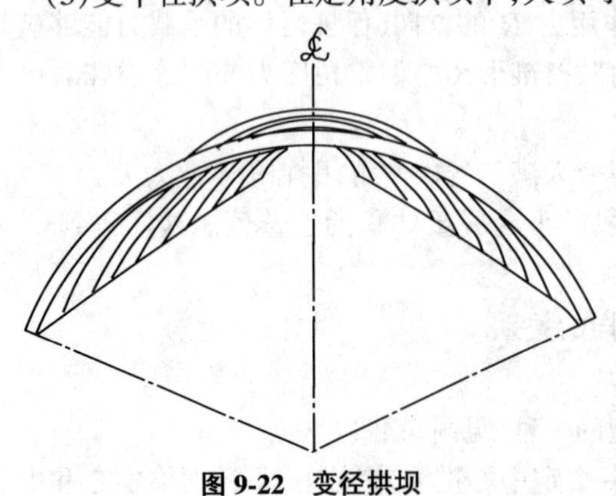

图 9-22　变径拱坝

拱坝的设计准则在本章附录Ⅱ的例题解题过程中说明。

9.10 支墩坝设计

除了扬压力由于支墩间的间隙而可
以忽略不计以外,支墩坝的受力与上述所列的重力坝的受力相同。当基础为透水而扶壁底脚展布成连续或近似连续板时,通常梯形扬压力的假定是适用的。

支墩坝由下列部分组成:

(1)挡水面板;

(2)支墩;

(3)支墩和基脚。

9.10.1 挡水面板

首先,应该确定坡度,近似1:1的坡度是合适的,因为据此可以得到较高的稳定性和低的滑动系数。

面板设计假定它由一系列平行梁组成,彼此独立,在托梁处简支。

由弯矩剪力公式得到板的厚度

$$bd^2 = \frac{M}{R} = \frac{1.5L^2(62.5h + 12.5t\cos\theta)}{R} \tag{9-16}$$

$$当剪力 = \frac{V}{\tau bM} = \frac{L(62.5h + 12.5t\cos\theta)}{2\tau bm} \tag{9-17}$$

$$R = f_s pm = \frac{1}{2}\mathrm{f_c}km \tag{9-18}$$

其中 b——面板的宽度,in;

d——面板到钢筋的重心的深度,in;

M——弯矩;

V——垂直剪力;

T——允许单位剪应力;

L——面板跨度,ft;

h——到计算面板单元的水深,ft;

t——面板总厚度,in;

p——含钢率,%;

m——从混凝土受压区重心到 d 的距离的比率;

k——从顶部到断面中性轴的深度与 d 的比率;

f_s——对于面板1:1坡度的钢筋抗拉强度=12 000lb/in^2;

f_c——对于面板1:1坡度的混凝土抗拉强度=600lb/in^2;

θ——上游坡面与水平面夹角。

9.10.2 墩肩设计

支墩的厚度通常小于面板承载需要的厚度。这就必须使用增大断面或墩肩来提供所需的承载面积。墩肩应力分析可采用光弹试验。可以采用的成比例尺寸在图9-23中给出。

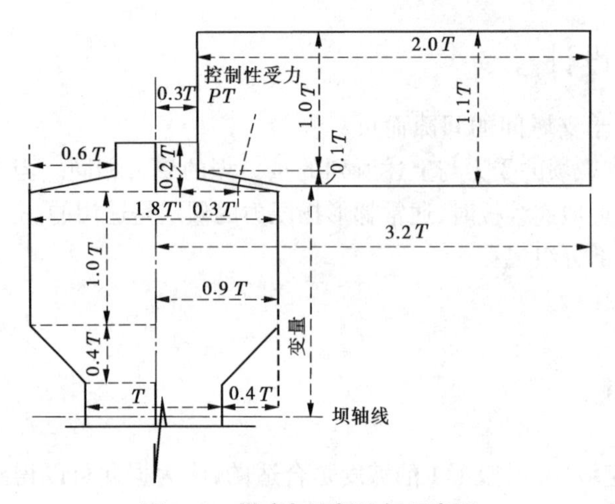

图 9-23　墩肩与面板比例示意图

9.10.3　支墩设计

支墩间距是支墩设计首要考虑的对象。有一个基于经济考虑的计算支墩间距的数学公式,是关于 $\cos\theta$、每英尺混凝土量、水头和滑动系数的函数。但是由数学分析出的经济间距不能过多依赖函数关系。最合适的间距应根据材料经济性和当地条件决定。应参照开挖需要的范围和性质,断层的压力和岩石裂隙对基础条件做严谨的研究。严格的分析是很困难的,通常用单位柱体法初步确定支墩的厚度和长度。假定支墩由一系列独立的柱组成,其上的荷载是结构荷载和水荷载的组合。假定柱是弯曲的以避免偏心荷载。单位柱体法设计细节参照美国垦务局关于大坝的论文集支墩坝的章节。支墩底脚根据基础上的荷载来设计。在某些情况下,支墩的面积可能是足够的,而在其他情况下,须采用扩大基础或当基础较差时可能不得不使用连续板。

9.11　土坝设计

随着土力学的发展,土坝设计已经走上高度科学性的轨道,以前通常是靠经验法则进行设计。

作为全世界水资源广泛利用的结果,适合建造砌石和混凝土坝的地点在不断地减少,特别是在巴基斯坦这种坝址非常少。因此,土坝会越来越重要并会被广泛使用。设计细节在此不作讨论,具体可以查阅结尾所列参考书目。下面简要讨论设计要点,本章的附录Ⅲ给出了毕肖普法设计土坝的例子。

通过研究土坝的破坏情况,列出如下设计准则:

(1)要有足够的超高,防止漫顶。

(2)自由液面线也称为浸润线,不能与下游坡面一致,这会引起无限出逸坡降并冲走土颗粒。此外,渗流损失应达到最小。

(3)上游和下游坡面应在不同条件下保持抗滑稳定,包括水位骤降。

(4)不能有透水通道穿过大坝或基础。

(5)上、下游面和顶部防护能分别承受波浪作用、霜冻和雨水冲刷。

9.11.1 漫顶

土坝会由于以下原因漫顶:①泄洪能力不足;②安全超高不足。

水文学原理将确定最大设计洪水和相应的泄洪能力。对于低于 100ft 高的坝,可按照 100 年一遇设计,对于高于 100ft 的坝,可按 250 年一遇设计。

重力坝可以用 Molitor 公式计算浪高和超高。所需总超高包括:洪水上涨高度、浪高、波浪爬高和最大霜冻深度。

下面是推荐值:对于坝高≥200ft,高于溢洪道闸顶 10ft。对于坝高≤200ft,高于溢洪道闸顶 8ft,对于自由溢洪堰顶最小需要 6ft。

9.11.2 浸润线控制和渗流控制

可用下面方法使浸润线切于大坝基础:①使用如图 9-24 所示的黏土制成的心墙。②趾部采用堆石。

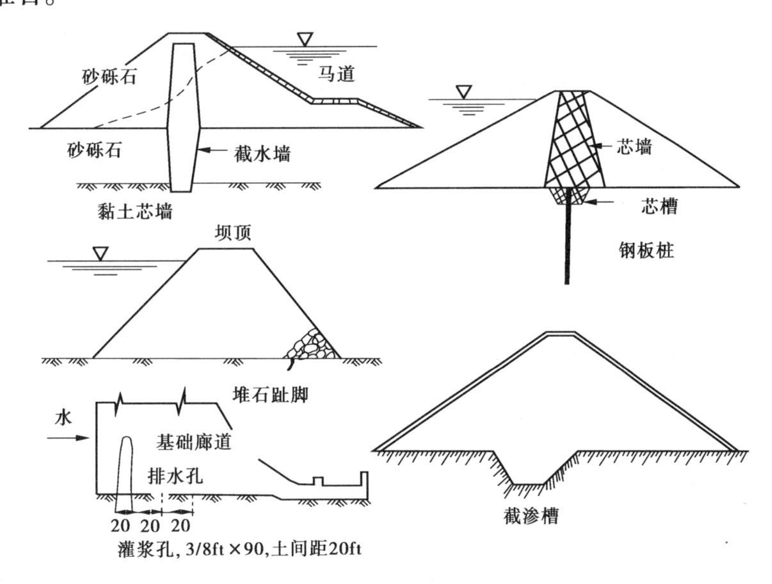

图 9-24 土坝防渗的各类方法

可用以下方法减少穿过坝身和基础的渗流:

(1)像图 9-24 那样设置心墙。

(2)基础灌浆。

(3)截水槽。

(4)截水槽中设置板桩,用于粉沙、细砂和砾石基础,但如果材料有贯入阻力,则使用板桩就不经济了。

(5)上游铺盖或护坦用有足够厚度的黏土之类的不透水材料,铺在上游侧河床上,来加长渗流路径,从而减小渗流。下面的公式给出了铺盖的长度。

$$X = \frac{khd - pqb}{pq} \tag{9-19}$$

式中 p——坝下使用铺盖减小后的渗流与不使用铺盖的总渗流的比值;

q——不使用铺盖的每英尺坝下总渗流量,$q = k\frac{h}{b}d$。

对于其他量的定义参看图 9-25。巴基斯坦塔贝拉大坝的上游铺盖长度为 1mile。

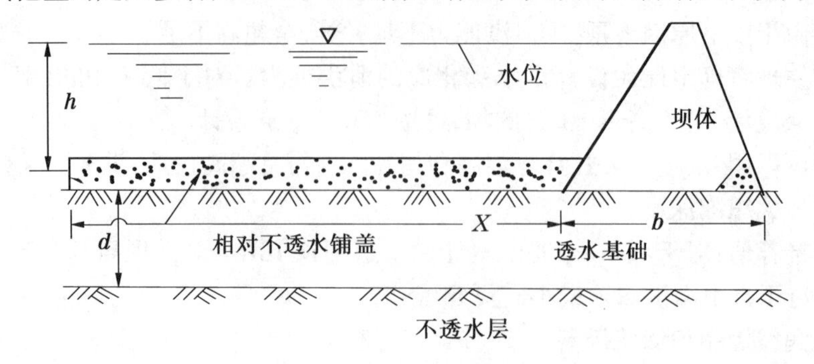

图 9-25　土坝上游的防渗铺盖

9.11.3　边坡稳定

坝身和基础受自身重力、由孔隙压力引起的渗流压力、水压力、降雨和地震力产生的剪应力的影响。边坡稳定的设计准则是保证这些剪应力在允许范围内。稳定的边坡应能承受在允许范围内的垂直沉降和水平位移产生的变形。边坡破坏通常为堤坝外层脱离主体并产生滑动，这种破坏称为剪切破坏。当沿边坡滑动面由自重产生的稳定力矩大于剪切力矩（或倾覆力矩）时，边坡是稳定的。通常安全系数取 1.6。

$$安全系数 = \frac{稳定力矩}{倾覆力矩} = 1.6$$

计算安全系数时，正确的抗剪强度值，即凝聚力和土体的内摩擦角是非常重要的。这些值可通过下面 3 种可能的条件获得，即：

（1）不固结不排水试验；

（2）固结不排水试验；

（3）固结排水试验。

也分别称为 Q，R 和 S 抗剪强度。

Q 抗剪强度适用于均质黏性土堤坝的稳定分析，或是不透水区域，也就是建成后的混和土石坝的心墙，还有排水速率小于堤坝填筑速率的不透水基础层。

R 抗剪强度适用于堤坝不透水区域经过水位骤降后的分析。另外，当发生稳定渗流时，它也可以用来检验均质土坝下游坡面的稳定。

S 抗剪强度只适用于自由排水土壤，如粉砂、砂壤土等，及稳定渗流下荷载逐渐施加允许水分排出的半透水土。

根据下面的临界条件来进行稳定分析，当边坡受到除自重外的附加剪力作用时，堤坝可能发生剪切破坏。

（1）完建。在竣工时，在自重下发生固结，由于不透水填土（部分或全部）不能排出水分，可能引起额外的孔隙水压力。因此可使用 Q 试验抗剪强度值。

（2）水位骤降。尽管使用半透水或不透水材料建造大坝，已经经过一段时间使用的大坝由于渗流变成饱和状态。对于这样的大坝，如果水库水位在很短时间内降低，坝身内的水渗出的速率较上游水面下降的速率慢，会造成不平衡的渗流力。对于水位骤降情况应使用 R 抗剪强度。

(3)稳定渗流。当保持最高库水位在堤坝中形成稳定渗流条件,这就成为下游边坡稳定最危险的情况。对于没有设置内排水的采用不透水或半透水材料的堤坝是特别危险。根据主要情况应使用 R 和 S 试验值。浸润线由流网确定,附录Ⅲ中有这种情况的完整解法。

(4)地震。在地震区,当地震产生水平作用力,而抗剪强度没有改变的时候会出现临界情况。设计时加速度大小通常假定为 $0.1g$。

9.11.4 边坡稳定分析方法

大坝边坡抗滑稳定分析分两个阶段:

(1)完建期。在施工过程中,大坝中会产生孔隙压力,当大坝投入运行后孔隙压力消散的可能性较小。在这种情况下,要使用所有抗剪强度参数来验算边坡稳定,可以使用下面的几种或全部方法:①瑞典圆弧法;②Taylor 稳定数分析;③摩擦圆法。可以确定临界滑弧的位置。详见任何土力学的课本。

(2)边坡的长期稳定。在施工过程中产生的孔隙水压力随时间推移而减小。当这些压力消散后,它们会导致边坡中应力进一步改变,所以有效应力要在分析中用到。

在分析边坡长期稳定时采用下面的方法:①改良的条分法;②毕肖普法。

毕肖普法使用非常广泛,因为获得的结果非常经济而且很可靠。下面会详细讨论,附录Ⅲ中附有例题。毕肖普法考虑了一个条状体,因为主要的扰动力为重力引起的体积力,而且扰动力由大坝材料的形状、密度决定,而且认为由减小土的抗剪强度来达到极限平衡状态。安全系数定义为实际强度与维持极限平衡状态所需强度的比值。

$$\frac{S'}{S} = F \tag{9-20}$$

式中 S'——总抗剪强度;

S——实际使用的抗剪强度。

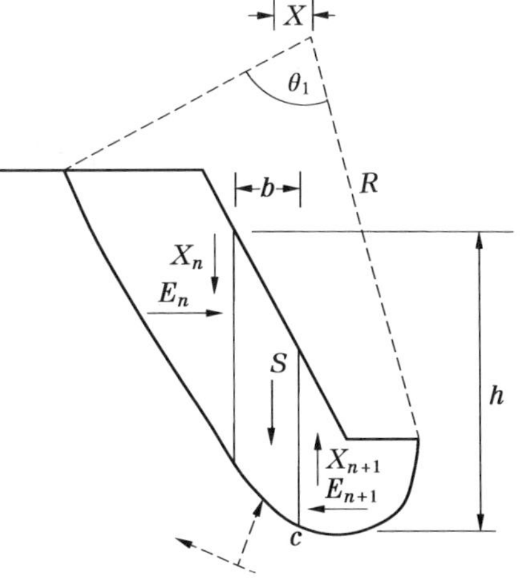

图 9-26 稳定分析的毕肖普法

当在整个破裂路径(也就是整个坝身)发生滑动并穿过建筑物时,即认为发生破坏。

这个路径通常是平滑的曲线。对于均匀土壤和均质条件下通常使用近似的圆形路径。如图 9-26 所示。

W——土条的总土重;

E_n、E_{n+1}——第 n 和 $n+1$ 个截面上的水平力的合力;

X_n、X_{n+1}——土条两侧的剪力;

P——土条底部总法向力;

σ_n——法向应力,lb/in^2;

u——孔隙水压力;

φ——抗剪强度角;

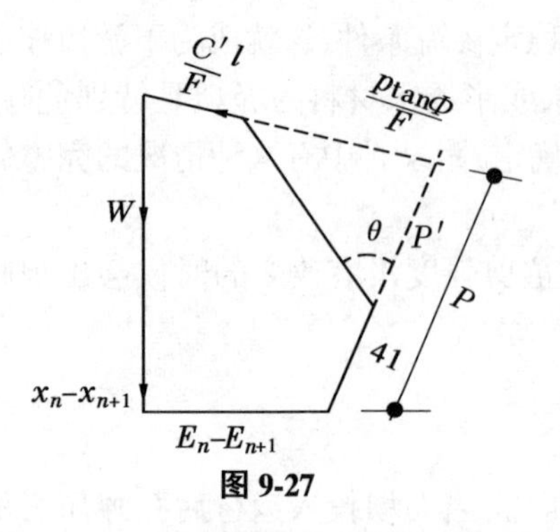

图 9-27

C——凝聚力,lb/in^2;
S——作用在底部的剪力;
h——土条高;
b——宽度;
t——土条底部长度,$t=B_c$;
α——B_c和水平面的夹角。

底部任何一点的允许剪应力

$$S = \frac{1}{F}(C' + \sigma_n \tan\Phi') \tag{9-21}$$

其中 F——安全系数;
C'——计入孔隙水压力后的有效凝聚力;
Φ'——对应C'的摩擦角。

法向剪应力 $\sigma=\dfrac{F}{l}$

$$S = \frac{1}{F}\left(C' + \left(\frac{P}{l} - u\right)\tan\Phi'\right) \tag{9-22}$$

作用在土条底部的总剪力为Sl。

对圆弧中心O取矩,使土条重量弯矩与剪力弯矩相等

$$\sum WX = \sum RS' = \sum RSl$$

$$F = \frac{R}{\sum WX}\sum (C'l + (P - ut)\tan\Phi)$$

为得出F,我们使用土条关于B_c的平衡条件,将它沿滑弧法向分解

$$P = (W + X_n - X_{n+1})\cos\alpha - (E_n - E_{n+1})\sin\alpha$$

代入得到

$$F = \frac{R}{\sum WX}\sum (C'l + \tan\Phi'(W\cos\alpha - ul) + \tan\Phi'(X_n - X_{n+1})\cos\alpha - (E_n - E_{n+1})\sin\alpha\tan\Phi')$$

由于没有外力,通常假定

$$\sum (E_n - E_{n+1}) = 0\text{,并且}\sum (X_n - X_{n+1}) = 0$$

如果Φ'是常量且又是沿表面的常量,则$\tan\Phi'((X_n - X_{n+1}))\cos\alpha - (E_n - E_{n+1})\sin\alpha$项为零。在其他情况下省略这些项是近似做法,其精度随着弧中心角Φ增加而减小。

令 $X=R\sin\alpha$

则 $$F = \frac{1}{\sum W\sin\alpha}\sum (C'l + \tan\Phi'(W\cos\alpha - ul)) \tag{9-23}$$

如果 $u=\overline{B}W/b$ (9-24)

式中,$\overline{B}$为孔隙水压力系数,通过实验室三轴压缩试验得到。通常从现场获得数值。

如果 $l = b\sec\alpha$

$$F = \frac{1}{\sum W\sin\alpha}\sum\left(C'l + \tan\Phi'(W\cos\alpha - \overline{B}\frac{W}{b}b\sec\alpha)\right)$$

$$F = \frac{1}{\sum W\sin\alpha}\sum(C'l + W\tan\Phi'(\cos\alpha - \overline{B}\sec\alpha))$$

上式是更为普遍接受的形式。

力的多边形为

$$\tan\theta = \frac{1}{F}\tan\Phi'$$

令 $P' = P - ul$ 并分解垂向力

$$W + X_n - X_{n+1} = ul\cos\alpha - P'\cos\alpha + \frac{P'\tan\Phi'}{F}\sin\alpha + \frac{C'l}{F}\sin\alpha$$

$$P' = \frac{W + X_n - X_{n+1} - l\left(u\cos\alpha + \frac{C'}{F}\sin\alpha\right)}{\cos\alpha + \frac{\tan\Phi'\sin\alpha}{F}}$$

代入 P' 得到

$$F = \frac{1}{\sum W\text{ain}\alpha} - \sum\left[C'b + W(1 - \overline{B})(X_n - X_{n-1})\left(\frac{\sec\alpha}{1 + \frac{\tan\Phi'\tan\alpha}{F}}\right)\tan\Phi'\right]$$

这称作 Bishop 关系式,在曼格拉大坝设计中使用了这一公式。

对于完整等式

$$\sum(X_n - X_{n+1}) = 0 \quad 同样地 \tag{9-25}$$

$$\sum(E_n - E_{n+1}) = 0 \tag{9-26}$$

公式(9-25)通常是正确的,而且可以代替,而($E_n - E_{n+1}$)由于渗流通常不等于零(当第一个等于零)。

当($E_n - E_{n+1}$)不等于零时

$$\sum\left(\frac{m}{p}\sin\alpha - (W + X_n - X_{n+1})\tan\alpha\right) = 0$$

其中 $m = C'l + \tan\Phi'(W\cos\alpha - ul)$

当 $X_n - X_{n+1}$ 为零时

$$F = \frac{1}{\sum W\sin\alpha}\sum\left[(C'b + W\tan\Phi'(1 - b))\frac{\sec\alpha}{1 + \frac{\tan\Phi'\tan\alpha}{F}}\right]$$

Φ' 和 C' 是摩擦角和凝聚力的表观值。如果现场值 u 已知,则

$$F = \frac{1}{\sum W\sin\alpha}\sum\left[(C'b + \tan\Phi'(W - ub))\frac{\sec\alpha}{1 + \frac{\tan\Phi'\tan\alpha}{F}}\right]$$

9.11.5 防止明流

下面是从上游到下游产生明流,并危及稳定性的可能原因:

(1)水沿管道的外表面流动;

(2)穴居类动物,如麝鼠;

(3)黏合和压实土层破坏;

(4)基础与底层黏合破坏;

(5)水在混凝土坝肩或其他混凝土结构的光滑表面流动或穿过这些结构边缘,由于砾石沉积而形成的暗沟。

应注意避免出现上面的情况。混凝土管道应设截水环,这样可以阻止水沿光滑面流动。最好的办法是将管道放置在天然基础材料挖出的沟中或在大坝一侧穿过山的穿岩沟槽中。

9.11.6 冰冻的安全防御

冰冻作用的影响取决于堤坝材料的性质和气候条件。冰冻作用的影响不可忽视,因为冰冻膨胀会弱化土壤结构,引起破裂或开裂,从而当水位上升时会导致破坏性的渗漏。通过在顶部铺设粗砂砾,并且在顶部设置适当的排水,可以使霜冻作用减到最小程度。

高坝通常顶部宽 40ft,中、低坝 20ft 就足够了。如果要通公路,就要使用防止雨水冲刷和防浪等的几种铺面。

上游坡面应使用抛投或人工修筑的抛石护坡来防护波浪作用。

同样,下游坡面也应该使用填筑卵石来保护,它的主要功能是提供一个稳定重量,而且它还保护下面的土坡不受降雨、径流等的影响。

习题

1. 为了增加已建成的重力坝的高度,应采用什么方法增加它的重量。

2. 你是如何理解重力坝的基本剖面的。推导确定基础宽度和稳定标准的表达式。

3. 解释重力坝设计的分区方法。

4. 校核图 9-28 所示的混凝土坝的稳定性,假定所需的数据。

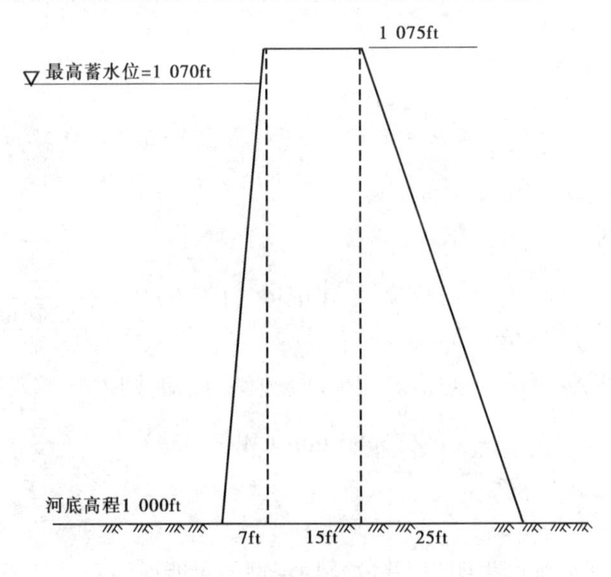

图 9-28

5. 支墩坝的主要特征是什么。举出一个巴基斯坦支墩坝的实例。

6. 曲线重力坝和拱坝的区别是什么。

7. 拱坝是如何承受荷载的。

8. 证明等半径拱坝的最经济中心角是133°34′。

9. 图9-29(单位:ft)是一个均质土坝。用流网计算大坝每英尺长度的渗流。大坝材料的渗透系数取 0.25×10^{-3}ft/s。

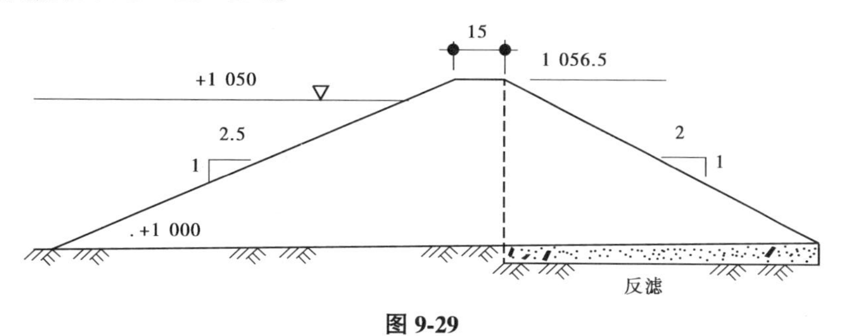

图 9-29

10. 根据图9-30(单位:ft)峡谷的横截面设计等角度拱坝和等半径拱坝,并且对两者进行比较。

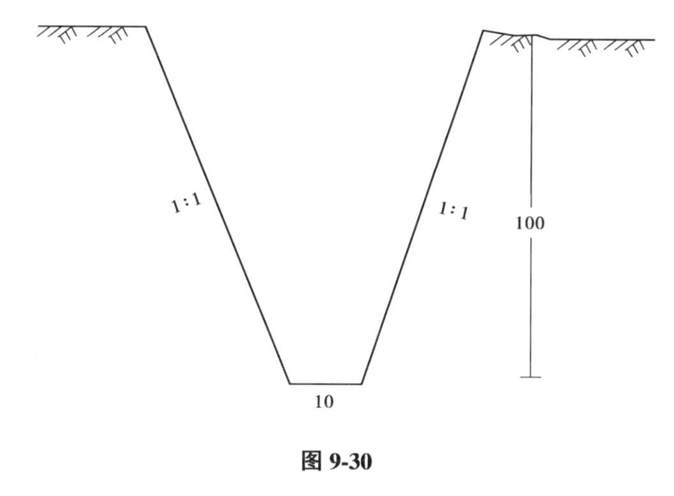

图 9-30

参考文献

[1] Justins J D, Hinds J, Greager W P. Engineering for Dams. John Wiley and Sons, New York, 1945.

[2] Rao J V. A Short Course on Dams Engineering. I. I. T. Kharagpur, 1960.

[3] Rao J V. An Analytical Approach for Testing the Stability of Slopes Subject to Efflux of Seepage. Journal of Scientific Research, I. I. T., Kharagpur 1960.

[4] Sain Kanwar. Modern Trends in the Construction of Dams and Power Houses. Atma Ram and Sons, Delhi, 1962.

[5] Lieftinck P, Sadove A R, Creyke T C. Water and Power Resources of West Pakistan.

Vol. III, Published for the World Bank by John Hopkins Press, Baltimore, 1968.
[6] Manual - Corps of Engineers. Design Stability of Earth and Rock - fill Dams, U.S. Army Engineers, 1960.
[7] Sherrad J L, Woodward R J, Gizienski and Clevenger W A. Earth and Earth Rock Dams. John Wiley and Sons, New York, 1963.
[8] Treatise on Dams, Chapter 9. Gravity Dam. U.S. Bureau of Reclamation, Colorado, 1949.
[9] U.S. Bureau of Reclamation. Design of Small Dams. Ministry of Interior, Washington, 1977.
[10] Barron A R. The Design of Earth Dams Chapter in Handbook of Dam Engineering. Mc Graw Hill, New York, 1978.

附录Ⅰ　重力坝设计范例

设计问题

按所示坝剖面，计算应力和稳定安全系数，考虑或者不考虑地震影响，采用如下数据：

最大风速＝80mile/h

吹程＝10mile

地震加速度＝$g/10$

地震周期＝1s

水库淤沙浮容重＝$56lb/ft^3$

回填土干容重＝$100lb/ft^3$

泥沙和回填土的内摩擦角＝30°

在设计中假设标准的扬压力。

设计

1　安全超高

$F=10$ mile　$V=80$mile/h

所以，浪高$=0.17\times\sqrt{VF}+2.5-\sqrt[4]{F}$

$$h_w=0.17\times\sqrt{80\times10}+2.5-\sqrt[4]{10}=4.81+2.51-1.78=5.53\text{ft}$$

所以，最小安全超高$=(4/3)h_w=7.38$ft

设计采用安全超高1 640－1 628＝12ft，满足防浪要求。

2　浪压力

大坝每英尺长度所受到的浪压力

$P_w=125h_w^2=125\times5.53^2=3.835$klb/ft

P_w作用在上述$\frac{3}{8}h_w$的距离。

3　地震力

(1)惯性力——水平方向上圬工结构的惯性力为$0.1W$，其中W为考虑断面的重量。垂向地震影响和共振效应忽略。

(2)由于地震影响而增加的水压力。

$$P_e=\frac{2}{3}C_eLy\sqrt{hy}$$

其中，P_e为水压P在水深y时的增加。$L=1/10$，且$h=h_j$至满库水位＝118。

$$C_e=\frac{51}{\sqrt{1-0.72\left(\frac{h}{1\,000t_e}\right)^2}}$$

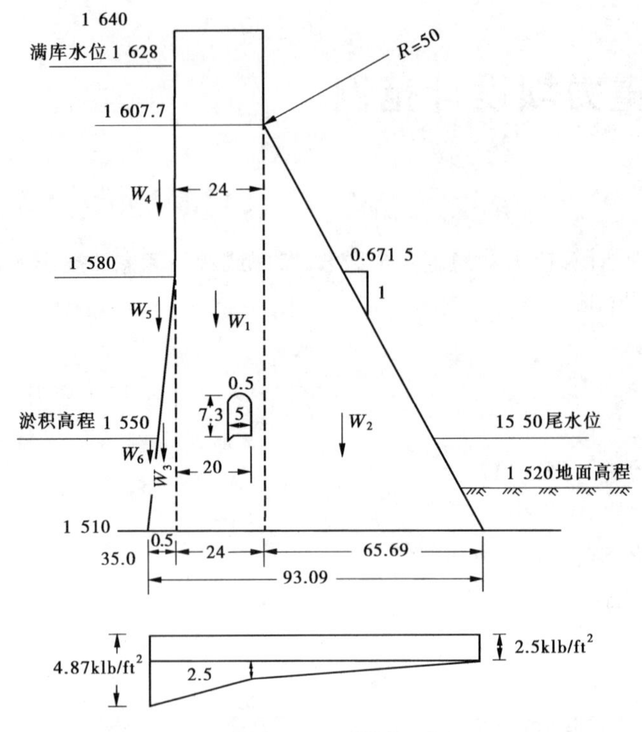

附图 9-1-1 （单位:ft）

$$C_e = \frac{51}{\sqrt{1 - 0.72\left(\frac{118}{1\,000 \times 1}\right)^2}} = 51.3$$

所以,$P_e = \frac{2}{3} \times 5.13 \times \frac{1}{10} \times \sqrt{118} \times y^{3/2}$

P_e 的力矩公式如下

$$P_e X = \frac{4}{15} C_e L y \sqrt{hy}$$

$$P_e X = \frac{4}{15} \times 51.3 \times \frac{1}{10} \times \sqrt{118} \times y^{3/2} = 14.85 y^{3/2}(\text{lb} \cdot \text{ft}) = 0.014\,85 y^{3/2}(\text{klb} \cdot \text{ft})$$

4 **扬压力**

采用标准做法,假设:

面积系数=1

强度系数=1(在踵部),0.5(在排水廊道)

U_1(在踵部)=62.5×118=7 380lb/ft² =7.38klb/ft²

U_2(在趾部)=62.5×40=2 500lb/ft² =2.5klb/ft²

在排水廊道=$\frac{7.38-2.5}{2}$×2.5=6.1klb/ft²

5 1 580ft **高程处稳定分析**(见附图 9-1-1,或者在大坝 70ft 高度)

$$Z = 10\text{ft} \quad b = 42.6\text{ft} \quad Z + \frac{b}{3} = 24.2\text{ft} \quad Z + \frac{2b}{3} = 38.4\text{ft}$$

附表 9-1-1

行	项	描述和尺寸	力(klb)		力臂(ft)	力矩 (ft·klb)
			水平	垂直		
(1)	W_a	1 607.7 以上圬工$=24\times32.3\times0.147$	—	114	$(z+12)=22.0$	2 508
(2)	W_b	1 607.7 到 1 580 之间圬工 $=27.7\times24\times0.147+(27.7\times18.6\times0.147)/2$ (97.7□) (37.9△)	—	(97.7□) (37.9△)	$(z+12)=22.0$ $(z+30.2)=40.2$	2 149 1 523
(3)	总	空水库,无地震	—	249.6	24.76	6 180
(4)	P_{em1}	(□)部分地震	21.17	—	30	635
(5)	P_{em2}	(△)部分地震	3.79	—	9.2	35
(6)	总	空水库,地震	24.96	—	22.0	549
(7)	ph	水平水压$=(62.5\times48^2/2)\times1\ 000$	72	—	16	1 152
(8)	Peox	地震引起的水压增加	12.4	—	19.2	238
(9)	P_w	波浪压力	3.835	—	50.08	192
(10)	U	扬压力(近似)$=1/2\times0.0625\times48\times42.6$	—	−63.9	24.2	−1 546
(11)	总计	满库,无地震 行 3+7+9+10	75.835	185.7	32.1	5 978
(12)	总计	满库,地震 行 3+4+5+7+8+9+10	113.195	185.7	37	6 886

6 应力和稳定系数计算(1 580ft 高程)

(1)无地震力

①最大直接应力——空库

最大直接应力 $m=\dfrac{W}{b}\left(1-\dfrac{6e}{b}\right)$

其中 $e=31.3-24.7=6.6\text{ft}$

$$m=\frac{294}{42.6}\left(1+\frac{6\times6.6}{42.6}\right)=13.31\text{klb/ft}^2$$

最大倾斜压力 $=13.31\sec^2\Phi_1$

式中,Φ_1 为上游面和垂直线的夹角。

因为在 1 580ft 高程以上上游面垂直,所以 $\Phi_1=0$。

②最大直接应力——满库

最大直接应力 $=\dfrac{W}{b}\left(1\pm\dfrac{6e}{b}\right)$

其中 $e=32.1-31.3=0.8\text{ft}$

最大直接应力$=\dfrac{185.7}{42.6}\left(1\pm\dfrac{6\times0.8}{42.6}\right)=4.85\text{klb/ft}^2$ 压应力

最大倾斜应力$=4.85\sec^2\Phi$

式中,Φ 为下游面和垂直线的夹角。

$$\sec^2\Phi = 1 + \tan^2\Phi = 1 + 0.671\,5^2 = 1.45$$

所以最大倾斜应力 = 4.85×1.45 = 7.02klb/ft²(压应力)

③滑动系数

$$SF = \frac{75.835}{185.7} = 0.408$$

④ 剪切摩擦系数

$$剪切摩擦系数 = \sum(W - U)f + AS$$

$$SFF = \frac{185.7 \times 0.65 + 42.6 \times 144 \times 0.30}{75.835} = 25.9$$

⑤倾覆系数

倾覆力矩 = 1 344((7)行 + (9)行)

稳定力矩 = 185.7(52.6 − 32.1) = 3 800

$$所以,倾覆系数 = \frac{3\,800}{1\,344} = 2.82$$

(2)有地震力

①最大直接应力——空库

$$最大直接应力 = \frac{249.6}{42.6}\left(1 \pm \frac{6 \times 9.3}{42.6}\right)$$

其中 $e = 31.3 - 22 = 9.3\text{ft}$

最大直接应力 = 13.5klb/ft²(压应力) = 1.81klb/ft²(拉应力)

当 $\Phi_1 = 0$ 时,最大倾斜应力相同。

②最大直接应力——满库

$$最大直接应力 = \frac{185.7}{42.6}\left(1 \pm \frac{6 \times 5.7}{42.6}\right)$$

$$= 7.9\text{klb/ft}^2(压应力)$$

其中 $e = 37 - 31.3 = 5.7\text{ft}$

最大倾斜应力 = 7.9 × 1.45 = 11.4klb/ft²(压应力)

③滑动系数

$$SF = \frac{113.145}{185.7} = 0.61$$

④剪切摩擦系数

$$剪切摩擦系数 = \frac{185.7 \times 0.65 + 42.6 \times 144 \times 0.30}{113.145} = 17.3$$

⑤倾覆系数

倾覆力矩 = 2 252(行(3) + (4) + (5) + (7) + (8) + (9) + (10)

稳定力矩 = 185.7(52.6 − 37.0) = 2 899

$$所以,倾覆系数 = \frac{2\,899}{2\,252} = 1.287$$

7 空库

附表 9-1-2　　在高程 1 510ft 即在坝基高程的稳定分析

行	项	描述和尺寸	力(klb)		力臂(ft)	力矩(ft·klb)
			水平	垂直		
1	W_1	24×130×0.147 圬工	—	458	55.5	25 450
2	W_2	65.59×97.7/2×0.147	—	478	89.36	42 750
3	W_3	3.5×10/2×0.147	—	18	42.34	762
4	总计	满库,无地震,仅仅圬工引起的重量	—	954	72.3	68 962
5	P_{em_1}	对 W_1 地震惯性力＝0.1 W_1	45.8	—	65	2 980
6	P_{em_2}	对 W_2 地震惯性力＝0.1W_2	47.8	—	32.57	1 530
7	P_{em_3}	对 W_3 地震惯性力＝0.1W_3	1.8	—	23.33	42
8	总计	仅有负地震	−95.8	—	48.1	−4 552
9	W_E	回填重量 13.43×20/2×0.1	—	13.43	128.61	1 730
10	P_E	水平回填土压力＝(1/3)×0.1×20^2/2	−6.67	—	6.67	−45
11	总计	空水库,无地震,行 4＋9＋10	−6.67	967.43	73.1	70 647
12	总计	空水库－ve 地震,行(8＋11)	−102.47	967.43	68.35	66 095

8 高程

附表 9-1-3　　1 510ft 处满库容情况下的稳定性分析

	1	2	3	4	5	6
1	$W_1+W_2+W_3$	砌石自重	—	954	72.30	68 962
2	$P_{em_1}+P_{em_2}+P_{em_3}$	砌石的地震力	95.4	—	48.10	4 552
3	W_E'	浸没后的回填土重＝0.037 5×13.43×20/2	—	5.04	128.10	647
4	PE'	回填土的水平作用力(1/3)×0.037 5×20^2/2	−2.50	—	6.67	−17
5	W_4	上游坡在高程 1 580ft 以上的水重 48×3.5×0.0625	—	10.5	41.75	438
6	W_5	上游坡在高程 1 580ft 以下的水重 70×3.5×0.062 5/2	—	7.65	41.75	315
7	W_6	浸润的泥沙重 2×40×0.056/2	—	2.24	40.67	91
8	P_6	泥沙引起的水平力(1/3)/0.056×40^2/2	14.9	—	13.33	199
9	W_7	下游水重 0.062 5×40×26.80/2	—	33.6	124.14	4 170

续附表 9-1-3　　　　　　1 510ft 处满库容情况下的稳定性分析

	1	2	3	4	5	6
10	W_w	A区的扬压力(矩形)2.5×93.09	—	−232.2	86.54	−20 070
11	(参考附图 9-1-1)	B区的扬压力(矩形)1.82×23.5	—	−42.7	51.75	−2 215
12	—	C区的扬压力(三角形)1.82×69.51/2	—	−63.3	86.70	−5 480
13	—	D区的扬压力(三角形)3.05×23.5/2	—	−35.8	47.8	−1 712
14	P_h	上游水压力 $0.0625\times118^2/2$	435	—	39.33	17 100
15	$P_h{}'$	尾水压力 $(1/2)\times0.0625\times40^2$	−50	—	13.33	−665
16	P_w	浪压力	3.83	—	120.08	459
17	Pex	地震增加的水压力($y=118$)	47.6	—	—	2 250
18	—	地震增加的尾水压力	忽略	—	—	忽略
19	总计	满库无震时	401.23	39.03	97.3	6 222.2
20	总计	满库有震时	544.23	63 903	107.9	69 024

9　高程 1 510ft 处的应力和稳定性情况

(1)不考虑地震荷载时

①最大直接应力——空库

$$最大直接应力 = \frac{967.43}{93.09}\left(1 \pm \frac{6\times13.44}{93.09}\right) = 19.4\text{klb/ft}^2$$

式中　$e=86.54-73.1=13.44\text{ft}$

$\tan\Phi_1=1/20=0.05$

$\sec^2\Phi=1+0.05^2=1.0025$

最大斜向应力 $= 19.4\times1.0025 = 19.45\text{klb/ft}^2$

②最大直接应力——满库

$$最大直接应力 = \frac{639.03}{9309}\left(1 \pm \frac{6\times10.74}{93.09}\right) = 11.65\text{klb/ft}^2$$

式中　$e=97.3-86.54=10.74\text{ft}$

最大斜向应力 $=11.65\times1.45=16.9\text{klb/ft}^2$

③滑动系数

$$SF = \frac{401.23}{69.03} = 0.627$$

④剪切摩擦系数

$$SFF = \frac{636.03\times0.65+93.09\times144\times0.3}{401.23} = 11.07$$

⑤倾覆系数

倾覆力矩 = 19 326　　(行(8)+(14)+(16)+(17)−(4)−(15))

稳定力矩 = 22 870 = 639.03×(40+93.03−97.3)

系数$=\frac{22\ 870}{19\ 326}=1.18$

(2)考虑地震荷载时

①最大直接应力——空库

最大直接应力$=\frac{967.43}{93.09}\left(1\pm\frac{6\times18.19}{93.09}\right)$

式中　$e=86.54-68.35=18.19\text{ft}$

最大斜向应力$=1.002\ 5\times22.6$ 和 $-1.002\ 5\times1.82$

$=22.65\text{klb/ft}^2$(压应力)

$=-1.83\text{klb/ft}^2$(拉应力)

②最大直接应力——满库

最大直接应力$=\frac{639.03}{93.09}\left(1\pm\frac{6\times21.39}{93.09}\right)=6.88(1\pm1.375)$

$=16.32\text{klb/ft}^2$(压应力)

$=2.8\text{klb/ft}^2$(拉应力)

式中　$e=107.9-86.51=21.39\text{ft}$

最大斜向应力$=1.45\times16.32=23.7\text{klb/ft}$

$=-1.45\times2.58=-3.74(\text{klb/ft})$(拉应力)

因此不满足要求。

③滑动系数$=\frac{544.23}{639.03}=0.85$

④剪切摩擦系数$=\frac{639.03\times0.65+93.09\times144\times0.3}{544.23}=8.15$

⑤倾覆

倾覆力矩$=23\ 868\text{klb}\cdot\text{ft}$

稳定力矩$=639.03\ (40+93.03-107.9)\approx16\ 100$

倾覆系数$=\frac{16\ 100}{23\ 868}=0.68$,因此不满足要求。

从各系数显而易见,大坝在地震影响下产生拉力而失稳,但如果大坝建在非地震区,则以认为是安全的。

附录Ⅱ　拱坝设计范例

资料

如附图 9-2-1 所示,需要在峡谷中建一座拱坝。通过柱面理论设计①等半径拱坝;②等中心角拱坝;③可变半径拱坝。画出平面图和典型横断面。

假定数据如下:

混凝土工作抗压强度 = 40 000lb/ft^2,顶厚 = 跨度的 1/40。假设峡谷的等高线平行。

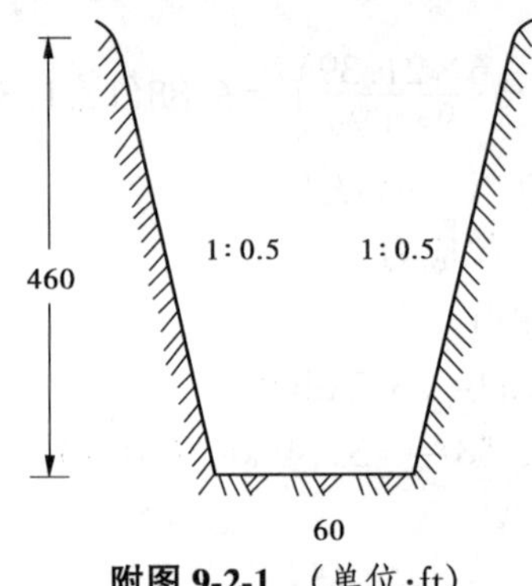

附图 9-2-1　(单位:ft)

设计

1　等半径坝

谷顶跨度 $= 60 + 2 \times 450/2 = 510\text{ft}$

增加顶部中心角获得最优平均角,确定等半径坝的最小体积。

$2\alpha = 133°34'$

假设顶部的中心角 $2\alpha = 150°$　$r_{\mathrm{i}} = \dfrac{510}{2\sin 75°} = 264\text{ft}$

顶宽 $= \dfrac{510}{40} = 12.75\text{ft}$　　$\therefore$　$r_{\mathrm{e}} = 264 + 12.75$

$$t = \frac{W_2 h r_e}{40\ 000} = \frac{624 \times 276.75 \times h}{40\ 000} = 0.432\text{h}$$

厚度在坝顶的 0 到坝底的 194.5ft 之间变化,拱顶宽度取 12.75,而不是取 0。

坝布置如下:

(1)先确定轮廓。

(2)标出坝中心线,不断试验确定弧中心 O 点。

(3)画出拱顶的内外弧。

(4)从拱冠处向下游点方向布置不同等高距的拱厚。

(5)中心点位于 O 点,经过这点画弧。

(6)画出横断面。

附表 9-2-1

h(ft)	0	50	100	150	200	250	300	350	400	450
t(ft)	0	21.6	43.2	64.8	86.4	108.0	129.6	149.8	172.8	194.5

等半径拱坝计算

深度(ft)	l_e(ft)	厚度 t(ft)	内径 $r_i = r_e - t$ (ft)	角度 $2\alpha = \sin^{-1}(l_e/2r_i)$	平均半径 (ft)	每个断面深度 d(ft)
(1)	(2)	(3)	(4)	(5)	(6)	(7)
0	510	0	276.75	150°	276.75	25.0
50	460	21.6	255.15	135.4°	265.95	50.0
100	410	43.2	233.55	123°	255.25	50.0
150	360	64.8	211.95	116.6°	244.35	50.0
200	310	86.4	190.35	109.2°	233.55	50.0
250	260	108.0	168.75	101.2°	222.75	50.0
300	210	129.6	247.15	91.2°	211.95	50.0
350	160	149.8	126.95	78.4°	201.85	50.0
400	110	172.8	103.95	64.1°	190.35	50.0
450	60	194.5	82.25	42.8°	179.50	25.0

2 等中心角拱坝

因为其他的中心角不是太大就是太小,故前一种方法中只有坝顶下部的拱的体形正确合理。在这种方法中,中心角将保持不变(附图 9-2-2)。

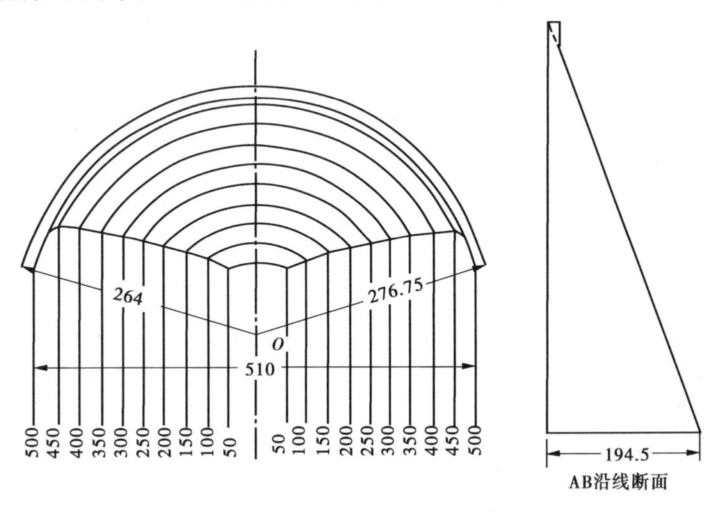

附图 9-2-2 等中心角(圆柱体理论)拱坝(单位:ft)

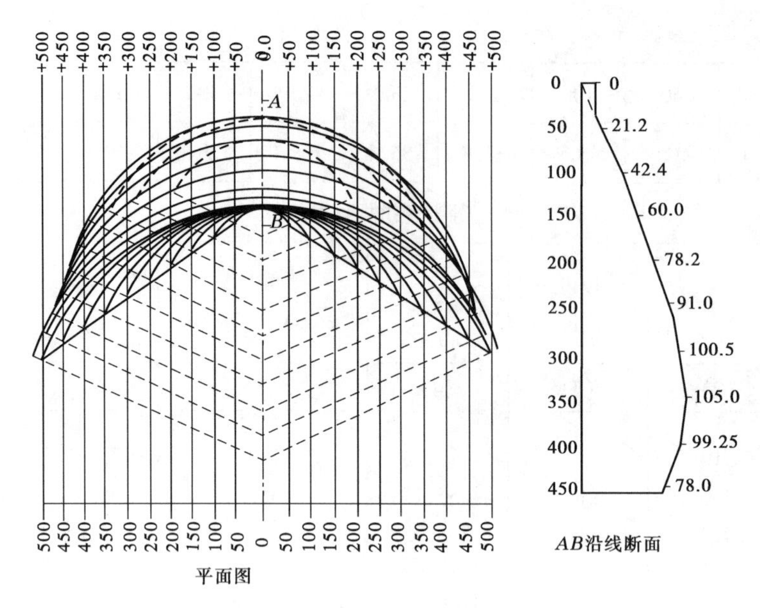

附图 9-2-3　恒定角度(圆柱体理论)拱坝

附表 9-2-2　　等中心角拱坝计算

h(ft) (1)	W_2h (lb/ft^2) (2)	$f-W_2h$ (lb/ft^2) (3)	l_i(ft) (4)	内径 $r_i=0.544\times l_i$ (ft) (5)	W_2hr_i (6)	厚度 $t=\dfrac{W_2hr_i}{f-W_2h}$(ft) (7)
0	0	40 000	510	277.00	0	0
50	3 125	36 875	460	250.00	782 000	21.20
100	6 250	33 750	410	222.90	1 430 000	42.40
150	9 375	30 625	360	195.75	1 835 000	60.00
200	12 500	27 500	310	168.50	2 150 000	78.20
250	15 625	24 375	260	141.20	2 120 000	91.00
300	18 750	21 240	210	114.00	2 140 000	100.50
350	21 875	18 125	160	87.00	1 900 000	105.00
400	25 000	15 000	110	59.75	1 490 000	99.25
450	28 125	11 875	60	32.60	915 000	78.00

坝的有关数据计算见上表,已知下游的跨度和每个拱的中心角。r_i 的值计算结果见第(5)栏,第(6)栏为各高程位置拱厚的计算结果,根据这些数据布置的拱坝具有适当的理论体型,并在很多方向上成层叠拱,但是这样设计的坝可能会有过多倒悬,施工困难,因而认为是不实际的。

3　变半径坝

这是第一种和第二种方法的折中。

假定顶角为 133°34′。r_e 由 $r_e=0.544L$ 算得。

布置顶拱,然后在 $h=50$ft 的高程处要求有更大的厚度和较小的半径。给定一个合适的半径就可以算得厚度。从下游拱冠点向上游布置厚度。再从这一点沿中心线布置半径。这样坝面将通过这一点成一个弧形,如果它在 $h=50$ft 处和先前的面相交,那么它就是合适的。如果没有相交的话,那么就应该尝试其他的半径值,并重复前述验算找到其他的点。

h (ft) (1)	L_e (ft) (2)	W_2h (lb/ft^2) (3)	r_r (ft) (4)	$\frac{t-W_2hr_r}{f}$(ft) (5)
0	510	0	289.75	12.00
50	460	3 125	280.00	21.85
100	410	6 250	270.00	42.20
100	410	6 250	250.00	39.00
150	360	9 375	220.00	51.50
150	360	9 375	225.00	52.50
150	360	9 375	223.50	52.25
150	360	9 375	235.00	55.00
200	310	12 500	215.00	67.20
200	310	12 500	220.00	68.75
200	310	12 500	225.00	72.00
250	260	15 625	215.00	84.23
250	260	15 625	210.00	82.10
300	210	18 750	190.00	89.20
300	210	18 750	192.00	90.00
300	210	18 750	194.00	91.00
350	160	21 875	178.00	97.40
400	110	25 000	160.00	100.00
450	60	28 125	145.00	102.00

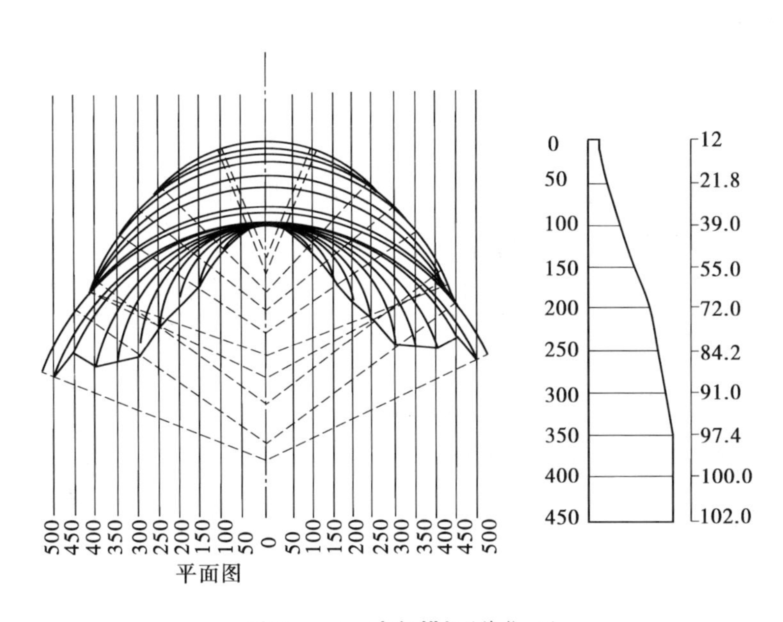

附图 9-3-2　变径拱坝(单位:ft)

附录Ⅲ　土坝设计范例

资料

用毕肖普法验证附图 9-3-1 所示土坝断面的稳定性(竣工后稳定渗流情况)。

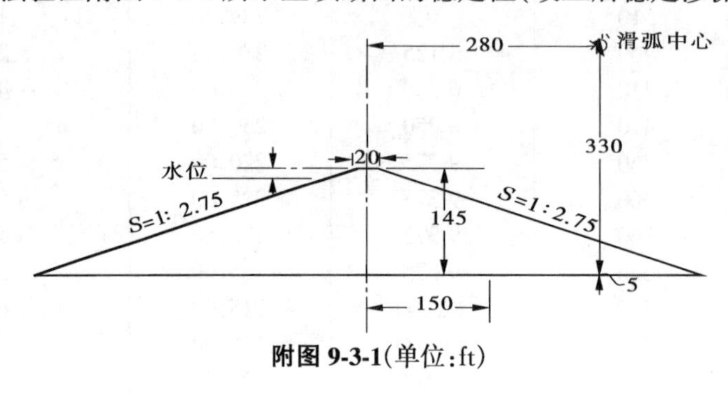

附图 9-3-1(单位:ft)

设计

完成以下步骤:

(1)假定地下水位线,不断试验尝试画出流网。

(2)绘出最危险的滑动圈。

(3)从切片中心画一条与最近等势线平行的线,一直延伸到地下水位线,以计算每个切片中的孔隙压力。读出地下水位线和切面中心之间的垂直距离。这样得到 $u = r_w h$,计算所有流网中切片的 u 值,注意流网外的切片没有空隙压力,所以 u 为 0。

(4)填写给定方程中相关的值,并根据附表 9-1-1 计算安全系数。

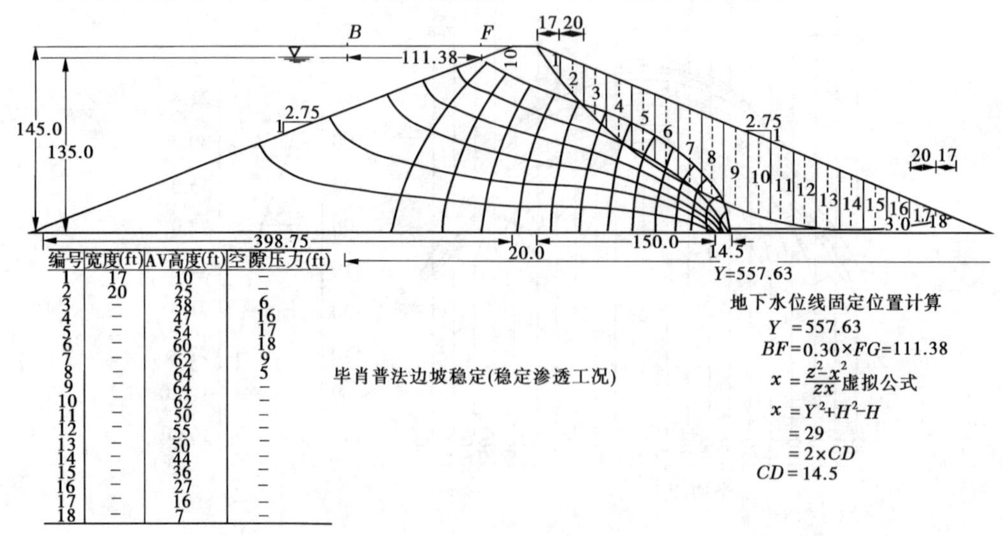

编号	宽度(ft)	AV高度(ft)	空隙压力(ft)
1	17	10	–
2	20	25	–
3	–	38	6
4	–	47	16
5	–	54	17
6	–	60	18
7	–	62	9
8	–	64	5
9	–	64	–
10	–	62	–
11	–	50	–
12	–	55	–
13	–	50	–
14	–	44	–
15	–	36	–
16	–	27	–
17	–	16	–
18	–	7	–

附图 9-3-2　毕肖普稳定分析法的水流网络图(见表,单位:ft)

附表 9-1-1 **稳定渗流情况下用毕肖普法计算抗滑稳定**

切片序号	b=切片宽度	h_1=地下水位线上切片高度	h_2=地下水位线下切片高度	$w_1=\gamma b\times h_1\times b$	$w_2=\gamma_{sat}\times h_2\times b$	$W=w_1+w_2$	$\alpha(°)$	$\sin\alpha$	$W\times\sin\alpha$=(9)×(7)	$C'\times b$=350×(2)	$\tan\Phi$=37.5°	h=表面和最高地下水位之间的潜水头=切片底中心和最高地下水位之间的垂直距离
(1)	(2)	(3)	(4)	(5)	(6)	(7)	(8)	(9)	(10)	(11)	(12)	(13)
1	17	10.2	–	12 325	–	12 325	+53	0.798 6	9 860	5 950	0.767 3	–
2	20	25	–	72 500	–	72 500	+48	0.743 1	53 650	7 000	0.767 3	–
3	20	30	8	87 000	25 600	112 600	+44	0.694 7	78 820	7 000	0.767 3	6
4	20	30	17	87 000	54 400	141 400	+39	0.629 3	89 082	7 000	0.767 3	16
5	20	32	23	92 800	73 600	166 400	+35	0.573 6	94 848	7 000	0.767 3	17
6	20	36	24	104 400	76 800	181 200	+29	0.484 8	87 520	7 000	0.767 3	18
7	20	42	20	121 800	64 000	185 800	+26.5	0.446 2	83 610	7 000	0.767 3	9
8	20	56	8	162 400	25 600	188 000	+22	0.374 6	69 560	7 000	0.767 3	5
9	20	64	–	185 600	–	185 600	+19	0.325 6	61 248	7 000	0.767 3	–
10	20	62	–	179 800	–	179 800	+15	0.258 8	46 748	7 000	0.767 3	–
11	20	60	–	174 000	–	174 000	+12	0.207 9	36 540	7 000	0.767 3	–
12	20	55	–	159 500	–	159 500	+9	0.156 4	25 520	7 000	0.767 3	–
13	20	50	–	145 000	–	145 000	+5	0.087 2	13 050	7 000	0.767 3	–
14	20	44	–	127 600	–	127 600	+2	0.034 9	4 466	7 000	0.767 3	–
15	20	36	–	104 400	–	104 400	−3	−0.052 3	−5 460	7 000	0.767 3	–
16	20	27	–	78 300	–	78 300	−5.5	−0.095 8	−7 617	7 000	0.767 3	–
17	20	16	–	46 400	–	46 400	−8	−0.139 2	6 450	7 000	0.767 3	–
18	17	7.2	–	8 628	–	8 628	−10	−0.173 6	−1 501	5 960	0.767 3	–
									$\sum W\sin\alpha$=775 550			

续附表 9-1-1

切片序号	$ub=\gamma\omega\times\bar{h}\times b$	$(W-ub)\times\tan\phi$ $((7)-(14))\times(12)$	$C'b+(W-ub)\times\tan\phi((11)+(15))$	$\sec\alpha$	$\tan\alpha$	$\sec\alpha$ / $1+(\tan\phi\times\tan\alpha)/F$			$C'b+\tan\phi(W\text{-}ub)\times((19)-(21))$		
						$F=1.0$	$F=1.2$	$F=1.5$	(16)×(19)	(16)×(20)	(16)×(21)
(1)	(14)	(15)	(16)	(17)	(18)	(19)	(20)	(21)	(22)	(23)	(24)
1	–	9 490	15 440	1.661 6	1.327 0	0.82	0.89	0.99	12 661	13 742	15 286
2	–	55 825	62 825	1.494 5	1.110 6	0.80	0.87	0.95	50 260	54 658	59 683
3	7 488	80 936	87 936	1.390 2	0.965 7	0.79	0.86	0.91	69 469	75 626	80 022
4	19 968	93 503	100 503	1.286 8	0.809 8	0.71	0.85	0.91	71 357	85 428	91 458
5	21 216	111 792	118 792	1.220 8	0.700 2	0.79	0.84	0.89	93 846	99 785	105 725
6	22 464	122 226	129 226	1.143 4	0.554 3	0.80	0.84	0.89	103 381	108 550	115 011
7	11 232	134 417	141 417	1.117 4	0.498 6	0.81	0.85	0.89	114 348	120 204	125 861
8	6 240	139 955	146 955	1.078 5	0.404 0	0.82	0.85	0.89	120 503	124 912	130 790
9	–	142 912	149 912	1.057 6	0.344 3	0.84	0.87	0.90	125 926	130 423	134 921
10	–	138 446	145 446	1.035 3	0.267 9	0.86	0.88	0.91	125 083	127 992	132 356
11	–	133 980	140 980	1.022 3	0.212 6	0.87	0.90	0.92	122 653	126 882	129 702
12	–	122 815	129 815	1.012 5	0.158 4	0.90	0.92	0.93	116 834	119 430	120 738
13	–	111 650	118 650	1.003 8	0.087 5	0.93	0.94	0.95	110 345	111 531	112 718
14	–	98 252	105 252	1.000 6	0.034 9	0.98	0.98	0.98	103 147	103 147	103 141
15	–	80 388	73 388	1.001 4	0.052 4	0.96	0.96	0.97	70 452	70 452	71 186
16	–	60 291	53 291	1.004 6	0.096 3	0.92	0.92	0.94	49 028	49 028	50 094
17	–	35 728	28 728	1.009 8	0.140 5	0.91	0.91	0.94	26 12	26 142	27 004
18	–	6 644	694	1.015 4	0.176 3	0.89	0.89	0.93	618	618	645
									∑1 486 053	∑1 549 082	∑1 606 339

(5)绘制安全系数的计算值和估计值之间的关系图,得到满足方程的一般值。

$$\text{安全系数 } 1=\frac{(22)}{(10)}=\frac{1\ 486\ 053}{775\ 550}=1.916$$

$$\text{安全系数 } 2=\frac{(23)}{(10)}=\frac{1\ 549\ 082}{775\ 550}=1.997$$

$$\text{安全系数 } 3=\frac{(24)}{(10)}=\frac{1\ 606\ 339}{775\ 550}=2.073$$

附录Ⅳ　巴基斯坦的主要大坝

附表 9-4-1

序号	坝名	河流	坝型	坝高(ft)	坝长(ft)	库容能力($\times 10^6$ acre·ft)	竣工时间(年)
1	Tarbela	Indus	土石坝	438	9 200	10.2	1974
2	Mangla	Jhelum	土坝	380	11 000	5.6	1967
3	Warsak	Kabul	混凝土坝	80	700	0.049 5	1960
4	Rawal	Korang	圬工坝	80	700	0.047 5	1962
5	Khanpur	Haro	土石坝	167	1 310	0.059 0	1978
6	Tanda	Kohat	土坝	115	2 340	0.078 8	1978
7	Hub	Hub	土坝	146	2 290	0.092 4	1979

附录Ⅴ　世界范围内高于 100ft 大坝分布

附表 9-5-1

国家或地区	100ft 以上大坝数量 （已建和拟建）
美国(包括阿拉斯加)	556
日本	220
意大利	121
印度、巴基斯坦、斯里兰卡、缅甸和阿富汗	59
法国	54
澳大利亚和塔斯马尼亚	51
西班牙和葡萄牙	41
加拿大	39
德国	38
墨西哥	34
不列颠群岛	28
瑞士	25
智利	22
南非和南津巴布韦	21
阿尔及利亚	17
新西兰	16
波多黎各	13

附录Ⅵ　巴基斯坦的主要坝址

附表 9-6-1

序号	坝名	河流	最近的城市	坝型	坝高	坝长	最大库容 ($\times 10^6$ acre·ft)
1	Ambahar	Kabul	Peshawar	填石	920	850	7.900
2	Babarkach	Sangan khwar	Sibi	填石	180	400	0.715
3	Bahtar	Nandna kas	Rawalpind	填土	235	7 500	0.900
4	Beji Diversion	Beji	Sibi	填石	120	750	–
5	Bhaun	Ling	Rawalpind	填土	206	2 050	0.026
6	Burj zam	Daragan	D.I.Khan	填土	168	–	0.171
7	Chaniot	Soan	Islamabad	重力	176	675	0.009 5
8	Charah	Soan	Islamabad	重力	175	832	0.067
9	Chaudwan Zam	Chaudhwan	D.I.Khan	填土	262	–	0.150
10	Dhok – abbaki	Soan	Kalabagh	填土	295	24 000	9.000
11	Dhok – ham	Ankur – kas	Kalabagh	重力	131	700	0.013
12	Dhok pathan	Soan	Kalabagh	填土	275	12 120	8.500
13	Gaj(Gaja Nai)	Gaj	Dadu	—	300	120	0.150
14	Gariala	Haro	Attock	填土	375	40 000	8.200
15	Kalabagh	Indus	Kalabagh	填土	285	6 900	8.000
16	Kanshi khairi	Kanshi	Jhelum	—	270	–	1.100
17	Murat	Sil	Rawalpind	填土	220	—	0.021
18	Khajuri	Gomal	D.I.Khan	拱坝	500	630	2.150
19	Khapula	Shyok	Skardu	—	600	—	10.000
20	Kurramtangi	Kurram	Bannu	填土	300	—	1.500
21	Lohar gali	Kunhar	Muzaffara	重力	530	—	0.800
22	Muda	Kabul river	Peshawar	填土	660	—	2.000
23	Naran	Kunhar	Muzaffara	重力	410	1 360	0.280
24	Nanbag	Mula	Sibi	堆石	185	–	0.306
25	Papin	Wadala kas	Rawalpind	填土	100	300	0.053
26	Saggar kas	Sul kas	Kalabagh	填土	230	9 500	0.770
27	Sheikh haider	Sowan	D.I.Khan	填土	186	–	0.069
28	Skardu	Indus	Skardu	堆石	310	3 700	8.000
29	Talli tangi	talli	Sibi	重力	195	150	0.139

10 水井设计

10.1 前 言

本章叙述了水井的设计方法。首先讨论用于水井设计的水井水力学。地下水是除河水以外另一灌溉水源,水井作为汲取地下水的建筑物非常重要。在中东的酸性区域,灌溉完全依赖于地下水,这些地下水以自流井、泉水和坎儿井形式出现。

10.2 概 述

汲取地下水的建筑物主要有水井、泉水和灌溉暗渠(坎儿井),水井分类如下。

10.2.1 **露天水井**

露天水井是人工开挖的汲取浅层地下水的水井,直径一般 8~10ft,深度小于 100ft,井壁为干砌砖块或干砌石以便能让水汇集井中。底部铺设砾石以便在水位急剧下降时阻止沙子泛出。这类水井的缺点是流量小,因为较大的流量,在水位下降时将引起底部出逸坡降过大,导致沙子泛出造成泥浆流,并且由于井底土体,特别是底部周边的土体的迁移而导致水井破坏(图 10-1)。

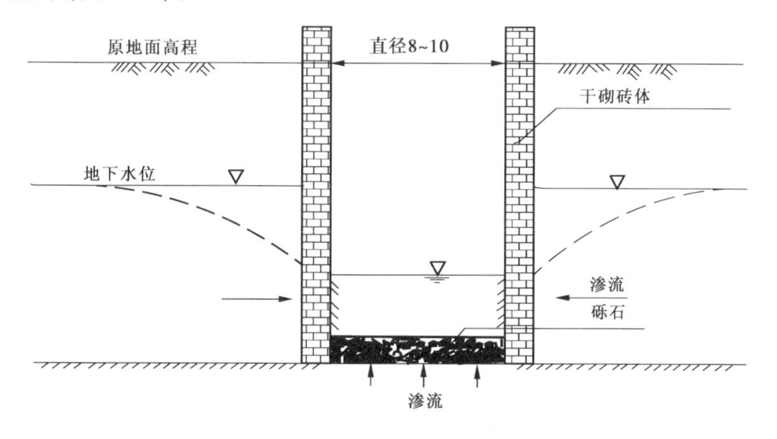

图 10-1 露天水井(单位:ft)

各村庄经常用露天水井进行灌溉,但是,在能够提供电力或柴油机的地方,多采用配备滤网的深井。

10.2.2 **深水井**

深水井是贯入深处水层的一种水井,通常采用机械打井。这类水井分为两类:①当在砂岩和石灰岩等坚硬岩石含水层中钻井时,可不设过滤网;②当在冲积层、细沙或非固结的含水层中钻井时,应设计适宜的过滤网来固结地层。本章将详细介绍这类深水井的设计。深水井一般直径较小,不足 12in,最大设计流量可达 2.5ft^3/s(图 10-2)。

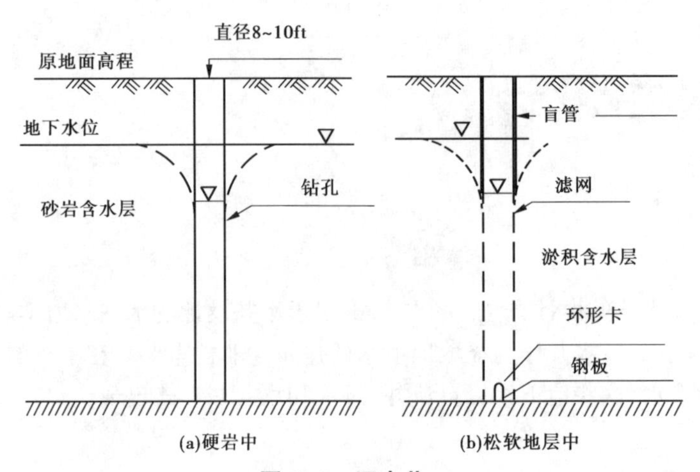

图 10-2　深水井

10.2.3　非自流井和自流井

按照水力学分类,水井可分为非自流井和自流井。当水井开凿在承压含水层中,而承压水头又高于地面时称为自流井。根据含水层的边界条件在浅水层和深水层中都有可能出现自流与非自流的条件。图 10-3 中显示了(a)自流井和(b)非自流井两种类型。

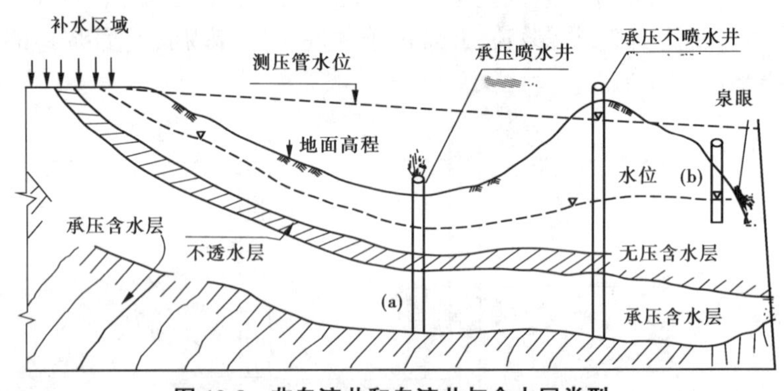

图 10-3　非自流井和自流井与含水层类型

10.2.4　承压含水层和非承压含水层

根据含水层的水力学条件含水层可分为承压含水层和非承压含水层。图 10-3 中表示了承压含水层的情况,此处由于含水层夹在两个隔水层之间,所以使得该含水层内的水是有压的。在图 10-3 中还表示了非承压(或地下水位)含水层。承压含水层可产生承压水条件,而非承压含水层则会产生地下水供水井。

10.2.5　上层滞水含水层

这是一个位于不透水层以上的由饱和的多孔渗水材料构成的孤立层,如图 10-4 所示。水流流量没有保证。

10.2.6　泉水

在山区,当地下水位出溢于地面时,如图 10-5 所示,就会产生向山坡下流动的溪流。当有压含水层出现在地表附近,而且水流经多孔的或破碎的地层流出来时,泉水就会出现

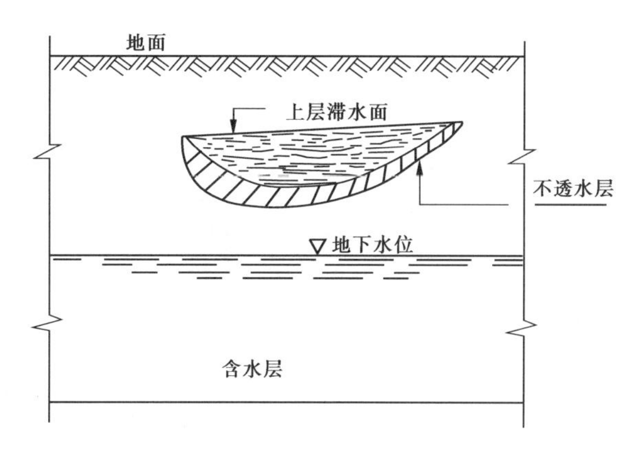

图 10-4　上层滞水含水层

在这些低洼处。在沙特阿拉伯东海岸的胡富夫城(Hofuf)大约有这类山泉 52 眼。山腰泉通常出现在山路沿线,道路切割山坡,致使地下水出露。

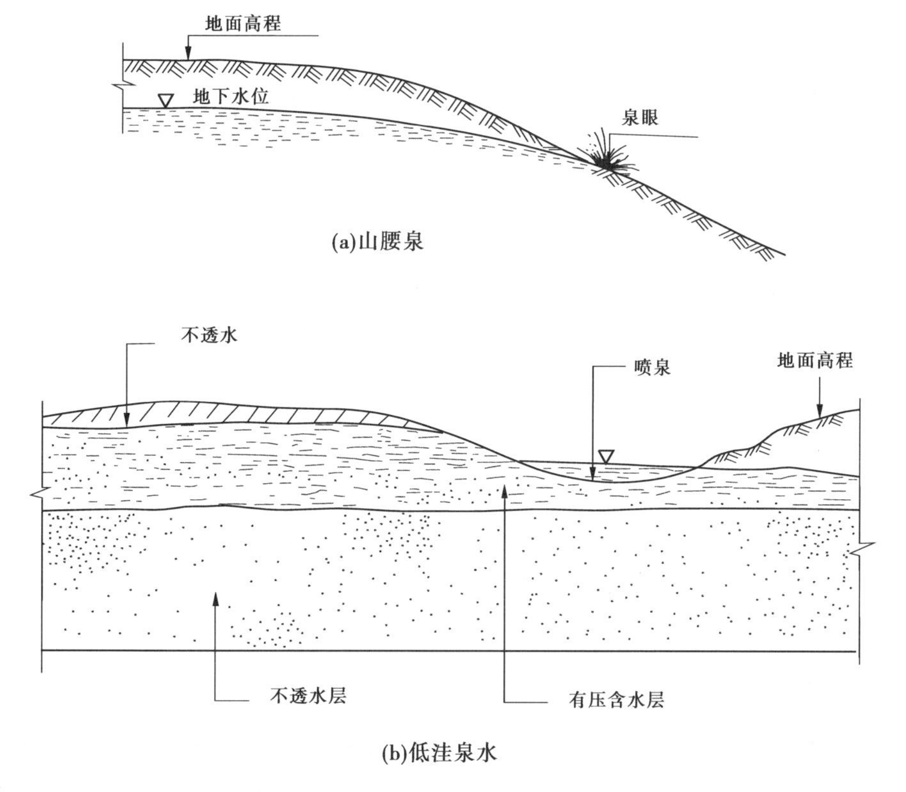

图 10-5　山腰泉和低洼泉水

10.2.7　暗渠

暗渠还称作坎儿井,是在俾路支斯坦(巴基斯坦)、伊朗和阿富汗采用的灌溉引水的一种古老方法,是在山脚下的软土地层中开挖一条隧洞,上部末端与地下水相交,使水能靠自重流出的一种方法。图 10-6 表示了暗渠的典型横断面。

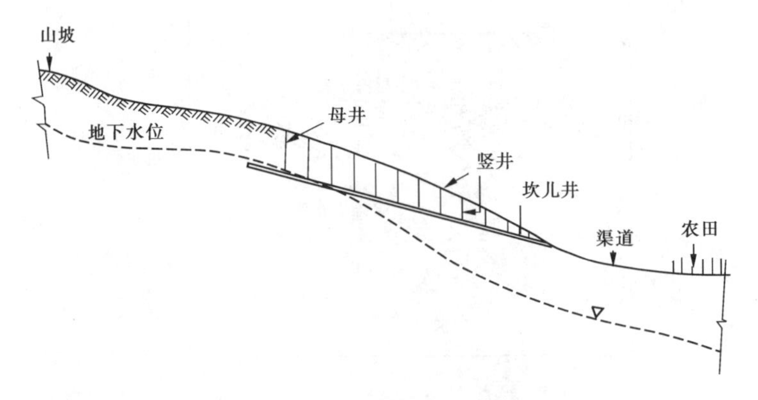

图 10-6　暗渠或坎儿井(横断面)

10.3　水井设计中使用的技术术语

(1)孔隙率:承压水层或含水层水的孔隙率就是包含孔隙的体积比。孔隙率指出了存贮在地层中水的体积,以百分比表示。

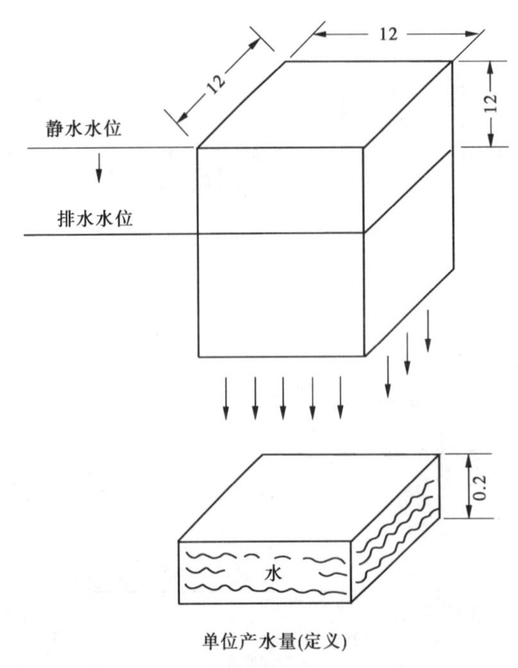

图 10-7　单位产水量定义(单位:in)

如果 1ft^3 沙中包含了 0.4ft^3 的孔隙,那么孔隙率就是 40%,而且水的体积也是 40%。但是,所有这些水都是不可利用的,而且不能开采。

(2)单位产水量:在自流排水时能从单位体积的含水层中排出的水量称作单位产水量。

图 10-7 中显示了从孔隙率为 40% 的 1ft^3 沙体的排水情况。从沙体内排出 0.2ft^3 的水说明单位产水量为 20%,因此单位持水率为 20%。

(3)渗透性:含水层的透水能力称作渗透性。

在达西公式中

$$Q = KiA$$

其中,Q 为经过多孔介质的流量;i 为水力梯度;A 为横断面面积;K 为渗透系数,其单位为 ft/s,即流速的单位。其值由非固结地层内的颗粒尺寸和组合确定。渗透系数还可以用梯度为 1.0 和温度为 15.5℃时的 L/(d·m^2)的体积单位来表示,这时的渗透系数就是在单位时间内和规定温度下,水力梯度为 1.00 时经过单位横断面积含水层所流出的水量。还可以表示为在水力梯度为 1.00、温度为 60℉时所通过 1ft^2 横断面积含水层的水量加仑/天(gal/d)。

(4)静水位:是指水井流量为零时的水井内或含水层内的水位。在自流井中,该水位是流量为零时参考水位线以上的压力水位,该水头称作封井水头(见图 10-8)。

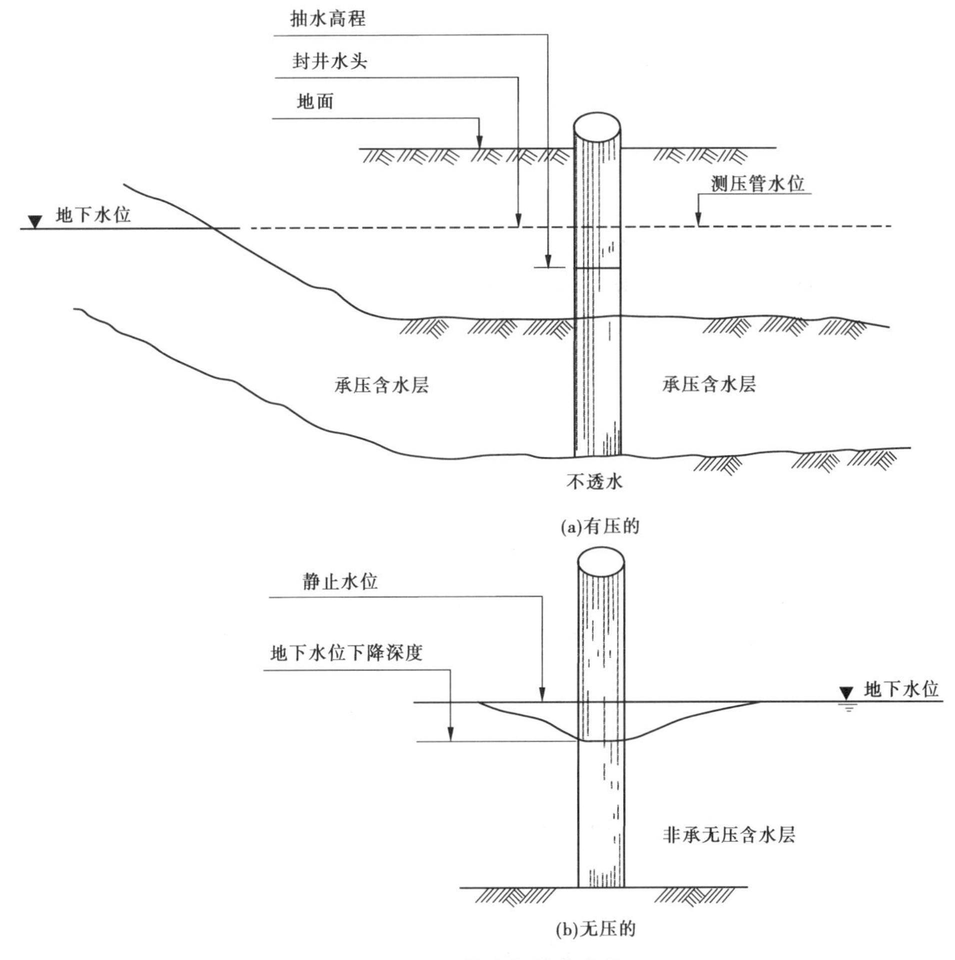

图 10-8　压力和静水水位

(5)抽水高程:也叫作动态水位,是抽水期间水井内的水位。

(6)地下水位下降深度差:是指静水水位与动水水位之间的差值,以 ft 计。

(7)单位涌水量:是指单位水位降的水井流量,通常以 gal/(min·ft)来表示。

(8)影响半径:这是从水井中心到地下水位变成水平时边界的距离,它随含水层的不同性质而变化,渗透性低则影响半径小且水位下降深度大;而在透水层内影响半径大且水位下降深度小。

(9)地下水储量系数:是指在含水层的单位表面积内,在每个单位水头下降或上升时所排出的或流入的水量。在地下水或无压水井中,它与单位涌水量或单位产水量相同。而在有压或承压的含水层内,由于压力减小和水井的抽水,排水量则由含水层的压力和地下水膨胀来确定。

地下水储量系数 S 是一种无量纲量,其正常值范围是:无压水井为 0.01～0.35,有压水井为 $0.1\times10^{-4}\sim0.1\times10^{-2}$。

(10)传输系数:是指在水力梯度为 1 的情况下,水流通过每英尺宽的含水层垂直条带的水流比值。该数值的变化范围为$1\times10^3\sim1\times10^6$gal/(d·ft)。事实上,传输系数表示了渗透性,对于地下水面水井相当于 KH,而对于深度以米计的有压含水层则相当于 Km(见图 10-9)。

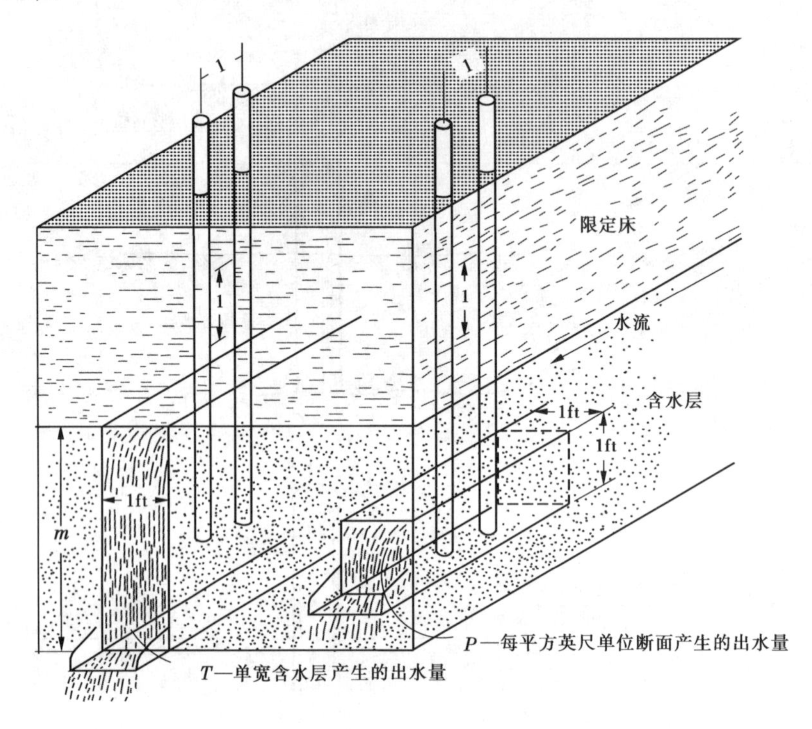

图 10-9　渗透系数和传输系数概念(单位:ft)

10.4　水井水力学

水井内可能出现的水流形式有 4 种类型:①稳定无压流;②稳定有压流;③不稳定无压流;④不稳定的有压流。

由于本章的主要目的是叙述水井的设计过程,因此,这些叙述都限定在稳定水流条件下,而且这样也会为水井设计提供充分的经验。关于非稳定流公式,读者可参考有关地下水的其他标准规范。稳定流与非稳定流的差异如下

对于稳定流
$$\frac{\partial^2 h}{\partial x^2}+\frac{\partial^2 h}{\partial y^2}=0$$

对于非稳定流
$$\frac{\partial^2 h}{\partial x^2}+\frac{\partial^2 h}{\partial y^2}=\frac{S}{T}\frac{\partial h}{\partial t}$$

式中　h——水深;

S——地下水储存系数;

T——传输系数。

以下介绍稳定流公式(根据 Dupuit 1863 和 Thiem 1906)。稳定流条件是在持续抽水情况下,水位差和流量等都是恒定的。

10.4.1 非承压井(地下水水井)

根据达西定律:

$$Q = KiA$$

流量进入水井时所流经的面积为半径为 x、长度为 y 的圆柱体的表面积,如图 10-10 中所示,面积值等于 $2\pi xy$,渗流表面的梯度为 dy/dx。

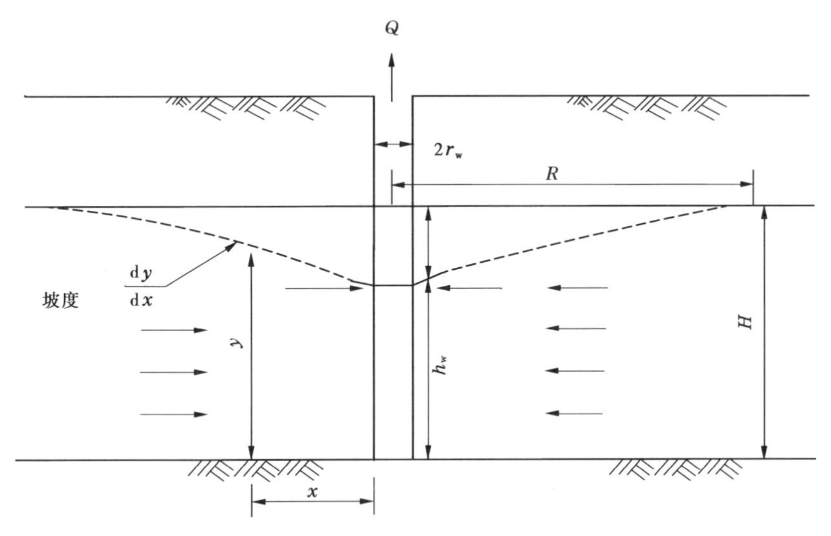

图 10-10 Dupuit 公式(无压流)

因此,流量为

$$Q = K\frac{dy}{dx}2\pi xy$$

$$Q\int_{r_1}^{r_2}\frac{dx}{x} = 2\pi K\int_{h_1}^{h_2} y dx \tag{10-1}$$

$$Q = \frac{\pi K(h_2^2 - h_1^2)}{2.303\lg(r_2/r_1)}$$

公式 10-1 是就半径 r 和对应的水位 h 而言。

公式 10-1 可根据影响半径 R 和水井半径 r_w 及相应的水位 H 和 h_w 表示如下:

$$Q = \frac{\pi K(H^2 - h_w^2)}{2.303\lg(R/r_w)} \tag{10-2}$$

公式 10-1 用于确定在已知 Q 和 K 时任何距离 r 的渗流表面形态或水位,而公式 10-2 则用于确定在给定条件:即 K、水位降深、水井半径和影响半径时,可以获取的最大流量。

公式 10-1 可在现场试验中通过在 r_1 和 r_2 处布置观测井来确定 K 值,并测定流量已知时的 h_1 和 h_2 值。

公式 10-2 可以略微进行修正,如下所示:

$$H^2 - h_w^2 = (H + h_w)(H - h_w)$$

假如水位降深很小,即 $H - h_w$ 很小,那么 $H + h_w \approx 2H$。

$$Q = \frac{2\pi KH(H - h_w)}{2.303\lg(R/r_w)}$$

$$T = KH(\text{传输系数}) \tag{10-3}$$

$$Q = \frac{2.72T(H - h_w)}{\lg(R/r_w)}$$

10.4.2 承压井

承压井参见图10-11。

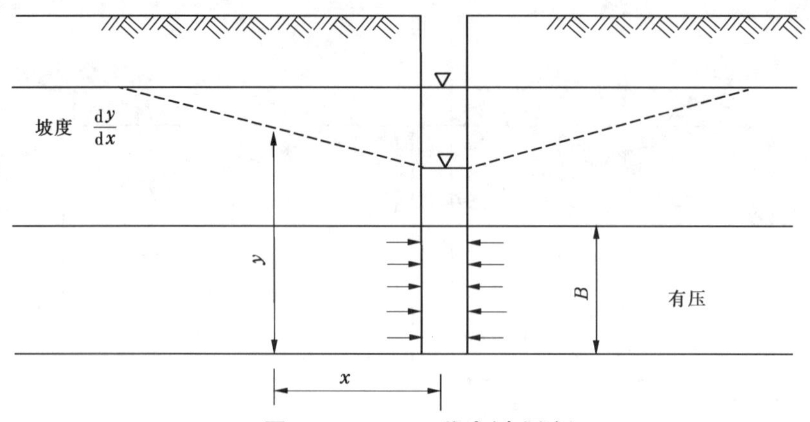

图10-11 Dupuit公式(有压流)

$$Q = KiA$$

$$Q = K\frac{dy}{dx}2\pi Bx$$

$$Q\int_{r_1}^{r_2}\frac{dx}{x} = 2\pi KB\int_{h_1}^{h_2}dy$$

$$Q = \frac{2.72KB(h_2 - h_1)}{\lg(r_2/r_1)} \tag{10-4}$$

$$Q = \frac{2.72KB(H - h_w)}{\lg(R/r_w)} \tag{10-5}$$

上述的Theim公式基于以下的假定：

(1)稳定流；

(2)渗透系数不变；

(3)水井100%的渗透率；

(4)进入水井的为径向流；

(5)有压和无压含水层的深度不变。

在假定条件(5)中存在一个矛盾，即由于渗流表面变成水平，从而使 $dy/dx = 0$。显然，假如 $dy/dx = 0$，那么流速或流量就会为零。然而，尽管如此，该公式还是可以提供合理准确的结果。尽管有解决矛盾的公式，但比较复杂，为简化和相对准确，依然采用Theim公式。

【例题 10-1】

在 100ft 厚的有压含水层内的 10in 直径的完全贯入式水井产生 $1.0ft^3/s$ 的水量。在距离抽水井 60ft 和 150ft 的观测井内的水位降深分别为 7ft 和 6ft。求在稳定状态下的传输系数和水井内可能出现的水位深。含水层为粉沙。

解:水位降深 $S_1 = H - h_1 = 7ft$(半径 r = 60ft)

水位降深 $S_2 = H - h_2 = 6ft$(半径 = 150ft)

$$Q = \frac{2.72T(S_1 - S_2)}{\lg(r_2/r_1)}$$

$$T = \frac{1 \times \lg 15/6}{2.72}$$

$$T = 0.146ft^3/(s \cdot ft)$$

现在将该公式应用于抽水水井和一个观测井(图 10-12)。

$$1 = \frac{2.72 \times 0.146 \times (S_w - 6)}{\lg \dfrac{150}{0.416}}$$

$$S_w - 6 = 6.44$$

$$S_w = 12.44ft$$

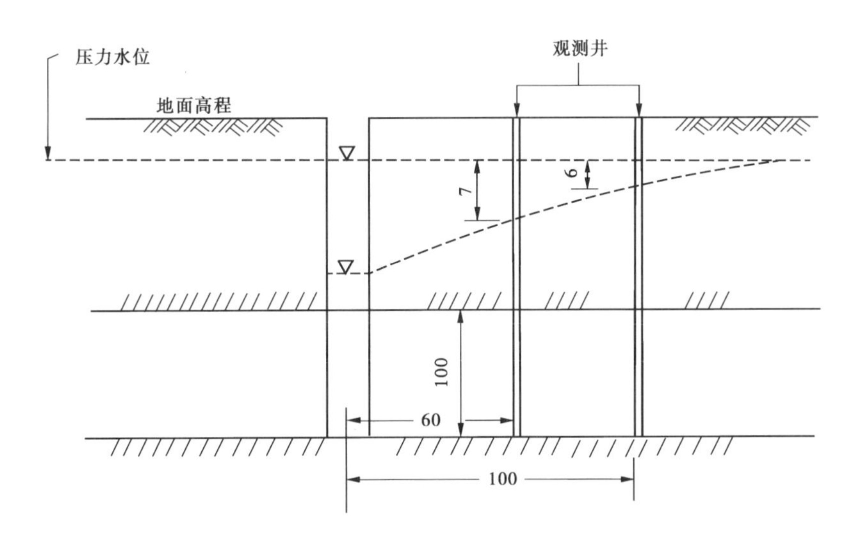

图 10-12　例题 10-1(单位:ft)

抽水水井处的水位降深将为 12.44ft。

【例题 10-2】

一个水井直径为 10ft,在静水位下 150ft 时的稳定抽水能力为 $1.5ft^3/s$,在距离抽水井 50ft 和 150ft 的观测井内的水位降深分别为 6ft 和 4ft(图 10-13)。求出(1)含水层的传输系数和含水层的渗透性;(2)抽水井内的水位降深是多少?

解:参见图 10-13

$$Q = \frac{\pi K(h_2^2 - h_1^2)}{2.303\lg(r_2/r_1)}$$

$h_2 = 100 - 4 \quad (150\text{ft})$

$h_1 = 100 - 6 \quad (50\text{ft})$

$$1.5 = \frac{\pi K(96^2 - 94^2)}{2.303\lg(150/50)}$$

$K = 1.38 \times 10^{-3}\text{ft/s}$

$K = 119.3\text{ft/d}$

$T = 119.3 \times 100\% = 119.30\text{ft}^3/(\text{d} \cdot \text{ft})$

$$Q = \frac{\pi K(h_2^2 - h_\text{w}^2)}{2.303\lg(r_2/r_\text{w})}$$

$$1.5 = \frac{\pi \times 1.38 \times 10^{-3} \times (96^2 - h_\text{w}^2)}{2.303\lg\frac{150}{0.416}}$$

$2\,038.5 = 96^2 - h_\text{w}^2$

$h_\text{w}^2 = 96^2 - 2\,038.5$

$h_\text{w} = 84.7\text{ft}$

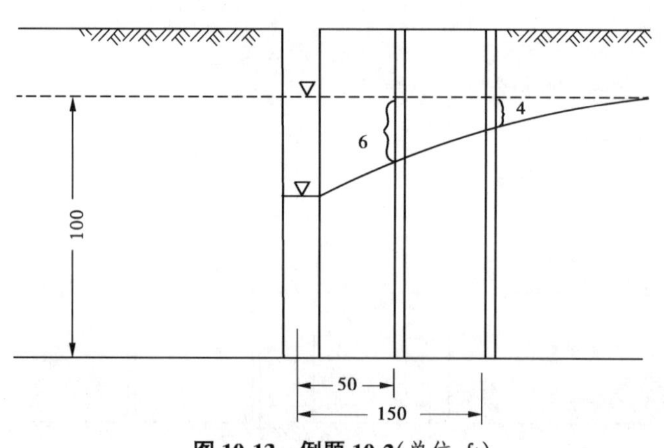

图 10-13　例题 10-2(单位:ft)

水井内的水位降深为 $100 - 84.7 = 15.23\text{ft}$。

10.5　松散层中的水井设计

岩石层或固结层中的深井设计相对比较简单,因为这些深井不需要滤网和砾石滤层支撑地层。冲积层、细砂或者砂质含水层中的深井在设计和施工上比较复杂,因为这些深井需要有滤网支撑地层,并且周围要设有砾石滤层。如果滤网设计不当可能使流量减小,小于前面 Theim 公式的预计量。一个优秀的设计力求在最小的水位下降情况下得到最优的流量,并且设计还要选择材料,保证建筑物使用寿命长久(图 10-14)。

给定深井流量,需要设计的要素有:①井的直径和井深;②套管直径;③滤网长度和位置;④滤网的开槽尺寸;⑤孔的形状和开孔面积百分比;⑥砾石垫层设计(如果需要的话)。

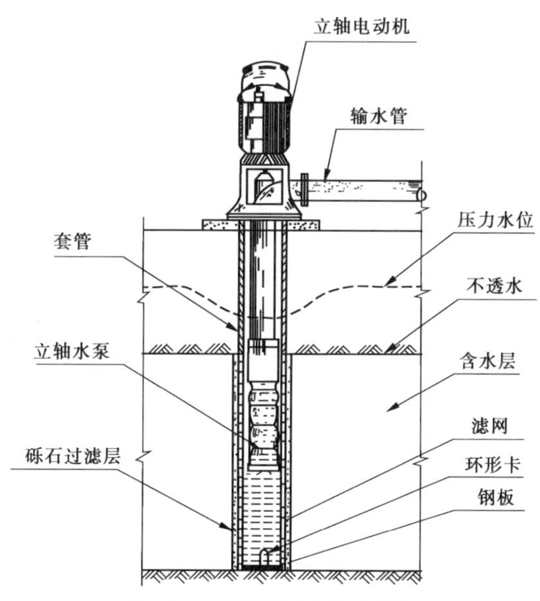

图 10-14 典型深水井安装图

10.5.1 水井直径

在 Theim 公式中，流量和 $\lg(R/r_w)$的倒数成比例，与水井的直径增加相比，流量增加非常小，而直径增加会使钻进费用迅速上涨。所以在确定直径时，流量不是主要的考虑因素。水井的直径根据设置在水井内的泵的尺寸确定，泵与开壁有至少 2in 的间隙。在确定水井的直径时可以参考表 10-1。

表 10-1　　水井直径推荐值

流量(ft^3/s)	水泵转筒尺寸(in)	水井外壳尺寸(in)	
		最小	最优
<0.22	4	5	6
0.167～0.390	5	6	8
0.334～0.892	6	8	10
0.780～1.450	8	10	12
1.338～2.00	10	12	14
1.895～2.90	12	14	16
2.676～4.010	14	16	20

考虑经济因素，可以减小水泵以下井的直径。

10.5.2 水井深度

通常将水井钻进到含水层的底部，这样可以利用全部含水层厚度，得到最大的水量。但是如果含水层的厚度太大，设计流量所需要的长度就是水井深度。

10.5.3 滤网设计

10.5.3.1 滤网长度

在巴基斯坦，含水层土质均匀，滤网长度要求如下。

(1)均匀自流含水层:滤网长度应该为含水层厚度的70%～80%。与过滤整个含水层深度所取得的比容量相比,这可以取得最大比容量的90%或更多。最低抽水高度应该在含水层顶部以上,滤层位于底部。这一安装位置可以作为最大抽水降深的极限。

(2)均匀无压含水层:印度河平原通常存在地下含水层,建议在含水层下部的1/3或1/2设置滤网。最低抽水水位应该高于滤网顶部以上。

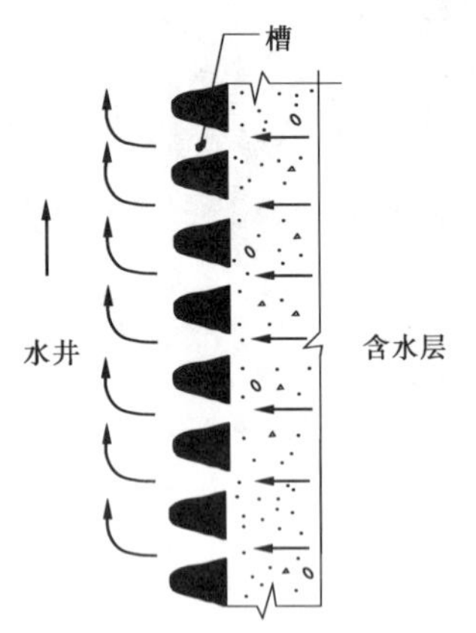

图10-15　V型槽

10.5.3.2　槽孔

如图10-15所示,最优开口为V型开口。将近似三角形断面冷拉钢丝缠绕在一个圆柱形框上。V型孔口有利于细小颗粒进入井中而不会产生堵塞现象。而且这样在滤网单位长度内得到最大开孔面积的百分比,槽孔尺寸可以通过钢丝间距进行调节。

其他类型的槽孔包括PVC管或其他管中的矩形槽孔。PVC管正在越来越多的用于小直径的滤网中。在印度河平原公共部门掌管的管井中,最常用的水井滤网为玻璃丝,寿命超过15～20年。

在私营部门,棕绳滤网很常用,棕绳的费用大约只有玻璃丝费用的10%。棕绳的寿命为7～8年,而且开孔面积的百分比可以达到40%。

在这个情况下,论述槽孔尺寸的基本设计准则。水井分为两类:①没有砾石滤层;②在滤网周围有砾石滤层。

在无砾石滤层或者自然形成的水井中,槽孔的尺寸选择为砂的持留率为40%～50%。这是针对均质地层情况而言。为了确定正确的粒径尺寸,首先要为采样绘制一条粒径曲线(如图10-16)。

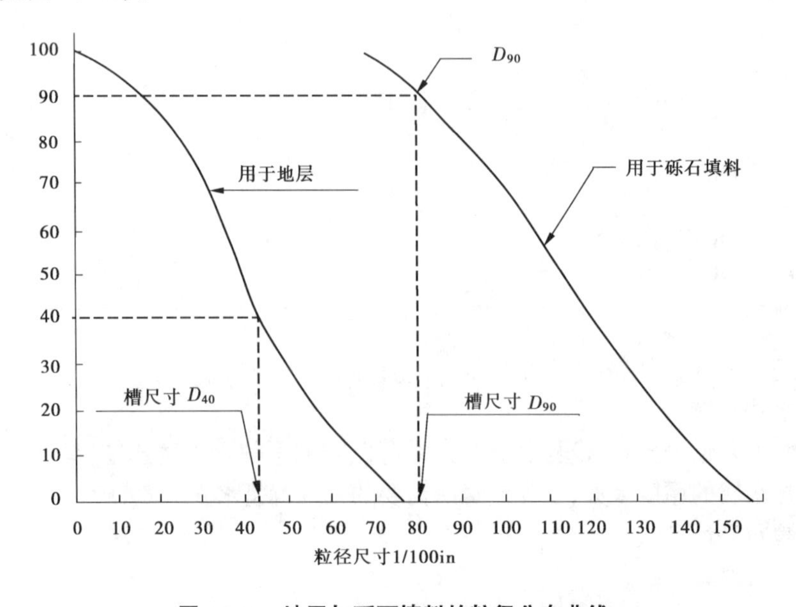

图10-16　地层与砾石填料的粒径分布曲线

如图 10-16 所示为粒径曲线，在 40% 的位置处画一条水平线，可以选择槽孔尺寸。在这种情况下所得的槽孔尺寸为 0.045in。

对于正常水质，选择 40% 的尺寸，而对于具有侵蚀作用的水，则选择 50% 的尺寸（50% 的尺寸得到的槽孔更小）。

对粗砂和砾石而言，槽孔尺寸应该在 30%～50% 之间。

对于有砾石滤层的水井，砾石持留所有地层材料，而选择的槽孔尺寸要能够持留砾石垫层。这就得到更大的槽孔面积百分比。在砾石衬垫材料粒径分布曲线上，槽孔尺寸保持累计百分率为 90%。

一旦层状含水层没有砾石滤层，每个地层都要有槽孔尺寸与粒径相对应的滤网。但是如果使用了砾石滤层，则可以全部使用相同的槽孔尺寸，比如 D_{90}。

表 10-2　　约翰逊井滤网套筒尺寸的典型孔口面积

名义滤网尺寸(in)	受水区每线英尺滤网(in^2)						
	10# 槽孔	20# 槽孔	40# 槽孔	60# 槽孔	80# 槽孔	100# 槽孔	150# 槽孔
3	10	19	32	42	43	55	65
4	14	26	44	57	58	74	88
5	18	33	55	72	73	94	112
6	21	39	65	85	87	111	132
8	28	51	87	113	116	131	160
10	36	65	110	143	147	166	203
12	42	77	130	170	174	180	223
14 OD	38	71	123	163	177	198	251
15 OD	39	76	132	175	190	217	268
16 OD	35	69	123	164	171	198	250
18 OD	39	78	139	186	193	224	283
20 OD	47	88	156	209	218	252	318
24 OD	46	87	158	217	266	307	389
26 OD	49	91	166	227	278	321	406
30 OD	57	108	192	268	329	379	480
36 OD	65	124	224	307	376	434	550

注：每个筛网尺寸根据筛网安装的钢管的尺寸确定。槽孔标号表示开口宽度（表示为 1ft 的千分数）。在特殊情况下，开口面积可能和图中所示有一些不同。

10.5.3.3　水井滤网直径

在确定了长度和槽孔尺寸后，即确定了槽孔面积百分比后就可以确定水井滤网的直径。确定直径的条件是：经过滤网的入口流速应该等于或小于 0.1ft/s。这是基于在这一流速范围内的观测得来的。

(1)经过滤网的摩擦损失忽略不计。

(2)水管内结垢率最小。

(3)侵蚀率最小，这样增加滤网的寿命。

$$Q = 2\pi r l p V$$

式中　Q——设计流量(可以假定,也可以根据含水层情况使用 Theim 公式得到);

r——水井滤网半径;

l——水井滤网长度;

p——开孔面积百分比;

V——入口速度等于或者小于 0.1ft/s。

有时,根据 0.1ft/s 的入口速度和所给长度,按照以上的公式计算得出的井滤网直径太小(比如 2~5in),在这种情况下建议增加直径,使其更加符合实际。这样入口流速会减小,大大小于 0.1ft/s 的速度。

最后使用 Theim 公式核算

$$Q = \frac{2.72T(H - h_w)}{\lg(R/r_w)}$$

式中,r_w 为滤网,为水位降深 $H - h_w$,T 和 R 使用适当值可以校核是否可以从地下含水层中得到必须的设计流量,或者按上述公式确定在已知 Q、T、和 r_w 的情况下井中的水位降深,并判断是否可以接受。

10.6　砾石滤层设计

要挖除直接包围滤网的地层,并替换为具有级配的设计混合料。在没有砾石滤层的水井中,地层中的细料被井水携走,使水井周围地层更加透水,结果增加水井的有效直径。

当地层由均质细砂和冲积层组成时(比如印度河平原的情况),就必须要采取砾石滤层。已知槽孔尺寸要持留 40%的原始地层物质,即允许 60%的颗粒通过。如果是粒径(根据美国地质测量)在 0.003~0.005in 之间非常细的砂,以及冲积物或粒径小于 0.003in 的粉砂,对于这类地层,按照已知准则选择的槽孔将小于 0.01in。这一尺寸非常小,所以得到的开孔面积也非常小,因此不得不设人工砾石滤层。对于水质不好的水源,结垢限度为 0.02in,即如果槽孔为 0.02in 或者更小,就要设砾石滤层,因而允许更大的(大于 0.02in)槽孔尺寸。

其他需要设砾石滤层的情况有在松散的胶结砂岩和大规模层状的地层中建井。

砾石滤层设计步骤为:

(1)为将要设滤网的含水层做一个颗粒分析。如果不止一个地层做筛分,则选择材料最细的地层做筛分。设计将在此地层上进行。

(2)将含水层材料 70%的尺寸乘以一个系数,系数大小在 4~9 之间。如果含水层砂料级配很不均匀,并且含有粉砂(如印度河平原的情况),则要乘以系数 7;如果是均匀沙质,并没有粉沙和冲积物存在,则要乘以系数 4;如果是粗粒径不均匀沙质,并且不存在粉沙的情况,则系数选用 6。将这些乘积的结果描绘在方格纸上,这样就可以得到将要设计的砾石滤层材料的筛分曲线的第一点。

(3)经过这一初始点为地层材料绘制一条与筛分曲线平行的平滑曲线。应该注意的是,设计材料的均匀系数应尽可能的低,不能大于 2.50。均匀系数定义为

$$均匀系数 = \frac{材料尺寸\ 40\%的颗径}{材料尺寸\ 90\%的粒径}$$

(4)一旦最终确定了曲线,按照规定的不同材料尺寸的百分比和筛眼尺寸进行拌合准备。选择曲线范围内的 5 个筛眼尺寸,规定一个所选筛孔的筛余百分比的允许范围值。这一允许范围可以为所选筛网尺寸的 8%～10%。这样拌合 5 种尺寸的材料作为砾石滤层。下面将通过例题进一步阐述这一点。

(5)如果使用了砾石滤层,滤网的槽孔尺寸要能够持留 90%的砾石滤层材料。

(6)经验和试验表明砾石滤层的最大厚度为 8in,超过这一厚度并不能增加井的效率,而小于 3in 的厚度也不切实际。所以推荐厚度最小为 3in,最大为 8in。

【例题 10-3】

如图 10-17 所示为地层设计一个流量为 $1.5ft^3/s$ 的管井。细沙的渗透系数为 40.0ft/d。

解:这是一个承压含水层,要在中间细沙层中设置滤网。

步骤 1:

使用 Theim 公式核算从细沙含水层中可以得到的流量。

$$Q = \frac{2.72Kb(H - h_w)}{\lg(R/r_w)}$$

$$K = 40ft/d$$

$$K = 0.004\,6ft/s$$

$$Q = \frac{2.70 \times 0.004\,6 \times 150 \times 40}{\lg(2\,000/0.5)}$$

在上述公式中,最大允许水位降深取为(100～60ft),影响半径假定为 2 000ft,而根据表 10-1 井的半径为 0.5ft。

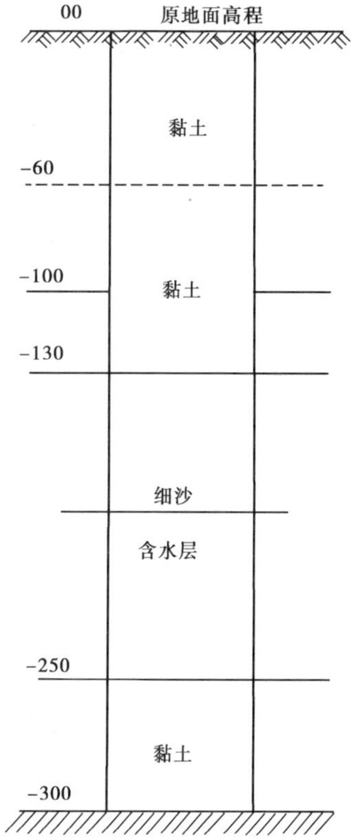

图 10-17　例题 10-3(单位:ft)

$$Q = 2.096ft^3/s \approx 2.1ft^3/s$$

因此从含水层中可以得到 $1.5ft^3/s$ 的流量。

步骤 2:

为细沙层(高程 -100～ -250ft)进行过筛分析,并描绘在方格纸上(如图 10-18)。

机械过筛分析结果

筛眼尺寸(in)	累积筛余质量(g)	筛余累积百分比
0.023(28 筛孔)	70	19
0.016(38 筛孔)	100	28
0.008(65 筛孔)	180	50
0.008(100 筛孔)	270	75
底盘	310	86
	360	100

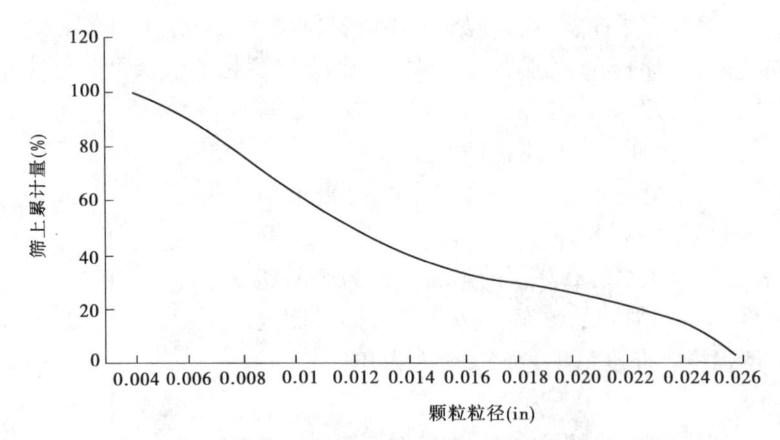

图 10-18 地层粒径分析曲线(实例 10-3)

因为持留 40%粒径的槽孔为 0.014in,此值大于 0.01in,所以不需要砾石滤层。

步骤 3:

根据表 10-1,1.5ft^3/s 水泵的水井直径取为 12in。

步骤 4:

井深和滤网长度。

有压含水层的深度为 150ft,位于 −100～−250ft 的高程。滤网的长度取为

$$80\% \times 150 = 120\text{ft}$$

井将从地表钻进 250ft 深,设置长 120ft 的滤网,滤网底部高程为 −250ft(如图 10-19)。

步骤 5:

滤网槽孔尺寸:对于没有砾石滤层的井,在无侵蚀作用的水的情况下,槽孔尺寸应该允许经过 60%的含水层材料,或者持留 40%的含水层材料。所以在这种情况下,根据筛分曲线,推荐槽孔为 0.014in。

像美国明尼阿波利斯市约翰逊公司生产的缠丝式滤网,通过适当调节钢丝间的间距,可以得到精确的 0.014in 孔眼。约翰逊公司提供了一张表格,表中给出了不同直径和槽孔的滤网在每英尺长度上的孔眼面积(单位:ft^2)。例如一个直径为13in,孔眼滤网为 0.01～0.02in(标准井滤网不包括 0.014in 的开口)每英尺长会有大约 60in^2 的孔眼面积,占有的百分比为 13.3%。

在印度河流域中,私营部门所属的水井最常用的滤网为棕绳滤网,而公共部门拥有的水井的滤网为玻璃丝滤网。

在双重缠绕的棕绳滤网中不可能固定孔眼尺寸,但是孔眼面积是一个定值,大约占 15%。

步骤 6:

井滤网直径:

假设滤网直径和井的直径一样,即 12in,则可以校核滤网入口流速。

$$Q = 2\pi r l p V$$

$$1.5 = 2\pi \times \frac{1}{2} \times 120 \times \frac{13.3}{100} \times V$$

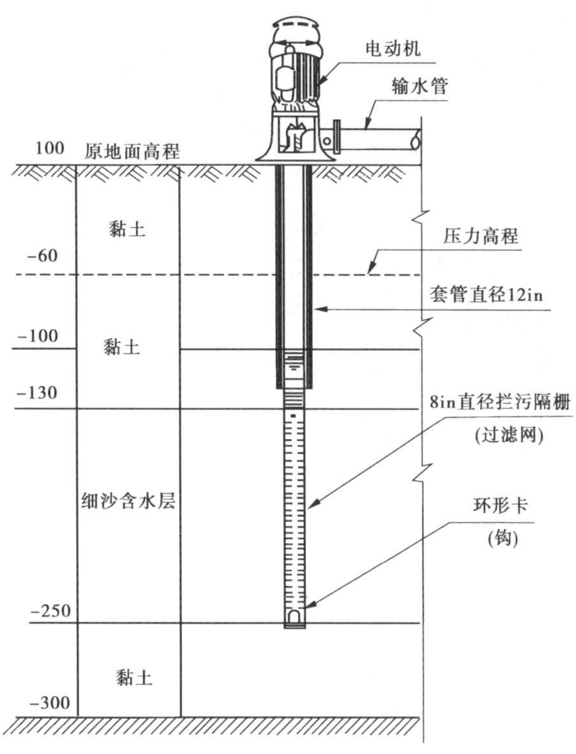

图 10-19　滤网位置及水井细部图(例题 10-3,单位:ft)

$$V = 0.03\text{ft/s}$$

允许流速为 0.1ft/s,所以滤网长度和直径可以减小。因为水井滤网长度更多的取决于直径,而且直径减小,可以使在含水层中钻进的费用减少,因此,建议将滤网直径减小到 8in,并校核入口流速。

$$1.5 = \pi \times \frac{8}{12} \times 120 \times \frac{8.7}{100} \times V$$

直径为 8in,槽孔尺寸为 0.014in 的约翰逊水井滤网的孔眼面积为 8.7% 表 10-2。

$$V = 0.07\text{ft/s}$$

对 0.1ft/s 的允许速度来说,0.07ft/s 的速度是非常安全的。

所以推荐使用 120ft 长、直径为 8in、槽孔尺寸为 0.014in 的缠丝水井滤网。

步骤 7:

用 Theim 公式校核:最后来检查对于最大 40ft 的水位降深,配置 120ft 长、直径为 8in 的滤网,该水井是否能够得到必需的设计流量。

$$Q = \frac{2.27Kb(H - h_w)}{\lg(R/r_w)} = \frac{2.27 \times 0.004\,6 \times 120 \times 40}{\lg(2\,000/0.333)} = 1.59\text{ft}^3/\text{s}$$

所以设计是可行的。

【例题 10-4】

设计一水井,条件与例题 10-3 相同,但是水具有侵蚀性。

解：

前4个步骤与例题10-3相同，所以从第5个步骤开始。

步骤5：

井滤网槽孔尺寸：在这种情况下因为水具有侵蚀性，所以在50%的持留累积百分率的基础上选择槽孔的尺寸，而不是使用例题10-3中的40%。

从含水层筛分曲线可得50%的持留累积百分率的尺寸为0.012，很接近0.01，需要设砾石滤层的值，所以建议使用砾石滤层，并且滤网的孔眼尺寸要能持留90%的砾石滤层材料。对于细沙而言，筛分曲线为这种材料的6～7倍。从曲线可得，含水层材料的90%的持留累积百分比的尺寸为0.005in，所以，初估孔眼尺寸为7×0.005=0.035in。

步骤6：

水井滤网直径：假设滤网直径为8in，孔眼为0.035in，从表中可得近似每英尺滤网孔眼面积为87in^2（实际上这是0.04in的的孔眼面积，但是为了计算方便，假设其大约与0.035in的槽孔眼的面积相等）。这样就得到了28.86%孔眼面积百分数。

$$1.5 = \pi \times \frac{8}{12} \times 120 \times \frac{8.7}{100} \times V$$

$$V = 0.07\text{ft/s}$$

入口流速小于0.1ft/s，所以可以进一步减小滤网的长度，推荐采用含水层厚度的70%这一标准做法。

步骤7：

用Theim公式校核流量

$$Q = \frac{2.82Kb(H - h_w)}{\lg(R/r_w)} = \frac{2.72 \times 0.004\ 6 \times 105 \times 40}{\lg(2\ 000/0.33)} = 1.39\text{ft}^3/s$$

在水位降深40ft的情况下，含水层会产生1.39ft^3/s的流量，小于1.5ft^3/s。所以使水泵降下10ft/s，流量为

$$Q = \frac{1.39 \times 50}{40} = 1.74\text{ft}^3/\text{s}$$

此值大于需要值。

步骤8：

砾石滤层设计：含水层材料的70%的尺寸为0.008 4，乘以7得到0.056。这就是砾石滤层的70%的尺寸。用这个尺寸为砾石滤层材料绘制一条类似于含水层材料曲线的筛分曲线，均匀系数小于2.5。曲线如图10-20所示

$$UC = 0.076/0.034 = 2.23$$

描绘另一条曲线（虚线），减小不均匀系数UC，使其大约为2或者更小。较好的做法是描绘一条能够产生均匀材料的曲线。

$$UC = \frac{0.064}{0.46} = 1.4$$，使用这种材料。

为了准备砾石滤层材料的规格，选择4种尺寸的筛子，这些筛的尺寸覆盖了曲线的范围，然后再设置一个在每个所选筛上筛余百分比的允许范围。约翰逊师团采用的允许范围为8%，曲线上任何点均在允许范围之内。

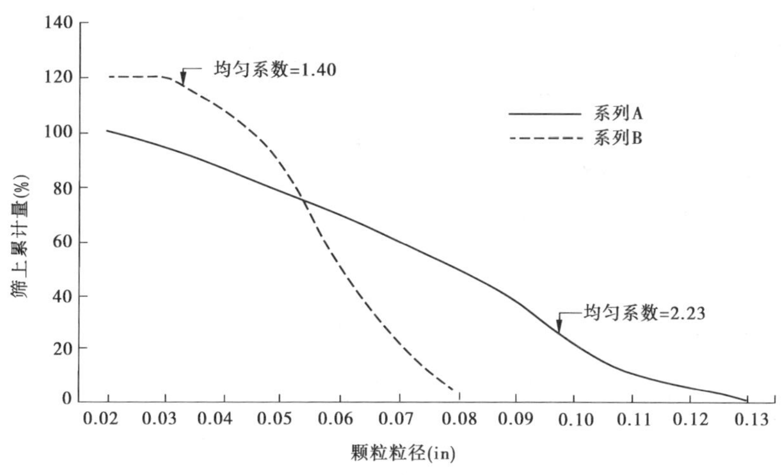

图 10-20　砾石滤料的尺寸分布

0.008 5 是筛余百分比为零的材料的最大尺寸。所以 0.1in 材料的筛余范围在 0～8%之间。下一个是 0.07in 材料的筛余率为 25%，所以这个尺寸的材料筛余范围在 4%～33%之间。同样对于 0.065in 材料的筛余率为 40%，所以筛余范围在 32%～48%之间。0.055in 材料在曲线上读数为 68%，材料筛余范围在 60%～70%之间。最后的尺寸可以取为 0.046in，材料筛余范围在 82%～100%之间变化。

材料规格将为：

规格(in)	筛上百分比(%)
0.085	0～8
0.070	17～33
0.065	32～48
0.055	60～76
0.046	82～100

采用的砾石滤层材料厚度在各个面都应为 3in。因此，盲管段长度的钻孔直径应为 18in，而且从过滤网顶部到底部都应为 14in，这样就在过滤网的各个侧面都提供了 3in 厚的保护层。

习题

1. 为什么无法在人工开挖的浅水井中产生高流量？

2. 在带有过滤网的深水井中设置卡塞的作用是什么？

3. 在已知地层特性后，水井内过滤网的设计准则是什么？

4. 不推荐对水井筒管或过滤网采用不良焊接或使用两种不同的金属材料，为什么？

5. 其他参数保持不变，通过水井的半径 r 和影响半径 R(恒定的)的变化来求出使水流量加倍的单井的半径。

6.一眼12in直径的水井贯入饱和线以下150ft。在稳定状态条件下,当距离抽水井60ft和150ft的观测井内水位下降12ft和8ft时,所获取的流量是0.8ft^3/s。确定该含水层的传输系数并确定抽水井内的水位下降情况。

7.一眼8in直径的水井完全贯入50ft厚的含水层内。如果水位降深为10ft,那么流量是多少?设$K=100$ft/d和$R=1\ 000$ft。

(1)如果水井直径加倍,流量会增加多少?

(2)如果影响半径R为500ft而不是100ft,那么水流量的增大百分比是多少?

(3)谈谈对水位降深增大和影响半径减小的意见。

8.一眼水井贯入非承压含水层内120ft。在抽水井内水位降深为20ft时的水流量为0.2ft/s。假定处于稳定状态下,在水位降深为30ft时的水流量是多少?

9.根据以下给出的数据设计自流条件下的管井,应避免使用砾石滤层。

a) 水流量=0.8ft^3/s。

b) 含水层厚度=200ft。

c) 含水层为特别细的沙,渗透系数为60ft/d。

d) 影响半径为900ft。

e) 测压管水位在地面高程以下50ft。

f) 含水层顶部位于地面高程以下100ft。

筛分分析

规格(in)	筛上累积重量(g)
0.1	60
0.08	170
0.55	260
0.040	320
0.027	370

10.根据习题9中给出的数据条件设计采用砾石滤层的管井。

参考文献

[1] Todd D E. Groundwater Hydrology. John Wiley& Sons New York, 2nd Edition 1980.

[2] Johnson. Division Groundwater and Wells. Johnson Division UOP Inc. Saint Paul, Minnesota, USA 1975.

[3] Linseley R K, Franzini J B. Water Resources Engineering. McGraw Hill, New York, 3rd Edition 1979.

[4] Raghunath H M. Groundwater. Wiley Eastern Limited, New Delhi, 1982.

[5] Israelson O W, Hensen V E. Irrigation Principles and Practices. John Wiley, New York, 4th Edition 1979.

11 灌溉系统

11.1 概 述

由于缺乏有关农田管理原理的基础知识，通常在第三世界国家，尤其是在巴基斯坦，大量的水都被浪费了。此外，巴基斯坦灌溉水的分配系统也造成了那些开明的、受过良好教育的农民(为数不多)即便想做，也不能正确利用灌溉水。在巴基斯坦，由于过度灌溉，在取水口处每年获得的 91.5×10^6 acre·ft 灌溉水总量中，因对荒废农田和盐碱地的过度漫灌使渗流损失占 12×10^6 acre·ft(13.1%)。用水灌溉的方法根据作物不同而多种多样，其效率为 20%～80%不等。遗憾的是，在巴基斯坦通常采用的方法(控制性漫灌)的效率最低，造成水的极大浪费。本章叙述各种灌溉方法及其优缺点，对不同庄稼种类的灌溉效率和适应性。在巴基斯坦，灌溉工程方面是由农业部门或农业工程师来管理的，而输水系统的设计、施工和维护都属于灌溉工程师的管辖范围，灌溉工程师基本上是土建工程师。然而，灌溉工程师最需要获得灌溉系统知识。因此，在本章中自始至终包括了输水系统和构成输水系统组成部分的水工建筑物的设计和说明。

11.2 利用水灌溉庄稼的机理

了解土壤中水分特征和植物获得水分的机理知识是讨论灌溉系统的前提条件。当通过灌溉将水应用于土壤时，首先使土壤表面饱和，空气被排出并使土壤孔隙中充满灌溉水。然后，在重力和毛细管作用下继续下移。如图 11-1 所示，随着进一步的灌溉，饱和边缘线继续向下和向侧边移动。

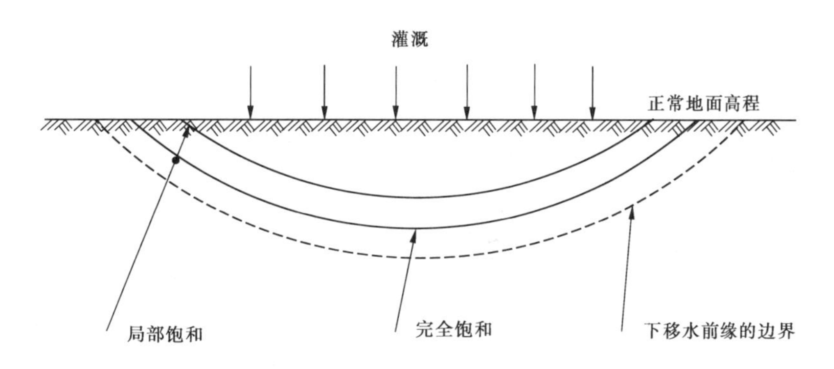

图 11-1 土壤中灌溉水的移动

一旦停止灌溉，由于重力作用，饱和线内的重力水继续向下排出，而毛细管水(即由于表面张力作用含在土壤孔隙中的水)继续保持在饱和线内。向下排出的重力水(在毛细水管上面)将排到表面张力保持点，而且不再进一步排出。因此，灌溉停止一段时间后，整个湿地保持着毛细水并且排水过程停止。很明显，如果延长灌溉时间，当渗流水到达远远低于根层的地下水位并且开始补充地下水时,就可能出现地下水位上升的情况。地下水位的多年累积增加,可能使其太接近植物根层,造成对土地和庄稼涝灾和盐碱化的双重威胁。应该记住植物只能从根层取水且只能用毛细水,由此,根层内的重力水和根层以上任何形式的水均不在可利用范围之内,并且就植物来讲也是一种浪费。

11.3 土壤湿度的形式

如上所述,植物吸收不到存在于土壤中的所有水分。因此,下面对存在于土壤中各种形式的水分进行讨论,如图 11-2 所示。

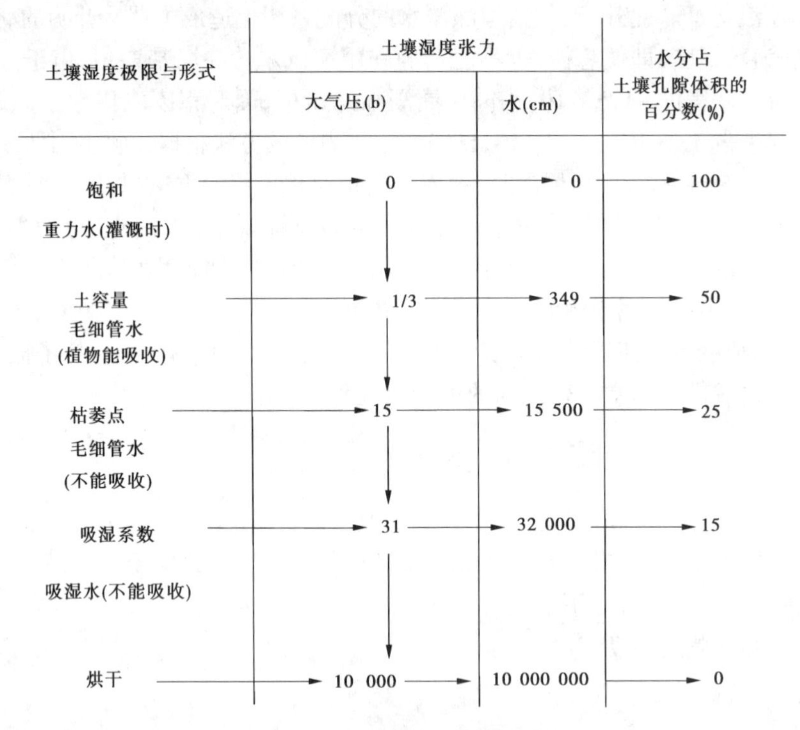

图 11-2 土壤湿度限制和分类

11.3.1 重力水

当灌溉继续进行时,水进入土壤基质,排开土壤孔隙中的空气,土壤达到 100%饱和。在重力作用下,土壤中的水也继续排出。由于有水持续流入,研究认为土壤继续保持 100%饱和。当灌溉停止时,孔隙中的一部分水在重力作用下逐渐向下排出,直到达到土壤容水量。在这个界限,土壤毛细水管中的土壤水湿张力(大于重力)控制着水,中止了水的进一步流动。在这个范围,即饱和到土壤容水量之间,土壤水分被认为是重力水。这种水张力低,容易被植物根系吸收。并且在这个范围内,植物的能量要求最低。然而,由于重力水向下排出得相当快(在渗透性土壤中几分钟,在渗透性较差土壤中几小时),其利用价值很小。此外,重力水中不包括土壤孔隙中植物根系呼吸和其他细菌活动的空气。重力水的向下运动使水在空气和土壤基质中排出。因此,尽管植物可利用重力水,但其意义不大。

11.3.2　毛细水

凋萎点是植物枯萎，并且如果湿度增加，植物重新获得膨涨度时的土壤含水量。土壤容水量和植物凋萎点之间的水是植物可以利用的毛细水。低于凋萎点达到吸湿系数土壤中的水分也是毛细水，但是这些水分是以黏附在土壤颗粒表面的薄膜形式存在的，并且植物不能施加足够的吸入力获得这些水分，结果导致这部分毛细水的不可利用和植物的永久萎蔫。

11.3.3　吸湿水分

在吸湿系数和烘干状态之间的土壤水分称为吸湿水分。这部分水分，植物利用不上。

根据上述讨论，可以认为有用的水分是低于土壤容水量极限的水分，并且为植物提供水分的土壤区域是植物根区。因此，任何超过土壤容水量和低于植物根区的水量都是剩余水，这部分水应认为是废水。

植物根系吸收水分，并且只要吸入力超过土中水的拉力（表面张力）水就会继续流向植物根茎。植物在土壤容水量附近用最小的力吸收水分。当土壤中水分减少时，植物的吸入力和能量要求增加，并且在接近植物凋萎点时最大。如果水分维持在土壤容水量附近，则植物健康生长；在凋萎点植物停止生长。

因此，高频、小水量的灌溉方法，如滴灌与低频、大水量灌溉，如控制性漫灌、畦灌或格田灌溉相比效率都高得多。

11.3.4　植物可利用水分

可利用水分即为土壤容水量到永久凋萎点间的土壤水分。

设 D 为根区深度，如图 11-3 所示：

W 为可利用水分按干重的百分比计

$$W = \frac{d\gamma}{D\gamma_s} \times 100 \qquad (11\text{-}1)$$

式中　d——土壤中当量水深，m；

D——根部区的当量水深，m；

γ——水的密度，g/cm^3；

γ_s——干土密度，g/cm^3。

如果土壤中当量水深 d 单位变为 mm，那么可得水深：

$$d = \frac{WD\gamma_s}{100} \times 1\,000 \quad (\text{mm})$$

$$d = 10WD\gamma_s \quad (\text{mm})$$

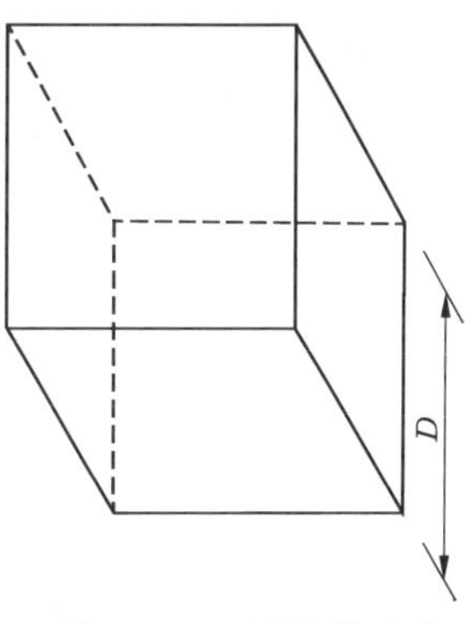

图 11-3　可利用的水分

表 11-1 中给出了各种土壤有效水分的典型值。

表 11-1　　各种土壤有效水分典型值

土壤类型	土壤容水量（水分重量百分比）(%)	凋萎点（水分重量百分比）(%)	土壤水分 (mm/m)
黏土	45	30	135
粘壤土	40	25	150
亚黏土	28	18	120
细砂	15	8	80
砂	8	4	55

11.4 灌溉方法

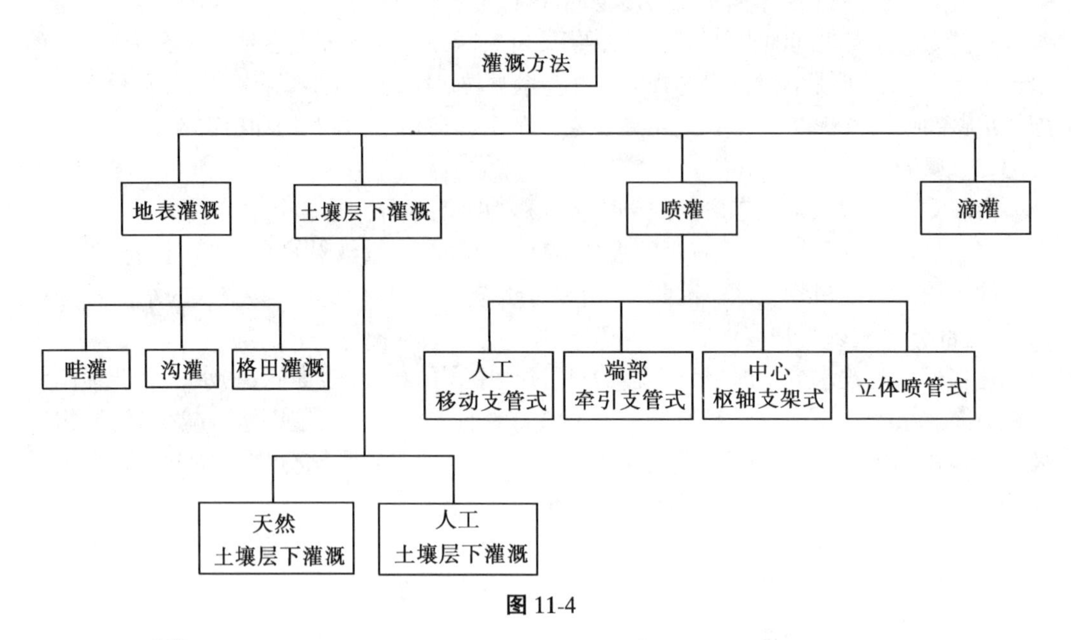

图 11-4

11.4.1 **畦灌**

通过灌溉,水在矩形田间流开。具有适宜尺寸(约 70ft 宽)和下坡的矩形田地被称为畦。如图 11-5 和图 11-6 中所示,田地通过 6in 高的土埂划分成条块。

这种灌溉方法适于草场和其他稠密生长的庄稼,如小麦、水稻和谷物等。

合理的设计要产生图中所示统一的浸润区。图中还示出了实际的浸润区,并应尽可能使其一致。

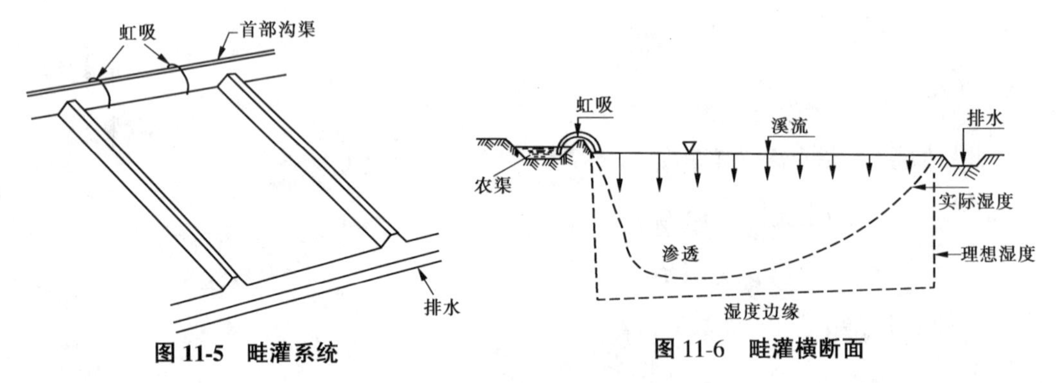

图 11-5 畦灌系统

图 11-6 **畦灌横断面**

需要平衡的各种参数如下:

(1)水流流量 Q;

(2)畦的坡度;

(3)表面糙率;

(4)土壤渗透量。

上述参数与曼宁公式中的参数相同,即

$$Q = \frac{1.49R^{2/3}S^{1/2}A}{n}$$

溪流流量应能覆盖田地宽度,并能使河流产生合理的流速。

土地应进行整理以减小表面糙度,并且需根据河流规模确定其宽度。表 11-2 给出了细土典型畦的一些参数。需根据实际观察或试验最终确定这些参数值。

表 11-2　　细土畦的典型参数表

土壤类型	坡度(%)	应用深度(mm)	条区宽度(mm)	长度(m)	溪水流量(m^3/s)
细土(细砂、粉细砂和冲积土)	0.25	50	15	400	120
		100	15	400	70
		150	15	400	40
	1.00	50	12	400	70
		100	12	400	35
		150	12	400	20
	2.00	50	10	320	30
		100	10	400	30
		150	10	400	20

11.4.2　沟灌

蔬菜甚至大树均能采用沟灌。田地被田埂交替地分成垄沟(渠道),在田埂上种庄稼。水注入垄沟,通过渗流向植物根区供水。

如果水力学设计合理,该系统灌溉的效果非常好。由于减少了蒸发损失,沟灌比畦灌效率更高。

垄沟向下顺主坡排列,详见图 11-7、图 11-8 和图 11-9。

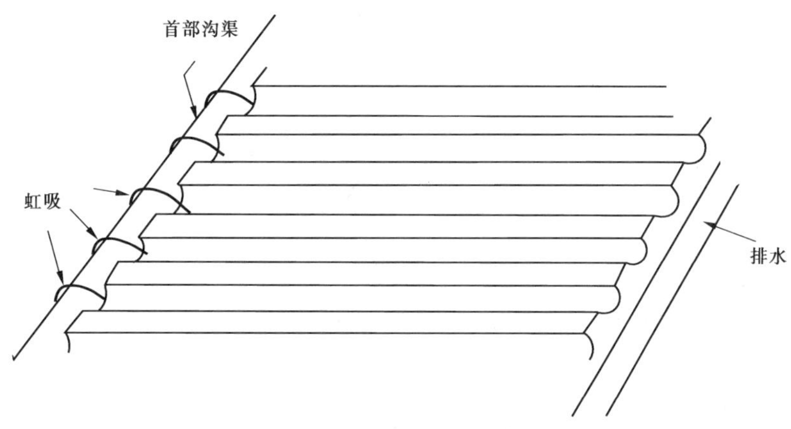

图 11-7　垄沟系统

田埂的高度在 0.15~0.4m 之间,田埂间距根据庄稼最适宜间距来确定。在垂直的湿润型作物砂土中垄沟间距应比在黏土中小。垄沟间距范围在 0.3~1.8m 之间,平均值为 1.0m。对于细砂壤土建议的坡度为 0.5%,而对于黏土可采用 2.5%。然而,砂土中较

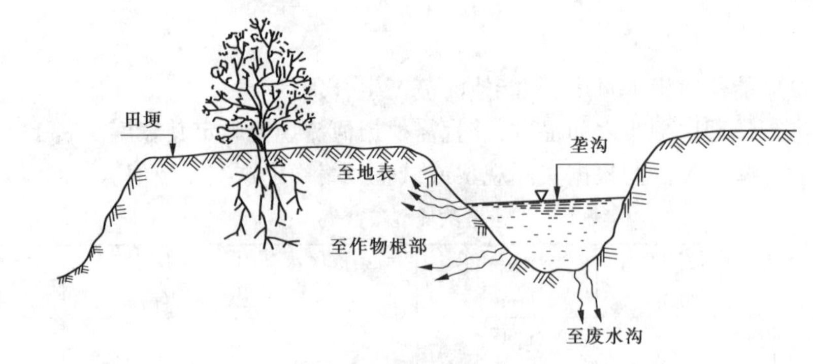

图 11-8　垄沟灌溉(断面图)

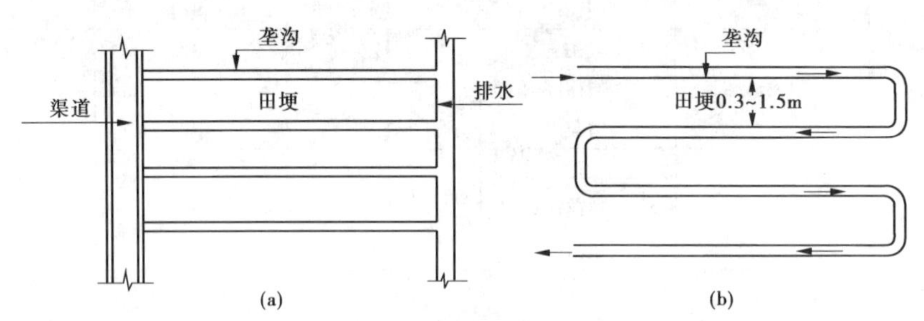

图 11-9　垄沟灌溉(平面图)

小的坡度可能会引起较深的渗透,在黏土中较大的坡度则意味着有较小渗透,因此需要进行协调处理。

表 11-3 给出了细土如壤土、冲积土等,的沟灌系统一般设计参数。

表 11-3　各种坡度下细土的典型畦长度

土壤类型	应用深度(mm)	垄沟长度(m)						
		坡度(%)	0.25	0.50	1.00	1.50	2.00	3.00
		河流流量(L/min)	180	90	45	30	22	15
细土(壤土、冲积土和极细砂)	50	—	300	220	170	130	120	90
	100	—	450	310	250	190	160	130
	150	—	530	380	280	250	200	160

11.4.3　格田灌溉

格田灌溉常用于果园中果树的灌溉。用土堤围起的一小块平地称为格田。坡度小于0.1%的低渗透性土壤也可采用格田灌溉,参见图 11-10。

11.4.4　层下灌溉

层下灌溉是学者更大的兴趣所在,它可通过受教育的农民去实现。这些农民明白毛细水上升并会导致植物根区盐分的沉积。

在地下水位高的地方,水通过毛细作用渗透到植物根区,这样就能够实现天然的层下灌溉。然而,在浓度高的地方,也会导致植物根区盐分的沉积。在巴基斯坦,这种灌溉方法用通过种植适应盐分范围宽而且能吸收盐分的草(如“卡拉(Kalar)草”),来改善含盐条

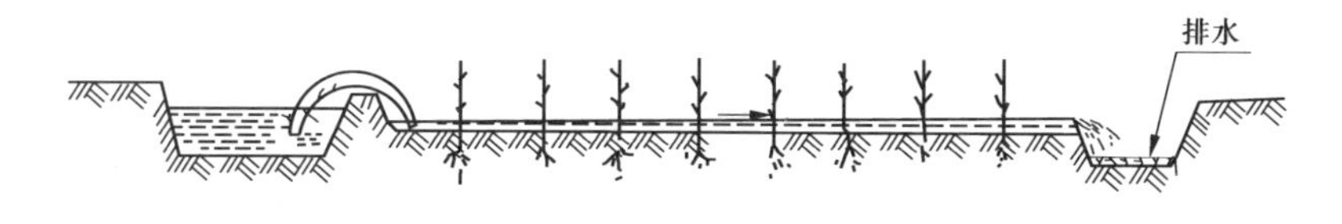

密植作物的格田灌溉

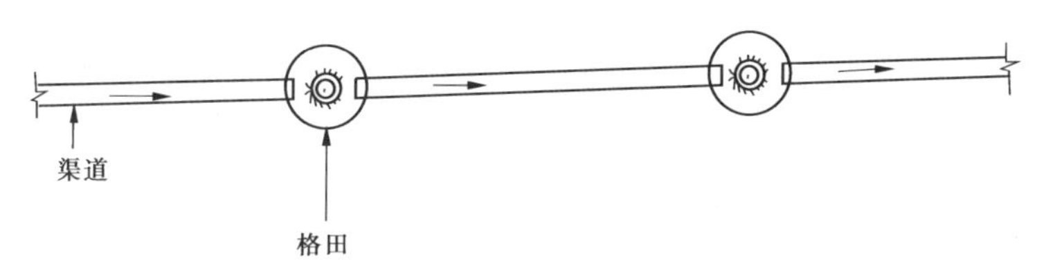

果园的格田灌溉

图 11-10 格田灌溉

件。在巴基斯坦,这种灌溉方法不用于常规的庄稼。

由于人工层下灌溉需要在地表以下 0.5m 的深度铺设间距约 0.5m 的带有孔眼的灌溉水管,所以造价非常昂贵。并且要求更高的土壤水平渗透性和更低的垂直渗透性。

设计水流在水管中释放并漏给植物根区供水。犁地可能会损坏管道,但该方法的优点是灌溉效率高。目前,该系统已完全被滴灌系统所取代。

11.5 喷 灌

这种灌溉系统能耗高而且初期投资大,因而在巴基斯坦很少采用。建议用于灌溉大城市中的公共或私人办公楼、体育场等地的草坪。用于城市中灌溉的水为供应短缺的饮用水,如采用漫灌就会浪费大量宝贵的水资源。

喷灌系统的形式多样,现叙述如下。

11.5.1 固定系统

在固定系统中,所有的组成部分都固定在现场,不可移动。各组成部分如下:

(1)所需马力的电动机;

(2)所需容量和水头的水泵;

(3)从水池算起的吸入管线;

(4)主管线;

(5)止回阀和主要闸阀;

(6)带上升管和喷嘴的横向支管。

11.5.2 半固定系统

在半固定系统中,水池、水泵和主管线都是固定的,而带喷嘴的横向支管则是可移动的。

手动移动横向支管对劳动力的要求最高而且初期投入最低。这些横向支管从一处拉或移动到另一处或连续移动。带标准喷嘴的手动横向支管最适合低矮的庄稼。但玉米或甘蔗地里采用不切实际,因为不利于管子移动。

11.5.3 端部牵引系统

在半固定系统中,通过拖拉机用绳子将横向支管牵引到主管线另一侧的下一个位置。

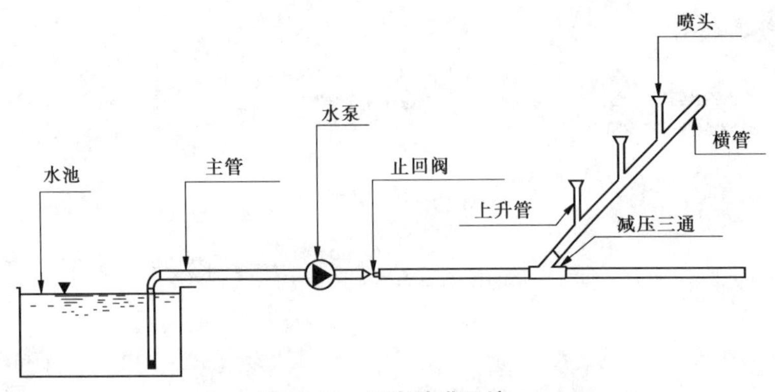

图 11-11　固定喷灌系统

这种方法适于低矮生长的庄稼、树木，并在有足够移动空间的地方应用。与手动支管相比，人工费用会大大降低。

11.5.4　中枢轴喷灌机

这种方法被单独分类并在美国广泛用于经济作物，在沙特阿拉伯和富产石油的中东国家用于种植小麦等。

中枢轴系统是一套自动的具有固定中枢轴的环形灌溉系统。中枢轴位于灌溉区的中心，支撑桁架上的支管安装在轮子上。支管上的喷嘴喷洒水。具体见图 11-12 和图 11-13。

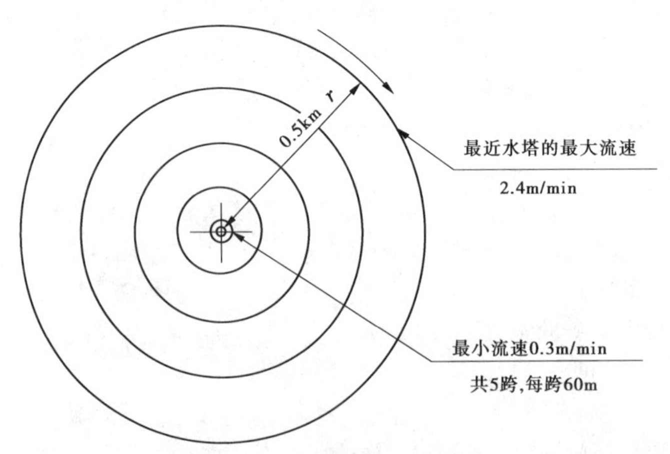

图 11-12　中枢轴系统（CPS）平面图

横向支管一般高于地面 0.5m。每个跨度（轮子间距）在 31～60m 之间变化。每个系统可最多设有 10 跨。

把喷灌机从一处移动到另一处是可能的。但是，一旦安装完成，那么拆卸、运输和安装都将变得很困难并且也很耗时。

11.6　滴灌系统

滴灌系统是一种通过发射器缓慢、精确地将水直接喷洒到植物的灌溉方法。发射器放置在土壤上，或正好在土壤表面以下。该灌溉系统湿润植物周围的土地，而且尽管灌溉

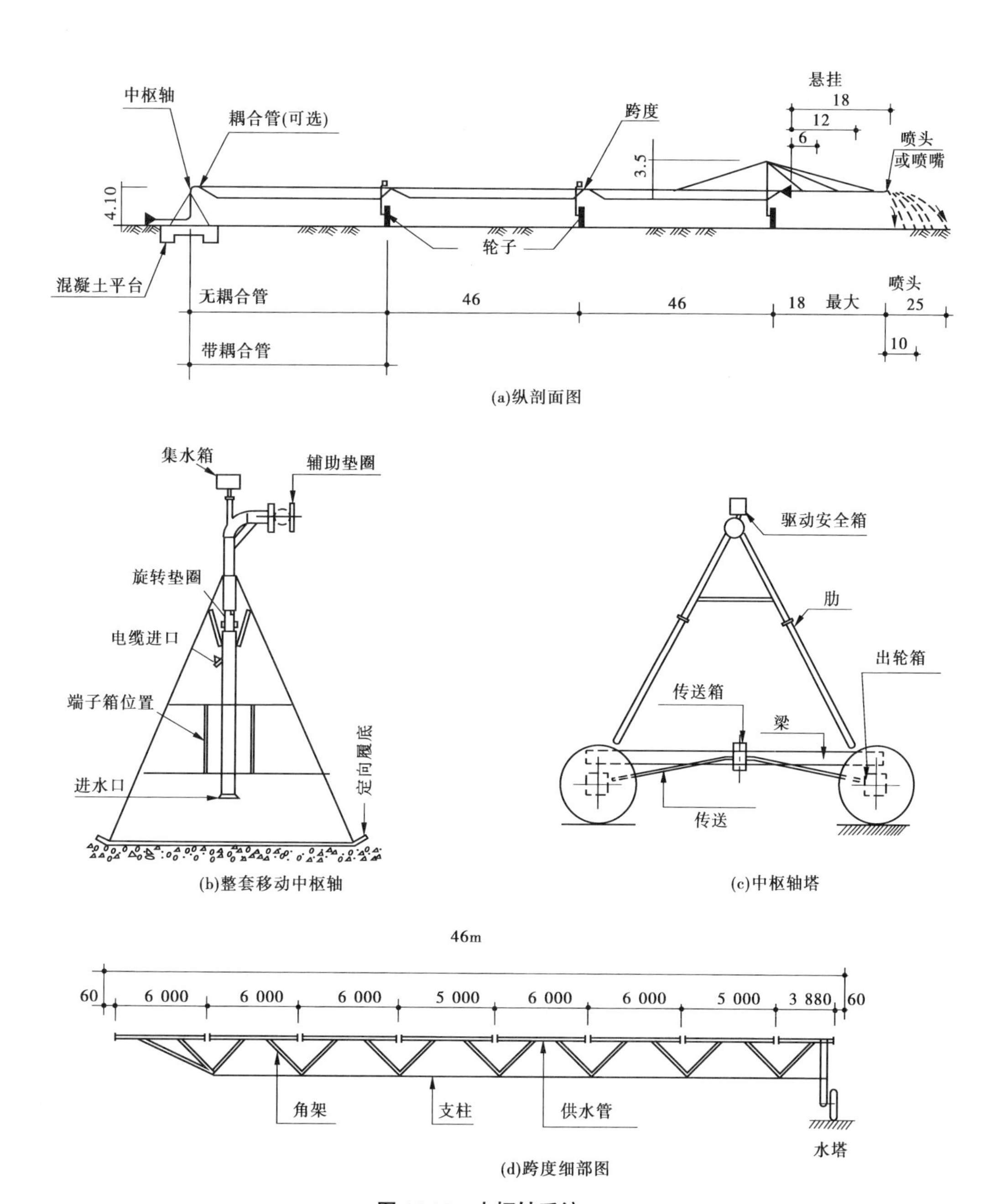

(a)纵剖面图

(b)整套移动中枢轴

(c)中枢轴塔

(d)跨度细部图

图 11-13　中枢轴系统 CPS

的地方看起来是干的,但在所有灌溉系统中,滴灌效率是最高的。与其他灌溉系统相比,效益最高。图 11-14 示出了滴灌系统的等角图。在同样条件下,采用滴灌系统灌溉的用水量仅为漫灌或畦灌的 10%,灌溉效率约为 80%。

11.6.1　滴灌系统的组成

11.6.1.1　发射器

水实际上是通过发射器这种精确量测装置作用于植物根系,且通过流量非常小。发射器流量范围在 0.25gal/h(1L/h)至 2gal/h(8L/h)之间。

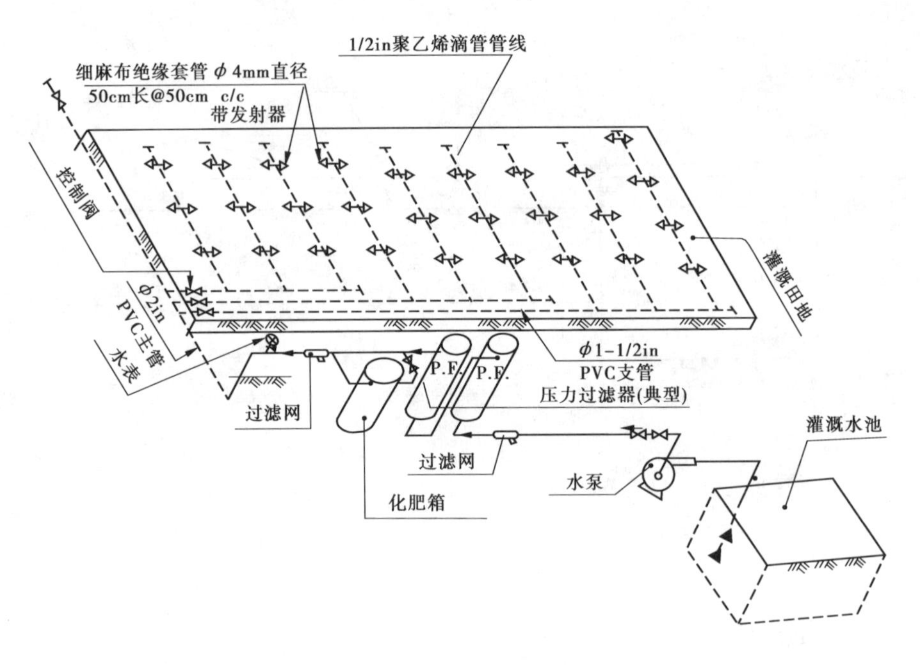

图 11-14 滴灌系统的等角图

11.6.1.2 横向软管

横向软管将水送到发射器,并沿庄稼铺设。最普通的横向软管内径为 0.5in (13mm)。

11.6.1.3 化肥灌溉装置

由于灌溉水量非常小,所以采用与灌溉水混合在一起的液体化肥代替固体化料。因此,化肥灌溉装置变成了系统的不可分割的部分。为防止堵塞发射器,应避免使用含磷化肥。还可通过在整个装置应用其他化学制品来抑制杂草生长。

11.6.1.4 过滤装置

对于滴灌系统,为了避免堵塞发射器必须设置过滤装置。该装置通常为自动砂床过滤器,并且一旦因堵塞使压力超过设计极限,就可通过反向水流系统进行冲洗。

11.6.1.5 水泵和电动机

与喷灌系统不同,滴灌系统需要低扬程、小流量的水泵来降低能耗。

11.6.2 滴灌系统中水的应用

图 11-14 给出了植物通过滴灌和传统灌溉系统获取水的能力对比图。从图中可看出滴灌系统与传统灌溉系统比较,时间间隔短,灌溉深度也浅。而传统灌溉的时间间隔长且灌溉深度也深,结果导致渗流和蒸发损失,同时,也给植物带来更大的压力,从而降低植物生长速度,减小产量,见图 11-15。

喷灌系统约使用畦灌用水量的 1/3;其灌溉效率,根据风速、蒸发等条件为 70%～80%。滴灌系统用水量仅为畦灌用水量的 10%。滴灌在所有灌溉系统中效率最高,产量也最高。在严重缺水的的干旱和半干旱地区,滴灌越来越普遍。

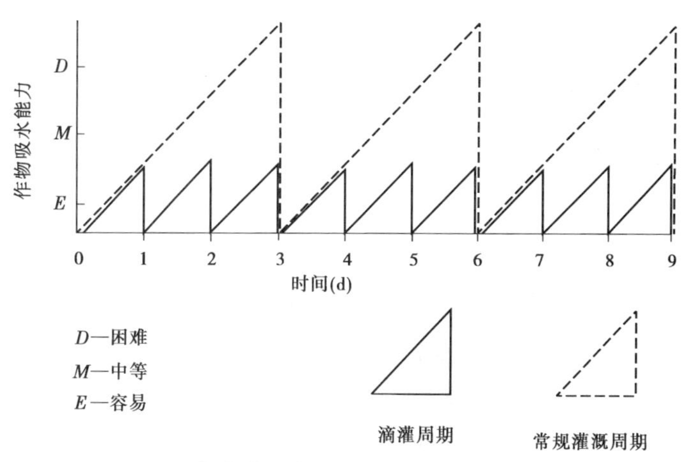

图 11-15　在滴灌和常规灌溉系统中作物的吸水能力

习题

1. 植物根从土壤中吸取水分的机理是什么?

2. 什么是渗透压力? 植物根系吸取水分的能力随灌溉水含盐量和土壤水分的增加而减小。用渗透压力现象解释这种情况为什么和如何发生。

3. 土壤孔隙率为 40%,容水量为 30%,凋萎点为 20%;庄稼为小麦,其根区深度为 2.5ft;土壤灌溉至饱和点。确定植物可以利用的实际水量。假设合适的土壤干密度值。

4. 设计细砂畦灌系统,地面坡度为 0.25%,庄稼为小麦,总用水量为 8in,在 80d 的时段内同样灌溉 4 次。

5. 为什么用滴灌系统灌溉的庄稼产量比喷管或传统灌溉系统灌溉的高得多?

6. 在俾路支省正在使用的滴灌系统为什么在信德省和旁遮普省没有使用?

7. 滴灌系统每个组成部分的主要设计准则是什么?

8. 对滴灌和传统灌溉系统进行分析、比较,即分析、比较植物吸取水分的能力和用滴灌系统创高产的原因。

参 考 文 献

[1] Adams R, Adams M, Willen A. Dry Lands, Man and Plants. The Architectural Press Ltd., London 1978.

[2] Withers B, Vipond S. Irrigation Design and Practice. Batsford Academic Education Limited London, 1983.

[3] Israelson O W, Hensen V E, Stringham G E. Irrigation Principals and Practices. Jhon Wiley &Son, Newyork, 1980(Fourth Edition)

[4] Hillet D. Advances In Irrigation Volum Ⅰ. Academic Press Newyork, London, 1982.

[5] Schwab G O, Frevert R K, Edminster T W, Barnes K K. Soil and Water Conservation Engineering (Second Edition). Jhon Wiley, Newyork, 1966.

[6] Yaron B, Danfors E, Vaadia Y. Arid Zone Irrigation Springler - Verlag Newyork. Berlin 1973.

12 灌溉的环境影响

12.1 前 言

从定义上看,环境影响是通过所考虑的行为或系列行为,产生或引起的不利或有利的环境条件的任何改变或环境条件而形成。就象建造水力发电大坝,工厂或实施灌溉工程那样,尽管有许多有利因素,但如果不在规划阶段采取必要的措施,就有可能产生不利影响。因此,当今的各项灌溉、农业或工业工程项目都必须进行环境影响评价来评定其负面影响,以便能在设计阶段,即考虑必要措施来减少并降低该负面影响。工程开发与环境影响是密不可分的,因此在任何工程实施前都应测定与工程效益相关的那些环境破坏问题。

这些可持续开发并兼顾环境开发的理念已经在第二次世界大战后不太明显地显现出来,但是在1970年美国通过了《国家环境政策法(NEPA)》后所采取的具体做法是,确保在决策过程中全面考虑并融入质量和环境保护问题。目前,环境影响评价已成为工程规划中一个不可分割的组成部分。

显然,当巴基斯坦在150年前开始实施灌溉工程之时,还没有产生这类概念。结果,在过去150年里形成的水涝和盐碱化造成了广大区域荒芜的总体环境退化和灾难。

在印度河河谷(即旁遮普省和信德省)开始修建大型灌溉系统工程之前,地下水位一直处于天然平衡状态。各类水源,即地下水来水量的渗透量等于出水量,因而保持了稳定的状态。通过建设大型灌溉系统,建造了许多拦河闸和大约43 000mile的大小渠道(大部分都未衬砌),这些渠道系统覆盖了14×10^6acre的土地。这些新的渗透源破坏了地下水的平衡,造成了地下水位的升高并因水涝而最终毁坏了农田。地下水位升高到接近地表而且通过蒸发在植被根部区域或在地表形成盐碱层,导致灌溉土壤的盐碱化。这样,水涝和盐碱化的双重威胁就把大片的肥沃土地变成了不毛之地。

人们发现20ft深度以下的地下水位平均升高值为每年1~1.7ft,10~20ft深度的地下水位平均升高值为每年0.5ft,10ft深度的地下水位平均升高值为每年约0.1ft。距离地表5ft以内的水位通常保持稳定,但却随季风前期和季风后期的季节性气候条件变化而波动。不同区域的地下水位升高变化因各区域的不同蒸发蒸腾率而异。截止1987年,在将近5.2×10^6acre的灌区或渠道灌溉总面积中有13%的地下水位仍处于距离地表5ft之内,即人们所说的灾害区域,也就是处在严重涝沥范围内。

如果在灌溉系统规划时包含了排水系统或在渠道系统中强制采用了比较经济的衬砌形式,那么对环境影响即便不能完全排除,也会大大减小。其次,尽管这种措施看起来非常昂贵,但是目前已经造成的破坏和正在采取的补救措施费用已远远超过了在修建灌溉系统时衬砌渠道或建设排水系统的那笔费用。

当然,灌溉主要是增加了农业产量,提高粮食自给自足能力,从而降低了对进口的依赖性。

表 12-1 水涝影响区域 $\times 10^6$ acre

省名	地表以下水位深度		
	0～5ft	5～10ft	0～10ft(前 2 项)
旁遮普	1.90	7.52	9.42
信德	3.13	8.54	11.67
西北边境	0.09	0.33	0.42
俾路支	0.14	0.24	0.38
合计	5.26	16.63	21.89

灌溉的不利影响主要就是水涝和盐碱化,这就是本章讨论的主题。但是,其他的次要不利影响还可能包括因区域内农作物种植造成的毁林和由水库与地表灌溉系统所导致的可能的疾病蔓延。当使用废水进行灌溉时,还存在农户和农产品消费者中感染疾病的可能性。

12.2 水涝定义

当水位升高至作物根区,土壤孔隙得以饱和并排挤出空气的高度时,就认为已经在该土地上形成了涝洳。当多次观测的水位升高到地表时,就形成总体或 100%的水涝。但是,即便水位远远低于地表也会开始出现水涝,这时就会出现毛细管走边,即在饱和线以上因毛细管作用出水。毛细管走边的深度根据土壤类型确定,对于粗颗粒和砂质土其深度小,而对于细颗粒土则深度大。其他重要因素是根部区域因各类农作物的不同而异的深度。对于小麦,根部区域深度约为 2ft,而当排水良好的土内毛细管走边深度为 4ft 时,就开始出现水涝,并且当水位位于地表以下 6ft 时农作物就会受影响。

12.3 盐碱化

其他的环境影响就是土壤盐碱化。当水位靠近地表并且地下水因毛细管作用而升高到或非常接近地表时,就会出现蒸发,把溶解的盐分遗留在土壤孔隙内并最终呈现在地表。通常出现在地表的白色盐分为氯化钠,但同时发现地下水中还有其他盐分。这样就使该土壤不适合用作农田。

12.4 水涝环境影响

因考虑不周的灌溉系统规划所引起的涝洳土环境影响包括:疟疾传播、作物产量损失、因涝洳土承载力降低而带来的道路破坏、经过建筑物毛细管的水位上升、潮湿及疾病。因水分蒸发而遗留的盐分、建筑物内灰泥脱落或在土地和建筑物上出现不雅与丑陋斑点而形成的沿墙壁盐渍外观。同样,在那些土地没有被完全淹没的地方,盐碱化也能毁坏植被和农作物。据观察,那些不适合农业用途的含盐土壤被农户用来制作建筑用砖。当这些砖潮湿时,盐分就会出现在表面,从而破坏建筑物的灰泥层和外观。

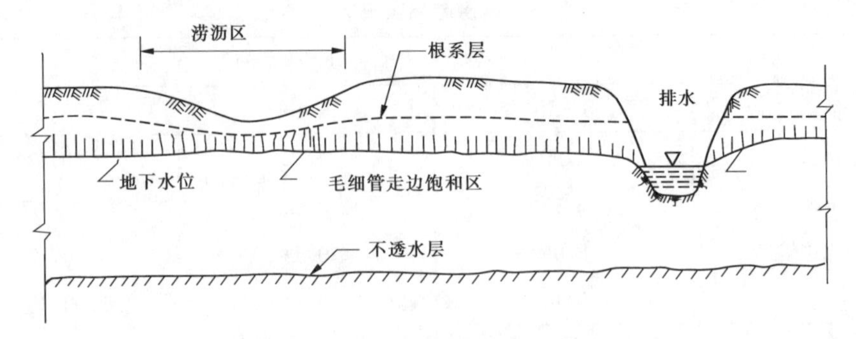

图 12-1　涝沥区域定义

12.5　破坏机理

在涝沥土壤中,以下机理毁坏了农作物并影响其产量。

(1)农作物中的氮和磷等营养成分都以化合物的形式出现,而且不可能被植物这样吸收利用。它们以离子形式分裂后被植物根部区域内寄生的需氧细菌所吸收。由于不通风才形成缺氧状态,杀死细菌吸取植物生存所需食物,这样就影响植物健康并最终导致其死亡。

(2)植物根系从土壤溶解物中吸收或吸取水分,这些水分黏附在土壤颗粒上并由空气所包围,即处于非饱和条件下。因此,当涝沥土完全饱和时,植物根就无法吸收水分而且不能通风。因而,当持续处于这种情况时,植物就会死亡。

(3)在灌溉或降雨时,使根部区域饱和的水分会下移,向下洗刷过量的盐分,一旦非饱和条件出现,植物就开始吸收水分。在涝沥土中,水分因毛细管作用向上移,在根部区域产生越来越多的盐分。当土壤溶解液中的盐碱度过量时,该植物就会在吸收水分时承受更大应力并导致最终无法吸收水分,该植物长期枯萎。

(4)水涝导致根部区域内的盐分沉积,如果这些盐分为碱性,那么在土壤 pH 值超过 8.5 时该植物就受影响,并且在 pH 值为 11.0 时就完全失去肥力。同样当土壤内酸质盐分的 pH 值为 4 或更低时,该植物就无法吸收养分并导致死亡。

(5)水涝土壤为蚊子提供了极好的滋生地并导致疟疾传播。

(6)有水时,土壤的承载力大大减小,造成涝沥区域内的道路和建筑物破坏。

(7)土壤内的水因毛细管作用经基础而升高,从而产生湿气、使灰泥脱落,并在建筑物墙壁上呈现盐斑块。

(8) 某些杂草在涝沥土壤中生长特快,使正常的作物无法与其共同生长,因而抑制了在该区域种植那些适用的作物。

(9) 由于承载力降低,农业机械无法在田间使用,农业活动也无法进行。

12.6　水涝起因

如前所述,开发自然资源的人类活动扰乱了环境的均衡,在获得收益的同时也产生了不利影响。因此,在 20 世纪开始启动灌溉系统时,由于可通过渠道利用河水,大片的土地得以开发。但那时既没有预见到不利影响、也没有规划并采用必要的应对措施，造成了水涝和盐碱化这些不利的环境影响。在修建灌溉系统前，通过河流、湖泊和雨水渗漏产生的地下水库总来水量等于总出水量，因而保持了地下水库水位的稳定，不过，季节性波动除外。对于当时的来水量，非衬砌渠道系统每年增加 15.3×10^6acre·ft，在 1960 年签定《巴印印度河条约》后修建的连接渠道每年增加 3.0×10^6acre·ft，水道渗水估算为每年 7.5×10^6acre·ft，最后是供水用的防洪灌溉方法，每年至少约增加 12.0×10^6acre·ft，是滴灌系统的 10 倍以上和喷灌系统的 5 倍以上。由于没有在渠道沿线修建排水系统，进入地下水库的这些水造成地下水位持续上涨，达到一个稳定的但非常接近地表的位置，因而导致涝沥和土地盐碱化。这就造成了 13% 农田的涝沥损失，而且越来越多的区域遭受影响。

12.7 应对措施

用以下两种方法可检测水涝的蔓延并重新开发遭受涝沥的土地：

(1)垂直排水系统；

(2)水平排水系统。

12.7.1 垂直排水系统

垂直排水系统就是在涝沥区域内布置大量的大容量和重型的水井。本书第 10 章详细叙述了这些水井的设计。根据《Ravel 委员会》报告，在 20 世纪 60 年代前期就在选定区域内修建了大量的容量为 $1\sim2\text{ft}^3/\text{s}$ 的管井，这些管井都极大遭受到水涝的负面影响。这类工程就叫做《盐碱化控制与复垦工程(SCARPS)》。截止 1988 年，水电开发署(WAPDA)通过 36 个 SCARPS 项目(13 700 眼井)覆盖面积 9.2×10^6acre。还完成了地表排水6 000mile 来处理盐碱水问题。尽管早在 1944 年就采用水井进行土地开发，但它在那时还不是一种完整方式。当时的策略是优先考虑那些拥有可利用的地下淡水区域。然而，为了开垦土地，管井都布置在盐碱地下水区域。淡水区域内的管井提供额外的灌溉用水，这样盐碱水处理就是一个相当严重的问题，因为如将其排入天然排水或河流中就会影响水质。对于那些水中盐碱度不太严重的区域，可与渠道水混合后用于灌溉。在 1983—1993 年间，WAPDA 和其他政府机构在淡水区域内配置了大约 4 000 眼水井，在盐碱水区域内配置了 3 560 眼水井。由私营企业开挖的管井数目没有包括在内，这类管井的目的更侧重于增加灌溉供水而不是土地开发。据估算，目前私有企业和公用事业一共拥有 25 万眼灌溉和土地开发用水井。尽管巴基斯坦自 20 世纪 60 年代前期以来就一直广泛采用垂直排水系统，即管井来作为涝沥和盐碱化的处理措施，但并没有提供一种自然的解决方案。这样做仅仅是为了获得快速效果，而且在那些居民区里征地用于露天或管道排水也将是一个费时费力的过程。其主要不足是：成本高、费电和维护费用高、使用寿命短(根据地下水质量从 5 年到最大 10 年不等)和过滤网孔槽设计不当。在某些情况下，一年内水井出水量将下降到不足设计水量的 50%。

12.7.2 水平排水系统

有两类水平排水系统如下：

(1)明渠地面排水；

(2)瓦管层下排水。

如前所述,管井根本不是一种减少人工灌溉环境影响的经济解决方案。它既不属于明渠排水,也不属于层下排水,用来提供这类环境污染的天然解决方案。但是,它们都需要进行持续地维护来检测明渠排水渠底的杂草生长,这些杂草如不能定期清除就会完全毁坏这些排水。而且还要采用高质量材料和适当修建管道排水,这也是瓦管排水或管道排水所必须的。在加拿大,即便运行了上百年后,瓦管排水依然有效,而在巴基斯坦 10 来年内就出现严重的排水堵塞。

1960 年在沙特阿拉伯东部省的 Hoful 建设了一个深挖明渠排水系统和重力流渠道系统,运行 33 年后完全将地下水位控制在了根部区域以下。那里的灌溉源是 52 孔天然泉水,而且在建设该灌溉排水系统前,大部分区域都遭受过涝沥之苦。这是一个进行良好的长期规划的实例。随着土地开发与用水需求的不断增加,排水在经过必要处理后与渠道水混合正被重新用于灌溉。

根据现有的经验,在管井运行和维护的近 30 年里,巴基斯坦目前的重心已转移到水平装置上,即地表与层下排水。在第 6 个 5 年计划中(1983—1988 年),计划建设 3 065mile的地表排水和 8 381mile 瓦管排水。第 7 个 5 年计划(1988—1993 年)的目标是新建 2 200mile 的地表排水、改造 1 850mile 的老地表排水和新铺设 1 800mile 的瓦管排水。目前将要完工的最大明渠地表排水工程是位于信德省内的左岸出口排水,它将排除印度河左岸从古度(Guddu)拦河闸到阿拉伯海间的过量地下水。

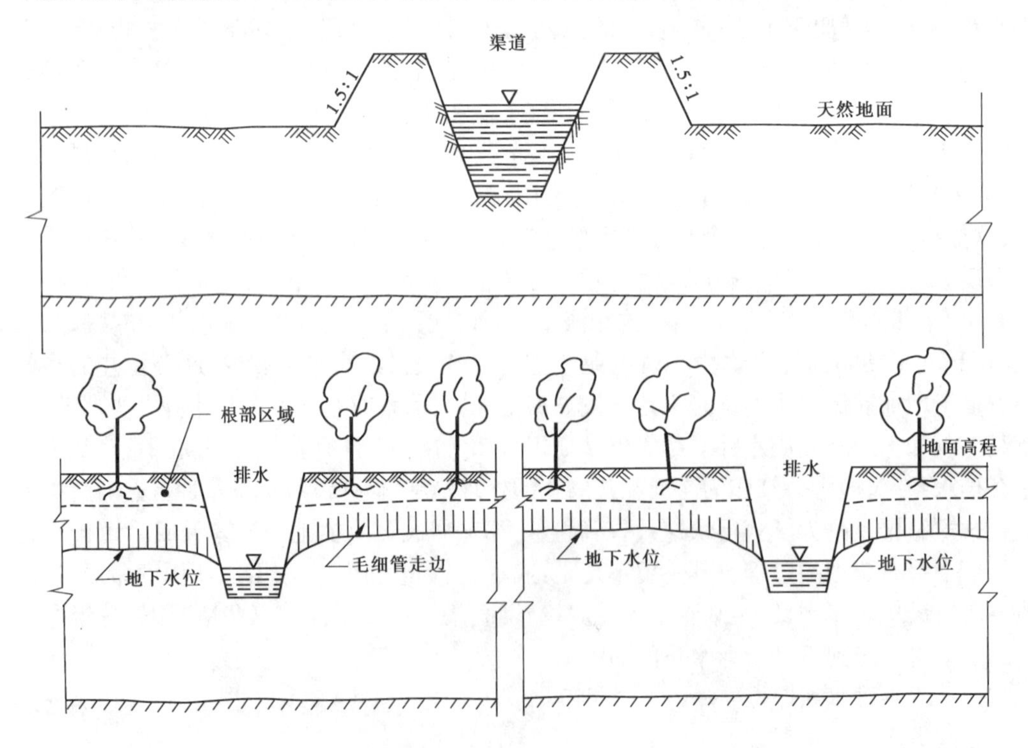

图 12-2　渠道与排水的差异

12.8 排水设计

12.8.1 明渠排水

明渠排水的渠线应尽可能沿该区域的天然排水的地形等高线布置。渠道与明渠排水的主要差别是渠道内水位应高于地面高程，而明渠排水内的最高水位则应低于地下水位，以便能使两条平行排水之间的地下水最大高度保持在远远低于根部区域的范围。基本设计原则如同均衡流的明渠设计原则。需要确定的重要参数是地下水位的流量和高程。

地表排水的边坡从 $0.5H:1V$(用于坚硬的压实黏土)到 $3H:1V$(用于沙质地层)不等。排水的底部和水位都应根据出水口高程和地下水高程确定。底坡范围 0.000 5～0.001 5。深度根据地下水高程确定，范围 6～11ft 不等。

由于产生的流速低(不足 3ft/s)，在排水底部生长了大量的杂草，需要用机械除草机或采用化学药品经常进行清理。但应避免使用化学除草剂，因为那样可能会毒害水生命，而且也会给饮用这些排水的牛群带来麻烦。

12.8.2 层下排水

层下排水通常使用非釉面的黏土瓦管和混凝土管。使用不带孔的管道把两端连接并插接在一起。水通过相邻断面间的空隙进入排水道。最好用砾石并在可能时采用分级配的过滤料来覆盖带孔或不带孔的管道，如图 12-3 中所示。通常的管道直径规格为 4～6in，也可采用更大的尺寸。两相邻端的空隙不允许土壤进入堵塞排水。如果孔口为 3mm(1/8in)宽，那么就应用碎砖瓦片、油毛毡或其他材料予以覆盖，以防止进土。

4in 直径排水的坡度不得小于 0.2%，以便能在全流量时产生大约 1ft/s 的流速，以防止管内泥沙沉积。间距可进行计算，但作为一般规律，其相互间的距离范围应为 50～150ft。

不过，管道排水系统需首先确定的主要参数为设计排水率、设计水位深度和管道安装深度。诸如间距和管子规格等其他参数都将通过这些主要参数获得。

排水间距公式：

参照图 12-4，应注意，排水应设在所需最高地下水位以下约 1ft(30cm)处。换句话说，由排水形成的水位降通常都应处在图中所示的数值上下。因此，排水的间距必须是通过把水力梯度 $L/2$ 确定成 1ft 以便能从土壤中排除充裕的水分。

如同在水井中那样应用达西(Darcy)公式后，就可获得以下用于计算给定流量和给定土壤渗透率的排水间距公式。

对于单位长度的管子，水流面积为 $y\times 1$，坡度为 $\mathrm{d}y/\mathrm{d}x$。显然，在 $x=L/2$ 时，排水流量 q 为零，当 $x=0$ 时，$q=Q/2$，其中 Q 为每英尺排水的设计流量。

应用达西(Darcy)公式

$$q = Ky\mathrm{d}y/\mathrm{d}x = \frac{Q}{2}\left(\frac{2}{L}\left(\frac{L}{2}-x\right)\right)$$

式中 L——排水间距；

K——渗流系数。

$$\frac{Q}{2KL}(L-2x)\mathrm{d}x = y\mathrm{d}y$$

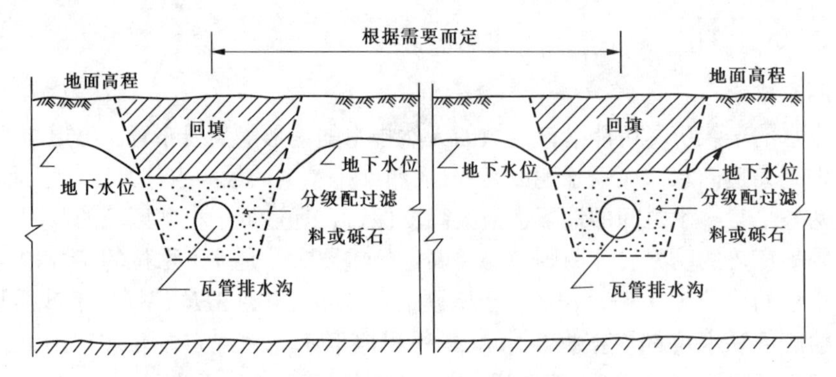

图 12-3 砖瓦衬砌排水断面

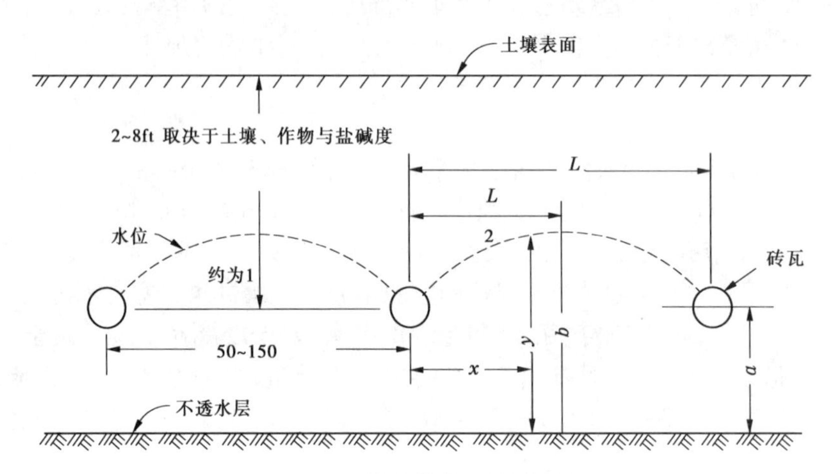

图 12-4 排水的间距(单位:ft)

通过积分

$$\frac{Q}{2KL}\left(Lx-\frac{2x^2}{2}\right)=\frac{y^2}{2}+C$$

设 $x=0,y=a$,求取 C,因此 $C=-\frac{a^2}{2}$

把 C 值代入上述公式并求解 K

$$K=\frac{Q(Lx-x^2)}{L(y^2-a^2)}$$

当 $x=L/2,y=b$ 时

$$L=\frac{4K(b^2-a^2)}{Q}$$

【例题 12-1】

一农户打算在一块土壤渗透率为 500gal/(d·ft^2)的土地上布置瓦管排水。不透水层位于土壤表层以下约 10ft,要求地下水位至少位于土壤表层以下 3ft。预期的因降雨或其他因素形成的预期流量为 0.05ft^3/(h·ft^2)。

解:参照图 12-4,地下水位上限位于地面以下 2ft。假定排水顶点与中心的水位降为 1ft,那么瓦管排水应布置在不透水层以上 6ft 或地面以下 4ft。

因此,在以下公式中

$$L = \frac{4K(b^2 - a^2)}{Q}$$

$$a = 6\text{ft}$$

$$b = 7\text{ft}$$

$$K = 500 \times 0.134\text{ft}^3/(\text{d} \cdot \text{ft}^2)$$

$$1\text{gal/d} = 0.134\text{ft}^3/\text{d}$$

$$K = 2.79\text{ft/h}$$

$$Q = \text{总流量} / \text{单位管长} = 0.05 \times L = 0.05L\text{ft}^3/\text{h}$$

$$L = \frac{4 \times 2.79(49 - 36)}{0.05L}$$

$L = 53.8$ft,即间距 $= 55$ft。

12.9 土地开发的生物农业法

近来用生物农业法进行了实验,实验中,在涝沥和盐碱区域种植了特定类型的杂草。这些诸如苏丹草或盐土草的杂草不仅能在涝沥区域旺盛生长,而且还吸收了超量的水分和盐分,从而通过增加蒸发蒸腾量使地下水位降到根部区域以下,并通过加大利用率降低了根部区域的盐碱度。这些杂草还可用作饲料,如果它们能够定期生长,那么就会保护此处的土地免遭水涝和盐碱性侵害。因此,专家建议,可采用一定的农作物种植模式来处理并防止水涝和盐碱性侵害。但是,还将有待于大面积推广,而且管井和瓦管排水仍然被认为是特定的解决方案。

12.10 环境影响评价(EIA)

环境影响评价集中在那些可能会影响灌溉工程耐久性的问题、矛盾或自然条件限制上。还会审核这类工程如何给人们和周围的生态系统带来危害。在预测了可能存在的问题后,环境影响评价将确认那些最大限度减少问题的措施,并改进工程适应环境的方法。环境影响评价的目的是确保在工程规划设计早期预测并提出那些可能存在的问题。图 12-5 显示了在工程规划、设计、实施和运行中的环境影响评价概念与具体位置。

环境影响评价包括以下 3 个部分。

12.10.1 鉴定

(1)描述现有的环境系统;

(2)确定工程组成部分。

12.10.2 预测

(1)确定可能重要的那些环境改造;

(2)估算出现环境影响的概率。

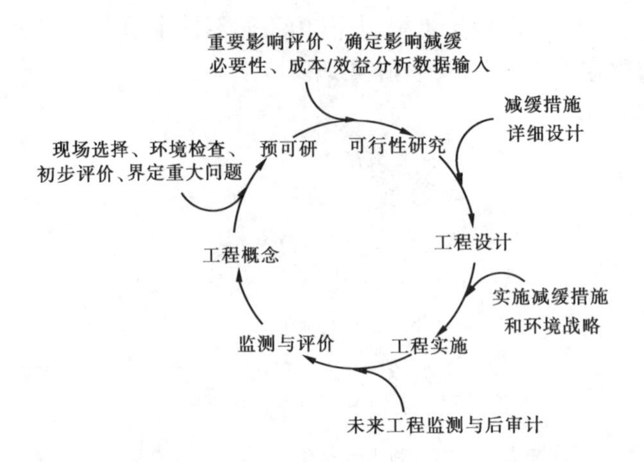

图 12-5　工程规划的环境影响评价重要性与影响减缓措施

12.10.3　评价

确定用户群的成本效益和受拟建的灌溉工程影响的生态系统。

人们针对上述 3 个标题的每一步都研究了多种方法,而且仍在不断完善。其目的就是为决策者提供环境影响结果,以便在规划阶段就能采取适当措施。这些措施主要有:①特例研究;②目录清单;③矩阵。

在上述几种技术措施中,目录清单法能提供便于理解的解决方案,因此进行了详细的分析研究。目录清单法会提供可能的环境影响参数特别清单。尽可能定量评价那些不利或有利影响。但是,有时不可能对所有参数进行定量,这时就需进行定性评价。

以下介绍 4 类目录清单,即:

(1)简单的目录清单。这是一个环境参数清单。不提供如何测定并解读这些环境参数的指导方针。

(2)描述性目录清单。该清单包括环境参数的确定和如何测定该参数数据的指导方针。

(3)按比例的目录清单。该清单类似于描述性目录清单,但却增加了用于确定参数值的主观比例的基本信息。

(4)按比例加权的目录清单。它提供了带有某些信息的按比例目录清单,这些信息作为对每个参数相对于所有其他参数的主观评价来提供。

因此,环境影响评价的程序应该是编制一个环境成分清单并对其进行工程前或通常条件下的研究。然后再评价可能的工程建设后的条件变化,并确定它们是否会有利、不利或根本不会产生任何影响。

表 12-2 为包含拦河闸和大坝的灌溉工程的典型目录清单。

表 12-3 为巴基斯坦在印度河上拟建的 Kalabagh 坝的环境影响评价结果。为编制本表所进行的详细计算结果未在本书中提供, 读者若有兴趣可参阅本书的参考文献 [8]。

表 12-2 **灌溉工程环境影响的典型目录清单**

<table>
<tr><th rowspan="3">环境参数</th><th colspan="7">可能影响的性质</th></tr>
<tr><th colspan="4">不利影响</th><th colspan="2">有利影响</th><th rowspan="2">无影响</th></tr>
<tr><th>短期</th><th>长期</th><th>局部</th><th>广泛</th><th>短期</th><th>长期</th></tr>
<tr><td>生态</td><td></td><td></td><td></td><td></td><td></td><td></td><td></td></tr>
<tr><td>食物</td><td></td><td></td><td></td><td></td><td></td><td></td><td></td></tr>
<tr><td>作物</td><td></td><td></td><td></td><td></td><td></td><td></td><td></td></tr>
<tr><td>森林</td><td></td><td></td><td></td><td></td><td></td><td></td><td></td></tr>
<tr><td>野生动物</td><td></td><td></td><td></td><td></td><td></td><td></td><td></td></tr>
<tr><td>渔业</td><td></td><td></td><td></td><td></td><td></td><td></td><td></td></tr>
<tr><td>供水</td><td></td><td></td><td></td><td></td><td></td><td></td><td></td></tr>
<tr><td>地下水</td><td></td><td></td><td></td><td></td><td></td><td></td><td></td></tr>
<tr><td>水位</td><td></td><td></td><td></td><td></td><td></td><td></td><td></td></tr>
<tr><td>水涝</td><td></td><td></td><td></td><td></td><td></td><td></td><td></td></tr>
<tr><td>土壤</td><td></td><td></td><td></td><td></td><td></td><td></td><td></td></tr>
<tr><td>杀虫剂应用</td><td></td><td></td><td></td><td></td><td></td><td></td><td></td></tr>
<tr><td>陆路运输</td><td></td><td></td><td></td><td></td><td></td><td></td><td></td></tr>
<tr><td>航运</td><td></td><td></td><td></td><td></td><td></td><td></td><td></td></tr>
<tr><td>气候变化</td><td></td><td></td><td></td><td></td><td></td><td></td><td></td></tr>
<tr><td>防洪</td><td></td><td></td><td></td><td></td><td></td><td></td><td></td></tr>
<tr><td>供电</td><td></td><td></td><td></td><td></td><td></td><td></td><td></td></tr>
<tr><td>移民安置</td><td></td><td></td><td></td><td></td><td></td><td></td><td></td></tr>
<tr><td>社会经济</td><td></td><td></td><td></td><td></td><td></td><td></td><td></td></tr>
</table>

表 12-3 **巴基斯坦 Kalabagh 坝的环境影响评价结果汇总**

序号	影响项目	有利和正面影响	不利和负面影响	无影响
主要影响				
1	移民安置与人口		×	
2	健康与卫生		×	
3	防洪、洪水演算和破坏	×		
4	陡峭区域			×
5	信德的漫灌区耕作			×
6	印度河河口海水入侵			×
7	溃坝/大坝失事			×
8	雇工	×		
9	战争危险		×	
10	发电	×		
11	灌溉放水	×		

续表 12-3

序号	影响项目	有利和正面影响	不利和负面影响	无影响
次要影响				
1	土地利用		×	
2	植被		×	
3	气候			×
4	考古资源		×	
5	野生动物		×	
6	航运	×		
7	渔业	×		
8	运输中断			×
9	基础设施重新布置		×	
10	矿产资源损失			×
11	河流泥沙影响		×	
12	地震			×
13	输电线路影响			×
14	土料场、采石场和弃料场		×	
15	噪音			×
16	红树林			×
17	饮用水	×		
18	水质与超营养作用			×
19	水生杂草		×	
20	施工影响			×
21	环境美化、旅游和娱乐	×		

习题

1.除水涝和盐碱化以外,列举并讨论灌溉的其他环境影响。

2.水涝如何阻碍并破坏植物成长?植物的生长与生存需要空气吗?

3.土地是怎样盐碱化的?灌溉水对抑制盐碱化的作用如何?

4.产生盐碱化的常见盐分是什么?根部区域的过量盐碱度是如何导致植物枯萎与最终死亡的?

5.管井排水系统的优缺点是什么?SCARPS是什么?巴基斯坦有多少此类工程?

6.用草图说明渠道与地表排水的不同。地表排水系统的优缺点是什么?

7.与地表排水相比,管道排水的主要优势是什么?对于一块渗透率为400gal/(d·ft)的土地,不透水层深度距离地面12ft,根部区域深2.5ft,毛细管走边1.5ft,确定将会汇集单位排水长度的渗透流量为0.02$ft^3/(h \cdot ft^2)$的地表排水间距。

8.封闭的层下排水间距为55ft,在地表以下6ft深度的渗透系数为48ft/d,渗流层厚度为25ft,计算每英尺排水的流量。

参 考 文 献

[1] Planning Commission. The Sixth Five-Year Plan 1983 – 88. Govt, of Pakistan Islamabad, 1983.

[2] Planning Commission. The Seventh Five-Year Plan 1988 – 93. Govt, of Pakistan Islamabad, 1988.

[3] Linsley R K, Franzini J B. Water Resources Engineering Chapter 18. Drainage, McGraw Hill Book Co. New York, Third Edition 1979.

[4] Luthin James N. Drainage Engineering. Wiley Eastern Private Ltd. New Delhi, 1970.

[5] Johnson S H. Large Scale Irrigation and Drainage Schemes in Pakistan. A study of Rigidities in public Decision Making Food Research Institute Studies 1982.

[6] Malinberg G T. Reclamation by Tubewell Drainage in Rechna Doab and Adjacent Areas. Punjab Region Pakistan. Geological Survey water Supply Paper 1608 – 0 Washington D.C., U.S. Govt. Printing office 1975.

[7] Johnson R. Private Tubewell Development in Pakistan's Punjab: Review of Past Public Programs Policies and Relevant Research. International Irrigation Management Institute, Lahore, 1989.

[8] Rehan Ahmed Environmental Impact Assessment of Kalabagh Dam Project M.Sc. Thesis. Institute of Environmental Engineering & Research, Karachi, 1990.

常用单位换算

换算前单位	乘以	换算前后单位
英亩(acre)	43 560	平方英尺(ft^2)
英亩(acre)	4 047	平方米(m^2)
英亩(acre)	4 840	平方码(yd^2)
英亩(acre)	0.404 7	公顷(hm^2)
英亩－英尺(acre·ft)	43 560	立方英尺(ft^3)
英亩－英尺(acre·ft)	325 851	加仑(gal)
英亩－英尺(acre·ft)	1 233.48	立方米(m^3)
大气压	76.0	厘米水银柱(cm·Hg)
大气压	29.92	英寸水银柱(in·Hg)
大气压	14.70	磅/平方英寸(lb/in^2)
大气压	1.058	吨/平方英尺(t/ft^2)
立方英尺(ft^3)	0.028 32	立方米(m^3)
立方英尺(ft^3)	7.4805	加仑(美国)(gal(US))
立方英尺(ft^3)	28.32	升(L)
立方英尺/秒(ft^3/s)	0.646 3	百万加仑/天($\times 10^6$ gal/d)
立方英尺/秒(ft^3/s)	448.83	加仑/分(gal/min)
立方米(m^3)	35.31	立方英尺(ft^3)
立方米(m^3)	264.2	加仑(gal)
立方米(m^3)	1 000	升(L)
英尺(ft)	30.48	厘米(cm)
英尺(ft)	0.304 8	米(m)
加仑(美国)(gal)	3 785	立方厘米(cm^3)
加仑(美国)(gal)	3.785×10^{-3}	立方米(m^3)
加仑(美国)(gal)	3.785	升(L)
加仑(英国)(gal)	1.201	美国加仑(gal)
加仑/分钟(gal/min)	2.228×10^{-3}	立方英尺/秒(ft^3/s)
公顷(hm)	2.471	英亩(acre)
公顷(hm)	10 000	平方米(m^2)

马力	33 000	英尺磅(分钟)(ft/(lb·min))
马力	550	英尺磅/秒(ft/(lb·s))
英寸(in)	2.540	厘米(cm)
千米(km)	3 281	英尺(ft)
千米(km)	0.621 4	英里(mile)
升(L)	0.035 3	立方英尺(ft^3)
升/分钟(L/min)	5.886×10^{-4}	立方英尺/秒(ft^3/s)
米(m)	3.281	英尺(ft)
英里(mile)	5 280	英尺(ft)
英里(渠道)(mile)	5 000	英尺(ft)
磅/立方英寸(lb/in^3)	2.768×10^4	千克/立方米(kg/m^3)
磅/平方英寸(lb/in^2)	2.301	水头英尺(Feet of water)
平方千米(km^2)	247.1	英亩(acre)